AS AMÉRICAS E A CIVILIZAÇÃO

DARCY RIBEIRO

AS AMÉRICAS E A CIVILIZAÇÃO

Processo de formação e causas do desenvolvimento desigual dos povos americanos

© Fundação Darcy Ribeiro, 2013
Estudos de Antropologia da Civilização
6ª Edição, Companhia das Letras, 2007
7ª Edição, Global Editora, São Paulo 2021
1ª Reimpressão, 2022

Jefferson L. Alves – diretor editorial
Gustavo Henrique Tuna – gerente editorial
Flávio Samuel – gerente de produção
Juliana Campoi – coordenadora editorial
Fernanda Umile e Adriana Bairrada – revisão
Bruna Ribeiro – editora de textos
Victor Burton – capa
Evelyn Rodrigues do Prado – projeto gráfico
Ana Claudia Limoli – diagramação

Ilustrações de capa e quarta capa
Spix & Martius. "Maxuruna, um dos semblantes do Mundo Novo". In: *Viagem pelo Brasil* (1823-1831), gravura aquarelada.
Príncipe Maximilian Alexander Philipp de Wied-Neuwied. "Duelo de Botocudos". In: *Viagem pelo Brasil* (1820-1821), gravura aquarelada.

DADOS INTERNACIONAIS DE CATALOGAÇÃO NA PUBLICAÇÃO (CIP)
(CÂMARA BRASILEIRA DO LIVRO, SP, BRASIL)

Ribeiro, Darcy, 1922-1997
   As Américas e a civilização : processo de formação e causas do desenvolvimento desigual dos povos americanos / Darcy Ribeiro. – 7. ed. – São Paulo : Global Editora, 2021.

   ISBN 978-65-5612-102-4

   1. América - Civilização 2. América - História 3. Antropologia 4. Civilização - História I. Título.

21-57586   21-57586

Índices para catálogo sistemático:

1. América : Civilização : História   970
Maria Alice Ferreira - Bibliotecária - CRB-8/7964

Obra atualizada conforme o
NOVO ACORDO ORTOGRÁFICO DA LÍNGUA PORTUGUESA

Global Editora e Distribuidora Ltda.
Rua Pirapitingui, 111 — Liberdade
CEP 01508-020 — São Paulo — SP
Tel.: (11) 3277-7999
e-mail: global@globaleditora.com.br

globaleditora.com.br   @globaleditora
/globaleditora   @globaleditora
/globaleditora   /globaleditora
blog.grupoeditorialglobal.com.br

 Direitos reservados.
Colabore com a produção científica e cultural.
Proibida a reprodução total ou parcial desta obra sem a autorização do editor.

Nº de Catálogo: **3769**

SUMÁRIO

Advertência   9

Prefácio à primeira edição   11

Introdução: As teorias do atraso e do progresso   17
I. Progresso e causalidade   24
II. Aceleração evolutiva e atualização histórica   33
III. Consciência crítica e subdesenvolvimento   40

PRIMEIRA PARTE – A CIVILIZAÇÃO OCIDENTAL E NÓS   47

I. A expansão europeia   49
1. O ciclo salvacionista   53
2. A Europa capitalista   58
3. A civilização policêntrica   63
4. A civilização emergente   70

II. A transfiguração cultural   74
1. O autêntico e o espúrio   74
2. Tipologia étnico-nacional   83
3. Fusão e expansão das matrizes raciais   94

SEGUNDA PARTE – OS POVOS-TESTEMUNHO   101

III. Os mesoamericanos   111
1. O México asteca-náhuatl   112
2. A reconstrução étnica   118
3. A Revolução Mexicana   124
4. A América Central   137

IV. Os andinos — 144

1. O incário original — 145
2. O legado hispânico — 149
3. Revivalismo e revolução — 159
4. A Bolívia revolucionária — 168
5. A Revolução Peruana — 179

TERCEIRA PARTE – OS POVOS NOVOS — 193

V. Os brasileiros — 207

1. A protocélula Brasil — 208
2. A ordenação oligárquica — 223
3. O patrimônio fundiário — 232
4. A reforma agrária — 243
5. Modernização reflexa — 250
6. O dilema brasileiro — 260

VI. Os grã-colombianos — 279

1. Liteiras para espanhóis — 281
2. Irredentismo e emancipação — 287
3. O estado-caserna — 296
4. A vitrina ianque — 306
5. Sociologia da violência — 316

VII. Os antilhanos — 327

1. As plantações milionárias — 328
2. Arquipélago de quatro impérios — 336
3. A América socialista — 345

VIII. Os chilenos — 356

1. Os neoaraucanos — 358
2. Chile do cobre e do salitre — 366
3. A radicalização política — 370
4. A via chilena — 374

QUARTA PARTE – OS POVOS TRANSPLANTADOS   387

IX. Os anglo-americanos   396
1. Os colonos do Norte   396
2. Os "pais fundadores"   403
3. A façanha capitalista   411
4. Automação e militarismo   418
5. Os guerreiros do Apocalipse   426
6. Os canadenses   433

X. Os rio-platenses   434
1. Os povos novos do Sul   434
2. Assuncenos e missioneiros   441
3. Gaúchos e ladinos   448
4. O alude imigratório   455
5. A Argentina sob tutela   459
6. Uruguai: socialismo schumpeteriano   465

QUINTA PARTE – CIVILIZAÇÃO E DESENVOLVIMENTO   477

XI. Modelos de desenvolvimento autônomo   479
1. Caminhos autocráticos da industrialização   481
2. A via socialista   486

XII. Padrões de atraso histórico   494
1. Configurações histórico-culturais e
desenvolvimento   495
2. Balanço mundial da riqueza e da pobreza   504

Notas   511
Bibliografia   525
Vida e obra de Darcy Ribeiro   551
Índice onomástico   563

ADVERTÊNCIA

Esta nova edição de *As Américas e a civilização* constitui uma revisão e ampliação do texto escrito em 1967. A revisão não alterou substancialmente a versão original porque apenas corrigimos algumas formulações imprecisas. A ampliação foi mais efetiva porque nos sentimos no dever de entregar ao leitor informações e interpretações de acontecimentos cruciais da história recente da América Latina. Fundamentalmente, o surgimento e a debacle de um modelo de regime socialista evolutivo no Chile e de uma nova versão da revolução nacionalista modernizadora no Peru. Ambos decisivos, tanto pelo que representam em si como pelas repercussões que tiveram e terão provavelmente no continente.

É possível que esses retoques que pretendem atualizar nosso livro o tornem mais vulnerável. Isso porque seu propósito de reconstituir o processo de formação dos povos americanos com vistas a diagnosticar seus problemas de desenvolvimento deveria basear-se antes nos fatores supostamente permanentes do que na análise da incidentalidade dos eventos políticos quotidianos. Entretanto, como é na impetuosa dinâmica da vida política dos povos que se define seu destino e se realizam suas potencialidades, não há como fugir a esse exame. Tanto mais para aqueles que estudam e escrevem inspirados no desejo de influir no processo de mudança a fim de ajudar a pôr em marcha a revolução necessária.

Darcy Ribeiro
(1977)

Prefácio à primeira edição

Este livro, embora independente, integra uma série de cinco estudos de Antropologia da Civilização em que se procura repensar os caminhos pelos quais os povos americanos chegaram a ser o que são agora e discernir as perspectivas de desenvolvimento que se lhes abrem.

O primeiro deles, *O processo civilizatório*, é um esquema da evolução sociocultural nos últimos dez milênios, elaborado com o propósito de estabelecer categorias classificatórias das etapas de desenvolvimento, aplicáveis aos povos americanos do passado e do presente. O segundo, *As Américas e a civilização*, é o presente volume, que constitui uma tentativa de interpretação antropológica dos fatores sociais, culturais e econômicos que presidiram a formação das etnias nacionais americanas. Seu objetivo básico é proceder a uma análise das causas do desenvolvimento desigual das sociedades americanas. O terceiro, *O dilema da América Latina*, é um estudo da situação presente das Américas ricas e das Américas pobres dentro do quadro mundial e de suas relações recíprocas, a fim de determinar as perspectivas de progresso que têm pela frente e de caracterizar as estruturas de poder vigentes na América Latina e as forças que se alçam contra elas. O quarto volume, *Os índios e a civilização*, é uma análise dos efeitos da expansão da sociedade nacional sobre as populações tribais que sobreviveram no Brasil até o século XX. O último volume, *Os brasileiros*, é um estudo de caso em que se aplica ao Brasil o esquema interpretativo geral desenvolvido nos trabalhos anteriores, procurando explorar o valor explicativo do esforço dos brasileiros por se conformarem como uma nação moderna.

A realização de uma empresa desta envergadura apresentou, naturalmente, enormes dificuldades. A primeira delas, decorrente das limitações das próprias disciplinas científicas que proporcionam os instrumentos de análise de que se pode dispor. Na verdade, os cientistas sociais estão preparados para a realização de estudos precisos e acurados sobre temas restritos e, em última análise, irrelevantes. Entretanto, sempre que se exorbita desses limites, elegendo temas por sua relevância social, exorbita-se, também, da capacidade de tratá-los "cientificamente". Que fazer diante desse dilema? Prosseguir acumulando pesquisas detalhadas, que em algum tempo imprevisível permitirão elaborar uma síntese significativa? Ou aceitar os riscos de erro em que incorrem as tentativas pioneiras de acertar quanto a temas amplos e complexos que não estamos armados para enfrentar de forma tão sistemática como seria desejável?

Nas sociedades que se defrontam com graves crises sociais, as exigências de ação prática não deixam margem a dúvidas quanto ao que cumpre fazer. Os cientistas dos povos contentes com seu destino podem dedicar-se a pesquisas válidas em si mesmas como contribuições para melhorar o discurso humano sobre o mundo e sobre o homem. Os cientistas dos países descontentes consigo mesmos são urgidos, ao contrário, a usar os instrumentos da ciência para tornar mais lúcida a ação dos seus povos na guerra contra o atraso e a ignorância. Submetidos a essa compulsão, lhes cabe utilizar da melhor forma possível a metodologia científica, mas fazê-lo urgentemente, a fim de discernir, tática e estrategicamente, tudo o que é relevante dentro da perspectiva dessa guerra.

Em nossas sociedades subdesenvolvidas e, por isso mesmo, descontentes consigo mesmas, tudo deve estar em causa. Cumpre a todos indagar dos fundamentos de tudo, perguntando a cada instituição, a cada forma de luta e até a cada pessoa se contribui para manter e perpetuar a ordem vigente ou se atua no sentido de transformá-la e instituir uma ordem social melhor. Esta ordem melhor não representa qualquer enteléquia que possa confundir quem quer que seja. Representa, tão somente, aquilo que permitirá a maior número de pessoas comer mais, morar decentemente e educar-se. Alcançados os níveis de fartura, de salubridade e de educação viabilizados pela tecnologia moderna mas vetados pela estrutura social vigente, poderemos entrar no diálogo dos ricos sobre os dissabores da abundância que tornam tão "infelizes" os povos prósperos e talvez tenhamos, então, o que dizer dos debates acadêmicos da ciência conformista. Por agora, se trata de enfrentar nossa guerra contra a penúria e contra todos os que, de dentro ou de fora de nossas sociedades, as querem tal qual são, não importa quais sejam suas motivações. Nessa guerra, as ciências sociais, como tudo o mais, estão conscritas e, por sua vontade ou a seu pesar, servem a uma das facções em pugna.

Nosso estudo é uma tentativa de integração das abordagens antropológica, sociológica, econômica, histórica e política em um esforço conjunto para compreender a realidade americana de nossos dias. Cada uma dessas abordagens ganharia em unidade se isolada das demais, mas perderia em capacidade explicativa. Acresce, ainda, que existem demasiados estudos parciais desse tipo, quando não agrupados em obras de conjunto, ao menos dispersos em artigos, abordando os diversos problemas de que tratamos aqui. O que nos falta são esforços por integrá-los organicamente, a fim de verificar que contribuições podem oferecer as ciências sociais para o conhecimento da realidade que vivemos e para determinar as perspectivas

Prefácio à primeira edição

de desenvolvimento que temos pela frente. Como antropólogo, suponho que essa integração possa ser mais bem alcançada sob a perspectiva da antropologia que, por sua amplitude de interesses e por sua flexibilidade metodológica, está mais habilitada a empreender obras de síntese.

Muitos pensarão que é prematuro um empreendimento dessa natureza. Outros dirão que ele só poderia ser realizado por uma equipe, através de um estudo interdisciplinar. Os primeiros são os que estão dispostos a esperar a acumulação de estudos parciais que permita viabilizar, um dia, a macroanálise. Nossa postura é diferente. Acreditamos ser inadiável esse esforço, quando mais não seja para colocar ao lado das compreensões correntes da realidade, fundadas no senso comum, estudos sistemáticos em que o leitor possa confrontar sua percepção dos problemas sociais com uma análise mais cuidadosa dos mesmos.

Concordamos plenamente em que seria desejável que tal análise fosse realizada por uma equipe. Mas é improvável que as ricas instituições dedicadas à pesquisa social na América Latina se voltem a essa tarefa. Seu campo de trabalho será sempre o dos microestudos com pretensões cientificistas e o dos relatórios programáticos redigidos em equipe com propósitos muito realistas de concorrer para a perpetuação do *status quo*. Sabemos que nossa contribuição tem o valor limitado de um trabalho pessoal e que sofre de uma deformação antropologística decorrente da especialidade do autor. Como tal deverá ser entendida.

A abordagem básica do presente estudo consistiu no desenvolvimento de uma tipologia histórico-cultural que permitiu reunir os povos americanos em três categorias gerais explicativas do seu modo de ser e elucidativas de suas perspectivas de desenvolvimento. Essa tipologia possibilitou superar o nível de análise meramente histórico, incapaz de generalizações, e focalizar cada povo de forma mais ampla e compreensível do que seria praticável com as categorias antropológicas e sociológicas habituais.

Nos estudos de caso realizados à luz dessa tipologia, o procedimento mais recomendável seria a análise de cada povo com base no mesmo esquema, a fim de permitir comparações sistemáticas. Tal abordagem teria, porém, o inconveniente de tornar o texto extremamente reiterativo e de explorar com igual profundidade situações relevantes e irrelevantes. Para evitar esses inconvenientes, orientamos os estudos de caso para a análise daqueles aspectos da realidade sociocultural que oferecem maior valor explicativo. Assim, por exemplo, no caso da Venezuela, examinamos detalhadamente os mecanismos de dominação econômica exercidos pelas empresas norte-americanas que ali se apresentam macroscopicamente, em toda a sua crueza. Pelas mesmas razões, aprofundamos, no caso da Colômbia, o estudo da função social da violência. No caso das Antilhas, estudamos as relações inter-raciais e os efeitos da dominação colonial através do sistema de *plantations*, bem como a primeira experiência socialista americana. No caso do Brasil, analisamos a estrutura agrária — especialmente o papel e a função da fazenda como instituição ordenadora da vida social — e procedemos a um exame mais aprofundado do caráter da industrialização recolonizadora. Em todos os demais casos, selecionamos os aspectos significativos para um exame mais acurado.

Combinando aquela tipologia histórico-cultural com este tratamento temático, pudemos estudar exaustivamente diversas situações exemplares, preservando suas características concretas e integrando todas estas análises no final do volume em uma interpretação conjunta dos moldes de desenvolvimento autônomo e dos padrões de atraso histórico.

Bem sabemos que as ambições deste estudo são excessivas. Por isso mesmo, ele não pretende mais do que abrir um debate sobre a qualidade do conhecimento que os povos americanos têm de si próprios e sobre seus problemas de desenvolvimento. Esperamos que este painel geral estimule estudos monográficos mais detalhados à luz dos quais ele possa ser refeito, amanhã, com mais saber e arte.

Esta série de estudos tornou-se possível graças à combinação de vários fatores. Entre eles se destaca a acolhida que me dispensou a Universidade da República Oriental do Uruguai, através de um contrato de professor de antropologia em regime de tempo integral. Outro fator é minha própria condição de exilado político, responsável pela obsessão, comum a todos os proscritos, por compreender os problemas de sua pátria. Não menos importante e certamente mais elucidativa é minha dupla experiência de antropólogo e de político. Após dez anos de atividade científica devotada ao estudo de índios e sertanejos, me vi chamado ao exercício de funções políticas e de assessoramento durante dez anos mais, os últimos deles como ministro de Estado do governo Goulart. Essa experiência pessoal é responsável tanto pela temática destes estudos como pela postura do autor. Ela é que explica o interesse em compreender os processos socioculturais que dinamizam a vida dos povos americanos, alçando alguns deles ao pleno desenvolvimento e a outros condenando ao atraso. Também ela é que justifica a postura com que o autor realizou essas análises: não como um exercício meramente acadêmico, mas como um esforço deliberado de contribuir para uma tomada de consciência ativa das causas do subdesenvolvimento.

Muitos dos meus colegas, pesquisadores sociais, me desejariam tão isento quanto é possível ser na realização de estudos sem relevância social, em que se exercita o virtuosismo metodológico e o objetivismo cientificista. Muitos com-

PREFÁCIO À PRIMEIRA EDIÇÃO

panheiros políticos gostariam de um livro ainda mais militantemente engajado que fosse um testemunho de minhas experiências, uma denúncia e um programa normativo. Fiel a algumas das lealdades professadas por uns e por outros, procurei utilizar, tanto quanto o permitia minha formação científica, o acervo dos conhecimentos antropológicos e sociológicos na análise dos problemas com que se debatem os povos americanos. Mas procurei, por igual, eleger os temas por sua relevância social e estudá-los com o propósito de influir no processo político em curso. Provavelmente não atendi a uns nem a outros. Tenho a esperança, todavia, de que estes estudos sejam de alguma utilidade para um tipo particular de leitores, mais ambiciosos no plano da compreensão e mais exigentes no plano da ação, porque predispostos a entender para atuar e atuar para compreender.

Devo uma palavra de gratidão aos meus companheiros de exílio e aos colegas universitários uruguaios e argentinos que me ajudaram com sugestões ao longo dos três anos dedicados a estes estudos. À minha mulher devo a colaboração que os tornou possíveis.

Montevidéu, março de 1968.

INTRODUÇÃO:
AS TEORIAS DO ATRASO E DO PROGRESSO

Este é um tempo crítico para as ciências sociais, não um tempo para cortesias.

Robert Lynd

Dois esquemas conceituais profundamente interpenetrados, mas distintos por suas orientações opostas, sobretudo no plano prospectivo, inspiram a maioria dos estudos sobre o desenvolvimento desigual das sociedades americanas: o da sociologia e o da antropologia acadêmicas e o do marxismo dogmático.

O primeiro deles se baseia na ideia de descompassos num "processo natural" de transição entre formações arcaicas e modernas, pela passagem de economias de base agroartesanal a economias de base industrial. E na ideia adicional de que neste trânsito se configuram áreas e setores progressistas e retrógrados em cada sociedade, cuja interação seria o fator dinâmico ulterior do processo. Sua expressão mais elaborada são os chamados estudos de "dualidade estrutural", "modernização reflexa", "mobilidade social" e de transição do "modo tradicional" ao "modo industrial" das sociedades.[1]

Nas formulações mais extremadas desse esquema conceitual, as sociedades subdesenvolvidas chegam a ser descritas como entidades híbridas ou duais, caracterizadas pela coexistência de duas economias e de duas estruturas sociais defasadas de séculos. Uma delas, como o polo do tradicionalismo, se caracterizaria pelo isolamento, a estabilidade e o atraso que tenderiam a espraiar-se sobre o conjunto. A outra, como o polo da modernidade, se caracterizaria pela vinculação e contemporaneidade com o mundo do seu tempo, por suas tendências industrialistas e capitalistas de que seria o foco difusor.[2]

Nas obras mais elaboradas, a oposição entre os dois polos de transição chega a extremos de virtuosismo descritivo. Desprovidas, porém, de uma teoria explicativa que controle a seleção dos fatos examinados, essas descrições, aparentemente factuais, se transformam em mistificações, sobretudo quando aplicadas às Américas. Os estudos inspirados no esquema conceitual da antropologia opõem, no plano socioeconômico, "sociedades de *folk*" — predominantemente rurais, servidas por economias "naturais" voltadas para a subsistência e motivadas por valores tradicionais — a sociedades modernas, predominantemente urbanas, fundadas em economias mercantis e acionadas pelo mais vívido espírito de empresa (ver R. Redfield, 1941; J. Gillin, 1955; J. Steward, 1955a).

Alguns estudos de orientação sociológica classificam as nações latino-americanas de acordo com certos fatores estruturais, identificando um modelo "moderno" caracterizado pela presença de amplos setores "classe-medistas". A ação progressista desse setor induziria suas sociedades a um desenvolvimento espontâneo (J. Johnson, 1961; E. Lieuwen, 1960; K. H. Silvert, 1962; R. N. Adams, 1960; Ch. Wlagley, s.d.). Outros apelam para fatores múltiplos (principalmente G. Germani, 1965), sempre atribuindo, porém, o atraso latino-americano à carência de atributos que se encontrariam na sociedade norte-americana, tais como: certos corpos de valores; certos tipos de personalidade; certos estratos sociais ou determinadas instituições sociopolíticas. Por exemplo, referem-se à falta de espírito empresarial capitalista, esquecidos, porém, de que as nações atrasadas das Américas já nasceram enquadradas em economias mercantis produtoras de bens de exportação e de que nunca faltou às suas camadas dirigentes um atilado espírito empresarial.

No plano tecnológico, esses esquemas opõem um sistema produtivo baseado na energia muscular humana e animal e em procedimentos artesanais aos sistemas industriais baseados em conversores de energia inanimada e em procedimentos mecanizados. Também aqui se omite a circunstância de que foi o domínio de uma tecnologia mais avançada (sobretudo no plano militar e da navegação marítima) que permitiu a implantação das feitorias americanas. E de que estas sempre se serviram da mais alta tecnologia quando se tratava de instrumentá-las para a produção de artigos exportáveis ou de preservar a espoliação colonial. Escamoteia-se, assim, o fato de que os povos da América Latina sofreram o impacto da Revolução Industrial — tal como os demais povos atrasados — na condição de consumidores dos produtos da industrialização alheia, introduzidos até os limites necessários para tornar suas economias mais eficazes como produtoras de matérias-primas, mas sempre com a preocupação de mantê-las dependentes.

No plano estrutural, estes estudos focalizam a presença de classes cuja proporção dentro de cada sociedade explicaria o sucesso relativo que estas alcançaram na modernização das instituições políticas. Nesse caso trata-se de uma projeção das observações de Marx sobre o papel protagônico do proletariado industrial na evolução social para os setores intermédios, na forma de uma doutrina política reacionária.

INTRODUÇÃO: AS TEORIAS DO ATRASO E DO PROGRESSO

No plano da organização familiar, tais esquemas opõem dois modelos hipotéticos. Um deles, integrado por sociedades fundadas no parentesco, estruturadas em famílias extensas, estáveis e solidárias, cultuadoras dos vínculos de sangue e estamentadas em castas imiscíveis. O outro, formado por sociedades baseadas em relações contratuais, estruturadas em famílias conjugais e instáveis, estratificadas em classes abertas e ativadas pela mais intensa mobilidade social. Os dois paradigmas apenas descrevem o sistema familiar das camadas dominantes dos modelos coloniais e modernos das sociedades latino-americanas. Nada dizem da estrutura familiar madricêntrica das camadas majoritárias de suas populações, que jamais tiveram oportunidade de integrar-se em famílias com aquelas características.

No plano motivacional, os esquemas se alargam também em contraposições das características dos dois modelos. O arcaico é caracterizado como uma ordem tradicionalista, fundada nos costumes, impregnada de concepções sagradas e místicas, temerosa de qualquer mudança e resistente ao progresso. O moderno, pelo espírito progressista, exaltador das mudanças, laicizador das instituições e secularizador dos costumes. Mais uma vez se denuncia, aqui, o vezo europeu que confunde imagens medievalistas com as sociedades americanas do passado e do presente. Por isso suas descrições nada retratam das Américas de ontem e de hoje, com suas populações, primeiro, maciçamente degradadas pelo escravismo e compulsoriamente deculturadas e, depois, marginalizadas do sistema produtivo e imersas numa "cultura da pobreza". Tais condições jamais deram ensejo ao livre cultivo popular de crenças originais ou do tradicionalismo, a não ser através de cultos secretos e de redefinições de crenças religiosas para servirem de base a rebeliões messiânicas.

Em todos os casos examinados, não se trata de simples erros. Na realidade, através dessas comparações, o que se propõe é a tese de uma via espontânea de desenvolvimento que, partindo das condições de atraso dos povos subdesenvolvidos, progrediria por adições de traços modernizadores até atingir a situação presente das sociedades capitalistas industriais convertidas em modelos ideais de ordenação social. Assim é que, aplicados à explicação da pobreza e da riqueza dos povos das Américas, esses esquemas descrevem a prosperidade dos norte-americanos e canadenses como antecipações históricas de um processo comum de desenvolvimento espontâneo. Tal processo, ainda em curso, estaria afetando, em ritmos distintos, todos os povos americanos e seria conducente à sua homogeneização em algum tempo do futuro. Os Estados Unidos e o Canadá representariam, portanto, paradigmas da evolução sociocultural humana para a qual se estariam encaminhando, mais ou menos tropegamente, todos os demais povos do continente. Dentro desse raciocínio, as formas de produção, de organização do trabalho, de regulação da vida social e de concepção do mundo, vigentes naqueles países, surgem como os padrões normativos desta sociologia justificatória.[3]

Esse esquema se presta admiravelmente a dois propósitos. Primeiro, a um tipo de investigação científica que se satisfaz em documentar copiosamente as diferenças entre as sociedades atrasadas e as avançadas e em registrar, com igual abundância de detalhes, os contrastes de modernidade e tradicionalismo tão evidentes nas sociedades subdesenvolvidas. Seu caráter conformista satisfaz, naturalmente, às exigências intelectuais de nações contentes com o seu sistema social que, por isso, não esperam de seus estudiosos qualquer contribuição para transformá-lo (L. Bramson, 1961; M. Stein, 1960).

Em segundo lugar, esses estudos se prestam utilmente ao esforço de doutrinação das nações avançadas em relação às atrasadas, para induzi-las a uma atitude de resignação com a pobreza ou seu equivalente, que é a crença nas possibilidades de superação espontânea do atraso. Operam, assim, como formas ideológicas dissuasórias de qualquer tentativa de diagnosticar as causas reais do atraso e de formulação de projetos intencionais de mobilização popular para o desenvolvimento generalizado a toda a população.

Assentes, embora, na ideia de uma progressão histórica do tradicional ao moderno, as investigações inspiradas no esquema conceitual acadêmico se circunscrevem a um âmbito sincrônico de análise e seus esforços de explicação causal se reduzem a explanações sobre interdependências funcionais. Na verdade, os estudiosos desta corrente não podem pesquisar a natureza daquela progressão nem os fatores causais que a ativam por duas boas razões. Primeiro, porque isso só seria factível à base de uma abordagem de alto alcance histórico e de uma teoria geral da evolução das sociedades humanas, que a sociologia acadêmica se abstém de formular explicitamente. Segundo, porque a admissão de fatores determinantes e condicionantes e de sequências históricas necessárias tornaria impraticável o exercício de sua função precípua, que é a de contribuir para a perpetuação do *status quo*.[4]

Encerrada nesse enquadramento de caráter ideológico, a sociologia acadêmica reduz suas pesquisas, no plano explicativo, a meras descrições de contrastes; e, no plano normativo, à formulação de doutrinas desenvolvimentistas propugnadoras de uma intervenção limitada no sistema econômico, destinada antes a preservá-lo que a transformá-lo.[5] O horizonte teórico dessa abordagem raramente excede a busca de fatores psicológicos, culturais e economicistas, mais ou menos propícios à introdução de inovações tecnológicas ou ao surgimento de empresariados inovadores.[6]

INTRODUÇÃO: AS TEORIAS DO ATRASO E DO PROGRESSO

A maioria dos estudos antropológicos sobre problemas de dinâmica cultural se enquadra, também, na postura aqui designada como acadêmica. Na verdade, os antropólogos — como de resto todos os cientistas sociais — parecem preparados para empreender pesquisas acuradas sobre problemas restritos e socialmente irrelevantes, mas incapazes de focalizar as questões cruciais com que se debatem as sociedades modernas, mesmo as que se situam em cheio no seu campo de preocupação científica.

A explicação mais corrente para essa infecundidade é expressa em termos do compromisso unívoco do cientista com o progresso do saber. Este o levaria a selecionar seus objetos de estudo preocupado tão somente com o seu valor explicativo. E também a só abordar um tema quando conta com uma metodologia capaz de oferecer inteira segurança de rigor científico e de isenção. Nesse caso, a preferência pelos microestudos e o desgosto pelas teorias mais ousadas se atribuiriam a contingências de caráter metodológico. E representariam um compasso necessário no amadurecimento das ciências sociais que, por esse caminho, estariam reunindo o material empírico indispensável para enfrentar, no futuro, temas mais ambiciosos (T. Parsons, 1951).

Outras explicações mais verossímeis relacionam a temática desses estudos a fatores extracientíficos. Dentre estes se destacam a impregnação ideológica e o comprometimento social e político que atinge os cientistas, enquanto membros de suas sociedades. Esses vínculos fazem, frequentemente, desses estudiosos meros agentes da propagação de doutrinas políticas que só visam à perpetuação da ordem estabelecida.

O ideal científico da maioria dos estudos antropológicos de problemas da "aculturação" parece ser a transposição às sociedades nacionais da metodologia desenvolvida nas pesquisas etnológicas. Como a magnitude e a complexidade do novo objeto de estudos não se enquadram dentro daqueles limites, os pesquisadores procedem a reduções arbitrárias do seu campo de observação. Esse objetivo é alcançado pela seleção de situações concretas de contato em que se contraponham representantes arcaicos e modernos das matrizes étnicas da sociedade nacional. Essas situações de conjunção são objeto de observações exaustivas e acuradas das quais se espera uma contribuição para a formulação de uma teoria geral de mudança cultural. Ocorre, porém, que tendo sido previamente isoladas das sequências históricas em que se plasmaram, do contexto nacional em que se inserem e do sistema econômico mundial em que atuam, essas situações já não podem contribuir para explicar nem a si mesmas.

A manutenção, nesses estudos, de preocupações taxonômicas — justificáveis nas pesquisas etnográficas — as transforma frequentemente em simples repertórios de hábitos e costumes exóticos, de idiossincrasias e de "ideias locais". Boas ilustrações do valor explicativo dessa ordem de estudos se encontram na ensaística antropológica que busca explicar o atraso dos latino-americanos em termos de atributos singulares do seu "caráter" e da sua cultura. Dentre essas peculiaridades, citam-se, com frequência, o culto do *machismo* e do caudilhismo, as relações de compadrio, o gozo da tristeza, a exacerbação dos sentimentos de honra e de dignidade pessoal, a aversão ao trabalho, o pavor da morte e o medo de assombrações (J. Gillin, 1955).

À luz desse material é que se procura demonstrar o caráter necessário do atraso das comunidades estudadas e, por extensão, das massas camponesas ou das camadas mestiças das sociedades nacionais americanas. A carência de uma teoria explicativa que obrigue a considerar os fatores efetivamente operantes reduz esses estudos a um "psicologismo" espúrio, porque inaceitável para a própria psicologia. Mas permite engajar os antropólogos como conselheiros de programas assistencialistas, que se contentam em desvendar o papel negativo de traços e normas culturais, sem jamais deixar manifestas as compulsões do colonialismo, do escravismo, do latifúndio e da exploração patronal como fatores causais do atraso.[7]

Exemplificam exaustivamente essa ordem de limitações os estudos de antropologia aplicada, cujo caráter colonialista chega a envergonhar os estudiosos com um mínimo senso autocrítico. Exemplos menos escandalosos, mas da mesma natureza, se encontram nos estudos de aculturação realizados como parte de programas "desenvolvimentistas". Enleados em teias de compromissos nem sempre explícitos, esses estudos estão produzindo um vasto receituário prático que, a um tempo, nega o caráter desinteressado daquelas pesquisas e comprova seu engajamento nos programas mais retrógrados.[8]

O segundo esquema conceitual, correspondente ao marxismo dogmático, se assenta na ideia de que as diferenças de desenvolvimento das sociedades modernas se explicam como etapas de um processo de evolução, unilinear e irreversível, comum a todas as sociedades humanas. Dentro dessa perspectiva, seriam nações atrasadas aquelas que contam com maior soma de conteúdos das etapas passadas da evolução humana, como a escravista e a feudal.

Os estudos inspirados nessa concepção raramente excedem a um esforço de transpor mecanicamente às Américas os esquemas interpretativos de Marx. Reduzem-se, assim, a meras ilustrações com exemplos locais de teses marxistas clássicas sobre o desenvolvimento do capitalismo na Europa. Aplicados à América Latina, esses estudos detêm-se, de preferência, na busca de resíduos feudais no passado ou no presente de diversos países, apresentando essas dissertações como se fossem explicações causais do atraso. Como em toda a região se registraram também relações escravistas de trabalho que deixaram profundas marcas nas respectivas sociedades, bem como relações capitalistas fundadas no trabalho assalariado, o esquema se desdobra, às vezes, em categorias híbridas, como formações feudal--escravistas, semifeudais, semicoloniais, feudal-capitalistas etc.

O pressuposto básico desse esquema é, como vimos, um evolucionismo unilinear, segundo o qual as sociedades latino-americanas são entidades autárquicas e descompassadas que estariam vivendo agora, com séculos de atraso, os mesmos passos evolutivos experimentados pelas sociedades avançadas. Em suas formulações mais extremadas, essa perspectiva não leva em conta a trama de inter--relações econômicas, sociais e culturais em que estão inseridas as sociedades contemporâneas, por si só impeditiva de reprodução de etapas arcaicas em sua forma original. Nem desenvolve um esforço autêntico para indicar os fatores causais e condicionantes da dinâmica social.

O paradoxal é que essa concepção teórica, nominalmente revolucionária, resulta, com frequência, ultraconservadora. Abandonando a perspectiva de análise dos clássicos marxistas, esses estudos se reduzem a exercícios pueris de demonstração da universalidade das teses de Marx. Com isso, não só as empobrecem, mas chegam ao extremo de fazer delas — malgrado seu — um sistema ideológico de sustentação indireta do *status quo.* São exemplos de estudos elaborados sob essa orientação os que propugnam — como perspectiva de luta contra o subdesenvolvimento e como tática para chegar ao socialismo — um mero esforço modernizador de erradicação dos "restos feudais", quando não, a própria consolidação dos conteúdos "capitalistas", como um estágio necessário na evolução das sociedades latino-americanas.[9]

As duas abordagens são, por isso mesmo, igualmente infrutíferas como explicação do desenvolvimento desigual das sociedades contemporâneas e inoperantes como esforços de formulação de estratégias de luta que conduzam ao rompimento com o atraso. Afundadas num objetivismo míope, a sociologia e a antropologia acadêmicas se contentam em acumular dados empíricos sem serem capazes de formular uma teoria científica que os explique em sua dinâmica e variedade. O marxismo dogmático, partindo, embora, de uma teoria explicativa e de uma perspectiva histórica fecunda, se perde na busca de evidências de uma reiteração cíclica de estágios, ou se desencaminha em tentativas vãs de enquadrar a realidade em antinomias formais. Ambos resultam doutrinários. A sociologia e a antropologia acadêmicas cumprem, porém, sua função de instrumento da manutenção do *status quo.* O marxismo dogmático, entretanto, deixa de cumprir sua

As Américas e a civilização

vocação de prover uma teoria explicativa dos processos sociais, apta a formular uma estratégia para a transformação intencional das sociedades latino-americanas em tempos previsíveis.

I. Progresso e causalidade

Na presente análise procuraremos demonstrar que as sociedades humanas são conduzidas à mudança ou à perpetuação de suas formas por fatores causais que não podem ser confundidos com o registro de contrastes decorrentes de sua ação diferenciadora. Em qualquer processo de mudança social, parcelas ou setores da sociedade podem apresentar defasagens ou assincronias no sentido do amadurecimento maior ou menor de tendências transformadoras, ou do reflexo — intenso ou incipiente — de alterações já alcançadas num setor sobre os demais. A explicação da dinâmica social que se imprime assim diferencialmente sobre a sociedade não pode ser buscada, pois, em dessemelhanças fraseológicas nem na interação entre conteúdos "arcaicos" e "modernos" como momentos de uma reordenação natural da sociedade, da economia e da cultura. Deve ser buscada, isso sim, nas forças geratrizes de tais mudanças e nas condições sociais em que elas operam, suscetíveis de acarretar o surgimento e a perpetuação dos extremos de atraso e de progresso.

Trata-se, portanto, de inverter a perspectiva de análise da sociologia e da antropologia acadêmicas e de reavaliar criticamente a abordagem marxista, a fim de focalizar, em primeiro lugar, os fatores dinâmicos da evolução das sociedades humanas em longos períodos de tempo; e, posteriormente, estudar os condicionamentos sob os quais esses fatores atuam. Isso foi o que procuramos fazer num estudo geral da evolução sociocultural tal como operou nos dez últimos milênios,[10] cujos resultados serão apresentados, a seguir, na forma de uma análise sucinta do desenvolvimento da civilização industrial, de suas características essenciais e de seus reflexos sobre os povos americanos.

Nosso propósito aqui é proceder a uma análise dos processos de formação e dos problemas de desenvolvimento dos povos americanos, com base nas generalizações alcançadas naquele estudo. Desse modo, esperamos chegar a uma compreensão melhor das disparidades de desenvolvimento registráveis nas Américas e, também, a novas generalizações significativas sobre a natureza dos processos de dinâmica social. À luz do esquema conceitual assim elaborado, poderemos examinar sincronicamente as situações sociais concretas em que hoje se encontram os povos americanos, com o objetivo de determinar as perspectivas de progresso que se lhes abrem e as ameaças de perpetuação do atraso com que se defrontam.

Nestas análises, partimos do pressuposto, geralmente aceito, de que o desenvolvimento desigual dos povos contemporâneos se explica como efeito de processos históricos gerais de transformação que atingiram diferencialmente a todos eles. Esses processos é que geraram, simultânea e correlativamente, as economias metropolitanas e as coloniais, conformando-as como um sistema interativo integrado por polos mutuamente complementares de atraso e de progresso. E configuraram as sociedades subdesenvolvidas, não como réplicas de estágios passados das desenvolvidas, mas como contrapartes necessárias à perpetuação do sistema que ambas compõem.

Em face das disparidades de desenvolvimento cumpre observar, preliminarmente, que muitas das nações hoje identificadas como subdesenvolvidas conheceram, no passado, períodos de esplendor e de prosperidade como altas civilizações. E, inversamente, que os países europeus que primeiro exprimiram a civilização de base industrial conformaram, até o século XVII, áreas atrasadas, assináveis antes por sua mediocridade do que por seu progresso. Isso indica que estamos diante de efeitos divergentes de um processo civilizatório geral que se manifesta em alguns casos como estancamento e regressão e, em outros, como desenvolvimento e progresso.

Diante dessas disparidades, cumpre observar, ainda, que as sociedades contemporâneas não são entidades isoladas, mas sim componentes ricos e pobres de um sistema econômico de âmbito mundial, em que cada um deles exerce papéis prescritos, mutuamente complementares e tendentes à perpetuação das posições e relações recíprocas. Procuraremos demonstrar que as situações de atraso ou de progresso dos diferentes povos inseridos nesse sistema interativo são resultantes dos impactos de sucessivas revoluções tecnológicas que vêm transformando as sociedades humanas. Essas revoluções, atingindo-as diferencialmente e alterando a modos distintos cada uma de suas partes constituintes, tanto geram defasagens entre sociedades quanto descompassos regionais e setoriais. Como cada um desses processos teve início em certo momento histórico e continuou atuante mesmo depois de desencadeados outros, impõe-se a observação adicional de que nos defrontamos tanto com uma continuidade histórica de efeitos sucessivamente detonados quanto com uma simultaneidade de contrastes interativos de caráter funcional.

Dentro dessa perspectiva, a explicação do desenvolvimento desigual das sociedades humanas deve ser buscada através de três linhas de análise. À primeira delas, de caráter socioeconômico, cumpre identificar os fatores que atuam na vida social como causais ou condicionantes da transformação das sociedades humanas. Essa análise nos permite registrar regularidades e defini-las em termos de processos socioculturais. Ao mesmo tempo, permite desenhar modelos teóricos gerais aplicáveis à explicação da estabilidade e da mudança.

À segunda abordagem, de caráter histórico-cultural, cabe reconstituir o processo pelo qual os povos modernos chegaram a ser o que são. Nas análises de alto alcance histórico, essa abordagem proporciona um conhecimento do processo de desenvolvimento das sociedades em termos de sequências de acontecimentos suscetíveis de serem entendidos como antecedentes e consequentes e permite elaborar um esquema das etapas da evolução e sua cristalização em formações socioculturais. Nas análises de alcance médio sobre o processo de formação das etnias nacionais, ele permite construir tipologias das configurações histórico-culturais.

À terceira abordagem, de caráter conjuntural, cumpre focalizar, num nível sincrônico de análise, as situações de interação explicáveis como tensões equilibradas ou irruptivas de elementos em oposição dentro de cada contexto social. Essa análise proporciona um conhecimento do modo pelo qual interagem as sociedades desenvolvidas e as subdesenvolvidas (expansão, dominação), bem como os modos de interinfluenciação dos setores e áreas dentro de cada sociedade (estruturas de poder, forças insurgentes) a fim de determinar os efeitos de aceleração e retardamento do progresso decorrentes dessas duas ordens de interação.

Só a combinação das três abordagens na forma de um método dialético de análise é que permitirá formular uma teoria do desenvolvimento sociocultural já cumprido em termos de um processo histórico acionado por fatores causais e condicionantes e das situações em que ele se desencadeia, se acelera ou retarda, assim como dos efeitos previsíveis de sua ação atual e futura sobre as sociedades humanas.

As principais abordagens metodológicas de que se dispõe para o estudo dos fatores causais do desenvolvimento social são o funcionalismo e o marxismo. O primeiro — engajado em posturas conservadoras e cultivado principalmente em países desenvolvidos e contentes consigo mesmos — converte o estudo dos problemas da dinâmica social em meros esforços de caracterização do modo pelo qual os conteúdos presentes de cada situação concreta contribuem para a perpetuação das formas de vida social. Embora se preocupem, acidentalmente, por fatores de alteração (disfunção, função latente), esses estudos se reduzem quase sempre a demonstrações de interdependências funcionais. Neles, os sistemas sociais são descritos como configurações de pautas culturais ou de instituições sociais em que cada componente é igualmente capaz de atuar como fator causal. Dentro

INTRODUÇÃO: AS TEORIAS DO ATRASO E DO PROGRESSO

dessa perspectiva, torna-se impossível a compreensão da vida social, senão como o resultado residual de múltiplas sequências independentes de fenômenos que se movem arbitrariamente e nas quais não se podem distinguir regularidades de sucessão, de causalidade ou de condicionamento.[11]

O marxismo — explicitamente comprometido com a reordenação intencional das sociedades humanas — funda-se numa teoria explicativa geral do processo de evolução sociocultural, entendido como uma sequência genética de etapas ou de "formações econômico-sociais". Parte da constatação de que o modo de produção de uma sociedade (tecnologia mais relações de trabalho) determina, em cada momento de sua evolução, as superestruturas institucionais e as formas de consciência que nela se observam. E da constatação adicional de que, em dada situação, surgem conflitos entre o grau de desenvolvimento das forças produtivas e as superestruturas institucionais constituídas sobre elas, desencadeando movimentos de mudança social. Esses movimentos se configuram como polarizações em que forças contrárias se chocam através de esforços de superação de suas contradições. A principal dessas contradições se apresenta na forma de oposições entre os interesses de uma classe social — definida por um modo de institucionalização da propriedade — e os interesses das demais classes. Tais contradições gerariam conflitos entre classes opostas que operariam como o principal fator dinâmico da história humana.

Como se vê, ao contrário do funcionalismo, o marxismo conta com uma teoria da causação social, com um esquema histórico de alto alcance explicativo da evolução sociocultural e com uma abordagem diagnóstica da práxis social. Esta última consiste num método de análise das contradições atuantes dentro de cada situação histórica particular que permite identificar os complexos de interesses em oposição para distinguir entre eles a contradição responsável pela direção do processo. Essas contradições cobrem âmbitos muito variados, como as oposições entre sistemas econômicos internacionais, ou entre entidades nacionais, ou entre componentes classistas, dentro de uma sociedade. Em cada situação concreta, porém, seriam discerníveis as contradições estruturais básicas que atuam como os motores das ações mais plenas de consequências. Seu conhecimento, além do valor explicativo, tem para os marxistas uma relevância prática assinalável porque permite formular estratégias de intervenção no fluxo dos acontecimentos sociais com o objetivo de orientá-los para os rumos mais propícios ao desencadeamento da revolução social.

Através dessa metodologia dialética é que Marx tratou de explicar os processos de transformação cumpridos pelas sociedades humanas do passado e antever as etapas emergentes. Sempre examinou esses processos como o produto da confrontação de inúmeras forças com possibilidades múltiplas de desenvolvimento. Mas não como forças meramente interativas, com iguais potencialidades de determinação; nem como um fluxo arbitrário, insuscetível de ser interpretado cientificamente e, portanto, de ser previsto e até disciplinado, em certo limite, pela vontade humana (C. Wright Mills, 1962; L. Althusser, 1967).

Alguns estudiosos que sucederam a Marx aplicaram de forma fecunda a mesma abordagem, tanto no estudo de situações novas como no reexame de velhos problemas. Contribuíram, assim, simultaneamente, para alcançar uma melhor compreensão daqueles problemas e para enriquecer o próprio esquema conceitual marxista.[12] Outros, todavia, mais fiéis à linguagem filosófica do tempo de Marx que à sua perspectiva de análise da realidade social, reificaram os conceitos marxistas na forma de categorias místicas e de antagonismos formais.[13] Já procuramos mostrar que seu papel é quase tão nocivo quanto o da sociologia e antropologia acadêmicas.

Na verdade, as ciências sociais não oferecem qualquer teoria de alto alcance histórico, explicitamente formulada, que se oponha à de Marx. Exceto talvez o funcionalismo, que não é uma teoria geral da dinâmica social, mesmo porque se preocupa mais com a estabilidade do que com a mudança. Dessa forma, a oposição acadêmica às concepções marxistas não oferece alternativa consistente para a análise das forças motrizes da mudança social. Nem retoma essas concepções em sua inteireza para as renovar à luz dos desenvolvimentos recentes das ciências sociais no estudo de problemas específicos. Como em muitas instâncias não se pode prescindir de uma concepção global da sociedade e da evolução sociocultural, todos os cientistas sociais apelam, frequentemente, ainda que a contragosto, para o marxismo como a fonte inconfessada de suas melhores inspirações. Este é o caso do que tem sido chamado sociologia crítica, responsável pelas obras que mais se aproximaram de uma abordagem capaz de tratar as sociedades humanas como estruturas coerentes, suscetíveis de serem estudadas com rigor científico.[14]

Diante da oposição paralisante entre as ciências sociais academizadas e o marxismo dogmatizado, o que cumpre fazer aos que querem e necessitam compreender a realidade social, para atuar sobre ela, é superar ambas as posições. Superar as falsas ciências do homem e da sociedade, desmascarando sua inaptidão para elaborar uma teoria da realidade social em virtude do seu comprometimento com a perpetuação do *status quo*. Superar o marxismo dogmático, denunciando seu caráter de escola de exegetas de textos clássicos, incapaz de focalizar a realidade social em si mesma, a fim de, a partir daí, haurir o seu conhecimento.

Essa dupla superação importa no retorno à postura indagativa e à metodologia científica de Marx. Mas importa, também, na dessacralização de seus textos, dos quais o mais importante foi escrito precisamente há um século e não pode permanecer atual e capaz de explicar toda a realidade. Essencialmente, importa recordar que Marx não pretendeu criar uma nova doutrina filosófica, mas sim assentar as bases de uma teoria científica da sociedade, fundada no estudo acurado de todas as manifestações da vida social e que, em função desse esforço, se fez o fundador das ciências sociais modernas. Como tal, se exigem três ordens de compromisso aos que querem estar à altura de sua obra. Primeiro, o de tratar as suas proposições como qualquer afirmação científica, ou seja, submetendo-as permanentemente à crítica diante dos fatos, só aceitando sua validez mediante sua contínua reformulação. Segundo, prosseguir seu esforço, não através da exegese dos textos que deixou, mas voltando à observação da realidade social para, por meio da análise sistemática, inferir de suas formas aparentes as estruturas que a conformam e os processos que a ativam. Terceiro, tratar o próprio Marx como o fundador das ciências sociais, nem maior nem menor que Newton ou Einstein para a física e, por isso mesmo, igualmente incorporado à história da ciência que não pode ser confundida com a ciência mesma.

A ciência que herdou a temática e a metodologia do materialismo histórico é a antropologia (J. P. Sartre, 1963) enquanto o mais amplo esforço de elaboração de uma teoria explicativa de como as sociedades humanas chegaram a ser o que são agora e das perspectivas que têm pela frente, no futuro imediato. Essa herança não pertence, porém, a nenhuma das antropologias adjetivadas como culturais, sociais ou estruturais que se cultivam atualmente e que sofreram um desgaste semelhante ao da sociologia acadêmica. Pertence a uma nova antropologia que terá como características distintivas, primeiro, uma perspectiva evolucionista multilinear, que permita situar cada povo do presente ou do passado numa escala geral do desenvolvimento sociocultural; segundo, uma noção de causalidade necessária, fundada no reconhecimento da diferente capacidade de determinação dos diversos conteúdos da realidade sociocultural; terceiro, uma atitude deliberadamente participante da vida social e capacitada a ajuizá-la com lucidez, como uma ciência comprometida com o destino humano.

Para essa *antropologia dialética* é que procuramos contribuir com nosso esforço por compreender o valor explicativo da realidade sociocultural americana, visando formular alguns princípios interpretativos das causas do desenvolvimento desigual das sociedades e determinar os caminhos de superação do atraso que se abrem às nações subdesenvolvidas.

Inicialmente é necessário precisar que a realidade social, cuja dinâmica queremos estudar, tem como característica principal a sua natureza de produto histórico do processo de humanização. Através desse processo, o homem vem construindo a si mesmo pela criação de formas estandardizadas de conduta cultural, transmissíveis socialmente de geração a geração, cristalizadas em sociedades com suas respectivas culturas.

Esse processo se desdobra em várias etapas correspondentes ao desencadeamento de sucessivas revoluções tecnológicas (agrícola, urbana, do regadio, metalúrgica, pastoril, mercantil, industrial e termonuclear) e de movimentos correlatos de reordenação das sociedades humanas em distintas formações (tribos, etnias nacionais, civilizações regionais, civilizações mundiais). Cada sociedade é uma resultante desses processos civilizatórios que nela se imprimiram diferencialmente por força de sua capacidade reordenadora e do modo pelo qual eles a atingiram.

Os estudos de inspiração marxista bipartem, geralmente, essa realidade em uma infraestrutura de conteúdo tecnológico-econômico e uma superestrutura de conteúdo sociocultural. Ainda que essa bipartição seja conveniente no caso de análises altamente abstratas, para o tipo de estudo que nos propomos realizar é mais adequado distinguir três esferas básicas da realidade social, a saber: a adaptativa, a associativa e a ideológica. Cada uma delas é suficientemente integrada para ser tratada legitimamente como um sistema e suficientemente diferenciada das demais para que possa ser tida como uma entidade conceitual distinta.

O *sistema adaptativo* compreende o conjunto de práticas através das quais uma sociedade atua sobre a natureza no esforço de prover sua subsistência e reproduzir o conjunto de bens e equipamentos de que dispõe. O *sistema associativo* compreende o complexo de normas e instituições que permite organizar a vida social, disciplinar o convívio humano, regular as relações de trabalho e reger a vida política. Finalmente, o *sistema ideológico* é representado pelos corpos de saber, de crenças e de valores gerados nos esforços adaptativo e associativo.

Estes três sistemas se estratificam em níveis superpostos. Na base fica o sistema adaptativo, porque concerne aos próprios requisitos materiais e biológicos da sobrevivência humana. No nível intermédio fica o sistema associativo, que responde pelas formas de disciplinamento da vida social para o trabalho produtivo. E no ápice, o ideológico, mais fortemente moldado pelos demais e só capaz de alterar a vida social mediante a introdução de inovações nas formas de ação adaptativa ou associativa.

Nas análises sincrônicas, o conjunto e a integração dos três sistemas é designado como *estrutura*, quando se deseja ressaltar o papel das formas de associação

(L. A. Costa Pinto, 1965). O mesmo conjunto é designado como *cultura* quando a atenção é focalizada principalmente no caráter de pautas estandardizadas de conduta, transmitidas socialmente através da interação simbólica, dos modos de adaptação, das normas de associação e das explanações e valores (L. White, 1964). Nas análises diacrônicas, o conjunto dos três sistemas é designado como *formação*, quando se quer indicar um complexo de sociedades representativas de uma etapa da evolução humana (D. Ribeiro, 1968).

O sistema adaptativo tem como conteúdo essencial a tecnologia; o associativo encerra como elemento básico, nas sociedades complexas, a forma de estratificação social em classes econômicas; e o ideológico tem como componentes cruciais os corpos de saber, de valores e de crenças desenvolvidos no esforço de cada grupo humano para compreender sua própria experiência e organizar a conduta social.

Essas três ordens de conteúdos básicos dos sistemas adaptativo, associativo e ideológico mantêm conexões necessárias umas com as outras e atuam na vida social como complexos integrados. Assim é que a tecnologia não age diretamente sobre a sociedade, mas sim estabelecendo os limites em que os recursos disponíveis podem ser explorados. A exploração efetiva desses recursos, bem como sua distribuição, se cumpre por meio de formas específicas de organização das relações humanas para a utilização da tecnologia através do trabalho, e se processam de acordo com os corpos de saber, de valores e de crenças que motivam a conduta pessoal (R. Mac Iver, 1949).

Por conseguinte, cada etapa da evolução humana só é inteligível em termos do complexo formado pela tecnologia efetivamente utilizada no seu esforço produtivo, pelo modo de regulação das relações humanas que nela vigora, e pelos conteúdos ideológicos que explicam e qualificam a conduta de seus membros. A compreensão da vida social e dos fatores dinâmicos que nela operam exige, portanto, que as análises em abstrato de cada um desses fatores se refiram sempre aos complexos integrados em que eles coexistem e atuam conjugadamente. Esses complexos, porém, não apenas combinam mas também opõem, em cada momento, certos conteúdos da tecnologia produtiva com determinadas formas de organização social e com dados corpos de crenças e valores. Dentro desse campo de forças se geram e se acumulam tensões pela introdução de inovações tecnológicas, pela oposição de interesses de grupos e pelos efeitos das transformações ocorridas em um setor sobre os demais. Essas inovações, oposições e redefinições são os fatores causais da dinâmica social que atuam conjunturalmente dentro de complexos que eles acionam, mas que, por sua vez, os condicionam.

As Américas e a civilização

Examinando sincronicamente essas totalidades interativas constata-se que, em dada instância, qualquer fator pode representar um papel causal. Examinando-se, porém, não apenas cortes do *continuum* histórico, mas o próprio *continuum* através de análises diacrônicas, verifica-se a posição *determinante* do fator tecnológico. Nas análises de alcance médio, ressalta a capacidade *condicionadora* da estrutura social como forma de organização das relações entre os homens para os objetivos da produção de bens, da reprodução do contingente humano e de satisfação das necessidades fundamentais da vida associativa. É notório, por exemplo, o poder condicionador da forma latifundiária de propriedade sobre a tecnificação da agricultura e sobre o modo de vida das sociedades subdesenvolvidas. Também nas análises sincrônicas se observa que os conteúdos ideológicos da cultura, representados pelos produtos mentais gerados no esforço adaptativo e associativo, ou herdados de outros patrimônios culturais, operam como fatores *fecundantes* ou *limitativos* da dinâmica social. Vale dizer que têm um poder de retardar ou de acelerar os processos renovadores segundo o seu caráter espúrio ou autêntico, sua sincronia ou defasagem em relação às alterações nas outras esferas.

Essas generalizações, sobre as diferenças do poder de determinação dos conteúdos adaptativos, associativos e ideológicos das estruturas socioculturais, não são meramente classificatórias. Nos capítulos seguintes, elas serão aplicadas à explicação das diferenças de desenvolvimento dos povos americanos. Nossa hipótese é a de que os povos do mundo moderno tiveram, como geratriz do seu modo de ser atual (fator causal básico), o impacto que sofreram das forças transformadoras desencadeadas pelas duas revoluções tecnológicas, a Mercantil e a Industrial, que produziram a "civilização europeia ocidental" em suas feições, primeiro, capitalista mercantil e, depois, imperialista-industrial. E de que ambas as revoluções tecnológicas, operando diferencialmente sobre os diversos contextos nacionais — conforme atuassem como um processo de evolução autônoma ou como uma ação reflexa de núcleos anteriormente desenvolvidos —, privilegiaram alguns povos, instrumentando-os com poderes de domínio e exploração sobre os demais, na forma de núcleos reitores, e degradaram outros, transformando-os em condições de existência dos primeiros.

O poder condicionador dos fatores associativos será examinado pelo estudo do modo de incorporação da nova tecnologia ao sistema produtivo das sociedades dominadas. Aqui poderemos verificar como a regência dessa modernização, sendo exercida pelos agentes da dominação colonial em associação com as camadas privilegiadas locais (num esforço de apropriação dos produtos do trabalho dos povos colonizados e de preservação dos privilégios das classes dominantes), condicionou as potencialidades da nova tecnologia à manutenção dos vínculos externos e à perpetuação de interesses minoritários. Operada sob esses condicionamentos, a tecnologia industrial foi apenas parcialmente absorvida pelas sociedades dependentes, modificando os modos de vida de grandes parcelas de sua população, mas só incorporando uma parte dela à força de trabalho dos setores modernizados. Desse modo, estabeleceram-se situações antagônicas: de privilégios àqueles que se integraram na civilização industrial e de miserabilidade ainda maior aos que dela ficaram à margem.

Para configurar o quadro das sociedades americanas modernas contribui, finalmente, o poder limitativo ou fecundante dos fatores ideológicos. Isso é o que procuraremos demonstrar mediante o estudo do papel da alienação cultural imposta aos povos subdesenvolvidos da América por seus dominadores e pela análise de seus próprios esforços por redefinir os conteúdos espúrios de sua cultura e por formular projetos próprios de desenvolvimento, como modo de superar a dependência e o atraso.

II. Aceleração evolutiva e atualização histórica

O estudo do processo de formação étnica dos povos americanos e dos problemas de desenvolvimento com que eles se defrontam em nossos dias exige uma análise prévia das grandes sequências histórico-culturais em que foram gerados. Tais são as *revoluções tecnológicas* e os *processos civilizatórios* através dos quais se propagam seus efeitos e que correspondem aos principais movimentos da evolução humana.

Conceituamos as revoluções tecnológicas como inovações prodigiosas no equipamento de ação sobre a natureza e na forma de utilização de novas fontes de energia que, uma vez alcançadas por uma sociedade, a fazem ascender a uma etapa mais alta no processo evolutivo. Essa progressão opera através da multiplicação de sua capacidade produtiva com a consequente ampliação do seu montante populacional, da distribuição e da composição deste, da reordenação das antigas formas de estratificação social e da redefinição de conteúdos ideológicos da cultura. Opera, também, mediante uma ampliação paralela do seu poder de dominação e de exploração dos povos que estão a seu alcance e que ficaram atrasados na história por não terem experimentado os mesmos progressos tecnológicos.

Cada revolução tecnológica se expande através de sucessivos processos civilizatórios que, ao se difundirem, promovem transfigurações étnicas dos povos que atingem, remodelando-os pela fusão de raças, a confluência de culturas e a integração econômica, para incorporá-los em novas conformações étnicas e em novas configurações histórico-culturais.

Os processos civilizatórios operam por duas vias opostas, conforme afetem os povos como agentes ou como pacientes da expansão civilizadora. A primeira via é a da *aceleração evolutiva* que prevalece no caso das sociedades que, dominando autonomamente a nova tecnologia, progridem socialmente, preservando seu perfil étnico-cultural e, por vezes, o expandindo sobre outros povos, na forma de macroetnias. A segunda via, a da *atualização histórica*, prevalece no caso dos povos que, sofrendo o impacto de sociedades mais desenvolvidas tecnologicamente, são por elas subjugados, perdendo sua autonomia e correndo o risco de ver traumatizada sua cultura e descaracterizado seu perfil étnico.

A partir do século XVI, se registraram duas revoluções tecnológicas responsáveis pelo desencadeamento de quatro processos civilizatórios sucessivos. Primeiro, a *Revolução Mercantil*, que, num impulso inicial de caráter mercantil salvacionista, ativou os povos ibéricos e os russos, lançando aqueles às conquistas oceânicas e estes, à expansão continental sobre a Eurásia. Num segundo impulso, de caráter mais maduramente capitalista, a Revolução Mercantil, depois de romper a estagnação feudal em certas áreas da Europa, lançou os holandeses, ingleses e franceses à expansão colonial no além-mar. Seguiu-se a *Revolução Industrial*, que, a partir do século XVIII, promoveu uma reordenação do mundo sob a égide das nações pioneiras na industrialização, através de dois processos civilizatórios: a expansão imperialista e a reordenação socialista.

No mesmo passo em que se desencadeavam esses sucessivos processos civilizatórios, as sociedades por eles atingidas, como agentes ou como pacientes, se configuravam como componentes díspares de diferentes formações socioculturais, conforme experimentassem uma aceleração evolutiva ou uma atualização histórica. Assim é que se modelaram, em consequência da expansão mercantil salvacionista, por aceleração evolutiva, os *impérios mercantis salvacionistas* e, por atualização histórica, seus contextos *coloniais escravistas*. Mais tarde, em consequência do segundo processo civilizatório, se cristalizaram, por aceleração, as formações *capitalistas mercantis* e, por atualização, suas dependências *coloniais escravistas, coloniais mercantis* e *coloniais de povoamento*. Finalmente, como fruto do primeiro processo civilizatório provocado pela Revolução Industrial, surgiram, por aceleração, as formações *imperialistas industriais* e, por atualização, sua contraparte *neocolonial*. E, em seguida, como resultado de um segundo processo civilizatório, as formações *socialistas revolucionárias, socialistas evolutivas* e *nacionalistas modernizadoras*, geradas como acelerações

INTRODUÇÃO: AS TEORIAS DO ATRASO E DO PROGRESSO

evolutivas, ainda que com graus distintos de capacidade de progresso.

O processo global que descrevemos com esses conceitos é o da expansão de novas civilizações sobre amplas áreas, através da dominação colonial de territórios povoados ou da transladação intencional de populações. Seu motor é um desenvolvimento tecnológico precoce, que confere aos povos que o empreendem o poder de impor-se a outros povos, vizinhos ou longínquos, submetendo-os ao saqueio episódico ou à exploração econômica continuada dos recursos do seu território e do produto do trabalho de sua população. Seus resultados cruciais, porém, são a difusão da nova civilização mediante a expansão cultural das sociedades que promovem a conquista e, por essa via, a formação de novas entidades étnicas e de grandes configurações histórico-culturais.

A atualização histórica opera por meio da dominação e do avassalamento de povos estranhos, seguida da ordenação econômico-social dos núcleos em que se aglutinam os contingentes dominados para o efeito de instalar novas formas de produção ou explorar antigas atividades produtivas. Essa ordenação tem como objetivo fundamental vincular os novos núcleos à sociedade em expansão, como parcela do seu sistema produtivo e como objeto de difusão intencional de sua tradição cultural, por meio da atuação de agentes de dominação.

Na primeira etapa desse processo, prevaleceram a dizimação proposital de parcelas da população agredida e a deculturação dos contingentes avassalados. Na segunda etapa, tem lugar certa criatividade cultural que permite plasmar, com elementos tomados da cultura dominadora e da subjugada, um corpo de compreensões comuns, indispensável para possibilitar o convívio e orientar o trabalho. Tal se dá através da criação de protocélulas étnicas que combinam fragmentos dos dois patrimônios dentro do enquadramento de dominação. Numa terceira etapa, essas células passam a atuar aculturativamente sobre seu contexto humano de pessoas desgarradas de suas sociedades originais, atingindo tanto os indivíduos da população nativa quanto os contingentes transladados como escravos e, ainda, os próprios agentes da dominação e os descendentes de todos eles.

Essas células culturais novas tendem a amadurecer como protoetnias e a cristalizar-se como o quadro de autoidentificação nacional da população formada na área. Numa etapa mais avançada do processo, a protoetnia se esforça por independentizar-se a fim de ascender da condição de variante cultural espúria e de componente exótico e subordinado da sociedade colonialista para a condição de sociedade autônoma servida por uma cultura autêntica.

Essa restauração e emancipação só se alcançam ao longo de um processo extremamente conflitivo em que entram em conjunção tanto fatores culturais como sociais e econômicos. É presidido por um esforço persistente de autoafirmação política por parte da protoetnia com o fim de conquistar sua autonomia e se impor um projeto próprio de existência. Alcançada essa meta, está-se diante de uma *etnia nacional*, ou seja, da correspondência entre a autoidentificação de um grupo como uma comunidade humana em si, diferenciada de todas as demais, com Estado e governo próprios, em cujo quadro ela passa a viver seu destino.

Quando essas etnias nacionais entram, por sua vez, a expandir-se sobre vastas áreas, colonizando quiçá outros povos, com respeito aos quais passam a exercer um papel de dominação e de reordenação sociocultural, pode-se falar de uma *macroetnia*. Uma vez atingido, porém, certo nível de expansão étnico-imperial sobre uma área de domínio, a própria atuação aculturativa e a difusão do patrimônio técnico-científico em que se funda a dominação tendem a amadurecer as etnias subjugadas, capacitando-as para a vida autônoma. Volta-se, assim, mais uma vez, o contexto contra o centro reitor, quebrando-se os vínculos de dominação.

A situação resultante é a de etnias nacionais autônomas em interação umas com as outras e suscetíveis de serem ativadas por processos civilizatórios emergentes de novas revoluções tecnológicas. Essas etnias nacionais, produto da ação acelerativa ou atualizadora de processos civilizatórios anteriores, apresentam uma série de discrepâncias e de uniformidades altamente significativas para a compreensão de sua existência ulterior. Estas variam segundo duas linhas básicas. Primeiro, de acordo com os graus de modernização da tecnologia produtiva que hajam alcançado e que lhes abre perspectivas mais amplas ou mais limitadas de desenvolvimento. Segundo, conforme o caráter da remodelação étnica que hajam experimentado e que as conformou em diferentes *configurações histórico-culturais*. Vale dizer, em distintas categorias de povos que, acima de suas diferenças étnicas específicas, apresentam uniformidades decorrentes do paralelismo do seu processo de formação. No caso dos processos civilizatórios regidos pela Europa, essas configurações contrastam e aproximam os povos de acordo com seu perfil básico de sociedades europeias ou europeizadas; de povos extraeuropeus oriundos de antigas civilizações; ou oriundos de populações de nível tribal, remodeladas e degradadas umas, restauradas outras, em grau maior ou menor.

Exemplos clássicos de processos civilizatórios responsáveis pelo surgimento de distintas configurações histórico-culturais se encontram na expansão das civilizações de regadio, das talassocracias como a fenícia e a cartaginesa, dos impérios mercantis escravistas grego e romano, todos eles responsáveis pela transfiguração e remodelação de inúmeros povos. E, mais recentemente, na expansão islâmica e otomana; e, sobretudo, na própria expansão europeia, tanto no seu ciclo mercantil salvacionista ibérico e russo quanto no capitalista mercantil e imperialista industrial, posteriores. Só mediante o estudo acurado de cada um desses processos civilizatórios singulares e pela comparação sistemática de seus efeitos se poderá formular uma teoria explicativa do modo de conformação das etnias nacionais e de modelação das configurações histórico-culturais em que elas se inserem.

Dentro dessa perspectiva, os estudos de *aculturação* ganham nova dimensão. Ao invés de se circunscreverem às situações e aos resultados da conjunção entre entidades culturais autônomas, passam a focalizar, principalmente, o processo de formação e de transfiguração das etnias no curso da expansão de impérios ativados por processos civilizatórios e da subjugação de populações por eles avassaladas por força da atualização histórica.

Esse processo pode ser estudado em todas as situações globais em que se depara com agências colonialistas de sociedades em expansão, servidas por uma tecnologia mais avançada e por uma alta cultura, atuando sobre contextos socioculturais estranhos. Tais agências não refletem aquela alta cultura senão nos aspectos instrumentais, normativos e ideológicos, indispensáveis ao cumprimento de suas funções de exploração econômica, de domínio político, de expansão étnica e de difusão cultural. Atuam, em geral, junto a populações mais atrasadas e profundamente diferenciadas cultural, social e, por vezes, racialmente da sociedade dominante. No esforço de subjugação, aquelas agências colonialistas tomam elementos culturais do povo dominado, principalmente técnicas adaptativas às condições locais para o provimento da subsistência. Mas se configuram, essencialmente, como variantes da sociedade nacional em expansão, cuja língua e cultura são impostas aos novos núcleos. Nessas agências interagem uma minoria oriunda da sociedade dominante e uma maioria proveniente das populações locais subjugadas ou de populações intencionalmente transladadas para atender a objetivos do grupo expansionista. Através da interação desses contingentes é que se plasma a cultura nova, tendente, por um lado, a perpetuar-se como cultura espúria de uma sociedade dominada; mas, por outro, a atender às necessidades específicas de sua sobrevivência e crescimento e, por essa via, a estruturar-se como uma etnia autônoma.

Como se vê, não se trata do suposto processo de interinfluenciação de entidades culturais autônomas que entram em conjunção, conforme os esquemas conceituais dos estudos clássicos de aculturação. O que deparamos aqui são situações concretas de dinâmica cultural, em que os respectivos patrimônios culturais não se oferecem à interinfluenciação; e tampouco chega a existir uma conjunção de culturas autônomas. Os condicionamentos fundamentais dessas conjunções não são, portanto, a autonomia cultural ou a reciprocidade de influências, mas a dominação unilateral da sociedade em expansão e o descompasso cultural entre os colonialistas e os contextos sobre os quais eles se implantam. Só no caso da interação de povos em nível tribal se pode falar da aculturação como um processo em que os respectivos patrimônios se oferecem, efetivamente, com a possibilidade de seleção livre dos traços que se adotam, do domínio autônomo destes e de sua integração completa no antigo contexto.

O próprio conceito de *autonomia cultural* exige uma redefinição, uma vez que só circunstancialmente se pode falar de independência quando se trata de sociedades atingidas como agentes ou pacientes no curso de processos civilizatórios. As situações que se apresentam, nesse caso, são de núcleos em expansão e contextos correspondentes sobre os quais eles se difundem e exercem sua influência deculturativa e aculturativa. Tais núcleos podem ser únicos e ampliarem-se homogeneamente no correr do tempo. Ou serem múltiplos e atuarem simultaneamente, formando distintas configurações de acordo com as situações de conjunção e as características originais dos contextos sobre os quais atuam. Em qualquer caso, operam como cabeças do mesmo processo civilizatório quando se fundam na mesma tecnologia básica, no mesmo sistema de ordenação social e em corpos comuns de valores e crenças que difundem entre os povos engajados em suas redes de dominação. As relações político-sociais são de superordenação ou de subjugação; as culturais são de dominação, deculturação e incorporação no bojo de uma grande tradição. Nessas conjunções, nem a agência colonialista situada fora de sua sociedade, nem a população sobre a qual ela atua constituem entidades servidas por culturas realmente autônomas; cada qual depende da outra, ambas compõem com o centro reitor metropolitano um conjunto interdependente. Apenas se pode falar de autonomia, como autocomando do próprio destino, no caso das entidades que exercem a dominação e, mesmo estas, via de regra, estão inseridas em amplas constelações socioculturais, cujos integrantes só preservam parcialmente sua independência. Nas situações de conjunção resultantes de processos de expansão étnica, o que ressalta é a diferença entre o poder de imposição de sua tradição, por parte da entidade dominadora, e a limitação do poder de resistência à descaracterização étnica e cultural, por parte dos contextos dominados.

Empregamos o termo *deculturação* para designar o processo que opera nas situações especiais em que contingentes humanos desgarrados de sua sociedade (e, por conseguinte, do seu contexto cultural) através do avassalamento ou da transladação, e aliciados como mão de obra de empreendimentos alheios, se veem na contingência de abandonar seu patrimônio cultural próprio e aprender novos

INTRODUÇÃO: AS TEORIAS DO ATRASO E DO PROGRESSO

modos de falar, de fazer, de interagir e de pensar. Nesses casos, a ênfase está posta mais na erradicação da cultura original e nos traumas daí resultantes do que na interação cultural. A deculturação é quase sempre uma etapa prévia e um pré--requisito do processo de aculturação. Esta se segue à deculturação quando tem início o esforço de cristalização de um novo corpo de compreensões comuns entre dominadores e dominados, que torna viável o convívio social e a exploração econômica. E se expande quando, constituída essa protocélula, tanto a socialização das novas gerações da sociedade nascente quanto a assimilação dos imigrantes passam a fazer-se pela incorporação no corpo de costumes, crenças e valores daquela etnia embrionária.

Finalmente, usamos de preferência o conceito de *assimilação* para significar os processos de integração do europeu nas sociedades neoamericanas, cujas semelhanças linguísticas, culturais, no tocante à visão do mundo e às experiências do trabalho, não justificam empregar os conceitos de aculturação e deculturação. Supõe-se, obviamente, que sua forma de participação será limitada, nos primeiros passos; mais ampla, depois; e que possa completar-se em uma ou duas gerações, quando o imigrante alcança o nível de membro indiferenciado da etnia nacional. Como tais etnias admitem formas e graus variáveis de participação — decorrentes, por exemplo, da socialização em áreas culturais distintas ou de imigração mais ou menos recente —, essas diferenças de grau de assimilação podem assumir o caráter de modos diferenciados de exprimir a autoidentificação com a etnia nacional.

Outro conceito que tivemos de reformular foi o de *cultura autêntica e cultura espúria*, inspirado em Edward Sapir (1924), mas aqui utilizado no sentido de culturas mais integradas internamente e mais autônomas no comando do seu desenvolvimento (autênticas), em oposição a culturas traumatizadas e correspondentes a sociedades submetidas a vínculos de dominação, que as tornam dependentes de decisões alheias e cujos membros estão mais sujeitos à alienação cultural, ou seja, à introjeção da visão do dominador sobre o mundo e si próprios (espúrias).

Esses perfis culturais contrastantes são os resultados naturais e necessários do próprio processo civilizatório, que, nos casos de aceleração evolutiva, preserva e fortalece a autenticidade cultural e, nos de atualização histórica, frustra qualquer possibilidade de preservar o *ethos* original ou de redefini-lo com liberdade de selecionar e de incorporar no contexto cultural próprio as inovações oriundas da entidade colonialista. Nessas circunstâncias, quebra-se, irremediavelmente, a integração cultural que perde os níveis mínimos de congruência interna, caindo em alienação por nutrir-se de ideias indigeridas, não correspondentes à sua própria experiência, mas aos esforços de justificação do domínio colonial.

III. Consciência crítica e subdesenvolvimento

Dentro dos processos civilizatórios descritos e pela via da atualização histórica é que foram avassaladas as sociedades americanas de nível tribal, as estruturadas já em estados rurais-artesanais e mesmo os impérios teocráticos de regadio (inca, maia, asteca) para se integrarem no sistema econômico de âmbito mundial, como suas áreas de exploração colonial. Desse modo é que os indígenas americanos e também os negros africanos conduzidos à América saltaram a uma etapa mais alta da evolução humana — enquanto participantes de formações mercantis —, mas foram sendo, simultaneamente, engajados como "proletariados externos" das economias metropolitanas. Essa progressão, processando-se pela via da atualização histórica, importou na perda de sua autonomia étnica e na descaracterização de suas culturas. E, por fim, na sua conversão em componentes ancilares de complexos imperiais modelados como áreas coloniais-escravistas de uma formação mercantil salvacionista ou do capitalismo mercantil.

A humanidade terá experimentado crises semelhantes quando da transição entre etapas evolutivas básicas, como a passagem do nível de sociedades tribais de coletores e caçadores às aldeias agrícolas, com a Revolução Agrícola; a evolução destas para os primeiros estados rurais artesanais, com a Revolução Urbana. Algumas sociedades de então viveram o impacto da renovação tecnológica diretamente, como uma aceleração. Outras o experimentaram reflexamente, como uma atualização. Em ambos os casos, geraram-se fortes tensões. No primeiro caso, porém, estas tensões se configuraram como uma crise de crescimento que as fez experimentar os efeitos dilaceradores da explosão demográfica, da renovação estrutural, da bipartição dos homens em uma condição camponesa e uma condição urbana, e da estratificação da sociedade em castas ou em classes sociais. Nessas circunstâncias, tiveram condições de renovar progressivamente suas sociedades, fazendo-as homogêneas embora desigualitárias. No segundo caso, correspondente à atualização, aquelas tensões foram enormemente superiores, condenando as sociedades atrasadas na história a entrarem em decomposição étnica por terem suas populações escravizadas ou transformadas em provedores de bens e serviços para as mais avançadas, sem condições de superar essa subalternidade.

A situação dos povos inseridos em uma ou outra condição não é apenas distinta, nem tão somente defasada, mas oposta e complementar. Os povos cêntricos, compelindo os dependentes a se converterem na condição material de sua existência e de perpetuação de sua forma, têm chances de progredir continuamente. Os povos dependentes, alienados de si mesmos e transformados em objeto da

Introdução: As teorias do atraso e do progresso

ação e dos projetos dos povos cêntricos, veem-se condenados a uma situação de atraso que só lhes propicia uma modernização reflexa que os torna mais eficazes como economias complementares, mas os mantém sempre defasados, como povos atrasados na história, ou, segundo a expressão clássica, como sociedades contemporâneas mas não coetâneas.

A ruptura dessa condição só pode processar-se no curso de longos processos de reconstituição étnica, de conflitos sangrentos pela emancipação do jugo da etnia parasitária e de proscrição dos agentes internos da dominação comprometidos com o sistema. Em qualquer caso, porém, a nova etnia surgirá traumatizada porque conduz dentro de si tradições em choque que deverá amalgamar; interesses de grupos e de extratos sociais que deverá contrapor; e, ainda, dependências externas que, de alguma forma, precisará atender.

Em sua nova configuração, ulterior à subjugação, destacam-se três conteúdos culturais distintos. Primeiro, a presença de elementos da tecnologia mais alta cuja ausência em sua própria cultura a fizera cair em vassalagem. Esses conteúdos progressistas não se configuram, porém, como uma infraestrutura tecnológica de uma economia autônoma, mas como implantações auxiliares do centro reitor, dele dependentes para sua renovação e aprimoramento. Segundo, as formas institucionais de ordenação da sociedade, plasmadas para atender a objetivos de perpetuação do domínio colonial e dos privilégios da estreita camada nativa de agentes e associados da dominação. Terceiro, os corpos sincréticos de crenças e valores sobreviventes do velho patrimônio ou absorvidos durante a dominação. Estes últimos, principalmente, como aliciantes e justificatórios do jugo colonial.

Em face dessa herança contraditória, cumpre aos povos atrasados dominar os conteúdos tecnológicos novos e incrementar seu uso autônomo, a fim de que possam, um dia, ascender de um sistema de sustentação da complementaridade desigualitária a um sistema econômico de atendimento das necessidades de sua própria população e de intercâmbio internacional condicionado aos imperativos da sua autonomia e crescimento. Cumpre refazer, também, todo o sistema institucional para dele erradicar os contingenciamentos da dominação externa e, na medida do possível, as formas de preservação dos interesses minoritários opostos à renovação tecnológica. Para alguns povos cabe, ainda, intervir na fixação do idioma e na redefinição dos seus corpos de valores, pela síntese das duas heranças, prosseguindo no processo de europeização se ele marchou demasiado para que se possa voltar atrás — como no caso dos mexicanos e dos andinos — ou empreender a renovação tecnológica e institucional a partir do patrimônio cultural próprio, como no caso dos árabes e dos indianos.

Só através de um esforço deliberado e conduzido estrategicamente torna-se possível a ruptura dessa cadeia autoperpetuante de dominação. As crises econômicas do sistema oferecem as principais oportunidades de tentar essa ruptura, porque enfraquecem o núcleo dominador e porque o compelem a exercer formas mais despóticas de espoliação com o objetivo de transferir as tensões que está suportando. Entretanto, quando essas crises coincidem com a emergência de novos processos civilizatórios, conducentes ao alçamento de outros centros reitores, implicam o risco de que a ruptura com uma esfera de dominação se reduza à transferência a outra esfera, como sucedeu com o impacto da Revolução Industrial e as lutas de independência que ela desencadeou nas Américas.

No curso dessas lutas, a maioria das sociedades neoamericanas experimentou um novo processo de atualização histórica. Através dele, apenas conseguiram ascender da condição de colônias escravistas das metrópoles ibéricas para se converterem em áreas de exploração neocolonial do imperialismo industrial. Nessa condição, experimentaram muitos progressos modernizadores de suas instituições sociopolíticas e de seu sistema produtivo, mas permaneceram dependentes de centros de poder externo. Desse modo, as nações latino-americanas foram contidas e condicionadas em seu desenvolvimento pelos desígnios dos seus novos dominadores que operavam no sentido de perpetuar sua condição de economias complementares e subalternas e, consequentemente, como povos inferiorizados e como culturas espúrias.

O que está atrás dos contrastes entre as sociedades contemporâneas e o que explica a pobreza dos povos atrasados na história é sempre o motor da dinâmica social que se encontra no surto de uma tecnologia de alta energia. Mas é também a via pela qual estas sociedades foram chamadas a integrar-se na Revolução Industrial: a atualização histórica, imposta pelo efeito constritor da estrutura social gerida pelos agentes externos de dominação e pelas camadas privilegiadas internas, obstinadas a perpetuar-se, seja pela preservação de modos primitivos de ordenação social, seja pela transmudação condicionada à manutenção da ordem global.

Relacionando essas proposições alcançadas através dos estudos de alto alcance histórico com as análises conjunturais, procuraremos demonstrar que a sucessão das etapas evolutivas se processa mediante a interação conflitiva entre as sociedades e entre setores de cada sociedade. Nessa interação, as sociedades se organizam em estruturas de dominação e subordinação e, dentro de cada sociedade, se estamentam classes sociais formando grandes complexos interdependentes. Ambos se modelam em formas estáveis, capazes de operar durante largos períodos pela manutenção das posições relativas. Jamais se cristalizam, porém, por estarem em permanente alteração, movidas por fatores externos ao complexo, por inovações ocorridas dentro dele ou por tensões entre seus componentes.

Desse modo, uma área colonial pode independentizar-se na forma de uma *aceleração evolutiva* que a capacite a desenvolver-se autonomamente como um novo foco de expansão, como ocorreu com os Estados Unidos da América do Norte. Ou apenas independentizar-se formalmente e, por via da *atualização histórica*, ascender da condição colonial à neocolonial. Simultaneamente, as estruturas internas experimentam dois tipos opostos de alteração. No primeiro caso, o que era uma classe dominante colonialista — e, portanto, parcela do complexo global — se transforma numa classe dominante nacional autonomista. No segundo caso, como ocorreu nos demais países americanos, as camadas dominantes apenas mudam de função, associadas a novas esferas de poder externo para as quais passam a exercer o papel de agentes da exploração neocolonial. Correlativamente, se alternam também os atributos das classes subalternas. No primeiro caso, o que era um "proletariado externo" de outra sociedade, criada e mantida como uma feitoria provedora de certos artigos e serviços, pode tornar-se um proletariado nacional que procura se vincular com o exterior num intercâmbio menos espoliativo. No segundo caso, perpetua-se a condição de "proletariado externo" e, com ele, um tipo de vinculação neocolonial limitador das possibilidades de desenvolvimento autônomo.

Como vimos, em todos estes casos operam fortes tensões. Nos primeiros, porém, elas tendem a abrandar-se porque são problemas de uma fase de transição ou de uma crise de crescimento. Nos casos opostos, em que as inovações são introduzidas para atender a necessidades alheias, estas tensões assumem uma forma traumática conducente a situações de crise não superáveis pelo simples desenrolar do processo. Já não são, nesse caso, crises de crescimento. São descaminhos no curso do processo renovador que não levam a um desenvolvimento independente e autossustentado, mas a configurar estruturas econômicas ancilares, habilitadas a experimentar tão somente efeitos reflexos dos progressos alcançados alhures.

Tal é o subdesenvolvimento. Por tudo isso, ele não pode ser explicado como uma polaridade de contrastes interativos, como pretendem os teóricos dualistas. Nem como uma crise de transição entre o feudalismo e o capitalismo que afeta uniformemente a todos os povos imersos nesse estágio de evolução, como quer o marxismo dogmático. O subdesenvolvimento é, na verdade, o resultado de processos de atualização histórica só explicáveis pela dominação externa e pelo papel constritor das classes dominantes internas, que deformam o próprio processo de renovação, transformando-o de uma crise evolutiva num trauma paralisador.[15]

Desenvolvendo-se dentro desse enquadramento, a maioria das nações americanas evoluiu como estruturas "atualizadas". Primeiro, ao se integrarem no capitalismo mercantil como formações coloniais de vários tipos; depois, ao se incorporarem ao imperialismo industrial como áreas neocoloniais. Em todos os estágios dessa progressão, eram mais pobres e atrasadas do que as sociedades que as parasitavam e também mais pobres e atrasadas do que são hoje.

A sociedade como um todo era, porém, passiva em face desse estado de coisas. Explicava a pobreza e a riqueza por conceitos místicos capazes de infundir uma atitude de resignação a certas camadas. Essa situação não pôde alterar-se devido à comunidade de interesses das classes dominantes e dos agentes externos da exploração, empenhados ambos em manter a escravidão, o latifúndio, a monocultura de que todos, afinal, viviam. Somente nos estratos subalternos fervia o espírito de rebelião contra a ordem social, sobretudo entre negros escravos e índios explorados, que se levantavam, periodicamente, em insurreições. Estas assumiam, em geral, uma feição milenarista porque tinham como único padrão de reordenação social uma idealização do passado remoto em que não existiam senhores nem escravos. Mesmo quando vitoriosas, não se capacitavam a reordenar intencionalmente a sociedade segundo um projeto próprio que a tornasse economicamente viável e progressista. Por isso acabaram sendo todas derrotadas.

O sistema vigente também não era capaz de evoluir para formas autônomas e progressistas de ordenação da sociedade e da economia. Quando as condições de vida numa área alcançavam níveis demasiado baixos, eclodindo atos desesperados de expressão místico-religiosa da penúria, estes eram prontamente esmagados em nome da ordem. Os excedentes de população gerados dentro de cada região distribuíam-se por outras, indo engrossar as fronteiras de penetração das regiões inexploradas ou regrediam a uma economia de subsistência, estruturando-se como uma cultura da pobreza. Essas formas de escape diminuíam as pressões exercidas sobre a estrutura social, incapaz de engajar toda a população no sistema econômico e também de incorporar uma tecnologia de mais alta produtividade. Mas era suficientemente poderosa para assegurar sua perpetuação, bem como adequadamente integrada para não admitir dúvidas sobre a legitimidade das regalias que gozavam as classes dominantes.

Só com a eclosão de novos processos civilizatórios que ensejaram reordenações globais da sociedade e que interessavam, por igual, a certos setores das camadas superiores e amplas bases nas classes subalternas, é que surgiram condições históricas para o rompimento da estrutura tradicional. Então aquelas sociedades deixavam de ser meramente atrasadas para serem subdesenvolvidas. Tal é o que sucedeu no período bolivariano e essa é a conjuntura de nossos dias.

INTRODUÇÃO: AS TEORIAS DO ATRASO E DO PROGRESSO

As situações de atraso histórico diferem, pois, essencialmente, do estado de subdesenvolvimento por esta característica ideológica: a relativa conformidade e resignação com o atraso e com a pobreza que se conseguia infundir em amplas camadas da população, em contraste com a tomada de consciência da pobreza e do atraso como enfermidades sanáveis.

Essa percepção do sistema social como problema é, provavelmente, um subproduto ideológico das forças reordenadoras que atuam sobre o sistema produtivo e exigem transformações correlatas na ordenação social. Quando as sociedades humanas emergiam para a Revolução Mercantil, surgiu, também, uma consciência crítica equivalente: o florescimento intelectual do Renascimento. O mesmo ocorreu com o desencadeamento da Revolução Industrial, que gerou a ideologia libertária das revoluções burguesas e dos movimentos de emancipação do século XIX. Em todos esses casos deparamos com alargamentos da "consciência possível" sobre a realidade social como decorrências ideológicas de alterações profundas nos modos de adaptação e associação (K. Marx, 1956).

Em nossos dias, uma nova onda de criatividade intelectual e um novo alargamento da consciência possível se expressam criticamente e varrem o mundo dos povos deserdados. É a inconformidade com seu lugar e seu papel no sistema mundial e a consciência de suas estruturas sociais como problemas. Tal se dá concomitantemente com uma extraordinária aceleração das inovações ocorridas no curso da Revolução Industrial que estão ensejando a irrupção de um novo surto renovador, a *Revolução Termonuclear*, destinada a atingir as sociedades humanas com um poder transformador ainda mais profundo. Trata-se, provavelmente, de um efeito reiterativo dos mesmos processos estruturais que, alterando as formas de produção das sociedades humanas, força a renovação institucional e enseja a autossuperação ideológica.

Vista desse ângulo, a oposição entre uma literatura nominalmente científica sobre a dinâmica social, produzida principalmente nos países prósperos e caracterizada por seu desalento e conservadorismo, e os esforços por criar esquemas conceituais adequados à análise de sua problemática, elaborados nos países subdesenvolvidos e caracterizados por qualidades opostas, são ambos produtos de condições externas à consciência. No primeiro caso, são mistificações destinadas a substituir a ensaística correspondente à mentalidade arcaica por um discurso sofisticado mas igualmente conformista. No segundo, são esforços de desmascaramento dessa trama ideológica, ensejados pela conquista de uma consciência crítica tornada possível devido a reestruturações profundas, embora reflexas, experimentadas, nas últimas décadas, pelas sociedades subdesenvolvidas.

Essa conscientização não se circunscreve, naturalmente, a círculos intelectuais, mas atinge amplos setores — como alguns grupos religiosos até há pouco engajados na posição oposta —, a todos incandescendo com uma visão progressista de suas sociedades e confiante no futuro humano. Nessa conjuntura, à miséria crônica e calada se opõem aspirações de melhoria dos níveis de vida; à resignação se antepõe a inconformidade; ao conservantismo se contrapõem ideais reformistas ou revolucionários.

As diferenças fundamentais entre a antiga situação e a nova não se encontram, portanto, na miserabilidade e no atraso presentes em ambas e até de maior vulto antes do que agora. Encontram-se, isto sim, na nova dinâmica social, caracterizada pela consciência da incapacidade do sistema global de dar solução para os problemas gerados pela modernização reflexa e de satisfazer o nível de aspirações da população. Essa é a diferença que separa as sociedades atrasadas na história das subdesenvolvidas. Umas, afundadas em sua penúria, produzindo uma ensaística amarga e reacionária; as outras, ativadas por movimentos inconformistas que veem possibilidades históricas de romper com os fatores causais do seu atraso e representadas, no plano ideológico, por uma intelectualidade revolucionária.

O elemento fundamental desta conscientização é a própria concepção do subdesenvolvimento como produto do desenvolvimento de outros povos, alcançado mediante a espoliação dos demais e como efeito da apropriação dos resultados do progresso tecnológico por minorias privilegiadas dentro da própria sociedade subdesenvolvida. É, ainda, a compreensão de que, enquanto permanecerem no quadro desses condicionamentos internos e externos, as sociedades dependentes só experimentarão uma modernização reflexa, parcial e deformada, geradora de crises demográficas e sociais impossíveis de serem superadas dentro das estruturas vigentes. É, por fim, a percepção de que essa situação de atraso só pode ser rompida revolucionariamente. E que, em consequência, a missão crucial dos cientistas sociais das sociedades subdesenvolvidas é o estudo da natureza da revolução social e a busca dos caminhos pelos quais ela possa ser desencadeada para dar lugar a uma aceleração evolutiva.

PRIMEIRA PARTE
A CIVILIZAÇÃO OCIDENTAL E NÓS

*Cada geração deve escrever sua história universal. E
em que época isso foi tão necessário como no presente?*

W. Goethe

I. A EXPANSÃO EUROPEIA

A história do homem nos últimos séculos é, principalmente, a história da expansão da Europa Ocidental, que, ao constituir-se em núcleo de um novo processo civilizatório, se lança sobre todos os povos em ondas sucessivas de violência, de cobiça e de opressão. Nesse movimento, o mundo inteiro foi revolvido e reordenado segundo os desígnios europeus e na conformidade de seus interesses. Cada povo e até mesmo cada pessoa humana, onde quer que houvesse nascido e vivido, acabou por ser atingido e engajado no sistema econômico europeu ou nos ideais de riqueza, de poder, de justiça ou de santidade nela inspirados.

Nenhum processo civilizatório anterior se revelara tão vigoroso em sua energia expansionista, tão contraditório em suas motivações, tão dinâmico em sua capacidade de renovar-se, tão eficaz em sua ação destrutiva, nem tão fecundo como matriz de povos e de nacionalidades. A amplitude e profundidade de seu impacto foram tão grandes que cumpre perguntar, com respeito a tudo quanto sucedeu no mundo nesses últimos séculos, o que se deve à espécie humana em suas diversas configurações sociais e culturais e o que se deve a esta variante expansiva, dominadora e insaciável que foi a civilização europeia ocidental.

Os povos europeus, que protagonizaram a história moderna como agentes civilizadores, regeram-na como sociedades que, antecipando-se em duas revoluções tecnológicas, a Mercantil e a Industrial, se haviam colocado na vanguarda da evolução sociocultural. Como tal, experimentaram primeiro e formularam pioneiramente as alterações sociais e ideológicas decorrentes de novas etapas da evolução em que ingressava a humanidade. Suas descobertas, suas crenças, seus ideais são, por isso mesmo, menos expressões da criatividade europeia do que produtos necessários da própria evolução humana que, ali, vivia precocemente novas etapas.

O mundo feudal europeu, resultante do levantamento do contexto bárbaro sobre a civilização greco-romana, vinha experimentando, havia séculos, inovações tecnológicas e sociais acumulativas que acabaram por restaurar o sistema mercantil e conformar a nova civilização. O Renascimento é o momento dramático em que esta civilização se revela ao próprio europeu que vê o mundo duplicado com a descoberta das Américas, redefinida a concepção do universo, cindida a Igreja Romana, implantado o Império Otomano em Constantinopla, e lançadas as bases do Império Russo.

As Américas e a civilização

Uma só geração, na passagem dos quinhentos, conhece descobridores como Colombo, Vasco da Gama, Cabral e Vespúcio; conquistadores ferozes como Cortez, Pizarro e Jimenez; humanistas como Thomas Morus, Erasmo de Roterdam, Maquiavel, Garcilaso de la Vega, Vives de Las Casas; escritores como Ariosto e Rabelais e, logo depois, épicos como Camões e místicos como santa Teresa; pregadores e inquisidores possuídos de fúria sagrada como Savonarola e Torquemada; reformadores e restauradores como Lutero, Calvino, Knox, Zwiglio, Münzer e Loyola; artistas geniais como Leonardo da Vinci, Rafael, Michelangelo, Botticelli, Ticiano, Gil Vicente, Correggio, Dürer e Holbein; astrônomos como Copérnico e Behaim; naturalistas como Paracelso e Vesalius; os papas mundanos, os mecenas florentinos e os primeiros empresários financistas modernos.

Toda uma revolução se processara no saber, na religião, nas artes, desgarradas das peias teológicas e voltadas para o culto da Antiguidade Clássica. Desencadeara-se um interesse novo pelo saber empírico-indutivo, pela observação da natureza, pela compreensão da sociedade, pela experimentação científica, pelas artes mecânicas.

Em uma parte da Europa, a busca da ascese religiosa e do êxtase místico dera lugar a movimentos paralelos de reforma religiosa, de secularização dos costumes, de experimentação científica, de especulação racionalista e de indagação filosófica que iriam modificar profundamente, nos séculos seguintes, os modos de fazer, de viver e de pensar de todos os povos.

Em outra parte da Europa, o fervor religioso se reacende, incandescendo povos até então marginais à cristandade para o papel de zelosos guardiães da fé e de cruzados extemporâneos da expansão de um catolicismo missionário e conquistador. Tais são os povos ibéricos e os russos, através de cujo elã expansionista a Europa explode, criando as bases da primeira civilização mundial.

Os ibéricos, como povos peninsulares, se lançam à expansão ultramarina, descobrindo, conquistando e subjugando os novos mundos e fazendo sacralizar pelo papa a divisão deles entre Portugal e Espanha. Os russos, como povos continentais, entram a expandir-se sobre seu contexto euro-asiático. A partir de sua base original no Dnieper, lançam-se pelo Oeste, sobre a Europa eslava e balcânica dominada pelos otomanos; pelo Leste e pelo Norte, sobre o mundo euro-asiático das correrias tártaro-mongólicas, estendendo suas fronteiras até a China e apropriando-se, eles também, no extremo do seu território, de um naco da América, o Alasca.

Iberos e russos tinham de comum o desafio fundamental com que se defrontavam: a tarefa de reconquista de seu próprio território sujeito a suseranias estrangeiras de povos de outras religiões. O incandescimento para a missão da reconquista, alcançado com apelo a valores religiosos, é que os amadureceria para a expansão externa, fazendo-os lançar-se — depois de cumprida a unificação — contra todas as etnias minoritárias enquistadas em seu território e, para além dele, à dominação de outros povos, vizinhos ou longínquos.

As interpretações desse movimento histórico de importância crucial para o destino humano, elaboradas por europeus cêntricos e nórdicos, sofrem duas ordens de deformações. Primeiro, a de se converterem em esforços de concatenação dos antecedentes históricos que conduziriam a Inglaterra e a Holanda, e depois a França, à estruturação como formações capitalistas mercantis. Segundo, a de se formularem como epopeias dignificadoras das façanhas do homem branco e justificatórias da dominação imperialista inglesa, holandesa e francesa sobre o mundo.

O discurso explicativo elaborado dentro desse enquadramento descreve a progressão dos povos europeus como uma ruptura interna com o feudalismo, laboriosamente elaborada através de séculos de criatividade tecnológica e cultural dos italianos, holandeses e ingleses, que teria finalmente amadurecido com a Revolução Industrial. Nesse discurso, o papel dos povos ibéricos e do contexto extraeuropeu é meramente passivo e teria consistido, principalmente, em prover uma área de saqueio que possibilitou a acumulação primitiva de capitais.

Essa abordagem não explica as razões pelas quais os primeiros impulsos renovadores ocorreram justamente nas áreas marginais às que viriam a configurar-se como potências capitalistas mercantis da Europa e, depois, imperialistas-industriais. Tampouco explica como sociedades imersas no feudalismo puderam cimentar a unidade política e econômica necessária para empreender a expansão europeia sobre o mundo. Se feudalismo significa desaglutinação política de antigas estruturas imperiais, e desagregação econômica de antigos sistemas mercantis, como a deterioração dos modos escravistas de produção, o conceito não é aplicável à Ibéria nem à Rússia do século XVI. Ambas se caracterizam, precisamente, por atributos opostos: o centralismo político e burocrático, a implantação de vastos sistemas mercantis e o desencadeamento de vigorosos movimentos de conquista e colonização externa.

Todos esses fatos levam a supor que, antes do amadurecimento das formações capitalistas mercantis, ocorreu um outro processo civilizatório, o primeiro a proporcionar a ruptura com o feudalismo europeu e a emergência de uma nova formação sociocultural: a mercantil salvacionista. Sua base tecnológica, provida pela Revolução Mercantil, se assentava na navegação oceânica, nas armas de fogo, no ferro forjado e em outros elementos que liquidaram a cavalaria de guerra

As Américas e a civilização

dominante desde há um milênio e permitiram desencadear um novo ciclo de expansão mercantil marítima.

É certo que, simultaneamente, se vitalizaram como núcleos mercantis alguns portos italianos (já não como entrepostos de Bizâncio) e se ativaram alguns portos holandeses e ingleses como polos de uma rede mercantil europeia. Todavia, a expansão vertiginosa desses núcleos e seu amadurecimento como células de uma formação capitalista só se tornaram viáveis graças à expansão prévia da Ibéria e à custa da fantástica soma de recursos que ela colocou em circulação, na forma de bens saqueados e do avassalamento de enormes populações na América, África e Ásia.

Esse evento transcendental é geralmente referido nas teorias históricas como mero fator coadjuvante de um processo civilizatório que se teria originado e desenvolvido a partir da implantação do sistema mercantil europeu. Para sustentar essa tese, se dá por provado que, antes da Revolução Industrial, ocorrera na Europa um impulso de criatividade tecnológica autônoma; e se esquece que as inovações decisivas nas técnicas de navegação, de produção e de guerra, em que se assentaria a expansão ibérica, vieram do mundo extraeuropeu, através dos árabes. Outra consequência desse eurocentrismo teórico é uma conceituação tão ambígua do feudalismo que a torna aplicável a qualquer situação histórica de atraso com respeito ao capitalismo.

Uma explicação mais satisfatória desses mesmos fatos pode ser dada a partir da constatação de que estamos diante de uma revolução tecnológica anterior à Revolução Industrial. Tal é a Revolução Mercantil, fundada na tecnologia referida (navegação oceânica e armas de fogo, principalmente), que desencadeou dois processos civilizatórios cristalizados como duas formações socioculturais duplas. Primeiro, a mercantil salvacionista e colonial escravista; segundo, a capitalista mercantil e a colonialista mercantil. Essas formações duplas foram produzidas pelas mesmas forças renovadoras que, atuando sobre diferentes contextos, permitiram a alguns povos ascender do feudalismo a uma etapa superior (salvacionista mercantil e capitalista mercantil), através da aceleração evolutiva, e que submeteu outros povos à dominação externa (colonial escravista e colonialista mercantil), através da atualização histórica.

A competição e o conflito entre essas duas formações e entre os componentes interativos de cada uma delas viria a favorecer a mais progressista, que acabou se capacitando para empreender a Revolução Industrial e, desse modo, superar a outra e, por fim, subordinar todos os povos à sua dominação. Nessa nova etapa, os núcleos capitalistas mercantis evoluem para formações imperialistas-industriais; as

A EXPANSÃO EUROPEIA

formações mercantis salvacionistas, bem como seus contextos coloniais, são modernizados parcial e reflexamente por via da atualização histórica e se convertem em áreas de exploração neocolonial.[1]

1. O ciclo salvacionista

A expansão europeia dos séculos XV-XVI processa-se, efetivamente, a partir de dois pontos marginais, ambos submetidos à dominação estrangeira, islâmica no caso dos povos ibéricos, e tártaro-mongólica no caso dos russos. Os iberos e os russos, embora contribuindo para a generalização das principais inovações tecnológicas da Revolução Mercantil, ligadas quase todas à navegação oceânica e às armas explosivas, apenas lograram constituir-se como duas formações socioculturais de caráter mercantil, despótico e fanático. Fizeram-se *impérios mercantis salvacionistas* de modelo semelhante ao islâmico e otomano, igualmente desvairados na dimensão épica, cobiçosa e mística da meta que se propunham. Assim é que os modeladores da primeira via de ruptura com o feudalismo europeu e de transição ao capitalismo mercantil não conseguem estruturar-se segundo a formação sociocultural que lhes corresponderia.

Essa nova etapa da evolução humana, o *capitalismo mercantil*, se cristalizaria em algumas das cidades que, desde séculos, vinham consolidando o sistema mercantil europeu. Por isso mesmo, quando a Revolução Mercantil — que havia outorgado precedência à península Ibérica e à Rússia — deu lugar a uma nova etapa evolutiva, a Revolução Industrial, ambas as áreas se viram, mais uma vez, marginalizadas e preteridas como povos atrasados. Esse novo passo evolutivo colocaria no centro da história humana, como focos irradiadores de um novo processo civilizatório — o capitalismo industrial —, outros povos europeus até então marginais às grandes correntes de civilização: os ingleses e os holandeses, primeiro; os franceses e os alemães, depois.

Alguns tipos humanos dos dois impérios mercantis salvacionistas dão a medida dos valores que os motivaram e incandesceram, depois de séculos de vida medíocre, para romper a subjugação moura ou mongólica e se fazerem os vanguardeiros da nova civilização. O mundo ibérico pode ser representado aqui, em primeiro lugar, pelo jovem rei dom Sebastião, que, incandescido de fervor religioso, joga toda a nobreza lusitana em uma batalha contra os mouros: Alcacerquibir. Com sua morte, Portugal cai sob o domínio espanhol e se afunda no desalento. A impressão que causou essa tragédia e o desaparecimento do próprio corpo do

53

jovem rei se faz sentir até nossos dias, em Portugal e no Brasil, na forma de movimentos messiânicos em que multidões fanatizadas rezam, se flagelam e sacrificam inocentes na esperança de que se cumpra o mito do retorno de dom Sebastião, que estaria "encantado".

Uma terceira figura foi o infante dom Henrique, o Navegante, misto de sábio renascentista — que reuniu tantos dos conhecimentos náuticos que tornaram possível a navegação oceânica — e místico-fanático, que se fazia queimar continuamente, por amor de Deus, com um cinto de cilício, e que fundou uma das heresias mais difundidas da cristandade portuguesa: a pregação da vinda da era do Divino Espírito Santo, que, depois do tempo do Pai e do Filho, permitiria ao homem a criação do paraíso cristão na própria terra.

Outra figura característica foi Isabel, a Católica. Criada entre camponeses, ao lado de sua mãe louca, se fez a rainha da Espanha unificada que venceu o último bastião muçulmano e expulsou os árabes no mesmo ano em que a América era descoberta. Isabel tomou como sua tarefa mais zelosa a erradicação das mourarias que haviam impregnado as populações peninsulares ao longo de sete séculos de domínio islâmico; se fez madrinha da Santa Inquisição, tornando-se uma ovelha submissa dos dominicanos promovidos a reitores da hispanidade; aspirou piamente a ser a protetora do gentio subjugado no Novo Mundo, mas para salvar-lhes as almas contra a condenação eterna e para preservar o enriquecimento dos conquistadores espanhóis, os condenou à forma mais hipócrita de escravidão, que foi a das *encomiendas*.

No mundo russo ressaltam como símbolos as personalidades de Ivan III e de Ivan, o Terrível. O primeiro submete ao domínio de Moscou os principados de Kíev, Iaroslav, Rostov e Novgorod, lançando as bases do Império. O segundo se faz coroar tsar de todas as Rússias, impõe-se à Horda de Ouro, quebrando as bases da expansão mongólica sobre a Europa, e desencadeia um processo de colonização mercantil e de catequese cristã-ortodoxa que incorporaria, progressivamente, toda a Eurásia ao Império Russo; submete a seu mando a nobreza feudal boiarda através do terrorismo e, finalmente, instaura o patriciado moscovita para atender à aspiração russa de fazer de Moscou a terceira Roma, reitora da cristandade.

Simultaneamente com esses desenvolvimentos das áreas marginais, a Europa nórdica e cêntrica prosseguia nos esforços de rompimento do feudalismo pela restauração de um sistema mercantil internacional. Esse processo que se inicia nas cidades-portos italianas, flamengas e inglesas, que se haviam feito também centros de produção manufatureira, conduziu a uma nova formação sociocultural congruentemente capitalista mercantil. E, por isso mesmo, mais capacitada a

A EXPANSÃO EUROPEIA

empreender o novo salto da evolução tecnológico-cultural que seria a Revolução Industrial, fundada no domínio de novas fontes de energia e na sua aplicação a dispositivos mecânicos de produção em massa.

A Europa que se defronta com a América indígena representada pela Espanha e por Portugal era constituída por sociedades nacionais de base agrário-artesanal rigidamente estamentadas. Sua cúpula era formada antes por uma hierarquia sacerdotal do que por uma nobreza hereditária, dada a posição da Igreja como principal proprietária de terras, escravos e servos e da especialização guerreira de uma parte do clero como padres-soldados. A nobreza superinflacionada em número era pobre e até paupérrima, mas extremamente zelosa, por isso mesmo, de não se confundir com a gente comum, a quem incumbia o trabalho produtivo. A função da nobreza era a guerra contra o mouro, determinada pelo papa e pelo rei e conduzida pelo clero; ou, ao lado do mouro, contra a expansão clerical-cristã. Além de sua motivação principal, que era a religiosa, essa guerra santa dava também frutos temporais, sobretudo ao clero, em virtude da disposição cautelosa, segundo a qual toda a terra tomada ao infiel passaria a pertencer à Igreja.

Nas cidades, uma camada de artesãos — principalmente mouriscos — e de mercadores — principalmente judeus —, equivalente à que formaria a burguesia comercial de crescente influência em outras nações, como a Inglaterra, a Alemanha, a Holanda e a França, era mantida sob rígido controle. Controle religioso, porque era integrada, em larga medida, por muçulmanos, judeus e cristãos-novos, não infundindo confiança à Igreja. Controle social, pela nobreza ciosa dos próprios privilégios e, sobretudo, cheia de cobiça pela apropriação de seus bens e terras. Controle estatal, pela Coroa que tirava suas rendas, em grande parte, dos impostos sobre os comerciantes e os artesãos. A primazia do clero e a perseguição sistemática e furiosa contra as minorias islâmicas e judaicas contribuíram decisivamente para impossibilitar a constituição de uma classe intermediária de empresários ricos e de artesãos livres que viesse a configurar uma burguesia capaz de disputar um lugar e uma influência saliente no Estado.

A população de toda a península Ibérica, ao tempo da descoberta, é avaliada em 10 milhões, 1,5 dos quais eram portugueses. À mesma época, os britânicos eram 5 milhões, os holandeses, 1 milhão, os franceses, 20 milhões, e os alemães, 12. Como se explica que justamente essa área marginal, que não era a mais avançada economicamente nem a mais populosa, se capacitasse para empreender a expansão oceânica da Europa Ocidental? Somam-se, aqui, muitos fatores, dentre os quais se destaca, como crucial, terem os ibéricos se tornado herdeiros da tecnologia islâmica, mais alta que a europeia de então, sobretudo nos setores decisivos para

55

As Américas e a civilização

a navegação oceânica. E, também, o fato de terem estado empenhados por oito séculos, de 718 a 1492, numa luta de emancipação contra a dominação sarracena, que exigiu mobilizar todas as energias morais de seus povos e mantê-las acesas por esse vastíssimo período de tempo, em que a fronteira avançava ou recuava conforme se intensificasse a pressão islâmica ou a cristã. Essas duas circunstâncias é que fariam dos iberos da reconquista os promotores da conquista. Mas também os faria pais da Revolução Mercantil, pela contribuição tecnológica e econômica que lhe confeririam, sem os fazer seus filhos, porque, ao se alçarem à grande façanha, ainda se configuram como impérios mercantis salvacionistas, e não como formações capitalistas mercantis. Mesmo ao término do ciclo mais brilhante da sua história, não conseguem alçar-se à modernidade, nem integrar-se na Revolução Industrial. Ao contrário, entram em regressão, perdendo seu império colonial escravista e mercantil para os novos imperialismos capitalistas-industriais que se alçavam. Desse modo, tanto Portugal como Espanha regridem à estagnação feudal ou se inserem na economia mundial como áreas dependentes, de conformação neocolonial.

Como formação mercantil salvacionista que soma em si as energias de um imperialismo incipientemente mercantil e as forças mobilizadoras de uma religião missionária expansionista é que a Ibéria amadurece para a empresa da descoberta, da conquista e da colonização do Novo Mundo, projetando sobre o gentio e sobre todo o mundo sua velha guerra contra a dominação muçulmana. Como tal, lança-se também, através de todo o século XVI, a guerras europeias de restauração da cristandade católica contra a Reforma; a convulsões internas de trucidamento de judeus e mouros que se institucionalizariam, depois, na Inquisição; à devastação das altas culturas americanas e à escravização de seus povos, aos quais acrescentariam milhões de negros africanos para constituir a maior força de trabalho que o mundo conhecera até então. Absorvida, mais tarde, pelas exigências da tarefa de organização das colônias americanas, e tornada mais prudente em face da capacidade de represália a seus ataques revelada pelas nações emergentes da Europa capitalista e protestante; dissuadida pelo papado de seu elã evangelizador sobre a Europa, a Ibéria vai, aos poucos, restringindo sua destinação hegemônica salvacionista e mercantil às possessões ultramarinas e à sanha purificadora sobre sua própria população.

Restabelece, assim, seus vínculos mercantis com a Europa, que cresceriam cada vez mais dentro de um sistema de trocas entre formações defasadas, nas quais as mais evoluídas succionam fatalmente a substância das mais atrasadas. Nesse contexto econômico, as estruturas evoluídas eram a Holanda, a Inglaterra e a França, que, apesar de deserdadas na divisão tordesilhana do mundo, já então se conformavam como uma formação capitalista mercantil. Atrasados eram Espanha e Portugal, como impérios mercantis salvacionistas de economia fundada no colonialismo escravista.

Nesse enquadramento, as duas nações arcaicas se tornam arrecadadoras de bens destinados antes a enriquecer uma nobreza ostentatória, senhorial e mística, ou para custear os projetos hegemônico-universalistas de seus reis austríacos, do que a inverter produtivamente. Também nisso se revelava seu caráter mercantil salvacionista que as compelia a agir tal como sempre fizeram as formações incipientemente mercantis, voltadas mais ao entesouramento e ao gasto suntuário do que à capitalização e ao investimento produtivo. O ouro e a prata arrancados da América em enormes quantidades se tornariam, desse modo, simples moeda de custeio do consumo metropolitano de bens e manufaturas importadas de outras áreas e de manutenção de exércitos. Espanha e Portugal transformam-se, consequentemente, em meros entrepostos de suprimento de metais preciosos, de especiarias e, mais tarde, de açúcar e outros produtos tropicais a mercadores de toda a Europa. Nem mesmo se capacitam a criar um sistema próprio de distribuição dos seus produtos coloniais nos mercados europeus, perdendo, com isso, até os ganhos da comercialização.

Em consequência, essa corrente de bens saqueados ou produzidos por enormes populações — que tinham seu nível de consumo supercomprimido através da escravização — vai custear o enriquecimento e, sobretudo, a industrialização de outras áreas. Acrescem a essa tendência, como força regressiva, o fato de terem destruído seu sistema de produção artesanal movidos pelo fanatismo salvacionista, com a expulsão de centenas de milhares de mouros; e, também, o seu sistema mercantil, com a exclusão de outros tantos judeus. Empurrados, assim, pela natureza mesma da formação em que se conformaram a um depauperamento crescente, que seria ainda acelerado pelo custeio de um sistema clientelístico de proporções gigantescas, integrado principalmente por clérigos, Portugal e Espanha se afundaram num endividamento cada vez mais humilhante em mãos de banqueiros europeus e em toda sorte de expedientes lucrativos, como a venda de títulos de fidalguia, tanto na península como na América.

Sob o reinado de Filipe II, que encarna, mais ainda que Isabel, o fanatismo salvacionista ibérico, o clero espanhol alcança a proporção fantástica de 25% da população adulta. Segundo Oliveira Martins (1951: 306), "um censo efetuado durante o reinado de Filipe II (1570) registra 312 mil padres, 200 mil clérigos de ordens menores e 400 mil frades".

No começo do século XVIII, outro censo consignará, na mesma camada parasitária, "cerca de 723 mil nobres, 277 mil criados de nobres, 70 mil burocratas e 2 milhões de mendigos".

No mesmo período, só na região de Sevilha, os teares de seda e de lã se haviam reduzido de 16 mil para quatrocentos e o rebanho ovino, de 7 para 2 milhões. A própria população ibérica caíra de 10 para 8 milhões de habitantes (*op. cit.*: 306-7), sob o peso dessa destinação salvacionista.

No plano cultural, a decadência é correspondente. O estudantado de Salamanca se reduz de 14 para 7 mil, em fins do século XVI; a Inquisição dirigida por Torquemada apreende e queima, aos milhares, os poucos livros existentes na península; estabelece a censura e o índex e implanta o terror. Em dezoito anos, Torquemada processa 100 mil pessoas; queima, em efígie, 6 a 7 mil e, em carne e osso, 9 mil. Com a Inquisição, o fanatismo e a intolerância da Ibéria salvacionista se instrumentam para o terrorismo; a vingança e a tortura são transformadas em procedimentos institucionais, em nome do santo combate à heresia.

Essa Europa ibérica, retrógrada, porque atrasada em todo o seu setor produtivo, economicamente obsoleta em face da ascensão do capitalismo europeu e, religiosamente, salvacionista e fanática, é que presidiu à transfiguração cultural da América Latina, marcando profundamente seu perfil e condenando-a também ao atraso. É provável, porém, que sem os conteúdos salvacionistas que a motivaram, a expansão ibérica e a russa não tivessem a potencialidade assimiladora que as capacitou a conviver e a atuar sobre os povos mais díspares, conseguindo impor a eles sua marca cultural e religiosa.

2. A Europa capitalista

A outra Europa, enriquecida com o transpasse dos produtos da espoliação promovida pelos ibéricos e, depois, diretamente, pelo amadurecimento como formação capitalista mercantil, se capacita a empreender o salto a uma nova etapa da evolução sociocultural do homem: a Revolução Industrial. Esta era uma etapa natural e necessária que teria de se desencadear em algum dos contextos feudais. A circunstância de haver desabrochado na Europa é que daria ao homem branco a supremacia na dominação mundial que, monopolizada por séculos, acabou por convencê-lo de sua superioridade intrínseca sobre as outras raças e culturas, de sua destinação ao amansamento, à espoliação e à civilização dos povos da Terra.

Engajados na nova revolução tecnológica, armados com seu instrumental de ação cada vez mais prodigioso, os europeus romperam o equilíbrio e a estagnação em que eles próprios, bem como as antigas civilizações, haviam mergulhado: a árabe-muçulmana, paralisada pela expansão turco-otomana, e as orientais, imersas

A EXPANSÃO EUROPEIA

no feudalismo. Sobre todas elas e também sobre as civilizações americanas dos mexicanos e dos incas, e sobre os povos tribais da Terra inteira, se lançam os europeus como a vanguarda de uma nova revolução tecnológica-cultural. Ao seu impacto se transforma o mundo, tal como há dez milênios a Revolução Agrícola das primeiras sociedades de lavradores e pastores havia transmudado a vida dos povos, multiplicando o contingente humano; e, 5 mil anos mais tarde, a Revolução Urbana ativara algumas sociedades, bipartindo sua população em camponeses e citadinos, estratificando-a em classes sociais e criando as bases para as primeiras expansões imperiais.

Com fundamento nas novas formas de ação, nas novas instituições e nas novas ideias, o europeu reconstrói o mundo como um contexto destinado a supri--lo de bens e de serviços. Saqueando as riquezas entesouradas por todos os povos, engajando para o trabalho escravo e servil centenas de milhões de homens, a Europa pôde acumular os capitais necessários para levar à frente a Revolução Industrial, transfigurando suas próprias sociedades, renovando e enriquecendo suas cidades, engalanando-se de poderes e glórias que induziriam o homem branco-europeu a ver a si próprio como o eleito da criação.

O contexto extraeuropeu de povos supridores de matérias-primas e consumidores de manufaturas foi construído através de séculos, mediante todas as formas de opressão e terrorismo. As velhas civilizações sobreviventes, decadentes umas, vivas outras, mas capazes todas de ordenar a vida de suas sociedades, foram sendo sucessivamente dominadas, degradadas e conscritas ao sistema mercantil de âmbito mundial regido pelos europeus. Novos povos foram construídos pela transladação de milhões de homens dos seus nichos originais para terras longínquas, onde podiam ser mais úteis e produtivos do ponto de vista europeu. Milhares de grupos tribais, resistentes ao regime servil ou hostis à exploração de seus territórios, foram dizimados, tanto pela chacina quanto pelas enfermidades transmitidas pelo branco, ou, ainda, pelo desengano em que caíram com a desmoralização das crenças e valores que davam sentido à existência.

Em sua expansão, as fórmulas europeias da verdade, da justiça e da beleza se impõem progressivamente como valores compulsórios. Tão poderosos pela força persuasiva de sua universalidade quanto pelos mecanismos coativos através dos quais se difundiam. No mesmo passo se espraiam pelo mundo as línguas europeias, originárias todas de um único tronco, que passam a ser faladas por maior número de pessoas que qualquer grupo de línguas anteriormente existente. Seus vários cultos, nascidos de uma mesma religião, se tornam ecumênicos. Sua ciência e as tecnologias dela decorrentes se difundem também pela terra inteira. Seu patrimônio artístico, com a multiplicidade de estilos em que se exprime, transforma-se em cânones universais de beleza. Suas instituições familiares, políticas e jurídicas, moldadas e remoldadas segundo as mesmas premissas, passam a ser ordenadoras da vida social da maioria dos povos.

As armas europeias para essa façanha mundial foram: uma tecnologia naval, militar e produtiva mais avançada e um novo corpo de instituições sociais e econômicas, que multiplicara a capacidade de ampliação dos mercados, até integrar o mundo inteiro num sistema mercantil unificado. Foi, ainda, uma sempre renovada sede de saber que de tudo indagava, e mesmo quanto mais se apegava ao que parecia constituir sua verdade última, ainda voltava a duvidar e a pesquisar. Foi, também, uma vontade de autoafirmação individual que motivara milhares de aventureiros, despertando-os para o gozo da vida terrena, deles fazendo um empresariado audaz. Foi, por último, um velho corpo de tradições e crenças, redefinido para servir a uma sociedade menos preocupada com os riscos de condenação eterna do que com a expansão do reino de Deus, que era, também, a expansão do domínio europeu.

A todos esses motores se somaria, como uma das armas decisivas da conquista, um conglomerado de vírus, bacilos e germes, a que os povos europeus, asiáticos e africanos estavam adaptados, mas que se abateram sobre os povos indenes da América e da Oceania, como novas pragas bíblicas, tornando-os inermes à agressão e à sujeição. Calcula-se que, logo após os primeiros encontros com homens brancos, morreu infestada a metade e, por vezes, três quartas partes da população aborígine americana, australiana e das ilhas oceânicas, vitimada por moléstias pulmonares, por infecções venéreas, pela sífilis, pelas diversas variedades de varíola e por mais de uma dezena de outras enfermidades que desconheciam.

No curso de sua expansão mundial, a Europa se renova continuamente, enriquecendo seu patrimônio de técnicas produtivas, de instituições de dominação e alterando radicalmente seu próprio perfil. É sempre o agente e o paciente principal dos processos civilizatórios que desencadeia e que rege. As nações que primeiro se transfiguram pela Revolução Mercantil e, depois, pela Industrial fortalecem enormemente seu poder coator sobre os seus vizinhos e sobre o mundo extraeuropeu. Ao mesmo tempo, porém, se veem compelidas a reordenar suas próprias sociedades, levando seus povos a experimentar as transformações mais radicais. A certa altura do processo, os próprios europeus se tornam, eles também, gado humano a ser exportado, não para performar o papel dominador antes prescrito para o homem branco, mas como simples mão de obra, por vezes mais barata e frequentemente tão miserável quanto a escrava. Assim, a marcha da Revolução Industrial através

A EXPANSÃO EUROPEIA

da Europa, em seu avanço de povo a povo, é também uma sucessão de desenraizamentos de massas humanas e sua exportação para todos os quadrantes da Terra.

Os ideais e as crenças europeias transmudam-se, através dos séculos, como um caleidoscópio. Mas proveem a cada geração verdades e fidelidades capazes de motivá-las às ações mais fanáticas. E guardam sempre um vínculo funcional com os imperativos de perpetuação do sistema europeu de domínio. Assim, o zelo missionário e catequético, enquanto perdura, flagela os povos ímpios do mundo inteiro, conclamando-os, através de todas as formas de compulsão, ao redil cristão. Mas, simultaneamente, os engaja em sistemas econômicos e políticos de dominação. Quando o fervor religioso entra em declínio e passa a ser racionalizado, volta-se sobre o próprio europeu para erradicar, a ferro e fogo, as heresias que se multiplicam, dividindo a cristandade em grupos mais opostos uns aos outros que aos povos hereges. Ainda então, guarda sua funcionalidade. Contribui, com a Reforma, para libertar os empresários capitalistas de vínculos tornados obsoletos, a fim de sacralizar o furor aquisitivo e induzir as camadas subalternas à resignação diante das novas formas de estratificação social. E contribui, com a Contrarreforma e o salvacionismo, para preservar a dominação tradicional.

Com o desencadeamento do processo civilizatório impulsionado pela Revolução Industrial, velhos ideais de liberdade, de igualdade e de justiça, tantas vezes expressos pelas civilizações anteriores e outras tantas esquecidos e abandonados como utopias inviáveis, renascem na Europa como projetos novos e frescos, mais chamativos e aparentemente mais realizáveis que em qualquer tempo. Tal é a formulação liberal burguesa dos ideais republicanos voltada por inteiro à afirmação da liberdade do indivíduo em face do Estado, da Igreja e da sociedade.

Esse ideário novo se formula congruentemente como um sistema expresso em instituições mercantis (como a sociedade anônima e a técnica bancária) e em instituições políticas (como a democracia liberal), capazes de convencer e comover tanto os europeus quanto as camadas dominantes dos povos engajados em sua rede de exploração econômica, como o novo quadro dentro do qual a prosperidade e a liberdade seriam, afinal, alcançadas. Ao calor dessas novas ideologias liberais e laicas se funde o fervor religioso reformista e o salvacionista, que fizeram do conquistador europeu um misto de traficante e de cruzado, para dar lugar a dois novos fervores: o empresarial e o liberal revolucionário. Ambos têm por base a mesma instrumentalidade com respeito aos imperativos do tráfico e da dominação.

No campo político, ao absolutismo monárquico sucede o ideal de Estado republicano e democrático que se iria concretizar, pela primeira vez, num contexto extraeuropeu, com a revolução norte-americana. Ao escravismo, reeditado

AS AMÉRICAS E A CIVILIZAÇÃO

historicamente em escala gigantesca nas colônias americanas, se contrapõe a formulação dos ideais da dignidade humana e da igualdade. Aqui, também, muito funcionais, como antecipações da renovação social imposta pelos progressos da Revolução Industrial, que, criando e pondo em uso novas e portentosas formas de energia, tornara dispensável o escravo e o servo, ensejando uma concepção libertária do homem.

Através de todas essas variações ideológicas, o que perdura, até fins do século XIX, é a posição reitora da Europa sobre o contexto mundial, colocado a seu serviço, e as disputas intraeuropeias pelo domínio do mundo. A precedência dos descobridores ibéricos é posta em xeque, desde as primeiras décadas após a divisão tordesilhana. Holandeses, franceses e ingleses passam a apropriar-se de nacos de um mundo que parecia condenado ao usufruto do europeu mais audaz. Mais tarde, outros sócios entram na partilha, restringindo progressivamente as possessões portuguesas e espanholas, que, por fim, só podem manter-se nos territórios de ultramar mediante acordos consentidos de coparticipação com os povos europeus em que mais havia avançado a Revolução Industrial. É o tempo dos povos ingleses, holandeses, franceses e alemães, que passariam, progressivamente, a ocupar o centro do foco europeu de domínio do mundo.

Essa sucessão de ibéricos por nórdicos e centro-europeus marcava a passagem do predomínio da civilização mercantil para a industrial, como novo processo dinamizador das sociedades humanas. Na primeira delas tiveram a precedência os ibéricos e os russos como agentes de uma nova expansão civilizadora. Sua configuração híbrida de impérios mercantis salvacionistas, só incipientemente capitalistas, não lhes permitiu, porém, alcançar congruência como sistemas capitalistas, nem criar uma estrutura que os capacitasse para as tarefas de industrialização autônoma. As regalias concedidas à nobreza tradicional e a ingerência do clero nos negócios do Estado, que se revigoram nas duas áreas, enrijecendo ao extremo sua estratificação social, os inabilitaria para o desenvolvimento da tecnologia e das instituições sociais, em que se assentaria a Revolução Industrial. A competição com as áreas onde essas formas novas mais amadureceram e se expandiram acabaria por condenar os dois impérios arcaicos à obsolescência. Tanto os russos quanto os ibéricos foram conscritos aos sistemas de dominação econômica das potências imperialistas-industriais, que emergem e se espraiam por toda a Terra, reordenando-a como seu contexto neocolonial.

Os povos ibero-americanos, plasmados no curso da Revolução Mercantil, não experimentaram uma aceleração evolutiva, mas uma mera atualização histórica. Esta os fez ascender um degrau na evolução sociocultural, mas à custa da perda de seus perfis étnicos originais e do seu engajamento como "proletariados externos" do império mercantil salvacionista ibérico. Em face do novo ciclo de renovação desencadeado pela Revolução Industrial, estes povos voltam a experimentar um processo de atualização histórica mediante o qual se desatrelam de uma estrutura de dominação para cair em outra, sempre como proletariados externos que não existiam para si, mas para preencher as condições de existência e de prosperidade de outros povos.

3. A civilização policêntrica

A expansão ibérica foi justificada, a princípio, em termos do seu direito de usufruir os descobrimentos amparada por títulos papais. Mais tarde, em face da polêmica suscitada por frei Bartolomeu de las Casas com respeito às prerrogativas naturais dos indígenas, foi elaborada toda uma doutrina colonialista baseada no acatamento do europeu a três imperativos: a sua destinação evangelizadora do gentio ímpio, cuja salvação dependia da piedade cristã; o direito dos europeus, como filhos de Deus, de tomarem sua parte nos bens comuns do universo criados pela Divina Providência, mas ignorados ou desprezados pelos povos selvagens; o seu dever de caridade, como povos mais evoluídos, de conduzir os mais atrasados à civilização. A melhor expressão dessa ideologia encontra-se no teólogo espanhol Francisco de Vitória, que, até recentemente, permaneceu sendo o principal teórico do colonialismo.

Mais tarde, o colonialismo passou a ser justificado como um imperativo da prosperidade europeia e da própria preservação da ordem social interna das nações colonialistas. Assim, o francês Ernest Renan escrevia em meados do século XIX:

> Uma nação que não coloniza está irremediavelmente condenada ao socialismo, ou à guerra do rico contra o pobre. A conquista de um país de raça inferior por parte de uma raça superior, que se estabelece nele para governá-lo, nada tem de estranho. A Inglaterra pratica este tipo de colonização na Índia, com grande proveito para a Índia, para a humanidade em geral e para ela própria. Do mesmo modo como devem ser criticadas as conquistas entre raças iguais, a regeneração das raças inferiores ou abastardadas por parte das raças superiores se situa, pelo contrário, dentro da ordem providencial da humanidade... *Regere império populos*, eis nossa vocação. (*apud* R. Aron, 1962: 145)

E o inglês Cecil Rhodes, no último quartel do século XIX, dizia:

> Estou intimamente convencido de que minha ideia representa a solução do problema social, a saber: para salvar os 40 milhões de habitantes do Reino Unido de uma guerra civil funesta, nós, os políticos coloniais, devemos dominar novos territórios para localizar neles o excesso da população, para encontrar novos mercados nos quais colocar os produtos de nossas fábricas e de nossas minas. O império, sempre o disse, é uma questão de estômago. Se não quereis a guerra civil, deveis converter-vos em imperialistas. (*apud* G. Behyaut, 1963: 5)

Toda essa lucidez não foi suficiente, porém, para impedir a rebelião dos povos subjugados e a liquidação das bases da supremacia europeia. Quando sua perda já era visível, outro europeu lança o sinal de alarma. É Oswald Spengler, que escreve no período da Primeira Guerra Mundial:

> Contudo, desde fins do século [XIX], a cega vontade de poder começa a cometer erros decisivos. Em vez de conservar em segredo o saber técnico, o maior tesouro que os povos "brancos" possuíam, ele foi orgulhosamente oferecido a todo o mundo em todas as escolas superiores, oralmente ou por escrito, e se aceitava com orgulhosa satisfação a admiração dos hindus e dos japoneses. Inicia-se a conhecida "dispersão da indústria", como consequência da reflexão de que convinha aproximar a produção dos consumidores para obter maiores proveitos. Em lugar de exportar exclusivamente mercadorias, começa-se a exportar segredos, procedimentos, métodos, engenheiros e organizadores. Há inclusive inventores que emigram. Todos os homens de cor penetraram no segredo de nossa força, o compreenderam e o aproveitaram. Os insubstituíveis privilégios dos povos brancos foram dilapidados, gastos e traídos. Os adversários puderam atingir seus modelos e talvez os superem com sua mistura de raças de cor e com sua supermadura inteligência, própria das antiquíssimas civilizações. (O. Spengler, *s.d.*: 135-6)

Na verdade, com o desenvolvimento do processo civilizatório, a Europa acabara por ver quebrados os dois pés sobre os quais se sustentavam sua hegemonia e sua riqueza: o domínio e a exploração dos povos coloniais e o monopólio da tecnologia industrial moderna. Novas nacionalidades surgiram no mundo extraeuropeu e se fizeram não apenas autônomas no campo político, mas também autárquicas e competitivas, pelo desenvolvimento de economias industriais próprias. Nesse passo, a civilização unicêntrica europeia se despolariza para transformar-se num sistema policêntrico, cujos núcleos de poder se dividem por vários continentes. Em torno de cada núcleo, mesmo na Europa, permanecem contrastes gritantes de riqueza e de pobreza entre as nações,

A EXPANSÃO EUROPEIA

conforme o grau de incorporação a seus processos produtivos da tecnologia industrial moderna.

Cada país industrializado se fizera centro de exploração de povos atrasados, vizinhos ou longínquos, e era compelido a aprofundar e a consolidar seu domínio sobre eles, porque a espoliação — que fora o mecanismo fundamental do seu enriquecimento — se tornara condição de sua prosperidade. Tal como suas matrizes de origem, as novas formações líderes, constituídas à base do velho modelo capitalista, viram-se também limitadas na expansão de suas potencialidades por dois outros imperativos: as tensões decorrentes da estreiteza dos quadros nacionais para conter a competição econômica, gerando situações de conflito que explodiam em guerras periódicas, e as lutas internas das classes subordinadas contra a exploração de que eram vítimas em economias regidas em função da busca desenfreada de lucros.

É na própria Europa que se formula, entretanto — pioneiramente aqui também —, o diagnóstico e o prognóstico dos fatores de sufocamento de sua própria civilização. Tal se dá, desde meados do século XIX, com o surgimento das ciências sociais e das doutrinas socialistas modernas, graças às obras de uma série de pensadores que equacionam os problemas sociais e lhes propugnam as soluções. Estas consistiam, essencialmente, na formulação de teorias da evolução social que tanto explicavam o passado e o presente das sociedades humanas como antecipavam seus desenvolvimentos futuros, configurando novos modelos de organização econômica, social e política que permitiam libertar o homem da guerra, da penúria, da ignorância e da opressão. Armados destas teorias, surgem novos movimentos políticos devotados a se fazerem os condutores da história pela direção das lutas revolucionárias no sentido de uma reordenação total das sociedades segundo o modelo socialista.

Incapaz de impor uma reordenação racional às suas próprias sociedades, a Europa vê desencadearem-se sobre seus povos as mais violentas transformações sociais, econômicas e culturais, agravando os velhos problemas de disputas nacionais e intensificando, até níveis críticos, as tensões de classe. Não sendo capaz de plasmar uma ordem política supranacional e de instituir um regime socioeconômico mais igualitário, não pôde evitar que irrompessem forças desagregadoras que caíram como pragas sobre seus próprios povos e sobre o mundo inteiro. Dilacera-se em guerras, em que os países previamente desenvolvidos e menos aquinhoados no loteamento do mundo procuram romper o sistema para obrigar a uma redistribuição de cotas. Cai, finalmente, na pura deterioração política e cultural quando se vê ameaçada pela pressão de suas camadas populares — sobretudo dos

65

movimentos operários — a proceder a uma reforma das bases de sua estratificação social e sua organização política.

Nessa conjuntura, uma revolução vitoriosa instaura a primeira sociedade de estrutura socialista. Uma vez mais, porém, não é na Europa Ocidental que o novo projeto se concretiza, mas no contexto externo, com a Revolução Socialista Russa, tal como sucedera um século antes com a revolução liberal burguesa em que se antecipara a América do Norte. Brota, assim, um renovo da velha civilização europeia que, crescendo enquadrado num outro sistema, provoca uma violenta polarização de forças.

Em todo o Ocidente, uma onda de desespero histérico percorre as camadas dominantes, ameaçadas de proscrição, e também as classes médias apavoradas de verem anuladas suas parcas regalias por uma reordenação social que privilegiaria as camadas mais deserdadas, sobretudo o operariado.

Simultaneamente, porém, a tecnologia nova e miraculosamente poderosa posta a serviço das antigas e renovadas tensões passa a gerar deformações ideológicas, institucionais e políticas que degradam todos os valores e ideais da própria civilização ocidental. A principal delas foi o nazismo, criado e fomentado como instrumento necessário para enfrentar a ameaça da revolução social na Itália e na Alemanha, e amparado, depois, pelos estadistas europeus para fazer-se o castigador da Rússia, tornada socialista. Acabou, porém, por configurar-se como a mais espantosa regressão sociocultural jamais conhecida, exigindo uma guerra mundial para sua extirpação.

A guerra, atuando como redutor do sistema policêntrico que se vinha desenvolvendo, faz emergir para a paz apenas duas potências dominadoras: o renovo capitalista implantado nos Estados Unidos, e o socialista que florescera na União Soviética e se espraiara sobre outras áreas. O conflito entre os dois novos focos transformaria, em pouco tempo, a antevisão do "mundo só" dos idealistas rooseveltianos do esforço de guerra na realidade de um mundo bipartido entre duas grandes potências contrapostas e superarmadas.

Enquanto, por um lado, as zonas de dominação imperialista se apresentam como meramente residuais do velho sistema que antes cobria o mundo inteiro, do outro, o novo motor revolucionário opera como uma força dinâmica, atraindo áreas crescentes para uma posição autônoma, de neutralidade, ou de franca hostilidade à antiga ordem. Efetivamente, as duas esferas se contrapõem pelas diferenças de seus papéis históricos: o imperialismo neocolonialista, repetindo insistentemente o discurso liberal, que para ele próprio se tornara obsoleto e inviável, se faz a fortaleza de preservação do *status quo* a qualquer custo; a ideologia socialista, apresentando-se como uma doutrina fundada nas mais altas tradições humanísticas, propugna uma completa reordenação das sociedades.

Colocados entre a esfera capitalista e a socialista, os povos atrasados na história são submetidos às maiores tensões. Para uns, eles são a caça guardada que deve ser mantida como objeto de espoliação. Para outros, são a área natural de expansão de sua influência ideológica e de luta por conquistar alianças e posições estratégicas. Em face dos dois grandes, porém, se foi alçando a multidão dos pequenos, como um terceiro mundo, caracterizado pela miséria de seus povos, por seu descontentamento com o destino que se lhes prescrevia e com o lugar e o papel que lhes era reservado no sistema mundial. Aos poucos, esse terceiro mundo toma consciência da especificidade de seus interesses e da identidade da luta que trava para alcançar o progresso econômico e social. Desde então, os três mundos se situam no plano ideológico como uma coalizão antirrevolucionária, uma ortodoxia revolucionária e uma rebelião inconformista. As duas últimas esperas pareceriam compelidas a se associar, menos pela identidade de sua postura ideológica do que pela oposição frontal de interesses entre nações cêntricas e periféricas dentro do espectro imperialista.

Nesse mundo tripartido convulsionado pelas armas e pela exploração econômica, desabrocham três complexos ideológicos como corpos de crenças e valores oferecidos aos povos, especialmente às novas gerações, para definir-lhes as posições e os papéis que devem assumir e cumprir em sua própria sociedade e em face do humano.

No mundo capitalista, principalmente nas nações mais avançadas, o pavor à revolução social a todos engaja na cruzada pela preservação do *status quo*, condenando seus povos, sobretudo a sua juventude, à anomia e ao desalento pela incapacidade de fixar-lhe alvos generosos de condução racional do destino humano. O preço deste pavor e deste apego a formas obsoletas de organização econômica e social é a condenação à esterilidade histórica e ao obscurantismo moral. A intelectualidade desse novo "ocidente" sem causa e sem paixões, "exausto de ideologias revolucionárias", tende a perfilhar-se cada vez mais como o cinismo em face de qualquer convicção, como o desengano diante da esperança e, sobretudo, como o reacionarismo frente à vontade de mudança e de progresso.

Para os povos atrasados na história, essa maré reacionária significa a opção entre resignar-se com o atraso ou tomar armas para exercer, a qualquer custo, o direito de gerir seu próprio destino. Em suas sociedades, se confrontam duas ideologias opostas. A das camadas dominantes superconservadoras porque contentes com o mundo tal qual é e, sobretudo, porque temerosas de alterações. E a dos setores mais lúcidos para os quais tudo está em causa. Sua atitude é de indagação diante das ideias políticas, das instituições sociais, do saber, num esforço permanente por vislumbrar o que pode contribuir para alterar o mundo e a sua sociedade e o que está engajado para mantê-los tal qual são. Sua oposição ao complô internacional, que quer conservá-los no atraso, os faz nacionalistas. A luta contra os agentes internos do subdesenvolvimento os faz antioligárquicos.

No mundo socialista, a aceitação do compromisso de reger intencionalmente a transformação social, para conduzi-la à construção de sociedades cada vez mais livres e prósperas, permitiu criar uma nova ordem moral, capaz de infundir em seus povos a ideia de uma destinação emancipadora do homem. A forma pela qual esta nova ordem moral se implantou, porém, cercada da hostilidade externa e esclerosada internamente pela ortodoxia doutrinária, a transformou numa comunhão sectária tão opressiva quanto qualquer culto fanático. Se nessa dimensão ética era possível infundir a multidões um profundo sentimento de solidariedade humana e exigir de cada intelectual, artista ou ideólogo uma alta responsabilidade moral, nela era também maior o risco de a sociedade deixar-se dominar pelo despotismo de novos guardiães da verdade, da justiça e da beleza.

O marxismo dogmático, metido na camisa de força do sectarismo partidário, perde grande parte de sua capacidade de interpretação da vida social, de compreensão da própria experiência vivida pelas sociedades socialistas e de condução das forças renovadoras para a revolução social. O preço da uniformidade assim alcançada fora — aqui também — uma unanimidade resignada com as verdades oficiais, proclamadas para todos os campos do saber, e a crestação da própria criatividade do movimento intelectual marxista.

Ao passar de método de interpretação da história e de prefiguração do futuro humano a mero instrumento diretor de renovação da sociedade russa, o marxismo convertera-se em uma doutrina justificadora do exercício do poder, suscetível de distanciar-se de seus fundamentos filosóficos e das lealdades humanísticas que professava. Tendo de edificar-se sob o condicionamento de um cerco ameaçador, o socialismo revolucionário conseguira enfrentar vitoriosamente a conjura internacional montada para destruí-lo, mas resultou ideologicamente estreito e se viu sob a ameaça constante de enveredar para o despotismo.

Ao impacto representado pela revelação dos crimes da era de Stálin se somaria, pouco depois, a dissidência sino-soviética como um cofator de desarmamento dos ânimos dos militantes socialistas no mundo inteiro. Esse desentendimento que começara alvissareiramente como uma polêmica de caráter ideológico sobre a "coexistência pacífica", os caminhos da revolução mundial e as críticas aos erros stalinistas, foi se aguçando até configurar-se como uma hostilidade desabrida.

Os debates sobre as deformações ocorridas na implantação do socialismo e a acritude do enfrentamento entre chineses e soviéticos tiveram, apesar de tudo, o efeito positivo de desmistificar os movimentos socialistas. Os homens que aprenderam, no século XX, a ver e a aceitar melhor as dimensões recônditas de sua própria natureza biológica, cultural e psíquica, capacitando-se a aprimorar-se para o comando racional de seus imperativos, aprendem, agora, a mais se acautelarem contra as utopias das sociedades perfeitas e dos regimes à prova de deformações. É de supor que as forças engajadas na renovação social, amadurecidas com essas lições, se capacitem a buscar maior objetividade no estudo da sociedade, maior largueza de vistas e maior tolerância na formulação de soluções para os problemas humanos. Só por esse caminho se alcançará a base ampla e sólida que sempre faltou para um entendimento mais profundo e fraternal entre os militantes dos movimentos revolucionários.

Em todo o mundo começam a despontar os frutos dessa nova atitude aberta, indagativa e crítica. Liberados pela revisão do stalinismo e desmistificados pela polêmica sino-soviética, os movimentos comunistas retomam — ainda que morosa e tardiamente — sua capacidade de autocrítica. Hoje se esforçam por voltar às suas raízes humanísticas e filosóficas a fim de formular seus caminhos como forças revolucionárias e se reintegrarem no corpo de compromissos éticos esquecidos, para se tornarem efetivamente capazes de cumprir a destinação, que se propõem, de forças de emancipação do homem. Lamentavelmente, ainda encontram enormes dificuldades para retomar suas próprias fontes teóricas, sobretudo Marx, capacitados para questioná-las e para criticar os subprodutos espúrios a que elas deram lugar, pelo mergulho na práxis social, sob toda sorte de condicionamentos deformadores.

Esse esforço autocrítico se levanta também em outras correntes ideológicas, principalmente nos movimentos socialistas cristãos que procuram mobilizar suas igrejas para responsabilidades sociais a que se tinham negado sempre, como forças unicamente comprometidas com o resguardo da tradição e da ordem social, qualquer que ela fosse. Criam-se, assim, condições para a abertura de um diálogo fecundo entre as diversas correntes humanísticas. Os cientistas sociais e a intelectualidade de todo o mundo (desgarrados dos movimentos revolucionários por seu amargor em face do sectarismo ou por seu engajamento no conservadorismo) ganham também, nesse reencontro, uma nova dimensão e uma dignidade renovada. Passam a empenhar-se cada vez mais na tarefa de alargar o conhecimento do homem e da sociedade, não como ato de fruição ou como uma missão acadêmica, mas com o objetivo de aprimorar o humano e de ajudá-lo a realizar suas potencialidades mais generosas. As atitudes absenteístas e cínicas, tanto quanto as sectárias e as fanáticas, se desmascaram como alianças com o atraso e o obscurantismo.

A ruptura com o sectarismo por parte dos movimentos de esquerda e a aceitação de compromissos revolucionários por outras correntes vão ensejando um aprofundamento de todas essas aproximações de que se espera um caudal de experiências econômicas e sociais e de formas de ação política da maior relevância na busca de novos caminhos e de novas soluções para os problemas cruciais das nações avançadas e, sobretudo, para a superação do atraso em que vivem três quartas partes dos seres humanos.

É o começo do degelo ideológico, em que a conjura reacionária se rompe e se desmascara, liberando, mais uma vez, as forças virtualmente progressistas de todo o mundo, principalmente do Terceiro Mundo, para a tarefa da reconstrução racional da sociedade como a missão dos filósofos e dos cientistas e, por igual, do homem comum e de suas lideranças revolucionárias.

4. A civilização emergente

Nada no mundo ficou isento e alheio às forças desencadeadas pela expansão europeia. Ela está na base da renovação da natureza, cuja flora e cuja fauna se uniformizaram em todas as latitudes. Ela é a causa fundamental da dizimação de milhares de etnias, da fusão de raças e da expansão linguística e cultural dos povos europeus. No curso dessa expansão, se difundiram e generalizaram as tecnologias modernas, as formas de ordenação social e os corpos de valores vigentes na Europa.

Seu produto verdadeiro é o mundo moderno, unificado pelo comércio e pelas comunicações, movido pelas mesmas técnicas, inspirado por um corpo básico de valores comuns.

A Europa, que começou sua expansão armada da hipótese de que a Terra tinha a forma de um globo uninavegável, acaba por realizar, no humano, essa unidade pela conversão dos povos e das culturas originais, amplamente divergentes, em uma humanidade só, cada vez mais integrada e una. Só com referência a essa aventura e desventura suprema do homem, que foi a expansão europeia ocidental e cristã, se torna inteligível o mundo de nossos dias, vítima e fruto desse processo civilizatório.

Perdido o predomínio do mundo para outros centros reitores que resultaram de sua expansão, ou pela libertação progressiva de povos antes dominados

— da Ásia, da África e da América Latina —, em todos eles a civilização ocidental sobrevive por suas contribuições fundamentais ao saber e à técnica, aos ideais humanísticos que hoje motivam estes povos mais que ao próprio europeu, cético e agnóstico. Porém não se configura já como uma civilização adjetivada, mas como a antevéspera da civilização humana.

A disputa pela dominação do mundo ou de áreas dele, que prossegue em nossos dias, é um arcaísmo tendente a desaparecer, jugulado pela vontade de autonomia de todos os povos. Novas ordenações de nacionalidades se sucederão pelo tempo afora, movidas todas, porém, pelas velhas bandeiras humanísticas que, amanhã, terão tanto de ocidentais e cristãs quanto de muçulmanas, de americanas, eslavas ou chinesas. Nesse processo, a civilização europeia ocidental acabou perdendo o caráter de entidade autônoma, congraçadora de povos para a ação dentro de certas pautas. Assumiu a forma de uma vetusta tradição. Assim morrem as civilizações. Morrem quando deixam de constituir núcleos de difusão cultural identificados com centros de poder, para se transformarem numa mera corrente de ideias e aspirações.

A civilização ocidental não morre, porém, para dar lugar a outra civilização, mas para criar as bases de uma civilização de amplitude humana. Esta já estava contida no próprio impulso renovador da Revolução Industrial que garantiu à Europa seu momento de hegemonia e de glória.

As nações europeias, incapazes de se unificar num sistema político harmônico, permanecem divididas hoje como ontem, mas debatem-se já no enquadramento da nova civilização. Em nossos dias, são meros conglomerados de povos, divididos entre os dois sistemas políticos de âmbito mundial. Por entre elas passam as fronteiras da órbita socialista e da capitalista, reunindo de um ou de outro lado as antigas potências do mundo, mais em consequência das suas posições geográficas do que por atos de vontade. A Europa, península ocidental da Ásia projetada sobre a África, se reduz, assim, às suas verdadeiras proporções, e cada um dos seus antigos centros de poder reverte às suas próprias fronteiras de ilha ou de província.

A consciência do próprio europeu sobre o alargamento do mundo e a redução da Europa às suas próprias dimensões foi expressa por Sartre, com estas palavras:

> Era tão natural ser francês. Era o meio mais simples e econômico de ser universal. Os outros é que deviam explicar por que falta de sorte ou culpa não eram completamente homens. Agora a França está prostrada e a vemos como uma grande máquina rota. E pensamos: trata-se, acaso, de um acidente do terreno, de um acidente da história? Continuamos

sendo franceses, mas a coisa já não é natural. Ocorreu um acidente para nos fazer compreender que éramos acidentais.

Sucedendo a muitas civilizações, esmagando as promessas de outras tantas, a Europa operou como um redutor, abrindo caminhos com a negação final de si própria, para a criação dessa nova civilização humana de base ecumênica. A ascensão dos povos asiáticos, dos africanos e dos latino-americanos para a condução autônoma de seu destino já se opera enquadrada na nova civilização. Ao se contraporem à dominação e à espoliação de que têm sido vítimas seculares, não é mais à Europa Ocidental que se opõem fundamentalmente, mas às formas de opressão imperialista por ela inauguradas, hoje em mãos de um outro núcleo de dominação. E, por paradoxal que pareça, a luta pelos ideais mais generosos de liberdade, fraternidade, independência e progresso formulados na Europa se processa, hoje, fundamentalmente, contra a órbita de poder que se apelida civilização europeia ocidental.

Ao mundo galvanizado por potências militaristas e que ameaçam a própria sobrevivência humana em seu desvario, respondem os povos atrasados — armados com a autoridade de vítimas do processo histórico — com sua vontade de progresso e de paz, com sua disposição de sobreviver para recriar o mundo se necessário, mas, essencialmente, com seu desafio para que uns e outros se engajem também na tarefa de superação da penúria, de cicatrização das feridas deixadas pela espoliação colonial, de superação das formas de dominação e de opressão colonialista que ainda sobrevivem.

Ninguém, provavelmente, entre os povos deserdados, confia muito nessa promessa de colaboração harmônica pela paz e pela felicidade humana. As taras da velha civilização ocidental de que nasceram todos são demasiado profundas, sua natureza desumana é por demais evidente, sua cupidez pelos interesses investidos na velha ordem é muito poderosa, para que infundam confiança. Em face destas taras e cobiças, cumpre aos povos subdesenvolvidos buscar em si mesmos a energia necessária para negar-se a continuar compactuando com um sistema obsoleto e que só representa para seus povos miséria e sofrimento.

Como fatores fundamentais de autossuperação contam com essa confiança no futuro, esse otimismo, essa fé no progresso, característica dos povos que emergem para o comando de si mesmos. E, sobretudo, com toda a memória vívida da trágica experiência do passado de dominação colonial e do presente de exploração imperialista, que lhes arma o ânimo para prosseguir na luta pela libertação e pelo desenvolvimento, e para a autorreconstrução como sociedades e culturas autênticas. Mas contam, também, com a inviabilidade econômica crescente do sistema imperialista de espoliação, cuja perpetuação só se pode lograr mediante guerras muito mais onerosas do que todos os interesses que procuram preservar. E, ainda, com o fato de que, uma vez imposta a paz, só as tarefas do desenvolvimento — através de sistemas novos de intercâmbio entre os povos — poderão fazer funcionar a engrenagem industrial, enfrentar os imperativos da nova revolução tecnológica que se inaugura em nossos dias, a termonuclear, e devolver à juventude dos países desenvolvidos um sentido de missão capaz de dar gosto e dignidade à existência.

Para alcançar esse objetivo, impõe-se aos povos extraeuropeus — tanto aos povos novos, que são subprodutos da expansão europeia, como aos velhos, que testemunham antigas civilizações por ela degradadas — repensar o próprio processo civilizatório desde a perspectiva de povos deserdados e oprimidos para reordenar o mundo segundo as tradições do humanismo perdido e para redefinir, mais uma vez, o rumo da marcha humana. Essa é uma tarefa que lhes cabe privativamente, assim como — dizia Hegel — cabia ao escravo a dignidade de ser o combatente da liberdade contra seu escravizador, envilecido como soldado da opressão.

Desmistificada a humanidade das velhas crenças instrumentais e das novas utopias em nome das quais se procurava dar sentido à existência, apenas resta o homem, sua vida e sua felicidade como o objetivo último e irredutível. E este, no nosso tempo, impõe uma tarefa prioritária, que é a redução do atraso que permeia entre nações ricas e pobres, até sua anulação. A batalha por esse objetivo é que aquecerá os corações da nossa geração e das próximas e lhes ensinará a marchar para o amanhã. Então elas estarão congregadas para levar à frente, num mundo afinal pacificado e integrado, a construção da nova civilização que se anuncia: a civilização da humanidade que fará da Terra o nicho dos homens, afinal conciliados e libertos da miséria, do medo, da opressão e do racismo.

II. A TRANSFIGURAÇÃO CULTURAL

1. O autêntico e o espúrio

No processo da expansão europeia, milhões de homens originalmente diferenciados em línguas e culturas autônomas, cada qual olhando o mundo com visão própria e regendo a vida por um corpo peculiar de costumes e de valores, foram conscritos em um único sistema econômico e altamente uniformizados em seus modos de ser e de viver. As múltiplas faces do fenômeno humano se empobreceram drasticamente. Não para se integrarem todas num novo padrão mais avançado, mas apenas para perderem a autenticidade de seu modo de vida e mergulharem em formas espúrias de cultura. Submetidos aos mesmos processos de deculturação, engajados em idênticos sistemas de produção, segundo formas estereotipadas de domínio, todos os povos atingidos empobreceram culturalmente, caindo em condições incomprimíveis de miserabilidade e desumanização que passaram a ser o denominador comum do homem extraeuropeu.

Simultaneamente, porém, um novo humano elementar, tornado comum a todos, foi alcançando vigor, se elevando e generalizando. As aspirações divergentes da multiplicidade de povos diferenciados — cada qual perdido num esforço mais estético do que eficaz de conformar o humano segundo seus ideais — foram se somando em anelos comuns, envolvendo a humanidade inteira num só ideário, coparticipado em suas características essenciais por todos os povos. Uma mesma visão do mundo, um mesmo instrumental de ação sobre a natureza, os mesmos modos de organização da sociedade e, sobretudo, as mesmas reivindicações essenciais de fartura, de lazer, de liberdade, de educação, sendo formulados para milhões de homens no mundo inteiro, preencheram o requisito fundamental da edificação de uma civilização humana, já não só europeia, nem tampouco ocidental, nem apenas cristã.

Cada contingente humano engajado no sistema global tornou-se, simultaneamente, mais uniforme com respeito aos demais e mais discrepante com relação ao modelo europeu. Dentro da nova uniformidade se destacaram, assim, variantes étnicas muito menos diferenciadas que as anteriores, mas suficientemente remarcadas para preservar sua singularidade. Cada uma delas, ao tornar-se capaz de olhar para si mesma com seus próprios olhos e propor-se projetos próprios de reordenação da sociedade, foi se tornando, progressivamente, capaz também de olhar o europeu com uma nova visão. Nesse momento começaram a amadurecer como etnias nacionais, rompendo com o passado remoto e com o presente da subjugação ao europeu.

O contexto colonial reverteu, desde então, sobre o antigo centro reitor, indagando, não da verdade de suas verdades a que se convertera nem da justiça de seus ideais de bondade, ou da perfeição de seus módulos de beleza que integrara em sua cultura como próprios, mas da capacidade do sistema social, político e econômico global, em que se inseriram, de produzir e generalizar a todos os homens aquelas aspirações de prosperidade, de saber, de justiça e de beleza.

As intencionalidades professadas mas jamais cumpridas puseram-se a nu. Não induziam a suspeitas sobre a validade do projeto, como ocorre com o europeu que se tornara cada vez mais cético, mas a desmascarar sua inautenticidade. Generaliza-se a convicção de que o projeto que se pregava era sócio dos lucros que se extraíam; que a beleza e a verdade que se cultuavam eram aliciantes do engajamento servil, destinadas a criar e a manter um mundo dividido em posições polarmente opostas de riqueza e de miséria.

Esse processo redutor pode ser exemplificado pela análise do que sucedeu aos povos americanos nos seus quatro séculos de conjunção com agentes da civilização europeia. No curso desse processo, todos os povos americanos foram atingidos da maneira mais profunda e catastrófica. Viram refeitas suas sociedades desde as bases, alterada sua constituição étnica e degradadas suas culturas pela perda da autonomia no comando das transformações a que eram submetidas. Transmudaram-se, assim, de uma multiplicidade de povos autônomos, com suas tradições autênticas, em poucas sociedades espúrias de culturas alienadas, só explicáveis em seu modo de ser pela ação dominadora que sobre elas exercia uma força e uma vontade externa.

Tanto os sobreviventes das velhas civilizações americanas quanto as novas sociedades geradas como subprodutos das feitorias tropicais conformaram-se como resultantes de projetos europeus que, aqui, queriam saquear riquezas acumuladas ou explorar novos veios de minerais preciosos; ali, produzir açúcar ou tabaco; em todos os casos, acumular pecúnia. Só incidentalmente, e quase sempre como suplemento não esperado e jamais desejado pelos promotores do empreendimento colonial, é que do seu esforço resulta a constituição de sociedades novas. Apenas no caso das colônias de povoamento há uma deliberação de criar um novo núcleo humano, suficientemente explícita e instrumentada para condicionar o empreendimento espontaneístico às exigências desse objetivo. Mesmo nesses casos, porém, as novas formações crescem espúrias como as demais, porque elas também são resultantes de projetos alheios e de desígnios estranhos a si próprias.

Só através de um esforço secular, realizado em surdina, nas esferas mais profundas e menos explícitas da vida dessas sociedades colonizadas, é que se foi operando o processo de reconstituição de si próprias como povos. Nesses níveis recônditos é que se exercia sua criatividade cultural de autoconstrução, primeiro, como etnias diferenciadas das matrizes originais, lutando para libertar-se das condições impostas pela degradação colonial; e mais tarde, como nacionalidades, deliberadas a conquistar o comando do seu próprio destino. Esse esforço se fazia não apenas longe das áreas sujeitas a controle da autoridade reitora, mas também contra sua atuação, zelosamente devotada a manter e a aprofundar o vínculo externo e a subjugação.

Apesar de todos esses percalços, prossegue sempre, como uma reação natural e necessária, a tessitura da nova configuração sociocultural autêntica dentro da espúria. Cada passo adiante exige imensos esforços, porque tudo compactua para mantê-la inautêntica. Na ordem econômica, opera a dependência do comércio exterior que coordena a maior parte das atividades, atribuindo às tarefas de produção dos artigos exportáveis a quase totalidade da força de trabalho. Na órbita social, coroa a estratificação uma camada dirigente que, sendo, a um tempo, cúpula oligárquica da sociedade nova e parcela da classe dominante do sistema colonial, agia como força de manutenção da dependência para com a metrópole. No plano ideológico, lavra um vasto aparato de instituições reguladoras e doutrinadoras, coatando a todos segundo os valores religiosos, filosóficos e políticos de justificação do colonialismo europeu e de alienação étnico-cultural.

Esses sistemas de coação ideológica se faziam tanto mais poderosos pela introjeção no povo e nas elites da sociedade subjugada de uma visão do mundo e de si mesma que não lhe era própria e que tinha a função de manter a dominação europeia. Essa interiorização da consciência do "outro" dentro de si mesmo é que determinava o caráter espúrio das culturas nascentes, impregnadas em todas as suas dimensões de valores exógenos e desenraizadores.

Além das técnicas de exploração do ouro ou da produção do açúcar, da implantação de ferrovias ou dos telégrafos, a Europa exportava para os povos abrangidos por sua rede de dominação toda a sua carga de conceitos, preconceitos e idiossincrasias sobre si própria e sobre o mundo, inclusive sobre os próprios povos coloniais. Estes, além de empobrecidos pela espoliação das riquezas acumuladas

A TRANSFIGURAÇÃO CULTURAL

secularmente e do produto do seu trabalho sob o regime colonial, eram também degradados ao assumirem como autoimagem um reflexo da visão europeia que os descrevia como racialmente inferiores, porque negros, indígenas ou mestiços, e só por isso condenados ao atraso, como uma fatalidade decorrente de suas características inatas de preguiça, de falta de ambição, de tendência à luxúria etc.

Não tendo o governo de si mesmos no plano político e econômico, por força do estatuto colonial, estes povos também não possuíam autonomia no comando de sua criatividade cultural. Frustrava-se, assim, qualquer possibilidade de digerir e integrar no contexto cultural próprio as inovações que lhes eram impostas, quebrando-se, irremediavelmente, a integração entre a esfera da consciência e o mundo da realidade. Nessas circunstâncias, ao alimentarem-se de ideias alheias indigeridas, não correspondentes à sua própria experiência mas aos esforços europeus de justificação da rapina e de fundamentação moral do domínio colonial, mais aprofundavam sua dependência e sua alienação.

Mesmo as camadas mais lúcidas dos povos extraeuropeus aprendiam a ver a si mesmas e à sua gente como uma subumanidade destinada a um papel subalterno, por serem intrinsecamente inferiores à europeia. Apenas para as colônias de povoamento, que conduzem pelo mundo as marcas raciais europeias e que se implantam nos climas e paisagens mais parecidas aos da pátria de origem, essas formas de domínio moral não representaram um papel alienante. Ao contrário, até os fazia orgulhosos, como aos europeus, de sua branquitude, de seu clima, de sua religião, de sua língua, explicando também por essas características os sucessos que acabaram alcançando.

Para os povos que se alçavam sobre as velhas civilizações americanas e para os surgidos das feitorias tropicais, instalados em ambientes diversos e compostos por gentes morenas ou negras, essas formas de alienação representaram o papel de uma tara de atraso, da qual, só em nossos dias, estão começando a libertar-se. Nesses casos, a cultura nascente, no que concerne ao *ethos* nacional, conformou-se sob a compressão de dois modeladores. Primeiro, a erradicação, através da deculturação compulsória, das concepções etnocêntricas tribais do índio e do negro que lhes permitiam aceitar sua própria imagem, orgulhosos dela como o protótipo do humano. Segundo, pela construção de uma nova concepção de si mesmos, reflexo das ideias de seus dominadores e necessariamente degradante, porque os descrevia como criaturas grotescas, intrinsecamente inferiores e, por isso, incapazes de progresso.

Essa autoimagem espúria, elaborada no esforço de situar-se no mundo, de explicar sua própria experiência e de atribuir-se uma destinação, plasma-se como uma colcha de retalhos feita pela junção de troços tomados de suas antigas tradições com crenças europeias, tal como eles as podiam perceber desde sua perspectiva de escravos ou de dependentes.

No plano do *ethos* nacional, essa ideologia se conforma como uma explicação do atraso e da pobreza, em termos da inclemência do clima tropical, da inferioridade das raças morenas, da degradação dos povos mestiços. Na esfera religiosa, se plasma como cultos sincréticos em que ao cristianismo se mesclam crenças africanas e indígenas, resultando, afinal, em uma variante mais distanciada das correntes cristãs europeias do que qualquer de suas heresias mais combatidas. Esses cultos eram, todavia, plenamente satisfatórios para cumprir a função genérica de consoladores do homem com a miséria do seu destino terreno e, ainda, as funções específicas de manutenção do sistema, justificando alegoricamente a dominação branco-europeia e induzindo as multidões a uma atitude passiva e resignada.

No plano societário, o novo *ethos* se faz um indutor de atitudes conformistas para com a estratificação social, que explicam a nobreza dos brancos e a subalternidade dos morenos, ou a riqueza dos ricos e a pobreza dos pobres, como naturais e necessárias. No campo da organização familiar, contrapõe dois padrões de família: o da classe dominante, revestido de todos os sacramentos de legitimidade e continuidade; e o das camadas populares, degradado em acasalamentos sucessivos com a regressão a formas anárquicas de matriarcado. Nesse universo espiritual espúrio, os próprios corpos de valores que dão sentido à existência, motivando cada indivíduo para a luta pelos escopos socialmente prescritos como desejáveis, se elaboram como justificativas da rapina e do ócio por parte das camadas oligárquicas e como prescrições da humildade e da operosidade para os pobres.

No plano racial, o *ethos* colonialista se configura como uma justificativa da hierarquização racial, pela introjeção no índio, no negro e no mestiço de uma consciência mistificada de sua subjugação. Por ela se explica o destino das camadas subalternas por seus caracteres raciais, e não pela exploração de que são vítimas. Desse modo, o colonialista não só impera mas também se autodignifica, ao mesmo tempo em que subjuga o negro, o índio e os seus mestiços e degrada suas autoimagens étnicas. Além de despersonalizadas — porque convertidas em mera condição material da existência do estrato dominador —, as camadas subalternas são alienadas no mais recôndito de suas consciências pela associação da cor "escura" com o sujo e da "branca" com o limpo. Mesmo os contingentes brancos que caem na pobreza confundindo-se com as outras camadas por seu modo de vida capitalizam a "nobreza" de sua cor que lhes dá uma marca distintiva em relação aos demais, coparticipada com a camada dominante quase exclusivamente branca ou branca-por-definição. O negro e o índio que se alforriam, ascendendo à condição de trabalhadores, continuam conduzindo dentro de si essa consciência alienada, que opera insidiosamente, tornando-lhes impossível perceber o caráter real das relações sociais que os inferiorizam. Enquanto prevalece esse *ethos* alienador, o índio, o negro e seus mestiços não podem fugir a essas posturas que os compelem a se comportar socialmente segundo expectativas que os descrevem como necessariamente rudes e inferiores, e a desejarem "branquear-se", seja pela conduta resignada "de quem conhece seu lugar" na sociedade, seja pelo cruzamento preferencial com brancoides para produzir uma prole "mais limpa de sangue".

Todas essas concepções fidejussórias da dominação colonial conformam a carga principal da herança efetiva da civilização ocidental e cristã para os povos colhidos nas malhas da expansão europeia. Em seu conjunto, atuavam como lentes deformadoras antepostas diante das culturas nascentes, que lhes impossibilitavam a criação de uma imagem autêntica do mundo, de uma concepção genuína de si mesmos e, sobretudo, que as cegava diante das realidades mais palpáveis.

Em face de sua evidente adaptação às condições climáticas em que viviam, as elites coloniais suspiravam pela "amenidade" do clima europeu, manifestando por todos os modos sua inconformidade com o calor "sufocante". Pareciam desterrados em sua própria terra. Não obstante sua também evidente preferência pela mulher morena, ansiavam pela branquitude da fêmea europeia, respondendo ao ideal de beleza feminina que lhes fora inculcado.

A intelectualidade dos povos coloniais, imersa nessa alienação, só podia operar com esses conceitos e idiossincrasias para explicar o atraso de seus povos em face da capacidade branco-europeia de progresso. Tanto se emaranhava na urdidura dessas causas da miséria e da ignorância que jamais enxergava a evidência maior e mais significativa posta diante de seus olhos, que era a espoliação europeia a que estiveram sempre jungidos, por si só mais explicativa de seu modo de ser e do seu destino do que qualquer dos supostos percalços de que tanto se ocupava.

A ruptura com essa alienação, por parte dos povos morenos da América, só se iniciaria depois de séculos de esforços pioneiros de desmascaramento da trama. Na verdade, só se está conquistando em nossos dias pela aceitação da própria figura humana nacional mestiça, com orgulho dela; pela apreciação crítica do seu próprio processo formativo; e, finalmente, pela reconquista de uma autenticidade cultural que começa a fazer do *ethos* nacional, em todas as esferas, um reflexo da imagem real e das experiências concretas de cada povo e um motivador do seu esforço de enfrentamento das causas do atraso e da penúria a que estiveram condenados por séculos.

O novo *ethos* dos povos extraeuropeus, assentado em seus próprios corpos de valores, lhes vai devolvendo, a um tempo, o sentimento de sua própria dignidade e a capacidade de integrar todas as suas populações em sociedades nacionais coesas e autênticas. Comparado com o *ethos* de algumas sociedades arcaicas, que desmoronaram diante do ataque de pequenos bandos, as novas formações são de uma qualidade distinta, por sua coragem de autoafirmação e sua capacidade de defesa e de agressão. Para perceber essa diferença, basta comparar os episódios da conquista espanhola do século XVI, ou ainda das apropriações inglesas, holandesas e francesas na África e na Ásia três séculos depois, com as lutas de independência das nações americanas no século XIX e, mais recentemente, as guerras de libertação dos argelinos, dos congoleses, dos angolanos, dos Mau-Mau e, sobretudo, dos vietnamitas de nossos dias, que enfrentam os exércitos das potências do mundo e os vencem.

O surgimento desse novo *ethos* é o sintoma mais peremptório do encerramento do ciclo civilizador europeu. Tal como ocorreu com a civilização romana e com tantas outras que, depois de operarem, por séculos, como centros de expansão sobre amplos contextos dóceis à sua agressão, viram os povos desses mesmos contextos — por força de seu amadurecimento étnico e da adoção das técnicas e valores da própria civilização expansionista — reverterem sobre elas como ondas bárbaras, também a civilização europeia experimenta, em nossos dias, esta mesma reversão.

Ela já não se faz na forma de ondas destruidoras do antigo centro reitor, mas como rebeliões libertárias de povos subjugados que reassumem sua imagem étnica, orgulhosos dela, e se definem papéis próprios na história. Também agora, o resultado da reversão não é o mergulho numa nova "idade obscura", com a segmentação dos povos em novos feudalismos. Será, isto sim, a libertação do jugo ao sistema policêntrico que sucedeu à dominação europeia, para se integrarem todos no corpo de uma nova civilização, afinal ecumênica e humana.

Bolívar indagava, num discurso de 1819, sobre o lugar e o papel dos povos latino-americanos na nova civilização que se anunciava, comparando o mundo hispano-americano com o europeu, nos seguintes termos:

> Ao desprender-se da monarquia espanhola, a América se encontrou semelhante ao Império Romano, quando aquela enorme massa caiu dispersa em meio ao mundo antigo. Cada desmembramento formou, então, uma nação independente, conforme sua situação ou seus interesses. Com a diferença, porém, de que aqueles membros voltaram a restabelecer suas primeiras associações. Nós nem ao menos conservamos o vestígio do que fomos em outros tempos; não somos europeus, não somos indígenas; somos uma espécie média entre os aborígines e os espanhóis. Americanos, por nascimento, europeus, por direito, nos achamos no conflito de disputar aos naturais os títulos de possessão e o

> direito de nos mantermos no país que nos viu nascer, contra a oposição
> dos invasores; assim, nosso caso é o mais extraordinário e complicado.
> (discurso de Angostura, 15 de fevereiro de 1819)

Esse raciocínio retrata bem a perplexidade do neoamericano que, ao se tornar sujeito ativo da ação histórica, indaga: que somos nós entre os povos do mundo, os que não somos a Europa, o Ocidente ou a América original?

Tanto quanto os povos do contexto extraeuropeu, os próprios europeus emergentes do domínio romano já não eram eles próprios. Séculos de ocupação e de aculturação os haviam transfigurado, cultural, étnica e linguisticamente. A França é uma empresa cultural romana, como o são também os povos ibéricos, frutos todos da subjugação de povos tribais ao cônsul, ao mercador e ao soldado romano, mas frutos também das invasões romanas posteriores. As tribos germânicas e eslavas, mais resistentes à romanização, ascenderam à condição de povos, igualmente impulsionados pela ação civilizadora dos romanos, transfigurando-se ao longo desse processo.

O poder coercitivo da civilização europeia sobre sua área de expansão nas Américas foi, porém, muito superior ao dos romanos. Na Europa inteira sobrevivem línguas e culturas não latinas e até mesmo dentro de áreas latinizadas subsistem bolsões étnicos a atestarem o quanto foi viável a resistência à romanização. Nas Américas, com exceção das altas civilizações indígenas e da ilha de isolamento em que se transformou o Paraguai, os quais a Europa não pôde assimilar completamente, tudo foi comprimido e moldado segundo o padrão linguístico-cultural europeu que presidiu à colonização. Assim, o espanhol e o português, como também o inglês, falados nas Américas, são mais homogêneos e indiferenciados que as falas da península Ibérica e das ilhas britânicas. Essa uniformidade linguístico-cultural e também étnica só se explica como o resultado de um processo civilizatório muito mais intensivo e continuado, capaz de assimilar e fundir os contingentes mais díspares na conformação de novas variantes das etnias civilizadoras.

A macroetnia pós-romana dos povos ibéricos, que já resistira ao domínio secular dos mouros e dos negros africanizando-se racial e culturalmente, defrontou-se na América com uma nova provação. Diante de milhões de indígenas e de outros tantos milhões de negros, novamente se transfigurou, mais se amorenando e mais se aculturando e, desse modo, enriquecendo seu patrimônio biológico e cultural, mas também resistindo à desintegração para impor sua língua e seu perfil cultural básico às novas etnias que faria nascer. Essa foi a façanha de uns 200 mil europeus que vieram no século XVI para as Américas e que aqui dominaram milhões de índios e de negros, fundindo-os num novo complexo cultural que tira sua extraordinária uniformidade principalmente dos cimentos ibéricos com que foi amalgamado.

Os latino-americanos são, hoje, o rebento de 2 mil anos de latinidade, caldeada com populações mongoloides e negroides, temperada com a herança de múltiplos patrimônios culturais e cristalizada sob a compulsão do escravismo e da expansão salvacionista ibérica. Vale dizer, são há um tempo uma civilização velha como as mais velhas, enquanto cultura; metida em povos novos, como os mais novos, enquanto etnias. O patrimônio velho se exprime, socialmente, no que tem de pior: a postura consular e alienada das classes dominantes; os hábitos caudilhescos de mando e o gosto pelo poder pessoal; a profunda discriminação social entre ricos e pobres, que mais separa os homens do que a cor da pele; os costumes senhoriais, como o gozo do lazer, o culto da cortesia entre patrícios, o desprezo pelo trabalho, o conformismo e a resignação dos pobres com sua pobreza. O novo se exprime na energia afirmadora que emerge das camadas oprimidas, afinal despertas para o caráter profano e erradicável da miséria em que sempre viveram; na assunção cada vez mais lúcida e orgulhosa da própria imagem étnico-mestiça; no equacionamento das causas do atraso e da penúria e na rebelião contra a ordem vigente.

O choque entre essas duas concepções da vida e da sociedade é a revolução social latino-americana em marcha. Revolução que devolverá um dia, aos povos da América morena, o ímpeto criador perdido há séculos por suas matrizes ibéricas, quando estas se atrasaram em integrar-se na civilização industrial, entrando assim em decadência. Revolução que significará o ingresso dos latino-americanos no diálogo do mundo, como povos que têm uma contribuição específica a dar à nova civilização ecumênica. E esta contribuição se assentará, essencialmente, no que eles são como configuração étnica e nas virtualidades desta que os farão mais humanos, porque incorporaram mais faces raciais e culturais do homem. Mais generosos, porque permanecem abertos a todas as influências e se inspiraram numa ideologia integracionista de todas as raças. Mais progressistas, porque só têm futuro com o desenvolvimento do saber e com a aplicação generalizada da ciência e da técnica. Mais otimistas, porque, emergindo da exploração e da penúria, sabem que o amanhã será melhor do que o hoje e do que o ontem. Mais isentos e livres, porque não fundam seus projetos nacionais de progresso na exploração de outros povos.

2. Tipologia étnico-nacional

Os povos extraeuropeus do mundo moderno podem ser classificados em quatro grandes configurações histórico-culturais. Cada uma delas engloba populações muito diferenciadas, mas também suficientemente homogêneas, quanto às suas características básicas e quanto aos problemas de desenvolvimento com que se defrontam, para serem legitimamente tratadas como categorias distintas. Tais são os *povos-testemunho*, os *povos novos*, os *povos transplantados* e os *povos emergentes*.

Os primeiros são constituídos pelos representantes modernos de velhas civilizações autônomas sobre as quais se abateu a expansão europeia. O segundo bloco, designado como *povos novos*, é representado pelos povos americanos plasmados nos últimos séculos como um subproduto da expansão europeia pela fusão e aculturação de matrizes indígenas, negras e europeias. O terceiro — *povos transplantados* — é integrado pelas nações constituídas pela implantação de populações europeias no ultramar com a preservação do perfil étnico, da língua e da cultura originais. *Povos emergentes* são as nações novas da África e da Ásia cujas populações ascendem de um nível tribal ou da condição de meras feitorias coloniais para a de etnias nacionais.

Essas categorias se fundam em duas premissas. Primeiro, a de que os povos que as compõem são, como se apresentam em nossos dias, resultado da expansão mercantil europeia e da reordenação posterior do mundo pela civilização de base industrial. Segundo, a de que estes povos, tendo sido distintos, originalmente, no plano racial, social e cultural, conservaram características peculiares e mesclaram-nas com as de outros povos, formando componentes híbridos singulares. Estes apresentam suficiente uniformidade biológica para serem tratados como configurações distintas e explicativas do seu modo de ser.

Estas configurações não devem ser tidas como entidades socioculturais independentes, como são as etnias, porque lhes falta um mínimo de integração que as ordene internamente e lhes permita atuar como unidades autônomas; nem devem ser confundidas com *formações econômico-sociais*[2] porque elas não representam etapas necessárias do processo evolutivo, mas meras condições sob as quais ele opera. As entidades efetivamente atuantes são as sociedades e culturas particulares de que elas se compõem e, sobretudo, os estados nacionais em que se dividem. Estas é que constituem as unidades operativas, tanto para a interação econômica como para a ordenação social e política e, também, os quadros étnico-nacionais reais dentro dos quais se cumpre o destino dos povos.

As formações econômico-sociais são categorias de outro tipo — como o *capitalismo mercantil*, o *colonialismo escravista* —, igualmente significativas, mas distintas das aqui descritas. É de assinalar, todavia, que as configurações histórico-culturais propostas constituem categorias congruentes de povos, fundadas no paralelismo do seu processo histórico de formação étnico-nacional, na uniformidade de suas características sociais e dos problemas de desenvolvimento com que se defrontam. Nos termos destas amplas configurações de povos — mais do que das nacionalidades que as compõem, das respectivas composições raciais ou de diferenciadores climáticos, religiosos e outros — é que se pode situar cada povo extraeuropeu do mundo moderno, para explicar como ele chegou a ser o que é agora; para entender por que viveu processos históricos de desenvolvimento socioeconômico tão diferenciados; e para determinar os fatores que, em cada caso, atuaram como aceleradores ou como retardadores da sua integração no estilo de vida das sociedades industriais modernas.

A tipologia examinada a seguir pretende ser uma classificação de categorias históricas resultantes dos processos civilizatórios que se desencadearam nos últimos séculos sobre todos os povos da Terra. Como tal, pretende ser significativa e instrumental no estudo do processo que conduziu esses povos, primeiro, da condição de sociedades e culturas autônomas à de componentes subalternos de sistemas econômicos de dominação mundial, ativados por culturas espúrias, e agora os conduz a movimentos de emancipação tendentes a devolver-lhes a autonomia como novas etnias autônomas integradas no processo civilizatório em curso.

A primeira destas configurações que designamos como *povos-testemunho* é integrada pelos sobreviventes de altas civilizações autônomas que sofreram o impacto da expansão europeia. São resultantes modernos da ação traumatizadora daquela expansão e dos seus esforços de reconstituição étnica como sociedades nacionais modernas. Reintegradas em sua independência, não voltaram a ser o que eram, porque se haviam transfigurado profundamente, não só pela conjunção das suas tradições com as europeias, mas pelo esforço de adaptação às condições que tiveram de enfrentar como integrantes subalternos de sistemas econômicos de âmbito mundial e também pelos impactos diretos e reflexos que sofreram da Revolução Mercantil e da Industrial.

Mais do que povos atrasados na história, eles são os povos espoliados da história. Contando originalmente com enormes riquezas acumuladas, que poderiam ser utilizadas, agora, para custear sua integração nos sistemas industriais de produção, as viram saqueadas pelo europeu. Esse saqueio prosseguiu com a espoliação do produto do trabalho de seus povos através de séculos. Quase todos se

A TRANSFIGURAÇÃO CULTURAL

encontram engajados no sistema imperialista mundial, que lhes fixa um lugar e um papel determinado, limitando ao extremo suas possibilidades de desenvolvimento autônomo. Séculos de subjugação ou de dominação direta ou indireta impuseram-lhes profundas deformações que não só depauperaram seus povos como também traumatizaram toda a sua vida cultural.

Como problema básico, enfrentam a integração dentro de si mesmos das duas tradições culturais de que se fizeram herdeiros, não apenas diversas, mas, em muitos aspectos, contrapostas. Primeiro, a contribuição europeia de técnicas e de conteúdos ideológicos, cuja incorporação ao antigo patrimônio cultural se processou à custa da redefinição de todo o seu modo de vida e da alienação de sua visão de si mesmos e do mundo. Segundo, seu antigo acervo cultural, que, apesar de drasticamente reduzido e traumatizado, preservou línguas, costumes, formas de organização social, corpos de crenças e de valores profundamente arraigados em vastas camadas da população, além de um patrimônio de saber vulgar e de estilos artísticos peculiares que encontram, agora, oportunidades de reflorescer como instrumentos de autoafirmação nacional.

Atraídos simultaneamente pelas duas tradições, mas incapazes de fundi-las numa síntese significativa para toda a população, conduzem dentro de si, ainda hoje, o conflito entre a cultura original e a civilização europeia. Alguns deles tiveram sua "modernização" dirigida pelas potências europeias que os dominaram; outros se viram compelidos a promovê-la intencionalmente ou a intensificá-la como condição de sobrevivência e de progresso em face da sanha espoliativa a que estavam submetidos e de superação dos óbices representados pelo atraso tecnológico e pelo arcaísmo de suas estruturas sociais.

Nesse bloco de *povos-testemunho* se contam a Índia, a China, o Japão, a Coreia, a Indochina, os países islâmicos e alguns outros. Nas Américas, são representados pelo México, pela Guatemala, bem como pelos povos do Altiplano andino; sobreviventes das civilizações asteca e maia, os primeiros, e da civilização incaica, os últimos.

Dentre os *povos-testemunho* apenas o Japão e, mais recente e parcialmente, a China conseguiram incorporar às respectivas economias a tecnologia industrial moderna e reestruturar suas próprias sociedades em novas bases. Todos os demais são povos bipartidos em um estamento dominante mais europeizado, por vezes biologicamente mestiçado e culturalmente integrado nos estilos modernos de vida, oposto a amplas massas marginalizadas — sobretudo camponesas — por seu apego a modos de vida arcaicos e resistentes à modernização.

Os dois núcleos de *povos-testemunho* das Américas, como povos conquistados e subjugados, sofreram um processo de compulsão europeizadora muito mais

violento, do que resultou sua completa transfiguração étnica. Seus perfis étnico-
-nacionais de hoje já não são os originais. Conformam perfis neo-hispânicos me-
tidos nos descendentes da antiga sociedade, mestiçados com europeus e negros.
Enquanto os demais povos extraeuropeus de alta cultura, apesar da dominação que
sofreram, apenas coloriram sua figura étnico-cultural original com influências europeias, nas Américas, a etnia neoeuropeia é que se tinge com as cores das antigas
tradições culturais, tirando delas características que as singularizam.

Comparados com as outras etnias americanas, os *povos-testemunho* singularizam-se tanto pela presença dos valores da velha tradição que preservaram e lhes
conferem a imagem que ostentam como por seu processo de reconstituição étnica
muito diferenciado. Sobre o espólio das sociedades mesoamericanas e andinas,
os conquistadores espanhóis implantaram-se, desde os primeiros anos, como uma
aristocracia que, sucedendo a velha classe dominante, colocou desde logo a seu
serviço as camadas intermediárias e toda a massa servil. Puderam viver, assim, em
palácios mais ostentatórios que os mais ricos da velha nobreza espanhola. Erigir
templos suntuosos como a Espanha jamais tivera. E, sobretudo, montar um sistema
compulsório de europeização que, começado pela erradicação da classe dominante nativa e da sua camada erudita, acabou por implantar um enorme instrumental
assimilatório e repressivo, que ia desde a catequese em massa até a criação de universidades e a manutenção de enormes contingentes militares prontos a se abater
contra qualquer tentativa de rebelião.

Além das tarefas de desenvolvimento socioeconômico comuns a todas as
nações subdesenvolvidas, os representantes contemporâneos dos *povos-testemunho*
defrontam-se com problemas culturais específicos decorrentes do desafio de incorporar suas populações marginais no novo ente nacional e cultural que emerge,
desatrelando-as das tradições arcaicas menos compatíveis com o estilo de vida de
sociedades industriais modernas. Alguns dos seus contingentes humanos básicos
constituem entidades étnicas distintas por sua diversidade cultural e linguística
e por sua autoconsciência de etnias diferenciadas da nacional. Não obstante os
séculos de opressão, tanto colonial quanto nacional, no correr dos quais todas as
formas de compulsão foram utilizadas para assimilá-los, esses contingentes continuaram fiéis à sua identidade étnica, preservando modos próprios de conduta e
de concepção do mundo. Essa resistência secular nos está a dizer que, com toda a
probabilidade, esses contingentes permanecerão diferenciados, à semelhança dos
grupos étnicos enquistados na maioria das nacionalidades europeias atuais. No
futuro, deverão configurar-se como modos distintos de participação na vida nacional, como o dos judeus ou dos ciganos em tantas nações, ou como bolsões

étnico-linguísticos díspares, equivalentes aos que sobrevivem na Espanha, na Grã-Bretanha, na França, na Tchecoslováquia* ou na Iugoslávia**. Para alcançar essa forma de integração, porém, necessitarão de um mínimo de autonomia, que lhes foi sempre negada; e da supressão dos mecanismos compulsórios destinados a forçar sua incorporação como contingentes indiferenciados da sociedade nacional e da aceitação pelos *povos-testemunho* de seu caráter de entidades multiétnicas.

A segunda configuração histórico-cultural é constituída pelos *povos novos*, surgidos da conjunção e da deculturação e caldeamento de matrizes étnicas africanas, europeias e indígenas. São aqui designados como *povos novos* em atenção à sua característica fundamental de *species novae*, enquanto entidade étnica distinta de suas matrizes formadoras e porque representam antecipações do que virão a ser, provavelmente, os grupos humanos de um futuro remoto, cada vez mais mestiçados e aculturados e, desse modo, uniformizados racial e culturalmente.

Os *povos novos* constituíram-se pela confluência de contingentes profundamente díspares em suas características raciais, culturais e linguísticas, como um subproduto de projetos coloniais europeus. Reunindo negros, brancos e índios para abrir grandes plantações de produtos tropicais ou para a exploração mineira, visando tão somente atender aos mercados europeus e gerar lucros, as nações colonizadoras acabaram por plasmar povos profundamente diferenciados de si mesmas e de todas as outras matrizes formadoras.

Postos em confronto nas mesmas comunidades, esses contingentes básicos, embora exercendo papéis distintos, entraram a mesclar-se e a fundir-se culturalmente com maior intensidade do que em qualquer outro tipo de conjunção. Assim, ao lado do branco, chamado a exercer os papéis de chefia da empresa (por força das condições de dominação impostas aos demais); do negro, nela engajado como escravo; do índio, também escravizado ou tratado como mero obstáculo a erradicar, foi surgindo uma população mestiça que fundia aquelas matrizes nas mais variadas proporções. Nesse encontro de povos surgiram línguas francas como instrumentos indispensáveis de comunicação e se plasmaram culturas sincréticas feitas de pedaços tomados dos diferentes patrimônios que melhor se ajustavam a suas condições de vida.

Poucas décadas depois de inaugurados os empreendimentos coloniais, a nova população, nascida e integrada naquelas plantações e minas, já não era europeia, nem africana, nem indígena, mas configurava protocélulas de um novo corpo

---

* Atualmente República Tcheca e Eslováquia. [N. do E.].

** Atualmente Bósnia e Herzegovina, Cróacia, Montenegro, Macedônia, Sérvia, Eslovênia e Kosovo [N. do E.].

As Américas e a civilização

étnico. Crescendo vegetativamente e pela incorporação de novos contingentes, aquelas protocélulas vão conformando os *povos novos*, que, aos poucos, tomam consciência de sua especificidade e acabam por constituir-se em complexos culturais e, por fim, em etnias aspirantes à autonomia nacional.

Assim se plasmaram as matrizes básicas dos *povos novos*, que terminaram por amadurecer também como etnias nacionais e por aspirar pela autonomia na condução do seu destino, para escândalo dos europeus contemporâneos, perplexos diante da ousadia dessas feitorias de escravos e mulatos que se pretendiam converter em nações independentes.

Os *povos novos* surgem hierarquizados, como os *povos-testemunho*, pela enorme distância social que separava a sua camada senhorial de fazendeiros, mineradores, comerciantes, funcionários coloniais e clérigos da massa escrava engajada na produção. Sua classe dominante não se faz, porém, uma aristocracia estrangeira reitora do processo de europeização, mesmo porque não encontrara uma antiga camada nobre e letrada para substituir e suplantar. Eram rudes empresários, senhores de suas terras e de seus escravos, forçados a viver junto a seu negócio e a dirigi-lo pessoalmente com a ajuda de uma pequena camada intermédia de técnicos, capatazes e sacerdotes. Onde a empresa prosperou muito, como nas zonas açucareiras e mineradoras do Brasil e das Antilhas, puderam dar-se ao luxo de residências senhoriais e tiveram de alargar a camada intermédia, tanto dos engenhos como das vilas costeiras, incumbidas do comércio com o exterior. Essas vilas se fizeram cidades, exprimindo principalmente nos templos a sua opulência econômica, com menos galas do que alcançara a aristocracia dos *povos-testemunho*, mas com muito mais brilho e "civilização" do que os *povos transplantados*.

Como camada dominante eles eram, também, antes os gerentes de um empreendimento econômico do que a cúpula de uma sociedade autêntica. Só muito lentamente se capacitaram para assumir o papel de liderança nativa, e quando o fizeram foi para impor à sociedade inteira, transformada em nacionalidade, uma ordenação oligárquica fundada no monopólio da terra que asseguraria a preservação do seu papel reitor e a conscrição do povo como força de trabalho, servil ou livre, posta a serviço de seus privilégios.

Nenhum dos povos desse bloco constitui uma nacionalidade multiétnica. Em todos os casos, seu processo de formação foi suficientemente violento para compelir a fusão das matrizes originais em novas unidades homogêneas. Somente o Chile, por sua formação peculiar, guarda no contingente araucano, de quase 200 mil índios, uma microetnia diferenciada da nacional, historicamente reivindicante

A transfiguração cultural

do direito de ser ela própria, ao menos como modo diferenciado de participação na sociedade nacional.

Os chilenos e os paraguaios contrastam também com os outros *povos novos* pela ascendência principalmente indígena de sua população e pela ausência do contingente negro escravo, bem como do sistema de *plantation*, que tiveram papel tão saliente na formação dos brasileiros, dos antilhanos, dos colombianos e venezuelanos. Ambos conformam, por isso, juntamente com a matriz étnica original dos rio-platenses, uma variante dos *povos novos.* A composição predominantemente índio-espanhola dos *povos-testemunho* se diferencia dessa variante porque suas populações indígenas originais não haviam alcançado um nível de desenvolvimento cultural equiparável ao dos mexicanos ou dos incas.

Na sua forma acabada, os *povos novos* são o resultado da seleção de qualidades raciais e culturais das matrizes formadoras, que melhor se ajustaram às condições que lhes eram impostas; do seu esforço de adaptação ao meio, bem como da força de compulsão do sistema socioeconômico em que se inseriram. O papel decisivo em sua formação foi representado pela escravidão, que, operando como força destribalizadora, desgarrava as novas criaturas das tradições ancestrais para transformá-las no subproletariado da sociedade nascente. Nesse sentido, os *povos novos* são produto tanto da deculturação redutora de seus patrimônios tribais indígenas e africanos quanto da aculturação seletiva destes patrimônios e da sua própria criatividade em face do novo meio.

Desvinculados de suas matrizes americanas, africanas e europeias; desatrelados de suas tradições culturais, configuram, hoje, povos em disponibilidade, condenados a integrar-se na civilização industrial como gente que só tem futuro no futuro do homem. Vale dizer, na sua integração progressiva no processo civilizatório que lhes deu nascimento; já não como áreas coloniais-escravistas do capitalismo mercantil, nem como dependências neocoloniais do imperialismo industrial, mas como formações autônomas, sejam capitalistas, sejam socialistas, capacitadas a incorporar a tecnologia da civilização moderna em suas sociedades e de alcançar para toda a sua população o nível de educação e de consumo dos povos mais avançados.

A terceira configuração histórico-cultural é representada pelos *povos transplantados*, correspondente às nações modernas criadas pela migração de populações europeias para novos espaços mundiais, onde procuraram reconstituir formas de vida essencialmente idênticas às de origem. Cada um deles se estruturou segundo modelos de vida econômica e social da nação de que provinha, levando adiante, nas terras adotivas, processos de renovação que já operavam nos velhos contextos europeus.

De início, foram recrutados dentre os grupos europeus dissidentes, sobretudo religiosos; mais tarde se incrementaram com toda sorte de desajustados que as nações colonizadoras condenavam ao degredo; finalmente, inflaram através das enormes levas migratórias de europeus desenraizados pela Revolução Industrial de suas comunidades rurais e urbanas, que vinham tentar a sorte nas novas terras. Esses contingentes, em sua maioria, vieram ter à América como trabalhadores rurais aliciados mediante contratos, que os submetiam a anos de trabalho servil. Mas grande parte deles conseguiu, mais tarde, ingressar na categoria de granjeiros livres e de artesãos também independentes.

Suas características básicas são a homogeneidade cultural que mantiveram, desde o início, pela origem comum de sua população, ou que plasmaram pela assimilação dos novos contingentes; o caráter mais igualitário de suas sociedades, fundadas em instituições democráticas de autogoverno e no acesso mais fácil do lavrador à propriedade da terra; e sua "modernidade" enquanto sincronização com os modos de vida e as aspirações das sociedades capitalistas pré-industriais de que foram desgarrados.

Integram o bloco de *povos transplantados* a Austrália e a Nova Zelândia, em certa medida também os bolsões neoeuropeus de Israel, da União Sul-Africana e da Rodésia. Nas Américas, são representados pelos Estados Unidos, pelo Canadá e também pelo Uruguai e Argentina. Nos primeiros casos deparamos com nações resultantes de projetos de colonização implantados sobre territórios cujas populações tribais foram dizimadas ou confinadas em *reservations* para que uma nova sociedade neles se instalasse. No caso dos países rio-platenses, encontramos a resultante de um empreendimento peculiaríssimo de uma elite crioula — inteiramente alienada e hostil à sua própria etnia de povo novo — que adota como projeto nacional a substituição de seu próprio povo por europeus brancos e morenos, concebidos como gente com mais peremptória vocação para o progresso. A Argentina e o Uruguai resultam, assim, de um processo de sucessão ecológica deliberadamente desencadeado pelas oligarquias nacionais, através do qual uma configuração de *povo novo* se transforma em *povo transplantado*. Nesse processo, a população *ladina* e *gaúcha*, originária da mestiçagem dos povoadores ibéricos com o indígena, foi esmagada e substituída, como contingente básico da nação, por um alude de imigrantes europeus.

Ao contrário do que sucedeu com os *povos-testemunho* e com os *povos novos*, que, desde seus primeiros anos de constituição, se configuraram como sociedades complexas, estamentadas em estratos profundamente diferenciados, que iam desde uma rica oligarquia de conquistadores europeus até a massa servil de índios

A TRANSFIGURAÇÃO CULTURAL

ou negros, a maioria dos *povos transplantados* surgiu como colônias de povoamento dedicadas a atividades granjeiras, artesanais e de pequeno comércio. Todos eles enfrentaram largos períodos de penúria enquanto se ocupavam em implantar bases sobre o deserto, procurando viabilizar economicamente sua existência pela produção de gêneros para exportação a mercados mais ricos e mais especializados. Nessas circunstâncias, não surge uma minoria dominadora local capaz de impor uma ordenação social oligárquica. Embora pobres, e até paupérrimos, viviam numa sociedade razoavelmente igualitária, regida pelos princípios democráticos de tradição britânica. Não puderam ter universidades, nem templos, nem palácios suntuosos; mas alfabetizavam toda a sua população e a reuniam inteira para ler a Bíblia nas suas modestas igrejas de tábuas e para tomar decisões através de instituições de autogoverno.

Assim puderam ascender coletivamente como um povo, à medida que a colônia se consolidava e enriquecia, e, afinal, emancipar-se como uma sociedade mais homogênea e mais apta a levar à frente a Revolução Industrial. As condições peculiares de sua formação, bem como o patrimônio de terras e recursos naturais, de que se fizeram herdeiros, asseguraram aos *povos transplantados* condições especiais de desenvolvimento que, fecundadas pelo acesso aos mercados europeus e pelas facilidades linguísticas e culturais de comunicação com os países mais progressistas da Europa, lhes permitiram o domínio da tecnologia da Revolução Industrial. Isso possibilitou a muitos deles avantajar-se sobre suas matrizes originais, alcançando altos estágios de desenvolvimento econômico e social. E a todos, progredir mais rapidamente do que as demais nações americanas, originalmente muito mais prósperas e cultas.

O quarto bloco de povos extraeuropeus do mundo moderno é constituído pelos *povos emergentes*. São integrados pelas populações africanas que ascendem, em nossos dias, da condição tribal à nacional. Na Ásia encontram-se também alguns casos de *povos emergentes*, que transitam, neste momento, da condição tribal à nacional, sobretudo na área socialista, em que uma política de maior respeito às nacionalidades está permitindo e estimulando sua gestação.

Essa categoria não surgiu na América, apesar do avultado número de populações tribais que, ao tempo da conquista, contavam com centenas de milhares e com mais de 1 milhão de habitantes. Esse fator, mais que qualquer outro, exprime a violência da dominação, primeiro europeia, que se prolongou por quase quatro séculos, depois nacional, a que estiveram submetidos os povos tribais americanos. Dizimados prontamente alguns deles, outros mais lentamente, só sobreviveram uns poucos que, submetidos às mais duras formas de compulsão, foram até agora anulados como etnias e como base de novas nacionalidades, enquanto seus equivalentes africanos e asiáticos, apesar da violência do impacto que sofreram, ascendem hoje para a vida nacional.

Nos últimos anos, revimos nossa concepção desse problema à luz da ativação da consciência étnica que percorre todo o mundo. Com efeito, nunca as chamadas minorias nacionais foram tão combativas como agora. Isso se pode constatar pela luta dos bascos, catalães, galegos, bretões, flamengos e de tantas outras "minorias nacionais" fanaticamente apegadas a tudo que afirme seu caráter de etnias autônomas imersas dentro de entidades multiétnicas.

Aparentemente, as civilizações do futuro, tendentes a uniformizar todo o humano pela homogeneização das técnicas produtivas, das formas de associação e do saber, serão mais compatíveis que as do passado com a coexistência de faces étnicas diferenciadas. Essa propensão será reforçada pela criação de entidades políticas muito mais amplas que os atuais Estados — Federação Europeia, Nação Latino-Americana etc. — dentro das quais as minorias étnicas encontrarão mais liberdade e espaço para se afirmar.

É de todo provável que essas tendências civilizatórias, à medida que amadureçam, despertem também os grandes blocos étnicos de origem indígena da América Latina para destinos autonomistas. Não pode deixar de ser assim, uma vez que se contam por milhões os Quechua e Aymara, do Altiplano andino, bem como os remanescentes dos maias, da Guatemala, e de diversos povos do antigo México. Umas dez etnias mais, como os Otavalo, do Equador, ou os Mapuche, do Chile, por exemplo, diferenciadas étnica e culturalmente das populações hispanizadas, contam com populações que vão de meia até várias centenas de milhares de habitantes. Aqueles primeiros grupos étnicos, e talvez também estes últimos, seguramente não continuarão suportando a situação de opressão de que têm sido objeto, ou não se contentarão com a resistência meramente passiva que exerceram até agora, refugiando-se nos *ayllus*, *ejidos* e em múltiplas formas de vida comunitária para resistir ao avassalamento cultural e preservar sua identidade étnica.

O fato de as nações que os envolvem não se reconhecerem como entidades multiétnicas e, em consequência, não se estruturarem como estados multinacionais representa, para essas minorias, uma condenação à opressão e à marginalidade. Ainda que já não seja possível programar a sua hispanização compulsória através da guerra e da escravização, como no passado, algumas nações o continuam tentando, através do indigenismo, da ação das missões de catequese e de outras formas de constrição que operam como aparelhos oficiais de desindianização. Entretanto, o fato de esse objetivo não ter sido alcançado, apesar de perseguido através de séculos de guerra, escravidão e catequese, está a indicar que ele não será logrado mediante procedimentos menos drásticos, como os atualmente disponíveis. Nesse caso, é de supor que nas Américas do próximo milênio se ergam *povos emergentes*, oriundos de populações indígenas remanescentes das altas civilizações americanas, para fazer respeitar seu direito de serem eles próprios, dentro de novos quadros estatais ampliados e redefinidos para assumir um caráter multinacional.

As quatro categorias de povos examinados até agora, embora significativas e instrumentais para o estudo das populações do mundo moderno, sobretudo das americanas, não retratam tipos puros. Cada um dos modelos experimentou intrusões que afetaram áreas mais ou menos extensas de seu território e diferenciaram parcelas maiores ou menores de sua população. Assim, a América do Norte teve no sul de seu território uma vasta intrusão negra, plasmada por um sistema produtivo tipo *plantation* que deu lugar a uma configuração correspondente à dos *povos novos*. Grande parte do problema de integração racial, com que se defrontam os norte-americanos, decorre da presença desta intrusão, até agora irredutível e inassimilada, apesar de vencida e dispersa no corpo da nova formação. O Brasil experimentou uma intrusão de *povo transplantado* com a imigração maciça de europeus para sua região Sul, que emprestou àquela área uma fisionomia peculiar e deu lugar a um modo diferenciado de ser brasileiro. A Argentina e o Uruguai, como assinalamos, surgem à existência nacional como *povos novos*, através de uma protoetnia neoguaranítica equivalente à paraguaia e à paulistana originais. Todavia, sofreram um processo de especialização pastoril e de sucessão ecológica, através do qual se transmudou o caráter étnico nacional, dando origem a uma entidade nova, europeia em sua composição básica. Assim é que se conformaram ambos como *povos transplantados* de um tipo especial, porque tolhidos em seu desenvolvimento socioeconômico pela sobrevivência de uma oligarquia arcaica de grandes proprietários rurais, resultante de sua configuração original. Em cada um dos povos americanos, intrusões menores colorem e singularizam certas parcelas da população nacional e as regiões do país onde mais se concentram.

É de assinalar que algumas populações do mundo extraeuropeu moderno parecem não se enquadrar nessas categorias. É o caso, essencialmente, de algumas nações esdrúxulas, como a África do Sul, a Rodésia,[*] Niassalândia[**] e Quênia. A dificuldade classificatória, nesse caso, parece refletir a própria inviabilidade dessas superfetações, fundadas no domínio de núcleos europeus implantados sobre populações nativas numericamente majoritárias. Mais do que nações, elas são ainda feitorias geridas por grupos brancos, que ingressaram tardiamente na área e até

---

* Rodésia hoje é o Zimbábue. [N. do E.].

** Niassalândia hoje é o Malaui. [N. do E.].

agora permaneceram inassimilados e incapazes de plasmar uma configuração de *povo novo*. Sua inviabilidade como formação nacional é tão peremptória que se pode vaticinar, sem risco de erro, o alçamento inevitável das camadas subjugadas e a erradicação da casta dominante, incapaz de integrar-se racial e culturalmente em seu próprio contexto étnico-nacional.

No caso dos demais povos extraeuropeus, o caráter nacional e o perfil étnico--cultural básico de cada unidade são explicáveis como resultante de sua formação global enquanto *povos-testemunho, povos novos, povos emergentes* e *povos transplantados*. Essa escala corresponde, grosso modo, à caracterização corrente dos povos americanos como predominantemente indo-americanos, neoamericanos ou euro-americanos. As duas escalas, todavia, não se equivalem porque muitos outros povos, como os paraguaios e chilenos, de formação basicamente indígena, fizeram-se *povos novos* e não *povos-testemunho*, porque resultaram da fusão do europeu com grupos tribais que não haviam alcançado o nível das altas civilizações. É o caso também dos euro-americanos, presentes em todas as formações étnicas do continente, mas que só nos *povos transplantados* imprimiram um perfil nitidamente neoeuropeu às respectivas populações. A designação de neoamericanos não substitui, também, adequadamente, a de *povos novos*, porque, em muitos sentidos e, sobretudo, como sucessores das populações originais do continente, todos os seus povos de hoje são neoamericanos.

3. Fusão e expansão das matrizes raciais

A análise quantitativa da composição racial dos povos americanos, no passado e no presente, apresenta enormes dificuldades, obrigando a trabalhar com avaliações mais ou menos arbitrárias. Mesmo os dados oficiais, quando disponíveis, não merecem fé, tanto pela falta de definições censitárias uniformes dos grupos raciais como pela interferência de atitudes e preconceitos das próprias populações recenseadas. Isso conduz, por exemplo, nos *povos transplantados*, a confundir num só grupo aos negros e mulatos; nos *povos novos*, a somar ao contingente branco--europeu todos os mestiços e mulatos claros; e nos *povos-testemunho*, a identificar como mestiços grande número de indígenas puros no plano racial, mas incorporados aos modos de vida modernos através da assimilação e da aculturação.

Com todas as reservas decorrentes dessa precariedade das próprias fontes, é possível, contudo, armar um quadro conjectural aceitável sobre a evolução dos contingentes raciais e de suas mesclas na composição dos três grandes blocos americanos. Tal é o quadro seguinte.

Quadro

I. COMPOSIÇÃO RACIAL PROVÁVEL DOS GRANDES BLOCOS DE POVOS AMERICANOS, NO PERÍODO DA INDEPENDÊNCIA (1825), EM 1950 E NO ANO 2000

Raças	Povos-Testemunho			Povos Novos			Povos Transplantados			Totais		
	1825	1950	2000	1825	1950	2000	1825	1950	2000	1825	1950	2000
Indígenas....	6,1	13,8	33,0	1,1	1,0	0,5	0,6	0,8	1,5	7,8	15,6	35,0
Brancos......	1,8	10,2	26,0	2,0	41,8	130,0	10,0	163,0	300,0	13,8	225,0	456,0
Pretos.........	0,5	0,3	–	5,0	14,0	60,0	1,5	15,0	70,0	7,0	29,3	130,0
Mulatos e mestiços.....	3,0	36,1	150,0	3,5	32,2	150,0	1,0	3,7	20,0	7,5	72,0	320,0
Total	11,4	60,4	209,0	11,6	89,0	340,5	13,1	182,5	391,5	36,1	311,9	941,0

Fontes: ONU (1958 e 1965); A. Rosenblat (1954); F. Debuyst (1961); J. Steward (1949); Statistical abstract of the USA (1966); e reavaliações dos dados dos censos nacionais de 1950 e das projeções da ONU para o fim do século.

Por ele se verifica que o grupo indígena original, que sofrerá, de 1500 a 1825, uma redução da ordem de 10 para menos de 1 de sua população em todos os três blocos (100 para 7,8 milhões), de 1825 a 1950, consegue dobrar esse montante (7,8 para 15,6 milhões) e o ultrapassar, nos *povos-testemunho* (6,1 para 13,8 milhões), mas marcha para a extinção dos *povos novos* (1,0 para 0,5 milhão).[3]

O contingente branco-europeu cresceu em todas as áreas, entre 1825 e 1950 (13,8 para 225 milhões), porém de forma mais explosiva nos *povos transplantados* (10 para 163 milhões), que, partindo de uma população predominantemente caucasoide, a multiplicou num ritmo de crescimento muito superior ao experimentado pelas outras matrizes, em virtude das fortes injeções de imigrantes europeus que receberam. Assim, a América do Norte quadruplicou sua população de 1800 a 1850 (5,3 para 23,3 milhões) e voltou a quadruplicá-la de 1850 a 1900 (23,3 para 92,3 milhões). O mesmo ocorrendo com a Argentina, cuja população salta de 1 milhão para 4,7 milhões, de 1850 a 1900, e para 17,2 milhões, em 1950.

O grupo negro-africano experimentou, no mesmo período, um ritmo muito mais lento de crescimento que o caucasoide (7 para 29,3 milhões), embora muito mais alto que o indígena. Nas áreas onde mais se concentrava, que eram as ocupadas pelos *povos novos*, os negros apenas multiplicaram por três seu contingente (5 para 14 milhões) entre 1825 e 1950, enquanto os brancos-por-definição cresciam mais de vinte vezes, e os mestiços, quase dez vezes. Essa lentidão de incremento é

AS AMÉRICAS E A CIVILIZAÇÃO

confirmada pelos dados referentes a prazos mais curtos, disponíveis para o Brasil, pelos quais se vê que o grupo negro chegou mesmo a sofrer reduções em seu número absoluto (6,6 para 5,7 milhões), de 1940 a 1950. Esse baixo índice de crescimento se explica menos pela miscigenação do que pela precariedade de condições de vida a que os negros estiveram submetidos, porquanto a manutenção do seu montante só se alcançava pela importação continuada de mais escravos, bem como pelas dificuldades que enfrentavam para passar da condição de escravos à de trabalhadores livres. Entre os *povos-testemunho*, os negros experimentaram reduções absolutas (500 para 300 mil), explicáveis pelos mesmos fatores e também, provavelmente, por um processo mais intensivo de absorção na população global, através da mestiçagem.

O contingente mestiço e mulato foi o que mais cresceu, desde a independência (7,5 para 72 milhões), depois do caucasoide, concentrando-se principalmente nos *povos-testemunho*, em que assumiu feição mestiça índio-europeia (3,0 para 36,1 milhões), e nos *povos novos* (3,5 para 32,2 milhões), em que é predominantemente mulato.

A evolução racial da população americana é congruente com a análise tipológica que vimos fazendo e pode ser compreendida em termos de processos divergentes de sucessão ecológica. Por um deles, populações europeias imigrantes, concentradas em núcleos homogêneos estruturados em famílias e contando, assim, com a presença de mulheres e crianças, se impõem às populações originais. Esse é o caso dos *povos transplantados*, em que os contingentes indígenas são virtualmente dizimados e os negros e seus mulatos, mais marginalizados do que integrados na nova etnia. No caso dos *povos novos* e dos *povos-testemunho*, deparamos com um processo ecológico distinto, pelo qual um núcleo europeu minoritário, composto principalmente de homens desgarrados de suas comunidades, atua como agente colonizador, impondo-se às duas outras matrizes raciais pela miscigenação intensiva, que lhe empresta uma extraordinária capacidade de branquear os demais, produzindo uma vasta camada mulata e mestiça. Essa passa a constituir o componente principal da população, no caso dos *povos-testemunho* (36,1 milhões de mestiços para 10,2 milhões de brancos-por-definição), e o segundo contingente, muito próximo do primeiro (32,2 e 41,8 milhões), no caso dos *povos novos*.

Algumas projeções podem ser feitas, também, quanto ao desenvolvimento futuro das diversas matrizes raciais nos três blocos de povos americanos pelo confronto de seus contingentes atuais com suas tendências de incremento ou redução. Tendo alcançado mais altos níveis de desenvolvimento, as sociedades nacionais dos *povos transplantados* experimentaram, em consequência, uma forte compressão no ritmo de incremento de sua população, sendo de supor que seu crescimento futuro seja menos assinalável que o dos demais blocos. A América do Norte, que vinha quadruplicando sua população a cada cinquenta anos, nem mesmo conseguiu duplicá-la entre 1900 e 1950, o mesmo ocorrendo com a Argentina e o Uruguai nas duas últimas décadas. Os dois outros blocos, mal tendo chegado ao limiar do desenvolvimento, experimentam ainda uma fase de expansão demográfica, que os fará prosseguir crescendo a ritmo acelerado nas próximas décadas. Os dados estatísticos disponíveis indicam que as populações dos *povos-testemunho* e dos *povos novos*, predominantemente mestiças e mulatas, eram pouco menores em 1960, no seu conjunto, do que o total da população dos *povos transplantados* (220,5 milhões para 182,8 milhões), mas acionadas por um ritmo intenso de incremento elas tenderão a superar amplamente essa diferença nas próximas décadas, até atingirem, no ano 2000, um montante de 549,5 milhões contra 391,5 milhões para os *povos transplantados*.

Essas diferenças de ritmos de incremento demográfico se devem, essencialmente, ao fato de que os *povos transplantados* experimentaram seu período de mais forte crescimento a partir de uma população relativamente pequena (5,3 milhões, em 1800, para 23,3 milhões, em 1850, nos Estados Unidos), ao passo que o mesmo fenômeno deverá ocorrer agora, na América Latina, a partir de uma base populacional muito superior (204 milhões, em 1960), que, mesmo crescendo a um ritmo substancialmente menos acelerado, tenderá a triplicar-se até o ano 2000.

A longo termo, portanto, o que mais tende a crescer é a América morena, fruto da mestiçagem de seus contingentes básicos. A menos que os projetos de inspiração governamental norte-americana, de imposição de vastos programas de *birth control*, consigam alterar substancialmente essas tendências. É, entretanto, improvável que tais programas cheguem a cumprir-se, não só em virtude das dificuldades do próprio empreendimento de induzir povos atrasados e pobres a adotar hábitos correspondentes a populações adiantadas, como também pela oposição que tal programa provoca nas lideranças latino-americanas.

Estas são cada vez mais advertidas para os riscos inerentes a uma contenção demográfica artificial que trará, como consequência fatal, não apenas a redução do seu contingente no mundo, mas, e sobretudo, o envelhecimento precoce de suas populações, nas quais uma maioria de menores de dezoito anos de idade (cerca de 50%) seria substituída, progressivamente, por uma parcela crescente de maiores de cinquenta anos, que, nas condições vigentes de subdesenvolvimento, representariam um peso morto.

Esse envelhecimento artificial da população latino-americana imposto por uma política de potência antes de alcançados os níveis mínimos de desenvolvimento

As Américas e a civilização

econômico e social, que naturalmente conduziriam a esse efeito — como ocorreu com todos os países plenamente industrializados —, poderia ter como consequência inabilitar os latino-americanos para as tarefas do desenvolvimento, ao retirar de suas sociedades o fator de renovação social que são as forças de compressão demográfica e as tensões sociais correspondentes. Sua consecução, através de vastos programas subsidiados de distribuição de pílulas anticoncepcionais e de incentivo ao aborto, poderia importar na condenação dos latino-americanos a uma dependência — senão permanente, de duração imprevisível — do amparo e da solicitude dos ricos vizinhos do Norte, com a consequente perpetuação da hegemonia destes, apesar de serem, então, flagrantemente minoritários.

A precariedade dos dados disponíveis sobre a composição racial das populações americanas e a variedade de fatores que podem intervir no crescimento relativo de cada contingente nas próximas décadas não permitem calcular através de projeções estatísticas seguras seu incremento futuro. Permitem, todavia, algumas hipóteses verossímeis sobre o incremento provável de cada componente racial dos três blocos e sobre as alterações prováveis de suas proporções. Primeiro, a de que a proporção registrada em 1950 nas populações americanas, de dois para um, do contingente "branco-por-definição" em relação à "gente de cor", se altere profundamente, para alcançar uma supremacia morena da ordem de 485 milhões contra 456 milhões de brancos no fim do século. Isso em virtude de um paralelismo entre branquitude e mais alto nível de vida e, em consequência, menor ritmo de incremento populacional.

O contingente indígena provavelmente crescerá, também, no mesmo período, para algo mais que o duplo do seu montante em 1950 (15 para 35 milhões). Simultaneamente, porém, se irá desindianizando culturalmente, pela incorporação nos modos de vida das populações neoamericanas em que estão inseridos. Ao final, virão a constituir, provavelmente, um modo diferenciado de participação na etnia nacional que os unificará antes pelas lealdades que conservarão para com suas matrizes de origem do que por seus característicos étnicos-culturais presentes.

O grupo negro deverá quadruplicar o seu montante (29,3 em 1950 para 130 milhões no ano 2000) pelas razões já indicadas e também porque a ascensão social, que presumivelmente experimentará nas próximas décadas, lhe propiciará um índice mais alto de sobrevivência. Sem embargo, por força do caldeamento racial, pode ocorrer que antes tenda a dar colorido às matrizes brancas, aumentando o quadro mulato, em prejuízo da expressão do seu próprio patrimônio em populações negras mais amplas.

Os mestiços, finalmente, experimentarão, segundo supomos, um incremento mais intensivo que todos os demais, quintuplicando seu contingente (72 para

320 milhões) por força da conjunção de diversos fatores, como a elevação do nível de vida que apenas se inicia e que deverá combinar-se com um alto ritmo de incremento, a absorção do produto dos casamentos mistos das outras matrizes, que tende a generalizar-se, e, finalmente, a assunção de sua própria figura étnica, sem a contingência de mimetizar-se ideologicamente em brancos-por-definição.

Todas as proposições anteriores se fundam na expectativa de uma miscigenação intensiva que caldeará, ainda mais profundamente, as populações americanas até configurá-las, em face do mundo, como uma representação cada vez mais homogênea do humano e, por isso, mais capacitada a conviver e a identificar-se com todos os povos. Consideradas, porém, as diversas áreas americanas, essas tendências tanto poderão ser intensificadas como reduzidas por certos fatores. Assim, por exemplo, se a guerra racial entre negros e brancos na América do Norte resolver-se por um caminho integracionista, se intensificará a tendência homogeneizadora. Mas se, ao contrário, prevalecer a segregação racial e, sobretudo, se os anglo-americanos alcançarem sucesso em sua deliberação de reduzir suas populações "negras" e os contingentes "de cor" da América Latina pela imposição de uma política de contenção demogenética, o resultado será o fortalecimento da heterogeneidade e do racismo.

O crescimento das populações latino-americanas deverá levá-las a um montante demográfico de 650 milhões no ano 2000, segundo cálculos baseados na expectativa de uma taxa de incremento relativamente baixa. Esta expectativa não leva em conta as possibilidades de crescimento ainda maior pela elevação do nível sanitário, pelos progressos médicos no tratamento das enfermidades esterilizantes, bem como por fatores sociais, como a provável redução da idade do casamento e do número de uniões livres, geralmente menos fecundas. Por tudo isso se deve considerar a hipótese de um crescimento ainda maior. Essa explosão demográfica não é, evidentemente, um bem em si mesmo e importará para a América Latina num desafio ainda maior no esforço de superação do seu atraso.[4]

Esse desafio aponta para a imperatividade de intensificar o esforço de superação do atraso, a fim de alcançar uma redução do incremento demográfico e um amadurecimento etário da população em consequência do progresso econômico e não em lugar dele, como poderia ocorrer com uma política de contenção demogenética propugnada e custeada por uma potência estrangeira, como seu projeto para o futuro dos latino-americanos.

SEGUNDA PARTE
OS POVOS-TESTEMUNHO

*[...] Dentre os grupos de gente de cada socie-
dade, as pessoas distinguem aqueles que são
minha gente, ou são mais minha gente, dos
que não são tanto minha gente. Esta distinção
entre o nós e o eles, de certa forma, ordena os
elementos humanos no cenário universal.*

Robert Redfield

Designamos *povos-testemunho* as populações mexicanas, mesoamericanas e andinas, enquanto sobreviventes de antigas civilizações — asteca, maia e incaica — que desmoronaram ao impacto da expansão europeia, entrando num processo secular de aculturação e de reconstituição étnica, ainda inconcluso para todas elas.

A Espanha deparara naquelas áreas com populações muito maiores do que a sua própria, estruturadas em formações socioculturais totalmente distintas. Eram impérios teocráticos de regadio do mesmo tipo dos que configuraram as altas civilizações da Mesopotâmia (2350 a.C.), do Egito (2070 a.C.), da China (1122 a.C.), da Índia (327 a.C.) e do Cambodja (600). Como aquelas civilizações, os impérios americanos se assentavam numa agricultura intensiva de regadio, servida por portentosos sistemas de canais controlados pelo Estado, que permitiriam criar as maiores concentrações humanas que se conhece.

O montante populacional dos impérios teocráticos de regadio das Américas tem sido objeto das avaliações mais díspares. Dentre as mais conservadoras encontra-se a de A. L. Kroeber (1939), que admitia um total de 6,3 milhões para os incas, maias e astecas; a de A. Rosenblat (1954), que as avaliou em 7,8 milhões; e a de J. Steward (1949), que as elevara a 9,2 milhões.

Estudos mais recentes, baseados na utilização de novas fontes e no emprego de critérios mais precisos, elevaram esses montantes a magnitudes muito maiores. W. Borah e S. F. Cook (1963) estimaram a população pré-colombiana do México Central em 25 a 30 milhões, e H. Dobyns e P. Thompson (1966) situaram entre 30 e 37,5 milhões a população daquela área, a que acresceram mais 10 a 13 milhões para a América Central e, também, 30 a 37,5 milhões para a região andina. Segundo essas últimas avaliações, mais bem fundamentadas que as anteriores, é admissível que a população estruturada nos impérios teocráticos de regadio das Américas alcançasse um montante de 70 a 88 milhões de habitantes antes da conquista. Um século e meio depois, aquelas populações haviam sido reduzidas a cerca de 3,5 milhões, tal o impacto da depopulação a que foram submetidas.

Paralisadas pelo ataque espanhol, tanto a sociedade mexicana como a maia e a incaica entraram em colapso; viram substituídas suas classes dirigentes por minorias estrangeiras que, desde então, passaram a remodelar suas culturas através de toda sorte de compulsões. Esse desígnio cumpriu-se mediante vários mecanismos, dentre eles a dizimação intencional da antiga cúpula governamental e sacerdotal depositária da tradição erudita daquelas culturas; e a depopulação provocada, a seguir, pelas epidemias com que foram contagiados, pelo engajamento do trabalho escravo e por efeito de inovações técnicas e agrícolas que desequilibraram seu antigo sistema de subsistência, alterando sua base ecológica.

Sob essas condições de hecatombe social é que as duas tradições culturais — a europeia e a indígena — entraram em conjunção. A primeira, representada pela minoria de agentes da dominação externa, mantendo-se íntegra e se armando de todos os poderes para impor-se; a última, decepada dos conteúdos mais avançados de uma sociedade urbana, que eram seus setores letrados; traumatizada sob a pressão das forças desencadeadas pela depopulação e pela deculturação compulsória; despojada de suas riquezas acumuladas através do saqueio; e desprovida de seus corpos de técnicos e artesãos pela conversão de toda a sua população em "proletariado externo", degradado à condição de trabalhadores braçais das minas e das fazendas para servir a uma economia de exportação.

Através de décadas, os *povos-testemunho* da América não contaram com um modo de vida próprio, definido e congruente. O velho morrera como força integradora e não surgira ainda um novo. Desgastados pelas epidemias, conduzidos ao desespero pela escravidão, se transformaram em rebanhos, cujos membros nasciam e morriam, apenas vivendo para cumprir a sina que lhes era imposta. Ao longo de todo esse tempo, porém, conservaram e transmitiram, de geração a geração, retalhos dos velhos valores, cuja atualização na conduta era inviável, mas que ainda comoviam os seus descendentes.

Nessas circunstâncias é que surgiram as primeiras células de uma cultura *ladina* que se esforçava por conformar-se. Essas células híbridas, por metade neoindígenas, por metade neoeuropeias, é que atuariam sobre o contexto traumatizado, assimilando parcelas cada vez maiores dele para um novo modo de ser e de viver. Mergulhavam, assim, continuamente na cultura original, para dela emergir cada vez mais ampliadas e também mais diferenciadas, tanto da tradição antiga como do modelo europeu.

O processo operou sempre dentro do enquadramento representado pela capacidade de compulsão da nova civilização, cujo aparato técnico, institucional e, sobretudo, mercantil era mais avançado, e cuja camada dominante regia a sociedade com enorme poder de coação. Nessas condições, o esforço de ladinização se fez, essencialmente, como um mecanismo de engajamento das massas indígenas na força de trabalho do novo sistema produtivo, posta a serviço de sua camada

SEGUNDA PARTE — OS POVOS-TESTEMUNHO

dirigente. A disciplina do trabalho, em regime escravo ou servil, mais que a aculturação ou a conversão religiosa, é que amalgamaria e integraria esses povos na sociedade nascente, como seu proletariado.

Populações indígenas da mesma área que antes só mantinham contatos intermitentes ou hostis com as altas civilizações asteca, maia ou incaica foram, também, aos poucos, atingidas e subjugadas. Sobre elas se exerceram as mesmas compulsões tanto nos seus próprios territórios quanto nas novas áreas para onde foram conduzidas. Muitas delas, vendo-se dispersas e escravizadas nas minas e nas fazendas, tiveram de aculturar-se pela contingência de aprender a língua e as compreensões comuns da cultura ladina para se comunicarem umas com as outras. Por todos esses mecanismos, as células da nova formação ladina cresceram atuando sobre os povos circundantes que não conseguiram internar-se nas matas indevassadas ou nos desertos, para reconstituir, à distância, sua vida cultural.

Todos seriam finalmente atingidos e engajados pela onda expansiva da formação ladina. Muitos, para uma integração parcial, como vastas camadas marginalizadas da sociedade nacional, mas dela dependentes. Dessa forma acabaram por fixar um *modus vivendi* de convívio e evitação que, se permitia a preservação de maiores conteúdos da cultura tradicional, ao mesmo tempo os degradava e condenava à regressão cultural e à penúria extrema, como as camadas mais exploradas do sistema. Assim puderam sobreviver, preservando certa autonomia cultural, alguns enclaves de povos tribais, resistentes, por seu próprio primitivismo, a todas as formas de constrição e de aculturação.

Ao contrário do que sucedia nas colônias de povoamento da América do Norte, onde um povo crescia pela multiplicação de núcleos dotados de condições para prover sua própria subsistência e de exprimir suas concepções de vida, aqui se engajavam enormes contingentes humanos utilizados como combustível para operar o sistema produtivo colonial e para servir a projetos alheios. Ao contrário, também, dos *povos novos*, que surgem da deculturação de etnias tribais pouco avançadas culturalmente, aqui a espanholização e a implantação de novas instituições ordenadoras jamais conseguiram erradicar a massa de costumes, de crenças e de valores do antigo *ethos*, incorporados naquelas células iniciais e ainda hoje sobreviventes no seu modo de ser de povos modernos.

A recordação de um tempo passado de grandeza, a indignação moral com o drama de que foram vítimas e o próprio peso das tradições de uma alta civilização recheiam de pedras o cimento europeu da nova configuração sociocultural. Apesar de todas as compulsões que presidiram sua constituição, as novas etnias ladinas emergiram, por isso, remarcadas de singularidades que definiriam, no futuro, seu perfil de *povos-testemunho*.

Como civilizações urbanas, tanto os mexicanos quanto os incas tinham nas cidades os focos irradiadores dos conteúdos eruditos de sua cultura que se espraiavam sobre suas populações rurais e sobre os outros povos incorporados ao contexto imperial. Uma vez dominadas, essas cidades-foco passaram a exercer o papel de difusoras da nova cultura, utilizando-se, para isso, os velhos mecanismos de comunicação e controle, aos quais se acrescentaram outros ainda mais impositivos.

Transformaram-se, assim, de focos difusores de um *continuum* cultural homogêneo e autônomo, em agências de transformação intencional da sociedade e da cultura. Para o exercício desse novo papel, os espanhóis implantaram nas cidades conquistadas dois grandes sistemas reordenadores: o Estado e a Igreja. O primeiro, com suas administrações, civil e militar, regulava as atividades produtivas, ordenava transferências maciças de populações de uma zona a outra, determinava a criação de vilas e cidades. Estas eram erigidas por atos de vontade, em locais assinalados, com uma forma física prescrita, conformando suas instituições segundo modelos uniformes. Os moradores dessas cidades, espanhóis ou indígenas, já não eram conterrâneos unidos na identificação com sua província natal, mas agentes de uma vontade superior que regulava sua rotina de vida conforme o estamento em que fossem situados, prescrevendo até a indumentária e os adornos que podiam usar.

A Igreja se implantou como um segundo poder reordenador com capacidade de regular o calendário dos dias de trabalho, de descanso ou de festa; o ritual que marcaria o ciclo de vida de cada pessoa, desde o batismo até o féretro; as crenças religiosas obrigatórias, as recomendáveis e as proibidas, incluindo, entre estas últimas, muitas heresias peninsulares que se tratava de erradicar juntamente com os cultos indígenas. Para o exercício desta última função foram transplantados para a América, primeiro, os catequistas, depois, as hierarquias eclesiásticas e um vasto clero. E, por fim, os próprios tribunais do Santo Ofício para atuar nas terras novas com o mesmo poder de coerção e o mesmo fanatismo dos peninsulares. Desse modo, tanto a população neoamericana como a espanhola foram submetidas ao pavor pânico das delações e das perseguições a que todos estavam sujeitos!

Atuando conjugadamente — como os dois braços do Império Mercantil Salvacionista em que se transformara a Espanha —, o Estado e a Igreja regiam à reedificação sociocultural orientando-a intencionalmente para alcançar metas específicas. Estas eram, em primeiro lugar, a construção das novas sociedades como complementos da metrópole, destinadas a provê-la de uma fonte inesgotável de riquezas; em segundo lugar, a extensão da cristandade, entendida mais como forma de restauração das estruturas estamentadas da Europa medieval do que como um culto. Nesse projeto exógeno, ao povo conquistado se prescrevia o papel de um proletariado externo destinado a gerar, com seu trabalho, as riquezas que se lhe exigiam; e chamado a conformar-se, como um barro moldável, às funções subalternas que lhe eram prescritas.

Fora dessas esferas de ação intencional, operavam outros modos de interinfluenciação cultural. Os próprios espanhóis traziam hábitos, crenças, cobiças que não se enquadravam no projeto imperial salvacionista e matizavam o quadro com coloridos contrastantes. Os indígenas, apesar de subjugados, também não eram um barro tão moldável quanto se desejava. Persistiam em seus costumes, crenças, gostos e esperanças, que, não obstante todas as compulsões, opunham certa resistência e que acabaram por incorporar-se na nova configuração cultural à medida que esta se foi cristalizando.

Ao fim de cinco a seis décadas, as protocélulas da sociedade nascente se tinham estruturado numa nova configuração cultural capaz de absorver tanto os demais grupos indígenas incorporados pela expansão do domínio colonial quanto os contingentes europeus e africanos chegados mais tarde. Suas linhas mestras eram a ordenação civil e religiosa implantada como uma contraparte colonial da sociedade metropolitana, cujas instituições econômicas, políticas e religiosas se repetiam no rebento espúrio.

Essa ordenação não apenas conformava as novas sociedades, mas as incorporava ao mercado mundial como áreas coloniais escravistas da formação mercantil salvacionista que assumira a Espanha. Esse vínculo é que dinamizava as sociedades nascentes, as viabilizava economicamente e as impedia de mergulhar numa estagnação feudal. Essa mesma ordenação daria sentido às formas de contingenciamento da mão de obra para o trabalho, desde a escravista dos primeiros dias até a assalariada de hoje. Por todos esses processos de conscrição, um vínculo capitalista mercantil cada vez mais vigoroso iria atrelando as populações americanas à economia mundial. No mesmo passo, as faria avançar para etapas mais altas da evolução sociocultural, através de um processo de mera atualização histórica que as converteria de sociedades autônomas em áreas de dominação colonial de nações mais evoluídas.

Na esfera da produção, as novas configurações eram uma combinação da velha tecnologia indígena adaptada às condições ecológicas locais com uma série de inovações selecionadas do fundo cultural ibérico, por sua capacidade de elevar a produtividade do trabalho ou de enriquecer a dieta, as vestimentas e as moradias. Dentre estas se contam, como mais importantes, a introdução do cultivo de cereais, legumes e frutas europeias; a criação de animais de tração, de montaria, de produção de carne, lã, leite e couros; a difusão de arados e carros; de ferramentas e de técnicas novas de carpintaria, construção, olaria, cordoaria, tecelagem e de pesca; a fabricação de aguardente e de sabão. Todos esses elementos foram introduzidos no patrimônio cultural neoamericano junto com o sistema ibérico de pesos e medidas, a economia monetária, a propriedade privada da terra e dos bens que subverteriam completamente a ordem social preexistente.

Esse conjunto de técnicas, instituições e crenças americanas e ibéricas se foi fundindo progressivamente até fazer-se um complexo cultural distinto de suas matrizes. Apesar de carente de autonomia no seu desenvolvimento, porque condenado a crescer no enquadramento colonial, esse complexo proporcionaria a base sobre a qual se erigiriam as etnias nacionais dos *povos-testemunho*. O que eles têm todos hoje de comum decorre tanto do fato de serem resultantes do encontro de altas culturas — a indígena e a europeia — como do fundo cultural ibérico coparticipado e, ainda, das formas, também comuns, de contingenciamento socioeconômico a que foram submetidos. Essa múltipla herança os faria, a um tempo, *povos--testemunho*, neolatinos modernos e sociedades nacionais aspirantes à integração autônoma na civilização mercantil e, mais tarde, na civilização industrial.

Os modos de contingenciamento das populações indígenas mexicanas e incaicas pelo conquistador e, especialmente, os mecanismos de dominação utilizados durante o longo período colonial foram responsáveis, também, por deformações estruturais visíveis ainda hoje. Entre outras, o profundo distanciamento social entre as camadas dominantes e o povo, e a bipartição daquelas em setores patriciais e oligárquicos distintos, mais mutuamente complementares.

Os agentes oficiais da ordenação colonial da Mesoamérica e dos Andes formaram, desde cedo, uma aristocracia burocrática — estatal, militar e eclesiástica — diferenciada das oligarquias locais de herdeiros dos conquistadores. Em face das sociedades coloniais, esta aristocracia peninsular representava a Coroa e a Igreja, em cujo nome exercia o poder político, militar e administrativo e regia a vida social, tendo como sua "fazenda" as instituições administrativas, militares e religiosas de controle e de exploração colonial.

Nos primeiros anos após a conquista, travaram-se sérios conflitos entre essa aristocracia burocrática e os conquistadores, que aspiravam exercer também o poder político. Logo depois se estabeleceu um *modus vivendi* que permitiu a cada qual representar seu papel como poderes complementares: o político-religioso e o econômico-produtivo. A Coroa consolida seu domínio através da implantação de uma vasta máquina governamental de arrecadação de impostos e de manutenção

SEGUNDA PARTE — OS POVOS-TESTEMUNHO

do sistema. A Igreja alarga seus controles no campo espiritual, sacramentando a ordem social e fazendo jus a uma forte participação na riqueza apropriada ou criada. A oligarquia, dividida em camadas agrárias, mineradoras e comerciais, devota-se à tarefa de enriquecer, tanto pela multiplicação de unidades empresariais como pela compressão do consumo popular, e de enobrecer-se pela compra de títulos e regalias monárquicas e religiosas. Biparte-se, assim, a classe dominante em dois setores, um voltado para o campo econômico, outro para o político-militar e o eclesiástico, mas unificado contra o inimigo comum que eram os povos subjugados, objeto de sua exploração.

Ao longo de séculos, a história política dos *povos-testemunho* foi uma sucessão de conflitos dos conselhos municipais com as autoridades metropolitanas, a propósito de ordenações reais referentes ao regime de trabalho, à criação de novos monopólios (álcool, tabaco, sal etc.), à fixação de impostos. Essas oposições a uma autoridade tirânica ou incompetente, ou a um bispo malquisto, raramente se aprofundavam para assumir a forma de rebeldias. Mesmo nesses casos, a resistência apenas alcançava a declaração formal de que tal instrução seria "obedecida mas não cumprida", ou a deposição de autoridades aos gritos de "viva o rei, morra o tirano".

Simultaneamente, porém, se sucediam as rebeliões populares dos índios, negros e ladinos conscritos nas minas ou encurralados nas fazendas contra a opressão a que eram submetidos. Várias delas se prolongaram por anos, conflagrando extensas regiões e mobilizando na luta dezenas de milhares de pessoas. Todas, entretanto, acabaram sendo dominadas. Eram insurreições de classes subalternas que se lançavam contra o próprio sistema, sem capacidade de reordená-lo, mesmo quando transitoriamente vitoriosas.

Só na última década do século XVIII, a essas tensões populares se somam as dissensões entre crioulos e peninsulares, orientadas ambas para objetivos autonomistas. Com a vitória desses movimentos e a proclamação da independência, as lideranças crioulas se fazem um patriarcado, substituindo-se à antiga aristocracia colonial para manter a mesma ordem oligárquica. A última tarefa de muitos libertadores foi esmagar insurreições que eles mesmos haviam ateado e que prosseguiam depois de alcançada a independência, no esforço por conquistar uma ordenação social mais justa.

A bipartição da camada dominante em um poder patricial-burocrático, integrado por políticos, militares e religiosos e um poder econômico representado pelo patronato rural e urbano, subsiste depois da independência assumindo novas formas exteriores — agora "republicanas" e "liberais" —, mas conservando, fun-

109

damentalmente, o mesmo conteúdo antipopular. Em consequência, as rebeliões populares também se reativam, alçando as camadas marginais de descendentes de índios subjugados contra os descendentes de seus subjugadores.

Essa continuidade histórica da dominação, primeiro colonial e aristocrático-oligárquica, depois nacional e patricial-oligárquica, sempre oligárquica, e a vívida consciência dela por parte das camadas subjugadas, é um dos traços característicos dos *povos-testemunho*. Outro traço é o irredentismo popular, sempre pronto a explodir em rebeliões emancipadoras que assumiam, até recentemente, um caráter milenarista, mas que, desde a Revolução Mexicana, passaram a formular-se e a estruturar-se como movimentos revolucionários.

III. Os mesoamericanos

A capital do México é a mais prodigiosa cidade do continente. Sua civilização em três dimensões — a indígena, a colonial e a nacional — se manifesta, simultaneamente, de mil modos, nas ruas e nas casas, nas feições, nos trajes e na postura dos mexicanos das diversas classes, criando um ambiente cultural de vigor e de contrastes que a singulariza entre todas as cidades do mundo. A dimensão indígena, que não se conserva apenas nos museus e na documentação, mas pulsa no modo de vida do povo, foi uma das mais altas expressões da criatividade humana. A dimensão colonial, mais pujante do que qualquer outra das Américas, exprime-se na maneira de ser dos mexicanos, que, mesmo a contragosto, a refletem na língua que falam, na forma da família, na religiosidade, nos hábitos ibéricos. Desenha-se, também, nas catedrais e nos palácios civis de estilo europeu, transfigurados e sublimados pelos artesãos indígenas que os edificaram. A dimensão moderna floresce por toda a cidade, na forma de fábricas, de avenidas, de gente cosmopolita. Mas se exprime, principalmente, na arquitetura de alguns núcleos, como a cidade universitária.

A capital do México atual edificou-se sobre as ruínas de Tenochtitlán, capital dos astecas, cidade aquática construída em platôs naturais e sobre aterros, entre lagos e avenidas-canais. Sua reconstituição arqueológica surpreende cada vez mais pela grandeza e suntuosidade do que Cortés encontrou e destruiu. Era, provavelmente, uma das maiores cidades do mundo do seu tempo, seguramente maior do que Madri.[1]

O Zócalo, praça central da capital mexicana — umbigo do mundo —, pavimentada com grandes quadrados de granito negro, sem bancos — para que ali todos estejam de pé, como convém ao centro cívico da nação —, é o símbolo do México. Uma face do Zócalo é coberta pela velha catedral, soleníssima pelo estilo austero com que a Igreja Católica quis exprimir ali sua dominação sobre os cultos dos antigos mexicanos, descomunal por suas proporções, edificada sobre as ruínas do principal templo de Tenochtitlán. Em outra face do Zócalo se ergue o palácio governamental construído sobre a residência de Cuauhtémoc, o chefe indígena supliciado e morto por Cortés. Dentro do palácio, nos murais de Rivera e Orozco, desfila a história mexicana. Em um deles dão-se as mãos Marx e Juarez, o ideólogo europeu e o menino mixteco que se fez presidente e grita no mural a divisa orgulhosa da autodestinação mexicana: *Por mi raza hablará el espíritu*. Por toda a cidade se pressente o problema nacional dos mexicanos modernos, a influência norte-americana expressa na frase popular mais característica: *Pobre México, tan lejos de Diós, tan cerca de Norteamérica*.

1. O México asteca-náhuatl

No centro e no sul do território do México e na Guatemala floresceu uma das mais pujantes e singulares civilizações. Os arqueólogos reconstituem, hoje, com riqueza de detalhes, a história do seu desenvolvimento desde os níveis mais primitivos até diversos ápices de civilização que desabrocharam sucessivamente em vários pontos. Na Guatemala e na península de Yucatán, como cultura maia, e no México, como cultura asteca, alcançam cumes de desenvolvimento como civilizações urbanas fundadas na agricultura de regadio, na estratificação da sociedade em classes profundamente diferenciadas e em formas complexas de organização política, e cristalizam-se como impérios teocráticos que estendiam sua suserania sobre vastas regiões.

No México, os conquistadores espanhóis depararam com o último foco destas civilizações: os astecas de língua náhuatl, então em pleno vigor de sua criatividade e de seu domínio. Estavam estruturados numa confederação integrada por três povos, Tenochtitlán, Texcoco e Tlacopán, sob a hegemonia dos primeiros, que tinham a chefia do exército e do culto e cuja capital era a sede das decisões. Cada povo se dividia em parcialidades de organização clânica e contava com instituições de autogoverno. A confederação mexicana levara seu domínio a uma área correspondente à maior parte dos territórios do México e da Guatemala atuais, cujos povos havia subjugado, obrigado a pagar tributos em bens e em pessoas e unificado num sistema mercantil comum.

As avaliações da população do México pré-colombiano variam extraordinariamente. Ela seria, provavelmente, muito superior à da península Ibérica de então, estimada em 10 milhões de habitantes.[2] Essa população vivia em cidades e no campo, estamentada em classes rigidamente diferenciadas. O estrato superior compreendia uma nobreza não hereditária e um patriciado de sacerdotes e altos funcionários. O intermediário era integrado por comerciantes, cuja importância crescente começava a configurá-lo como um empresariado, por suas posses de bens de produção, inclusive terras de cultivo, metais preciosos e cacau, este último usado como moeda. Todas essas camadas se assentavam sobre uma enorme massa camponesa que lavrava a terra e se dedicava a toda sorte de ofícios artesanais.

A civilização asteca contava com uma escrita própria, um calendário acurado, e alcançara uma etapa de desenvolvimento urbano que a tornava comparável à egípcia ou à babilônica. Suas cidades, dotadas de amplas avenidas, pirâmides escalonadas cobertas de esculturas monumentais e palácios residenciais, se incluem entre as mais altas criações arquitetônicas do mundo. Nelas vivia, além da nobreza e dos sacerdotes, uma grande população urbana de funcionários, de comerciantes e de artesãos altamente qualificados, cujas obras em pedra, em metal e em cerâmica alcançaram elevados níveis artísticos.

A hegemonia asteca sobre os dois outros povos só fora alcançada um século antes da conquista e caminhava ainda para a consolidação, na forma de um império teocrático de regadio fundado numa economia agroartesanal incipientemente mercantilizada e num estado teocrático-militar absolutista. O núcleo principal do império era regido segundo normas tradicionais, desenvolvidas a partir de uma antiga estrutura clânica patrilinear, e as áreas mais recentemente conquistadas, através de um sistema de colonização a cargo de chefias militares.

Ao tempo da conquista, o território de Tenochtitlán, a capital asteca, estava repartido em quatro seções principais, divididas em vinte unidades administrativas locais, os *calpulli*. Cada uma delas tinha suas próprias autoridades civis, militares e religiosas, designadas pelas chefaturas das respectivas seções, de acordo com certas normas clânicas e o desejo dos membros do *calpulli* expresso em assembleias.

A administração civil cabia a uma nobreza burocrática, não hereditária, que recebia seus postos, títulos e bens como recompensa pelos serviços prestados nas funções de juízes, repartidores de terras, cobradores de tributos, controladores do armazenamento e distribuição das safras e da produção artesanal, e de mercadores que negociavam com povos da periferia. As chefias militares ocupavam-se do policiamento, do adestramento de suas tropas para a guerra religiosa, sendo também premiadas com bens, usufruto de terras e de serviços pessoais. O clero, além do culto, ocupava-se da educação das novas gerações nobres, em grandes internatos (*calmecac*) para o cumprimento das funções civis, religiosas e militares que seriam chamadas a exercer, conforme seus méritos. Nessas escolas se ensinava principalmente a escrita, a astronomia, a história e a religião. Outro tipo de instrução, sobretudo militar e artesanal, era ministrado à gente comum.

A cada cargo civil ou militar parecia corresponder certos privilégios que incluíam não só o usufruto de terras cultiváveis, mas também a utilização de serviços pessoais do campesinato local. A todos os homens que se casavam, todavia, era entregue, pelas autoridades do respectivo *calpulli*, uma parcela própria de terra que eles cultivavam para o sustento de sua família, com a obrigação de pagar tributos correspondentes a uma terça parte da colheita. Sobre cada família devia recair, portanto, além desse encargo, a obrigação de prestar serviços, seja nas propriedades do clero, seja nas da nobreza civil e, ainda, nas grandes obras de irrigação, bem como na edificação de cidades e templos, através de mobilizações especiais da força de trabalho.

Um estrato social minoritário e mais baixo era formado por pessoas degradadas por crime de traição, homicídio, furto, ou comprometidas por dívidas pessoais ou familiais de bens ou de tributos, que caíam na condição de servos postos a serviço de outros, por toda a vida. Com gente recrutada nessa camada e com os serviços forçados dos membros dos *calpulli* é que se cultivaram as áreas dadas em usufruto aos grandes senhores e se organizavam os corpos de carregadores a serviço dos grandes mercadores. Como se vê, a sociedade mexicana configurava uma estrutura social estratificada, assentada principalmente numa vasta camada rural livre, concentrada em aldeias de camponeses e artesãos que cultivavam as terras vizinhas, produziam seus instrumentos de trabalho, reproduziam suas condições de vida na conformidade dos padrões tradicionais de subsistência e proviam um excedente de bens transferível às outras camadas, bem como um excedente humano, aliciável para a guerra e para compor o artesanato urbano.

O elemento integrador mais importante do *ethos* asteca era, provavelmente, a concepção mítico-religiosa da destinação que se atribuíam como Povo do Sol. Segundo essas crenças, o movimento, a luz e o calor solar eram providos através de sacrifícios humanos que lhe eram propiciados. As necessidades de vítimas para esses sacrifícios, em que se gastava um grande número de cativos, eram o motor de sua atividade guerreira. Estas crenças não apenas conferiam aos astecas o elã que os tornava capazes de dominar outros povos, mas também uma concepção geral do mundo para a qual procuravam atraí-los e dentro da qual os astecas eram definidos como os mantenedores do sol e, portanto, da vida e da prosperidade de todos.

Além do culto ao sol — *tonatiub* —, a religião dos mexicanos se fundava num corpo de crenças e de práticas, conduzidas de acordo com vaticínios e presságios, através dos quais os sacerdotes determinavam as exigências de sacrifícios e oferendas por parte de outras divindades, como Huitzilopochtli, o deus da guerra, e Tlaloc, o deus das chuvas, além de muitos outros.

Ao contrário dos astecas, obcecados com a visão místico-guerreira de que derivavam sua autodestinação como Povo do Sol, os Texcoco cultivavam principalmente o Quetzalcóatl, uma divindade mais benigna, definida como um ser supremo que devia ser cultuado através da oração, do canto e da poesia, e a quem repugnavam os sacrifícios humanos. Acresce que este Quetzalcóatl era descrito como um homem de tez branca e longas barbas, que se esperava viesse viver um dia entre os homens, como um reformador dos costumes.

Essa crença parece ter representado um papel relevante na paralisação dos guerreiros mexicanos diante do assalto espanhol. Acredita-se que a identificação dos invasores brancos e peludos — marcados por sinais tão extraordinários como os cavalos e as armas de fogo — com a divindade benigna que sua própria tradição figura como o esperado teria induzido os mexicanos a enfrentar os espanhóis menos com as armas de seus exércitos do que com os exorcismos de seus sacerdotes. A tradição asteca relata, efetivamente, todo o zelo com que Moctezuma procurou obsequiar os invasores, fazendo-lhes oferendas de joias e de plumárias cuidadosamente elaboradas pelos artesãos reais na forma devida a Quetzalcóatl.

Mais do que os efeitos dessa identificação, o que explica a paralisação, que prostrou inerme o povo mexicano diante de tão poucos invasores, são outros fatores atuantes depois de se iniciarem os combates. Dentre estes se destacam os efeitos das epidemias de bexiga com que foram contaminados pelos brancos e o papel representado por sua própria estratificação social, dominada por uma estreita camada nobre que concentrava o máximo poder de dominação sobre os demais estratos sociais. E, ainda, as tensões étnicas existentes entre os três povos confederados, cujas chefaturas procuravam aliar-se aos conquistadores contra a dominação dos Tenochtitlán.

A estrutura social profundamente estratificada, expressão do alto grau de desenvolvimento alcançado pelos mexicanos, se tornaria, porém, seu principal ponto fraco diante do ataque por gente tão diversa de quantos haviam enfrentado e vencido antes. Através de um processo secular de diferenciação social, a civilização mexicana havia criado um estrato aristocrático incumbido das tarefas de mando e condicionado toda a massa do povo ao papel de camada subalterna. Desaparecida a cúpula senhorial — prontamente esmagada pela ousadia do invasor, enquanto procurava conciliar —, coube aos conquistadores, tão somente, substituir-se a ela como uma nova aristocracia.

Sua tarefa foi facilitada pelo condicionamento secular do povo à obediência desses nobres que, sendo também os controladores das divindades, eram concebidos como superpoderosos. A camada intermédia de sacerdotes, funcionários e militares, vendo decapitada sua chefia, em lugar de improvisar-se como nova liderança para prosseguir a luta — tal como acorrera com todos os povos tribais americanos menos desenvolvidos culturalmente —, procurou acercar-se para continuar a desempenhar seu papel intersticial, a serviço de novos amos. Preservando alguns de seus antigos privilégios (como a isenção de tributos) e ampliando outros — a

As Américas e a civilização

transformação do usufruto da terra em propriedade, e do direito a serviços pessoais em escravidão —, os espanhóis puderam colocar toda a população a seu serviço.

Representou também um papel capital na traumatização da sociedade mexicana a mortalidade provocada pela infecção de bexigas, que, com sua virulência e rapidez de contágio, atingia centenas de milhares de pessoas. É fácil imaginar o drama daquela população já perplexa diante da violência sanguinária dos invasores que, se deuses eram, não seriam os benignos Quetzalcóatl, mas novos Huitzilopochtli, em face da nova condenação que caía sobre suas cabeças, com a irrupção da epidemia. A enfermidade desconhecida, repugnante e fatal, que os escaldava em febre e apodrecia em vida os seus corpos, sem qualquer socorro possível, tinha todos os sinais de uma punição sobrenatural. Ademais, a rapidez de sua propagação sobre uma população indene deve tê-la feito alastrar-se por todos os núcleos, dizimando tão enormes quantidades de gente que nem haveria mãos sadias capazes de cuidar dos enfermos, de alimentar os vivos ou de enterrar os mortos.[3]

À varíola se seguiram dezenas de outros germes, micróbios e vírus com que o homem branco contaminaria a América indígena, muitos deles igualmente letais: as enfermidades pulmonares e as afecções intestinais, que lhes custariam milhões de vidas; as cáries dentárias, que lhes apodreceriam as bocas; as febres puerperais, que vitimavam as mães e seus rebentos; as moléstias venéreas, que, além de matar, esterilizariam e cegariam milhões; o tétano, o tracoma, o tifo, a caxumba, a lepra, a febre amarela, a malária, e toda uma série de outras moléstias fatais (D. Ribeiro, 1956; W. Borah, 1964).

A marcha da civilização europeia se fazia, assim, na América ibérica, assentada sobre três pés. Primeiro, essa armadura biótica de pestes a abrir vazios e a debilitar resistências. Segundo, a ambição de saqueio das talassocracias e do capitalismo mercantil, que, embora incipiente, queimava o conquistador no elã de amealhar pecúnia mediante o engajamento de milhões de homens em sua própria terra ou os trazendo de onde existissem para gastá-los como combustível de seus empreendimentos produtivos. Terceiro, o expansionismo missionário típico dos impérios mercantis salvacionistas, que não pouparia esforços para erradicar as "heresias gentílicas" e alargar o reino da cristandade. Sob esses três guantes de ferro é que, depois de reduzir-se drasticamente,[4] a população mexicana teve de transfigurar-se para reconstituir-se como uma nova etnia, mais por uma resistência vegetal e sorrateira do que através de enfrentamentos espetaculares.

Um pensador europeu, apreciando séculos depois o drama da·conquista, ajuíza que a civilização asteca-náhuatl desapareceu

> [...] assassinada na plenitude de sua evolução, destruída como uma flor que o transeunte decapita com sua vara. Todos aqueles Estados entre os quais havia uma grande potência de ligações políticas; cuja grandeza e recursos superavam de longe os dos estados greco-romanos ao tempo de Aníbal; [...] tudo isso sucumbiu, não como resultado de uma guerra desesperada, senão por obra de um punhado de bandidos que, em poucos anos, aniquilaram tudo de tal sorte que os restos da população prontamente perderam a memória do passado. (O. Spengler, 1958: 58-9)

Mais eloquente do que Spengler na apreciação da tragédia americana são os testemunhos indígenas dela que, em relatos, em poemas, em cantos, registraram sua própria visão da conquista. Os versos seguintes, selecionados e publicados por M. León-Portilla, são altamente expressivos.

[...]
E tudo isso sucedeu conosco
Nós o vimos, perplexos
Pelos caminhos jazem as flechas partidas
Os cabelos espalhados
As casas estão destelhadas
Os muros calcinados
As paredes estão salpicadas de miolos
Vermes enxameiam as ruas e as praças
As águas estão rubras, tingidas de sangue
e têm gosto de salitre.
Nos puseram preço:
Preço de jovem, preço de sacerdote
de criança e de donzela
Basta: o preço de um pobre
era um punhado de milho
Dez tortas podres
era o nosso preço
Vinte tortas de grama salitrosa.
[...]
Ouro, jade, ricas mantas,
Plumária de Quetzal
Tudo que é precioso,
em nada foi estimado.
[...]
Chorai, amigos meus
Compreendei que com esses fatos
Perdemos a Nação Mexicatl
A água azedou, se azedou a comida

As Américas e a civilização

> *Isso é o que nos fez Tlatelolco*
> *O doador da vida.* [5]

A consciência nacional mexicana não podia deixar de ficar marcada por esses episódios, e sua cultura, séculos depois, ainda se bipartia entre duas heranças: a civilização original esmagada, mas sobrevivendo em tudo o que fosse compatível com a nova vida de povo dominado; e a matriz europeia, que se esforçava por fundir os neomexicanos numa nação moderna. Por tudo isso é que populares mexicanos nos falavam do drama de Cuauhtémoc como se houvesse ocorrido ontem, tal o calor de sua revolta contra o conquistador. Por isso, também, um amigo espanhol não nos quis acompanhar nas andanças pela cidade do México, 150 anos depois da Independência, no dia de sua comemoração, temeroso de que sobre ele se voltasse o ressentimento popular pelo drama da conquista.

2. A reconstrução étnica

Sobre essas populações mexicanas, estruturadas como uma civilização urbana e com alto nível de organização econômica e política, mas prostradas pelo assalto e pelas pestes, é que se lançaram os "colonizadores" espanhóis como uma condenação. Os capitães da conquista, além das riquezas que saquearam à primeira hora, foram premiados pela Coroa com enormes territórios cujas populações indígenas se viram entregues à sua cobiça. Mais tarde, chegou toda uma corte de aventureiros que se apropriaram progressivamente das áreas restantes com suas respectivas populações, tudo submetendo ao novo domínio. Com elas vieram os missionários para jungir os indígenas, a ferro e fogo, a uma nova ordem moral, apregoada como uma filosofia redentorista, mas concretizada como uma justificação da conquista e do engajamento compulsório daquelas populações no novo sistema.

Ao fim de um século, a população mexicana aborígine reduzira-se a 1,5 milhão de pessoas. Fora gasta mediante a contaminação com as pestes conduzidas pelo branco e através das duas formas básicas de sujigação: a *mita*, para o trabalho escravo na mineração, e a *encomienda*, para a servidão agrícola. À custa desse desgaste humano e dessas formas de compressão social, duas ou três dezenas de milhares de espanhóis fizeram-se a nobreza da nova sociedade mexicana reduzida e transfigurada até constituir-se num espectro degradado do que fora.

O contingenciamento da mão de obra indígena para o trabalho sob o domínio espanhol se fez através da combinação de uma série de procedimentos. Primeiro, a apropriação das terras cultiváveis pelos conquistadores e seus aliados, seguida da introdução do instituto de propriedade privada, livremente alienável. Segundo, a conscrição do indígena para o trabalho, inicialmente na condição crua de escravo, submetido ao poder absoluto do seu amo; mais tarde, sob diversos disfarces. Estes se destinavam mais a aplacar os problemas de consciência do clero e da realeza salvacionista do que a liberar efetivamente o campesinato. Assim, eram antes mecanismos de ordenação formal do domínio e da exploração do que esforços por alforriar o povo subjugado.

Com a apropriação institucionalizada da terra, o camponês livre, usufrutuário de uma gleba sobre a qual deveria pagar tributo, se viu transformado em escravo de um amo pessoal, que sobre ele exercia os direitos absolutos de senhorio, de acordo com a tradição europeia. Estes direitos à escravização iriam se debilitando com o tempo; nunca, porém, a ponto de colocar em risco o poder de conscrição da força de trabalho posta a serviço da camada dominante como sua principal fonte de enriquecimento. Vale dizer, jamais, no regime colonial, e no que se seguiria até a Revolução Mexicana, se restaurou o caráter original das comunidades astecas, devotadas essencialmente ao provimento da sua própria subsistência, dentro de uma sociedade estratificada, mas com um alto grau de responsabilidade social para com todos os seus membros.

O desgaste populacional provocado pela colonização não preocupou maiormente a Espanha. Afinal, morria uma escravaria barata — porque só custara o preço da conquista — e que parecia inesgotável. Mais tarde, quando se tornou evidente que a grande riqueza a explorar não eram as fontes originais de saqueio, mas o produto do trabalho de uma população que minguava a cada dia, a Coroa impôs aos conquistadores novas formas de contingenciamento da mão de obra, mais propícias a preservar a força de trabalho da colônia.

Assim é que o sistema progrediu da escravidão crua, não institucionalizada, para a *encomienda* que a inovava e disfarçava sob o pretexto de organizar o trabalho dos índios, para conduzi-los à conversão e à integração na cristandade. Passa, depois, ao regime dos *repartimientos forzosos*, que, embora assegurasse, nominalmente, aos índios conscritos o direito a um salário mínimo, fazia com que ele fosse tão insignificante que em quase nada mudava a situação efetiva de miséria e sujigação a que estavam submetidos. Por fim, alcança-se o estágio de trabalho legalmente livre. Isso, porém, depois de estar a quase totalidade das terras apropriada e dividida em fazendas e os índios, encurralados dentro delas. Nessa fase, o simples endividamento do "trabalhador livre" por fornecimentos reais ou fictícios cumpriria já a função de mantê-lo jungido ao trabalho.

Essas diversas formas de ordenação social não só colocavam o corpo inteiro da sociedade mexicana a serviço de seus dominadores, tanto locais quanto metropolitanos, como preenchiam as condições necessárias para impor uma transfiguração cultural profunda que, ao fim, lhe daria uma nova feição étnica. O processo aculturativo, nessas circunstâncias, não opera como o encontro e a interinfluenciação de dois patrimônios culturais distintos e autônomos. Opera, isto sim, como um esforço deliberado de desenraizamento e de mutação cultural, destinado não a plasmar, no além-mar, um rebento à imagem e semelhança da matriz hispânica, mas a constituir uma formação subalterna, organizada e disciplinada para lhe prover uma fonte perene de bens. A civilização mexicana vê, assim, jugulado seu próprio processo evolutivo para ser integrada, através de um processo de atualização histórica, numa nova civilização. Integra-se, porém, não como parcela autônoma dela, mas como sua contraparte relegada ao papel de condição material de vida do império salvacionista espanhol.

Os mecanismos fundamentais para a consecução desse objetivo foram o contingenciamento da mão de obra e a integração dos centros produtivos mexicanos no sistema mercantil europeu, como provedores de riquezas minerais. Através deles é que se quebrou a estrutura socioeconômica original, implantando-se uma nova na qual era impraticável a conversão da antiga cultura e não era praticável a instauração dos modos de ser das sociedades ibéricas. Por longo tempo, após a traumatização cultural que se seguiu à conquista, o México não teve um estilo de vida próprio, nem uma cultura autêntica, mas correntes contrapostas de tradições originais e estrangeiras, em choque umas com as outras, incapazes ainda de cristalizar-se como uma nova cultura viável.

Movida por esta cultura espúria, a nova sociedade mexicana, que crescera alienada, precisou de dois séculos para refazer-se como uma formação autêntica capaz de moldar-se como uma etnia nacional aspirante à autonomia na condução do seu próprio destino. Esses dois séculos foram, simultaneamente, de violência sujigadora para espanholizar, cristianizar, ocidentalizar e modelar o indígena na forma de populações ladinas; e de resistência, de criatividade e de luta desses ladinos para se fazerem um povo para si, e não o "proletariado externo", servil do projeto europeu que comandava sua existência.

A etnia resultante surge como uma formação sociocultural nova, diferenciada tanto das matrizes originais — cujos modos de ser e de viver se haviam tornado inviáveis — como do modelo europeu dentro do qual a queriam meter para cumprir um papel subalterno, previamente prescrito. Porém surge, também, herdeira dos dois patrimônios, não apenas diferentes, mas opostos, conduzindo dentro de si um conflito que tornava sua vida cultural irremediavelmente espúria.

Essa introjeção dos dois patrimônios e o esforço por fundi-los e integrá-los numa nova cultura autêntica é o grande desafio com que se defronta o povo mexicano para construir a si mesmo. O enfrentamento desse desafio se faz ao longo de séculos como um processo altamente complexo de aculturação da herança indígena ao contato com os novos modos de vida e as novas concepções trazidas da Europa e de redefinição dessas mesmas inovações para ajustá-las ao velho contexto continuamente modificado.

Apesar de sua europeização, mesmo a camada dominante acaba sendo colhida pelo processo de aculturação, tanto se diferenciara de suas matrizes no esforço por sobreviver, crescer e enriquecer no mundo novo. Após várias gerações nascidas na América, seus integrantes ainda se comportam como desterrados, suspirando por uma Europa que jamais viram. Mas já pressentem que constituem uma nobreza nativa diferente da continental, pelo tipo físico, marcado pela mestiçagem com o índio, porém diferente, sobretudo, porque mais rica e mais ostentatória do que a nobreza peninsular, por suas minas de prata, pelo exercício de rendosos monopólios reais e, principalmente, pela posse de fazendas.

Viviam nessas fazendas (em cuja posse se sucediam os primogênitos, em virtude da instituição do *mayorazgo*) como um senhorio altaneiro, assentado em títulos nobiliárquicos, herdados ou comprados, e no poder de vida e de morte sobre índios e ladinos. Seu negócio era a agricultura e a criação de bovinos e muares usados para todo o transporte e para o trabalho nas minas. Seus gostos refinados, exigindo grande consumo de artigos suntuários, e o orgulho de exibir sua riqueza, pelas dimensões e pelos adornos dos casarões e das igrejas privadas erigidas no casco das fazendas, acabavam sempre por endividá-los. Na última década do século XVIII, a maioria dessas fazendas caiu sob o domínio do clero pelo não pagamento das hipotecas sobre os dízimos e direitos eclesiásticos. Muitos de seus proprietários transformaram-se, então, em administradores dos bens da Igreja, com direito de luzir seus títulos e exercer o seu mando, mas obrigados a gerir melhor o patrimônio para pagar as rendas que lhes eram exigidas.

A oposição crescente dos interesses dessa classe dominante com relação aos agentes europeus do poder colonial e os entrechoques e discriminações resultantes das diferenças entre o seu modo de ser e o peninsular aos poucos os foram induzindo à convicção de que constituíam já a liderança de uma etnia nova que só se poderia autoafirmar dentro do quadro de uma nacionalidade independente. Representou um papel decisivo nessa conscientização o patronato urbano de comerciantes e o patriciado nativo de letrados, sobretudo este último. Ambos pregavam a cissiparidade como um negócio, pelas vantagens imediatas da redução do número de sócios na exploração do país. Só assim poderiam aspirar ao acesso a ganhos e honrarias que lhes eram vedados como nativos e como mestiços.

Dessa forma, tornou-se evidente para toda a camada dominante que a independência só lhes traria vantagens, desde que a ordenação social permanecesse intacta, com a massa indígena e ladina jungida às fazendas e às minas, trabalhando disciplinadamente para seus amos. A decadência da Espanha, incapaz de integrar--se no novo processo civilizatório desencadeado pela Revolução Industrial em curso e de enfrentar os novos centros de poder imperialista — sobretudo o inglês —, estimula esses movimentos emancipadores, abrindo à camada dominante local a oportunidade de desatrelar-se da condição colonial para se integrar no sistema econômico emergente, como área neocolonial.

Assim é que se processa a emancipação como uma aspiração nacional, mas também como um projeto próprio da oligarquia que aquiesce, afinal, em representar o papel de elite da sociedade neoamericana que se fazia nação. As lutas cruentas que se sucederam, por décadas, à Independência, são desencadeadas, principalmente, pelos conflitos surgidos na partilha do espólio colonial. Travam--se, sobretudo, entre a nova camada dirigente e o clero pela derrogação do quase monopólio que a Igreja exerce sobre a propriedade territorial.

A velha oligarquia latifundiária, mais comprometida com os interesses eclesiásticos e mais alienada, embarca, em meados do século XIX, numa aventura europeia que impõe ao México um imperador europeu de "pedigree" perfeito, coroado com o apoio de tropas francesas. A reação popular se levanta liderada por Benito Juarez, que não só expulsa os invasores, mas inicia um amplo programa de reformas de caráter nacional e popular, nacionalizando os bens do clero, demasiadamente comprometido com a intentona, e impondo severas restrições à sua ingerência na vida nacional.

Seguem-se décadas de conflitos entre caudilhos regionais e grupos destes contra a autoridade nacional, em que o povo sangra de um e de outro lado das facções em conflito. De todas essas lutas resulta a transferência dos bens eclesiásticos para latifundiários, antigos e novos, sob os quais o campesinato continuará sofrendo a mesma exploração. Esta até aumenta com o fracionamento das terras comunais e a expulsão dos camponeses que gozavam de seu usufruto, decretado juntamente com a proibição de posse da terra por parte das corporações religiosas. Assim se aplica contra o povo um dos capítulos do ideário liberal — todos os mexicanos seriam, doravante, livres e iguais perante a lei —, ainda que essas regalias só lhes aumentassem a miséria.

O único benefício alcançado pelo povo mexicano por sua participação nessas lutas entre facções da oligarquia fora a sua conscientização da especificidade de sua própria causa. Os caudilhos em conflito, tendo de levantar bandeiras populares para atrair combatentes na massa rural ladina e indígena, contribuíram muito para essa mobilização indesejada do povo para seus próprios interesses. Dela resultaria, mais tarde, o amadurecimento de autênticas lideranças camponesas movidas já por objetivos próprios.

Sua contraparte era a velha classe que viera engrossando desde a conquista. Aos *contemplados* pela Coroa espanhola, após a conquista, com terras e vassalos, acresceram-se mais tarde os *encomenderos*, aos quais fora dado o pio encargo de catequizar a indiada pagã, engolindo para isso suas terras e sujigando-os ao trabalho servil. Com a independência, a velha classe enriqueceria ainda mais, primeiro, pela compra à Igreja das terras que fora obrigada a alienar; mais tarde, pela "compra" ao Estado das terras de corporações religiosas que haviam sido nacionalizadas. E, finalmente, com a "compra" aos índios das terras comunais compulsoriamente repartidas. A todas essas formas de apropriação do patrimônio fundiário da nação se acrescentariam as negociatas republicanas de "colonização" que lhes entregaram a posse de todas as terras públicas restantes, bem como de todas as propriedades particulares cujos títulos não fossem recentes e pulcros.

Os descendentes dos contemplados da metrópole se fizeram, assim, beneficiários da República, sempre encontrando modos de perpetuar, através do monopólio da terra, uma ordenação social que não só os privilegiava, mas colocava todo o povo a seu serviço.

Tal é a situação com que o México alcança a primeira década do século XX: 80% de sua população de 15 milhões de habitantes vivia nos campos, sob o domínio de um milhar de grandes senhores, os fazendeiros, cujas propriedades variavam de 2 mil a vários milhões de hectares. Os pequenos agricultores, artesãos e trabalhadores livres somavam cerca de 500 mil. A massa de peões ultrapassava a 4 milhões de pessoas.

Congruentemente com essa estratificação social, a camada dominante mantinha o alto carro de vida que sempre gozara e a massa popular era cada vez mais pobre. Dividia-se em dois estamentos básicos. Os ladinos, que por sua integração linguística e cultural conseguiam defender-se melhor, e a indiada, de diferentes matrizes culturais, tangida para as regiões mais ermas e mais pobres, atrasada não só porque apegada a modos de vida arcaicos, mas, principalmente, porque superexplorada como a base da pirâmide social.

Mais uma vez se esbatem sobre o México as ondas de uma revolução tecnológica ocorrida na Europa. A primeira fora a Revolução Mercantil, que levara os espanhóis às suas costas. Agora era a Industrial, e mais uma vez sua sociedade se reestrutura, não pela ascensão evolutiva a uma etapa mais avançada do progresso humano, como uma entidade autônoma, mas pela atualização histórica, como uma formação neocolonial do imperialismo industrial.

3. A Revolução Mexicana

A ordenação social oligárquica imposta depois das lutas pela reconquista da independência acabara por esclerosar-se, assumindo, em fins do século XIX, a forma de uma estrutura mais rígida ainda e mais remarcadamente desigualitária que a colonial. O Estado se fizera mantenedor de um regime que privilegiava descaradamente os latifundiários, o capital estrangeiro, o alto comércio e seus dois associados: o clero, que voltara a fazer-se uma poderosa força de manutenção do atraso, e uma clientela de políticos letrados e de militares, cuja fazenda era o erário público.

O descontentamento com a desigualdade social crescia em todos os setores populares, exprimindo-se de forma mais dinâmica nas greves operárias conduzidas por anarcossindicalistas e, sobretudo, nos levantes espontâneos de camponeses, comandados por caudilhos, ambos esmagados com a mais feroz repressão. As classes médias urbanas de empregados agitavam-se em movimentos de inspiração liberal e sua facção intelectual pregava a revolução socialista.

Uma situação francamente revolucionária só se criou em 1910, quando a esse descontentamento generalizado se somaram dois fatos novos. Primeiro, uma grave dissensão no patriciado político motivada pelo continuísmo de Porfirio Díaz, que, aos oitenta anos, pleiteava sua reeleição depois de exercer cinco mandatos presidenciais consecutivos. Segundo, e principalmente, o surgimento de duas lideranças camponesas autênticas: a de Emiliano Zapata, no estado de Morelos, ao sul, e a de Francisco Villa, em Chihuaha, ao norte, ambos à frente de exércitos armados de machetes e escopetas, já não apenas clamando pela devolução das terras aos seus verdadeiros donos, mas expulsando os latifundiários das fazendas e distribuindo a terra aos lavradores.

Sucedem-se, nas cidades, as proclamações libertárias contra a reeleição e pelo sufrágio efetivo; pelas liberdades públicas, pela educação popular; por todas as reivindicações sociais então em voga, como a jornada de oito horas, o salário mínimo pago em dinheiro, a proteção ao trabalho do menor, a indenização por acidentes de trabalho, a igualdade de pagamento para mexicanos e estrangeiros; e, ainda, pela obrigatoriedade de fazer produtivos os latifúndios por parte dos proprietários, sob pena de confisco para distribuição aos camponeses sem terra.

O levante urbano venceu rapidamente a resistência das tropas de Porfírio Díaz, subindo ao poder Francisco Madero, líder do movimento pelo sufrágio efetivo. Simultaneamente, porém, se alastraram as insurreições camponesas cujos líderes, não se contentando com a satisfação das aspirações presidenciais de Madero, exigiam a reforma agrária. Zapata lança o Plan de Ayala, declarando que não deporia as armas até que se devolvessem aos *ejidos* e aos camponeses todas as terras de que haviam sido despojados pelos fazendeiros. Inicia-se, assim, a verdadeira revolução social mexicana que convulsionaria todo o país e prosseguiria em lutas sangrentas até 1919.

Em 1914, Venustiano Carranza (sucedendo a Huerta, que depusera Madero) assume o comando das tropas legais e, ajuizando melhor o vigor das lutas camponesas, procura parlamentar com seus líderes. Passa depois a proclamar, em documentos sucessivos, sua disposição de realizar a reforma agrária. Apesar dessa linguagem nova, a chefia do governo não consegue infundir confiança nem conter pelas armas a irrupção revolucionária desencadeada em todo o México pelos *zapatistas*, que ocupam a capital, e pelos *villistas*, que dominavam quase todo o norte do país. Carranza só consegue vencer os dois líderes revolucionários, depois de anos de luta, reiterando os compromissos de efetivar a reforma agrária e de atender a todas as reivindicações sociais dos setores urbanos. E os vence porque obtém a aliança dos *"batallones rojos"* organizados pelo operariado urbano liderado pelos anarcossindicalistas para colaborarem nas lutas que poriam fim à insurreição camponesa.

A Revolução Mexicana cumpre, assim, sua primeira etapa, alcançando a pacificação da guerra civil pelo esmagamento das forças de Zapata e Francisco Villa, seguida da perseguição aos remanescentes de suas tropas transformadas em guerrilhas nas áreas onde mais atuaram e onde contaram com inteiro apoio do campesinato. Só com a repressão mais sanguinária contra os camponeses e o assassinato dos dois líderes se põe termo às guerrilhas.

As principais aspirações revolucionárias, porém, haviam sido atendidas pela Constituição de 1917, redigida ainda ao calor da luta. Ela assegurava ao governo o poder de expropriar a propriedade privada para a consecução da reforma agrária; instituíra uma ampla legislação social de amparo à classe operária; restringira as ingerências do clero nos negócios públicos; e chamara ao Estado a propriedade do subsolo e o controle das concessões das jazidas minerais e petrolíferas.

Além da distribuição das terras feita pelos próprios camponeses insurretos, tudo o mais eram planos que, só parcialmente e a longo prazo, se cumpririam. Investido do mandato presidencial, Carranza começa a tergiversar, tendo que ser deposto e depois morto quando fugia com o tesouro do Estado. Só o presidente Obregón, em 1920, iniciaria o cumprimento dos preceitos constitucionais referentes à reforma agrária, alcançando, desse modo, as bases necessárias para a pacificação das sublevações camponesas.

A Revolução Mexicana durara quase uma década, custara mais de 1 milhão de vidas sobre uma população de 15 milhões, e importara num enorme desgaste econômico. Alcançara, ao fim, completa vitória em suas reivindicações políticas, já que, desde então, jamais um presidente se reelegeu e o país entrou num regime de inteira estabilidade institucional. Foram também assinaláveis as conquistas no plano social, sobretudo com o desencadeamento do processo de reforma agrária e de reconstrução econômica. Este se cumpriria com o presidente Plutarco Elías Calles, a partir de 1924, quando se consegue definir um plano de ação política para enfrentar o latifúndio. Tem início um vasto programa de obras, inclusive de irrigação, e se funda o Partido da Revolução, que centralizaria na presidência da República todo o poder político.

Começa a ascender, então, uma nova camada dirigente, recrutada na velha elite de ex-latifundiários, de comerciantes e banqueiros e na elite recente de "revolucionários" enriquecidos. Essa nova direção nacional professa, por todos os modos, sua devoção ao ideário da revolução, mas aspira, acima de tudo, tranquilizar o país, assegurar-se a estabilidade que o México jamais conhecera, estruturar um regime liberal capitalista e alcançar maior capacidade de enfrentamento ao intervencionismo norte-americano. Tanto avançara, porém, a radicalização do povo mexicano que o novo poder jamais pôde definir-se como antirrevolucionário, embora tudo fizesse para alcançar e consolidar esse objetivo.

Com os anos, a nova classe dominante se expandiria e homogeneizaria. Era uma burguesia urbana letrada, nacionalista e progressista, cujos interesses estavam principalmente na indústria, no comércio e nos bancos, secundada por uma ampla assessoria burocrática e militar extraída das classes médias; e era servida por toda uma coorte de *charros*, que controlavam os sindicatos, e por uma vastíssima clientela de empregados e funcionários. Essa nova cúpula ocupa o vazio do poder deixado pelas lideranças caudilhescas que haviam sido erradicadas e pelas lideranças populares, vendidas ou atreladas à burguesia desde o acordo dos líderes anarcossindicalistas com Carranza. A essa nova classe dominante é que cumpriria retramar a ordenação social privatista, o *sistema mexicano*, falando sempre em nome da revolução, cultuando as virtudes irredentistas de Zapata e de Villa, mas também de Carranza e de Obregón. E cuidando, ao mesmo tempo, com o máximo zelo e vigor, de não deixar surgir lideranças populares fora dos quadros institucionais.

126

A década de 1924-34 é de consolidação desse novo poder e de institucionalização das energias renovadoras desencadeadas pela revolução. Pouco consegue no campo da reforma agrária e das prometidas reformas sociais e educacionais. Em consequência, reacende-se o clamor popular através de greves e de agitação camponesas. Ainda em 1930, cerca de 15.500 proprietários que representavam menos de 2% do total detinham perto de 83% da área apropriada do país. Por outro lado, os investimentos das empresas estrangeiras, principalmente norte-americanas, em nome de cujos interesses o governo ianque interviera reiteradamente na Revolução Mexicana — com assaltos armados, pressões econômicas, ameaças e fornecimento de armas —, crescem ainda mais, restaurando o seu domínio sobre a economia mexicana que estivera seriamente ameaçada durante os anos de luta.

A Revolução Mexicana experimenta sua quadra mais dinâmica sob a presidência de Lázaro Cárdenas (1934-40), mostrando que ela ainda ardia sob as cinzas e era capaz de enfrentar a nova classe que, até então, havia conseguido postergar uma reordenação social que afetasse seus interesses. Somente Cárdenas distribuiu quase tanta terra (17 milhões de hectares) quanto a que fora dada antes e depois dele (36 milhões de hectares até 1956). Acresce, ainda, que Cárdenas chefiou o primeiro governo latino-americano que enfrentou com sucesso a exploração estrangeira, impondo a desapropriação das empresas ferroviárias, principalmente inglesas, e das companhias petrolíferas norte-americanas, pagando por estas o valor do investimento original (24 milhões de dólares) e não o exigido (450 milhões). Ainda com Cárdenas foi estruturado o sindicalismo mexicano, que assumiria, na década seguinte, um papel de liderança de todo o movimento operário independente da América Latina.

Sob Cárdenas, o Estado mexicano alcança — como resultado mais alto de sua atuação presidencial — infundir nas massas camponesas e operárias a confiança perdida na revolução institucionalizada. Para a consecução da reforma agrária contra os focos de resistência, seu governo arma os camponeses. Para impor seus direitos outorgados por lei, mas jamais respeitados, seu governo organiza a classe operária em sindicatos que, apesar de instituídos pelo Estado, lhe permitiriam conquistar mais altos salários e fazer implantar melhores serviços assistenciais e de previdência.

Como resultado dessa política, o governo Cárdenas, armado com o apoio popular, assentado nas organizações camponesas e nos sindicatos, fortalece a tal ponto o Partido Revolucionário que as eleições presidenciais, a escolha dos governadores dos estados e as senatorias passam a constituir assuntos de indicação partidária, referendada depois, infalivelmente, pelo sufrágio popular. Essa concentração de poder político se exprime, também, no Congresso Nacional, onde os projetos governamentais contam sempre com aprovação maciça, e nas decisões da corte suprema, igualmente solícita no acatamento à vontade presidencial. O mesmo controle se exerce sobre os governos estaduais e municipais dependentes, política e financeiramente, do Executivo federal e sujeitos à intervenção. Tudo isso representou um fortalecimento extremo do poderio e da unidade do Estado mexicano, que, deste modo, alcançou muito maior capacidade de enfrentamento ao expansionismo e intervencionismo ianque e na condução dos programas nacionais de desenvolvimento.

A Revolução Mexicana alcança, por tudo isso, no período de Cárdenas, seu momento supremo de controle dos dois fatores básicos de determinação do destino nacional. Primeiro, as forças constritoras internas, reduzidas a uma burguesia urbana cujo âmbito de ação era limitado pelas empresas públicas dominadoras em diversos setores. Segundo, os investidores estrangeiros, que se viram compelidos a acatar as decisões governamentais por mais atentatórias que fossem aos seus interesses,[6] e a aceitar inovações no trato que sempre impuseram aos governos latino-americanos.

Entretanto, o próprio poderio unificado de todas essas forças — o partido oficial único ou maciçamento majoritário; o domínio governamental sobre as centrais sindicais e sobre o movimento camponês; o controle e a utilização clientelística da poderosa máquina do Estado; o disciplinamento do exército para suas funções específicas — fez do Estado mexicano um poder monolítico suscetível das mais graves deformações. Isso viria efetivamente a ocorrer depois de Cárdenas, com o aumento da influência política da nova burguesia, que, já controlando o sistema econômico, pôde utilizar o disciplinamento imposto às outras camadas para fazer-se cada vez mais beneficiária do sistema global.

Apesar desses percalços, o México conseguiu realizar sua revolução social e nacional, constituindo-se na primeira nação latino-americana capaz de formular seu projeto próprio de desenvolvimento e em condições de manter uma política externa autônoma e progressista. Alcançou, também, abolir o poder político da velha oligarquia latifundiária e, ainda, infundir no seu povo uma atitude nova, quase catártica, de assunção altiva de suas próprias características étnicas e de identificação da nacionalidade e da revolução como os quadros em que se exprimiriam as potencialidades do povo mexicano.

Antecipando-se à Revolução Russa, o México poderia ter configurado, talvez, o primeiro modelo de sociedade socialista. Para isso teria sido necessário contar com uma liderança revolucionária madura, capaz de alicerçar uma aliança das sublevações camponesas com o operariado sindicalizado. O relevante, porém, é que sem alcançar os seus objetivos — expressos em alguns documentos básicos, sobretudo por Zapata[7] —, a Revolução Mexicana fez, de uma insurreição popular generalizada, a força de revisão de todo o regime, alcançando resultados equivalentes aos das revoluções sociais inglesa, norte-americana e francesa. Tal como estas, o México conseguiu reabrir o debate sobre a velha ordenação oligárquica, reformulando-a em capítulos fundamentais que permitiram erradicar o poder econômico e político do latifúndio; limitar o domínio exercido sobre toda a vida nacional pela América do Norte; instituir um Estado nacional autônomo, armado de considerável poder de decisão sobre tudo o que afeta o destino nacional; e integrar no sistema produtivo e na vida cultural e política do país a maioria de sua população.

Tal como aquelas revoluções, entretanto, a mexicana esgotara os dois fatores dinâmicos fundamentais da reordenação social, isto é, a reforma agrária e a capacidade de enfrentamento diante dos norte-americanos, sem ser capaz de pôr termo às forças constritivas do seu desenvolvimento. Caiu, por isso, de uma ordenação oligárquica a uma ordenação patricial capitalista estruturada como uma formação econômico-social nacionalista modernizadora. Doravante, cresceria economicamente na forma e intensidade compatíveis com a manutenção dos interesses, tanto estrangeiros quanto nacionais, que regeriam sua vida econômica. A preservação desses interesses limita suas perspectivas de progresso, pela imposição de um ritmo de crescimento que só lhe ensejará alcançar o desenvolvimento econômico e social já atingido pelas nações mais avançadas, dentro de um século, quando estas estarão muito adiante. O novo desafio com que se defronta o México consiste na resposta que seu povo dará às forças conjugadas para a manutenção desse veto à plena realização de suas potencialidades.

O que assegurou à Revolução Mexicana uma profunda significação social foi seu caráter de movimento integrador das massas marginalizadas, compostas principalmente por indígenas. Dele decorreu a incorporação de milhões de índios à vida econômica, social e política como camponeses ladinos e uma elevação ponderável da produção agrícola mexicana. De muitas outras formas se poderia, provavelmente, alcançar idêntico aumento da produção. Tal como foi obtido, porém, através da constituição de milhões de granjeiros e da revitalização de milhares de aldeias comunitárias (*ejidos*) por todo o país, representou um formidável esforço integrador, ainda hoje exemplar para nações que contam com grandes parcelas da população marginalizadas cultural ou socialmente da vida nacional. O estancamento do ímpeto revolucionário, depois de Cárdenas, apenas permitiu ao México continuar progredindo nesse processo, graças à força da inércia, resultante do empuxo inicial. Esse mesmo impulso acabou por esgotar-se, conduzindo a uma nova estagnação das forças emancipadoras dessas massas marginais.

Abrandada a combatividade do movimento camponês pela satisfação de suas carências mais gritantes; atendido e depois disciplinado o proletariado urbano pela burocratização do movimento sindical, criou-se um vazio político que permitiu à burguesia urbana e à classe média apossarem-se da máquina do Estado. Substituiu-se, assim, a energia revolucionária por uma pura eloquência verbal que hoje alcança o ridículo. Em sua feição nova, a "Revolução Mexicana" abandona a bandeira radical agrária para defender um tecnicismo agrícola. Abandona, igualmente, as velhas bandeiras nacionalistas, fazendo suceder ao anti-imperialismo uma mera xenofobia, desarmada como força de ação autonomista.

Dois efeitos desastrosos decorrentes dessa situação se fizeram sentir prontamente. Primeiro, a invasão do México por capitais estrangeiros, principalmente norte-americanos (em 1953, das 26 empresas privadas mexicanas com mais de 100 milhões de pesos de renda cada uma, dezenove eram de propriedade norte-americana), que deformam a industrialização do país pela descapitalização que lhe impõem (de 1941 a 1961, a média de remessas de lucros excedeu sempre aos investimentos), bem como pela substituição do empresariado nacional por uma camada gerencial representante de interesses exógenos. Em segundo lugar, o fortalecimento crescente da influência do patriciado nacional e do referido estrato gerencial em prejuízo das camadas populares só representadas no poder por lideranças oficiosas.

Essa hegemonia patriarcal é que explica a razão pela qual a quase totalidade das terras beneficiadas por grandes obras públicas de irrigação foi negada ao camponês e entregue a um empresariado privado de extração citadina. Vedou-se, assim, a elevação do indígena *ejidário* e do pequeno proprietário jungido ao minifúndio a uma condição social mais alta, pela integração em formas coletivistas modernas de exploração agrícola. E, sobretudo, estabeleceu-se um contraste flagrante entre a prosperidade econômica do monocultor capitalista, assentado em terras boas e irrigadas, servido por créditos oficiais, e o índio-camponês condenado à ineficácia e à pobreza.

Por todos esses caminhos, a máquina do Estado, resultante da mobilização nacional promovida pela revolução, descomprometida com os objetivos nacional-emancipadores e popular-revolucionários, tornou-se um instrumento de preservação da nova ordem social privatista. E seu poder de compulsão sobre o país e sobre o povo já é tão grande que dificilmente se pode imaginar uma forma de ruptura que permita reabrir ao debate o próprio regime, como ocorreu em 1910 e em 1934.

Estarão as brasas tão quentes sob as cinzas que poderia surgir um novo Cárdenas dentro do próprio partido institucional da revolução? Ou a única perspectiva dos mexicanos é a luta por uma abertura da vida política, através de procedimentos parlamentares para chegar a ser uma república liberal burguesa do modelo clássico? Serão os conteúdos estatistas da economia capazes de se estender a outros setores ou tenderão a estacionar progressivamente?

As principais forças geradoras de grandes tensões na sociedade mexicana atual são suas massas marginais de índios deserdados de todo o progresso nacional, e as crescentes massas de marginais urbanos que cumprem a função de reservas de mão de obra do sistema global. Estas, porém, por sua própria marginalidade cultural e social e por efeito da espoliação que sofrem por parte dos setores ladinos rurais e urbanos, dificilmente poderão propor-se uma redefinição do projeto nacional que lhes enseje melhores perspectivas de integração na sociedade mexicana. Até agora, elas pareciam condenadas a um mero papel passivo, o de esperar da benevolência do poder de outorga do Estado amparo e benesses que elevassem seu padrão de vida para que não continuassem a envergonhar o país com o escândalo de sua miséria. Tudo indica, porém, que, amanhã, poderão ser ativadas como uma força virtualmente revolucionária.

Só em 1960, passados quatro séculos, o México consegue refazer seu montante demográfico pré-colombiano ao atingir 35 milhões de habitantes. Era, contudo, uma sociedade nova, transfigurada etnicamente e refeita desde suas bases como uma variante altamente diferenciada da macroetnia hispânica. A população urbana alcançara 51% do total; a renda *per capita* era de 408 dólares; a alfabetização superava os 62% dos maiores de seis anos de idade; os índices de industrialização e de tecnificação de diversos setores da economia eram também dos mais altos da América Latina. Todavia, sobreviviam no México de 1960 cerca de 10 milhões de mexicanos de extração indígena que falavam o espanhol e uma língua tribal, ou somente esta. São analfabetos e andam descalços, não comem habitualmente trigo, nem consomem carne, peixe, ovos, leite. Essa camada marginal à nação, que vem crescendo em número absoluto nos últimos anos, por ser maior seu índice de incremento que seu ritmo de integração na sociedade nacional, é a herança do México original e da conquista espanhola tal como se processou; das deformações que impôs ao povo mexicano o colonialismo que a sucedeu; e do abandono progressivo da dimensão social da Revolução Mexicana.

De todos os *povos-testemunho* das Américas, o México foi aquele que mais cedo tomou conhecimento de si mesmo, aceitando sua própria imagem, assumindo uma postura ideológica nacional em face do mundo e tirando da herança asteca-náhuatl seus principais símbolos integradores. Para isso contribuiu decisivamente seu caráter mesmo de *povo-testemunho*, em que coexistem, em processo de fusão, os patrimônios de duas altas civilizações. Contribuiu, também, para essa conscientização nacional, sua proximidade dos Estados Unidos, a luta secular pela fixação das respectivas fronteiras e os esforços por refrear a dominação da economia mexicana pelas grandes corporações norte-americanas.

A nação norte-americana, que se lançou contra o México no século XIX, constituía já uma sociedade capitalista em intenso processo de industrialização, oposta a uma sociedade agrário-mercantil tolhida pela constrição oligárquica do senhorio nativo que sucedera aos espanhóis e que dava os primeiros passos para a superação das condições de atraso a que a dominação hispânica a submetera através de séculos. Uma liderança nacional apenas começava a surgir, confundida ainda com os levantes caudilhescos, mas esforçando-se por institucionalizar o novo núcleo de decisões transferido da Europa para o país, enfrentando a agressividade da França de Napoleão III, que lhe queria impor um imperador. A todas essas dificuldades se somava o expansionismo da ex-colônia inglesa que acabou arrebatando ao México, através da guerra, de tratados firmados sob pressão e suborno, a metade de seu território original, toda a área que vai do Texas à Califórnia.

Dentre os *povos-testemunho* da América, o México é, também, o que conseguiu integrar maior parcela da própria população na vida econômica como consumidores e produtores ativos; na vida social, política e cultural como pessoas, como cidadãos e como neomexicanos. Essa categoria que compreende 70% da população se distribui pelos mais variados níveis de renda, estamentando-se em classes sociais profundamente diferenciadas, mas unidas como o corpo e a expressão da nacionalidade. Racialmente são mestiços, predominantemente indígenas, mas com parcelas de genes europeus e africanos. Culturalmente conduzem em si as duas heranças conflitantes: a europeia-hispânica e a indígena. Esta, mais romântica do que realmente promovida a reitora, porque o neomexicano, que assume uma postura asteca-náhuatl em face do estrangeiro, em relação aos próprios indígenas não admite outro futuro que não seja sua desindianização compulsória pela educação europeizante e por toda sorte de pressões.

Provavelmente, esse é um efeito natural do processo de formação da nacionalidade mexicana tal como se operou. Mas não é inevitável. E é por todos os títulos lamentável ver grupos indígenas, que contam com dezenas de milhares de membros e que depois de quatro séculos continuam apegados aos valores de sua cultura original, permanecerem condenados pelo México moderno a integrar-se no papel de "não índios" que jamais aceitaram ou que foram incapazes, até agora, de performar.

Essa camada que representa quase uma terça parte da população mexicana é marginal tanto por sua condição de atraso quanto por sua indianidade, condenada a mexicanizar-se. Às desistências socioeconômicas, que dificultam sua integração no estilo de vida do México moderno, somam-se obstáculos étnico-culturais. Estes últimos, provavelmente mais arraigados e mais difíceis de erradicar em virtude do extraordinário vigor autoconservativo das etnias, sobretudo quando submetidas a discriminações e compulsões.

Esse contingente indígena mexicano, que suportou, através de séculos, todos os rigores da escravidão, da catequese e todas as formas imagináveis de opressão cultural, possivelmente encontrará reservas de energia em sua identificação étnica para continuar resistindo à assimilação. O destino dos grupos étnicos mais populosos será, talvez, o de se constituírem em modos diferenciados de participação no ser nacional, cada vez mais semelhantes aos demais, porém irredutivelmente singulares porque apegados às suas lealdades étnicas. Serão, no futuro, parcelas nacionais diferenciadas como aquelas que subsistem em quase todas as nações europeias depois de milênios de compressão uniformizadora, retirando do seu vínculo original a seiva de sua identidade étnica.

O caráter de *povo-testemunho* se exprime no México moderno principalmente pela partição da sociedade em três segmentos superpostos, enquanto estratos sociais diferenciados por sua identificação étnica como indígenas ou como neomexicanos e por sua participação desigual no acesso e no controle da riqueza nacional e do poder político.

O segmento superior é formado pela associação do patronato de grandes proprietários industriais, financistas e comerciantes com o novo patriciado de políticos profissionais, altas hierarquias militares, burocráticas e tecnocráticas. Essa camada, racial e culturalmente mais europeizada, controla a economia e as instituições políticas e gere a legenda revolucionária, orgulhosamente cultuada mas congelada através da repressão a qualquer forma de oposição popular. Sem dividir o bolo do poder, engaja na máquina política amplos setores da classe média, através do empreguismo e da corrupção. Nessa camada se encontram as famílias tradicionais que integravam a aristocracia colonial, mescladas com matrizes indígenas que subsistiram do patriciado asteca e ampliadas por todos aqueles que enriqueceram. Ela é essencialmente a mesma camada que empresou a independência como projeto próprio, reordenando a sociedade segundo seus interesses; e que enfrentou, depois, grandes dificuldades com a reforma agrária que lhe retirou o instrumento fundamental de dominação. Mas a tudo sobreviveu, preservando seu domínio, graças a um mero alargamento pela absorção de parcelas da população urbana enriquecidas dentro do *sistema mexicano*.

O estamento intermediário considerado *mestiço* o é menos racialmente — embora tenha absorvido certa proporção de sangue europeu e africano — do que por sua integração na cultura hispano-americana, através da espanholização, da conversão ao catolicismo e da incorporação orgânica na sociedade nacional. Constituía originalmente a camada intermediária entre a aristocracia espanhola e o indigenato, recrutada dos setores intersticiais da sociedade asteca (funcionários, sacerdotes, mercadores, artesãos), que, como estrato urbano e parasitário, estava em melhores condições de europeizar-se. No seu esforço por sobreviver, criaram mecanismos de conciliação entre o mundo antigo e o novo, fazendo-se bilíngues e duplo-culturais, plasmando o modelo do neomexicano que se generalizou progressivamente como *ladino*, pelo recrutamento de índios desgarrados de suas comunidades e integrados na sociedade nacional como mão de obra dos campos e das cidades. Hoje, essa vasta camada ladina forma a parcela maior da nação e constitui o que se pode chamar de povo mexicano, cobrindo estratos que vão do campesinato ao assalariado rural, dos trabalhadores urbanos às camadas baixas da classe média rural e citadina.

O terceiro estamento é formado pela massa dos marginalizados culturalmente como indígenas. Hoje eles são quase tão pouco indígenas — no sentido pré-colombiano — quanto os demais mexicanos, tais as alterações culturais que experimentaram em quatro séculos. Mas são unificados etnicamente como membros de suas comunidades tribais e diversificados dos ladinos por um corpo particular de normas culturais e de lealdades, que não só os distingue mas os opõe à sociedade nacional, como gente diferente e imiscível. Não constituem o equivalente ao campesinato numa sociedade agrário-artesanal do tipo clássico, porque esta camada é representada pelos ladinos. São uma categoria marginal que perdeu seu modo de viver antigo, mas se fez indígeno-moderna em lugar de se fazer neomexicana. Enfrenta as mais difíceis condições de penúria e de atraso, como a camada relegada às áreas mais inóspitas e a mais explorada.

O processo de incorporação desses contingentes índios à *mexicanidade* prossegue atuante através do acesso individual à condição de ladinos dos que se afastam de suas comunidades. Nesse sentido, esses núcleos operam como criatórios de gente, uma parcela da qual é aliciável como mão de obra nacional por força da própria condição de penúria a que estão submetidos. Desde o esclerosamento da revolução como movimento integracionista, regrediu o processo maciço de alçamento dessas massas como comunidades indígenas a condições de crescente participação na vida nacional. A partir de então, a energia integradora está apenas nas compulsões que passam sobre as comunidades rurais, como a atomização das propriedades indígenas em minifúndios e a miséria que os obriga a emigrar como trabalhadores braçais para outras áreas. A essas forças repulsoras da população para fora de suas comunidades se somam as de atração dos núcleos urbanos, que, mercê da industrialização e da consequente expansão dos serviços, ensejam crescentes oportunidades de trabalho nas cidades para os desgarrados do campo. Essas duas forças estão juntando na periferia dos centros metropolitanos massas marginalizadas muito maiores do que a economia é capaz de integrar no sistema ocupacional.

O saldo principal da Revolução Mexicana, em sua quadra dinâmica, foi a ascensão da massa ladina e ladinizável à condição de povo mexicano tal como existe agora, através da reforma agrária, e a pacificação nacional que pôs cobro ao caudilhismo que mantivera o México convulsionado desde a Independência. O problema nacional mexicano de nossos dias é retomar a dinâmica revolucionária para impor uma redefinição da ordem privatista que se implantou, refreando as energias criadoras do povo e condenando milhões de mexicanos à marginalidade. Institucionalizando-se como um *nacionalismo modernizador*, o Estado mexicano pós--revolucionário pôde promover a reforma agrária e impulsionar um movimento de industrialização substitutiva. Mas não conseguiu formular um projeto autônomo de autoconstrução que desencadeasse um processo de aceleração evolutiva capaz de assegurar um desenvolvimento pleno e autônomo, dentro de prazos previsíveis. Ao contrário disso, experimentou uma retenção das energias integrativas e orientou-se para uma política de complementaridade econômica com a América do Norte que acabaram por incorporar o México ao sistema econômico mundial, como uma área de exploração neocolonial.

Só retomando o caminho de Cárdenas e configurando-se como uma formação socialista poderá o México voltar a exercer um papel de liderança no continente e implantar uma industrialização que lhe permita construir a ampla infraestrutura indispensável à sustentação do ritmo de progresso necessário para superar, em prazo tão breve quanto possível, seu atraso econômico e social em relação às nações plenamente desenvolvidas. Essa reativação da orientação cardenista, em seus aspectos ousadamente renovadores, não só é possível, senão provável. Com efeito, o México experimentou, nas últimas décadas, uma forte modernização reflexa e setorializada que aumentou, até limites impensáveis, a dependência externa e a desigualdade social interna. Por um lado, promoveu o predomínio do capital estrangeiro e o enriquecimento do empresariado nativo que surgiu graças aos subsídios estatais e à associação com empresas estrangeiras. Por outro, estancou a reforma agrária, intensificando o êxodo rural e convertendo a maior parte da população ativa urbana em um excedente de mão de obra marginalizada, em busca de empregos fixos, de segurança social, de educação, saúde, moradia e de ascensão social.

Nesse México dividido por crescentes desigualdades sociais, ressoam cada vez mais fortemente as antigas consignas revolucionárias. Os rostos dos heróis da revolução retratados nos murais palacianos ou ampliados em fotografias nas estações do moderno metropolitano parecem indagar aos transeuntes: e vocês, que fazem? A multidão aparentemente não dá importância à increpação. Mas a qualquer momento a entenderá.

Enquanto isso, a burocracia *priista* controla as massas camponesas nas associações oficialistas e os operários fabris, nos sindicatos, todos domados e subornados, sem meios de reagir. Os setores médios intelectualizados, principalmente os estudantes universitários, têm sido os únicos a esboçar sua rebeldia em manifestações de protesto reprimidas com uma brutalidade à escala das tragédias mexicanas: Tlatelolco, Monterrey.

As esquerdas insurrecionais realizam algumas ações armadas, tão vazias lamentavelmente de conteúdo político e tão ineficientes como estratégia de luta contra o sistema que, por mais que se multipliquem, não representarão um caminho viável à revolução.

Tudo isso não significaria que, ao contrário do que afirmamos, não tem mais cabimento o retorno aos anelos de Cárdenas? Sim, tem cabimento. Sob a condição de que se plasme como um verdadeiro *cardenismo*, capaz de tornar-se, por essa identificação, aceitável e inteligível às massas populares; de que seja genuíno e autônomo, tanto com respeito às representações locais de correntes esquerdistas forâneas como, e principalmente, com relação ao aparelho estatal.

Ademais desta, constitui provavelmente uma condição prévia indispensável à retomada do antigo ímpeto renovador a capacidade de formular um projeto alternativo ao vigente, um projeto mexicano, revolucionário e socialista que, dando respostas concretas e viáveis a cada problema nacional e popular, desmascare a incapacidade do sistema em vigor para atender às necessidades fundamentais de todos os mexicanos.

A viabilidade dessa saída se assenta, também, na nova conjuntura mundial e continental, na medida em que volte a ser favorável, como foi a do tempo de Cárdenas, a desempenhos nacionais autonomistas e a movimentos revolucionários socialistas.

4. A América Central

Mesoamérica é a área intermédia que se estende do México às fronteiras da Colômbia, hoje dividida em cinco nacionalidades, uma contrafação nacional criada pelos norte-americanos e um bolsão colonial britânico. O conjunto, enquanto *povos-testemunho*, compreende a Guatemala, com 56% de população indígena; Honduras, com 10%; El Salvador, com 20%; e Nicarágua, com 24%. A esse conjunto se somam duas intrusões étnicas: a Costa Rica, que teve uma formação de *povo novo* pela fusão de indígenas com europeus, e o Panamá, criação norte-americana arrancada à Colômbia para afastar os construtores franceses do canal e assenhorear-se do empreendimento. A área inteira conta com mais de 10 milhões de habitantes (1960). Dois milhões e meio são indígenas, vinculados à cultura original, que se concentram principalmente na Guatemala, emprestando-lhe uma fisionomia típica de *povo-testemunho*; 1,5 milhão de mestiços claros, concentrados principalmente na Costa Rica. A maioria restante é formada pelos ladinos, de fenótipo mais indígena do que espanhol, com algum tempero negro, que se vêm caldeando desde a conquista.

Nessa região desabrochou uma das poucas altas civilizações autônomas e originais do mundo, a maia, que, embora não alcançando o nível urbano e imperial dos egípcios, dos incas e dos astecas, atingiu um elevado grau de desenvolvimento. Era uma civilização agrícola de regadio, cujas conquistas culturais mais assinaláveis estavam na escrita e na aritmética, no calendário de precisão somente superado pelo nosso próprio, na arquitetura de pirâmides escalonadas e de suntuosas edificações sepulcrais, e na sua extraordinária escultura monolítica — as esteias —, tidas como das mais altas expressões artísticas do homem. É provável também que os maias tenham sido a primeira civilização do mundo a desabrochar em áreas da floresta tropical, tendo criado um modelo de estrutura urbana adaptado a essas condições ecológicas que prefigurou a forma futura das cidades dos trópicos.

Quando da conquista espanhola, os maias estavam em decadência havia muitos séculos, vitimados por forças desagregadoras, que jamais puderam ser identificadas com precisão. Compreendiam uma população avaliada em um mínimo de 2 milhões de pessoas, vivendo em comunidades agrícolas e em centros religiosos, onde se diferenciavam em camadas de sacerdotes, funcionários, comerciantes e artesãos. Ao sul da área maia viviam inúmeros grupos menos evoluídos, linguisticamente distintos, mas influenciados todos, em certa medida, pelas duas grandes civilizações da região.

As Américas e a civilização

Depois da conquista do México, bandos espanhóis, partindo do território mexicano e das Antilhas, precipitaram-se sobre os sobreviventes dos maias. Saquearam tudo que tivesse valor e se instalaram como novos senhorios, dilacerando-se, porém, logo a seguir, em disputas sangrentas. A área foi progressivamente dividida pela Espanha em diversas províncias correspondentes às nações atuais, submetidas todas à jurisdição das autoridades sediadas no México.

Durante o período colonial, estabeleceram-se junto às populações indígenas da Mesoamérica uns poucos milhares de espanhóis que, como *encomenderos*, se apropriavam das terras e escravizavam as populações que nelas viviam. Com essa mão de obra foram exploradas as minas de ouro e prata e com a mesma se organizou, paulatinamente, uma exploração agrícola de exportação de cacau, tabaco, anil e cochinilha. O relativo sucesso dessa exploração se exprimiu no surgimento de uma rede de vilas e cidades novas e, com elas, de mecanismos cada vez mais eficazes de conscrição e de exploração dos indígenas, cujos levantes se sucediam.

Distanciada do centro militar e administrativo espanhol, a região tornou-se presa fácil de assaltantes e contrabandistas, principalmente ingleses, que se instalaram em alguns pontos do litoral, acabando por apossar-se de duas áreas: a costa de Mosquitia e Honduras Britânica,* a última das quais controlam até hoje.

O processo de formação dos povos modernos da América Central seguiu, em grandes linhas, o mexicano, gerando, ali também, uma oligarquia e um patriciado alienados e uma camada engajada a seu serviço, todas elas vivendo da exploração das populações indígenas. A única exceção é Costa Rica, em que o espanhol, assentando-se sobre populações indígenas mais atrasadas e permanecendo por longo tempo em condições de isolamento, formou uma sociedade patriarcal de pequenos proprietários mais europeizada que os outros povos da região.

A independência surge com um projeto unionista mexicano, que se propunha emancipar e organizar, como um só Estado, todas as antigas províncias do vice-reinado da Nova Espanha. O plano frustrou-se, porém, pela oposição das províncias a unificar-se sob o comando do antigo centro colonial e em virtude dos conflitos internos que se seguiram à Independência mexicana. Surge, então, uma república federal dos povos mesoamericanos, dirigida por um triunvirato, que também não conseguiu impor sua autoridade, estalando conflitos entre as antigas províncias até sobrevir o fracionamento.

Ainda hoje subsiste uma vívida aspiração federalista centro-americana. Ela permanece inatingível, entretanto, devido à oposição dos interesses estrangeiros

---

* Desde 1973, Honduras Britânica é chamada Belize. [N. E.].

investidos na área, principalmente norte-americanos e ingleses, que se sentem mais amparados com a sua divisão em pequenas repúblicas.

À independência formal se seguiram décadas de domínio imperialista francês e inglês pelo mecanismo habitual das concessões de empréstimos, construção de ferrovias, portos e serviços telegráficos, que se haviam revelado mais eficazes, como forma de controle monopolístico e de exploração, do que o próprio estatuto colonial. Os derradeiros resquícios de respeitabilidade nacional foram anulados pelos norte-americanos, que, armados da Doutrina Monroe e em nome da manutenção da ordem, da defesa dos bens e das vidas de seus cidadãos ou sem justificação alguma, implantam um regime de tutela sobre a América Central, apenas permitindo aos ingleses associarem-se à sua dominação.

Nessas condições é que se instala na área, nos últimos anos do século XIX (1899), a United Fruit Company, que se tornará o verdadeiro centro de decisões de toda a região, com o comando da vida econômica, política e social da Guatemala, Honduras, Costa Rica e Panamá. A United Fruit apropriou-se de 35% das terras agriculturáveis e da quase totalidade das adequadas ao cultivo de bananas e abacaxi desses países, instalando-se como uma corporação monopolista de produção, transporte e comércio que lhe permite dominar o mercado mundial de frutas tropicais. Assim, saltando sobre o México que não puderam deglutir — depois de se apropriarem de todos os seus territórios periféricos —, os Estados Unidos lançam-se sobre os países do istmo, instalando ali a ordem e a paz ianques, em sua forma mais elaborada.

As repúblicas da América Central configuram, por isso, em seu atraso e em sua pobreza, um dos exemplos mais expressivos das potencialidades do modelo norte-americano de desenvolvimento ancilar, sob a égide de suas corporações. Juntamente com a instalação das empresas norte-americanas, foi montada uma máquina de intervenção que confere às embaixadas ianques o poder de legislar, de eleger presidentes e parlamentos, de designar e derrubar ditadores, de enriquecer, de empobrecer, de exilar, de encarcerar e de assassinar qualquer cidadão. Ali, também, sobre terras ubérrimas, suas empresas agrícolas contaram com toda a liberdade de ação e de movimento que pleiteiam em outras áreas do globo, como condição indispensável para a promoção do progresso. Por tudo isso, essas *"banana republics"* — como eles próprios as designam — retratam para o mundo, na forma de um experimento concreto, visível e mensurável, o que pode oferecer o modelo de desenvolvimento que propugnam.

As nações centro-americanas conformam o reino perfeito da moeda estável, da liberdade de comércio, do livre-câmbio, da iniciativa privada, e até mesmo da integração econômica regional instituída, pioneiramente na América Latina, através do Mercado Comum Centro-Americano. Configuram, portanto, todos os pré-requisitos da ideologia econômica norte-americana para garantir um alto ritmo de progresso e de todos os fundamentos políticos e institucionais para desenvolver democracias perfeitas. O resultado são os Ubico, os Martínez, os Somoza e outros. Estarão acaso os índios e mestiços mesoamericanos conjurados para desmoralizar os doutrinadores ianques da democracia e do desenvolvimento em face da opinião pública mundial? Ou aquele sublimado de opressão, de ignorância, de obscurantismo e de penúria é o produto natural e necessário da livre congregação das economias latino-americanas com as empresas ianques?

Cada vez que uma nação centro-americana encontra uma brecha para rebelar-se contra esse sistema de espoliação, que a transforma na zona mais retrógrada do continente, são os Estados Unidos que restabelecem a "paz" e a "ordem", restaurando os privilégios de suas empresas e das oligarquias locais. Assim sucedeu com o levante guerrilheiro de Sandino; o mesmo se deu quando, após uma revolta de estudantes sanguinariamente reprimida, instalou-se uma junta de governo que promoveu a primeira eleição em El Salvador. E ocorreu, ainda, quando a CIA, numa façanha militar acuradamente planejada e executada, depôs o presidente Jacobo Arbenz.

Tanto quanto as nações antilhanas, as repúblicas do istmo foram vítimas de sucessivas invasões norte-americanas. Essas intervenções recrudesceram nas primeiras décadas do século XX, com a Revolução Mexicana, que, erguendo-se contra os interesses imperialistas e os privilégios das minorias nativas, ameaçava a hegemonia norte-americana no Caribe. E reiteraram-se com a revolução fidelista, ante o temor de que o exemplo cubano encontrasse terreno propício para subverter a ordem ianque em toda a região.

Uma série de invasões e intervenções norte-americanas tem início na Nicarágua, em 1909, em virtude da recusa de conceder-lhes a prerrogativa de construir um canal de ligação do Atlântico ao Pacífico. Cada desembarque é seguido de um empréstimo ao governo nicaraguense por meio do qual ressarce aos norte-americanos os gastos das operações de guerra e lhes permite, ademais, apropriar-se dos setores mais lucrativos da economia nacional. A concessão é afinal obtida (1914) e seu negociador nicaraguense é eleito presidente, governando o país apoiado pela presença das tropas norte-americanas, diretamente ou através de intermediários, até 1925.

No ano seguinte, os *marines* voltam a invadir a Nicarágua para combater um levante comandado por Sandino. Filho de um fazendeiro médio e de uma camponesa de origem indígena, o mecânico e agricultor Augusto César Sandino se tornaria o símbolo da resistência anti-ianque na América Central e um dos precursores da guerra de guerrilhas como tática de luta contra exércitos convencionais. Sua causa era originalmente a reconstitucionalização do país; converte-se, porém, depois da intensificação da intervenção norte-americana, numa guerra contra o invasor estrangeiro. Despertou, por isso, a simpatia e a adesão de todos os movimentos libertários da América Latina, particularmente *apristas*, cujos ideais Sandino encarava, então, mais que o próprio Haya de la Torre.

Começando com 29 homens, o caudilho nicaraguense reuniu, no auge da luta, cerca de 3 mil combatentes, dentre os quais voluntários de vários países da América. Com esse exército conseguiu enfrentar 12 mil invasores e as tropas locais de sustentação do governo, que, mesmo armados com os mais modernos recursos militares, jamais conseguiram vencê-lo e subjugá-lo. Sandino só depõe as armas depois de alcançar a repatriação das tropas norte-americanas, que retira a principal motivação de sua luta. Como vimos, esta se caracterizava, essencialmente, por uma ideologia nacionalista e tinha sua tônica na consciência arraigada da ancestralidade indígena da população nicaraguense que a fazia identificar-se com a comunidade "indo-americana", em oposição à América "gringa" e opressora. Dessa consciência étnica de Sandino — que contrastava flagrantemente com a alienação das classes dominantes centro-americanas, inglês falantes e submissas a seus amos ianques — é que vinha sua força de caudilho, condutor de homens que entre si se chamavam "irmãos", nenhum dos quais recebia salário nem tinha outra ambição senão expulsar o invasor. Essa identificação com a etnia nacional assegurou a Sandino o apoio das massas rurais, predominantemente mestiças, permitiu-lhe sucessivas vitórias e o domínio de vastas áreas do interior do país.

Sem um projeto específico de tomada do poder e de restauração da sociedade em novas bases, uma luta como a de Sandino não poderia perdurar indefinidamente. Depois de sete anos de combate, ele foi afinal traído e assassinado pelo chefe da Guarda Nacional criada pelos norte-americanos como tropa de choque na defesa de seus interesses. Seu assassino, Anastasio Somoza, seria o futuro presidente e o fundador de uma nova dinastia presidencial centro-americana, ainda hoje no poder.

O segundo episódio da luta de libertação da América Central que galvanizou a opinião pública mundial foi o derrocamento do governo de Jacobo Arbenz, na Guatemala, em 1954, quando ele iniciava a reforma agrária com a distribuição de terras — possuídas legalmente mas não aproveitadas pela United Fruit e outras empresas monocultoras norte-americanas — aos índios e camponeses de seu país. O caráter cruamente reacionário do golpe militar e o fato de ter sido planejado e dirigido pela CIA reiterou diante do mundo o peso do veto norte-americano a qualquer governo progressista no Caribe e a intocabilidade de seus interesses empresariais na área. Somente Cuba, como veremos adiante, foi capaz de enfrentar e vencer esse veto.

A desilusão dos guatemaltecos, com o desfecho da ação reformista de Jacobo Arbenz, levou à radicalização de seus setores mais combativos, despertando para a luta a população camponesa, predominantemente indígena, até então resignada com sua penúria. Assim é que, em 1962, depois de um frustrado movimento militar de objetivos redemocratizadores e anti-imperialistas, teve início a luta armada guerrilheira. Esta já se trava com fins programáticos novos, de caráter socialista, resultantes da convicção de que nenhum governo de conciliação reformista oferece um mínimo de garantia de vitória e de progresso aos povos centro-americanos.

Apesar de seus contrastes, as nações da América Central devem ser classificadas como *povos-testemunho* pela influência decisiva da matriz maia na formação de suas populações ladinas e pela sobrevivência de grandes contingentes indígenas marginalizados na maioria dela. Estes se encontram principalmente na Guatemala, onde mais de 1 milhão de índios são monolíngues e, com base no velho patrimônio cultural maia, se ajustam à natureza para o provimento da subsistência, se estruturam socialmente e configuram sua visão do mundo.

Duas nações se distinguem do conjunto como intrusões étnicas. A Costa Rica, cuja população de fisionomia predominantemente espanhola se concentra na meseta central e se distingue por seu alto índice de escolarização (apenas 21% de analfabetos) e por se haver institucionalizado como uma democracia representativa assentada numa ampla camada de granjeiros, de comerciantes e de funcionários. Afora essa população de brancos por autodefinição, o país conta apenas com um contingente negro-antilhano trazido para a construção de uma ferrovia e que foi compelido a fixar-se na costa como um núcleo marginal, discriminado como quisto étnico e como reserva de mão de obra das grandes plantações da United Fruit.

E o Panamá, que não chega a ser um povo, pelo artificialismo de sua criação e pela coerção sobre ele exercida pelos norte-americanos, impossibilitando qualquer esforço de integração nacional. Sua população se divide em quatro segmentos distintos, segregados e hostis uns aos outros. Os negros, também trazidos das Índias Ocidentais para as obras do canal, falam inglês e formam um quisto separado do resto da população por um cerco de arraigada discriminação racial. A sociedade ladina original, com seus contingentes mulatos descendentes de espanhóis e de negros, estamentada em classes que vão desde uma oligarquia local de poderosos comerciantes e latifundiários a uma ampla camada intermédia de empregados públicos e de serviços urbanos, até uma vasta massa de deserdados, lutando contra o subemprego e o desemprego nas cidades e nas zonas rurais. Dominando essa estrutura de índios, imigrantes negros e ladinos paira a elite norte-americana de exploração do canal e de comando militar. Vivem segregados e numa situação de privilégio tão ostensiva que nenhuma violência consegue impedir as manifestações de descontentamento e a crescente conscientização política dos panamenhos. Nos últimos anos esta conscientização amadureceu uma elite militar nacionalista que está proporcionando ao povo panamenho sua primeira liderança autêntica.

IV. Os andinos

Na área montanhosa de 3 mil quilômetros de extensão que vai do norte do Chile ao sul da Colômbia, cobrindo os territórios atuais da Bolívia, Peru e Equador e nas encostas que descambam para o Pacífico, encontramos o segundo bloco de *povos-testemunho* das Américas vivendo nas mesetas, nos altos vales andinos e na costa. São os testemunhos contemporâneos da civilização incaica. Falam o quíchua e o aimará, lavram a terra, produzem artesanias, se estruturam em comunidades e em famílias para o trabalho, para o lazer e para o culto, segundo uma combinação de técnicas, normas e valores novos, de origem europeia, e arcaicos, sobreviventes das culturas indígenas originais. Todo esse complexo cultural, no que tem de europeu ou de indígena, foi redefinido em vista das condições de vida a que teve de atender no transcurso dos últimos quatro séculos e constitui hoje uma das faces mais remarcadas do fenômeno humano.

A população total da área era avaliada, em 1960, em cerca de 15,5 milhões de habitantes, sendo 7,5 milhões de indígenas, 3 milhões de "brancos por autodefinição" e 5 milhões de *cholos*. É evidente a predominância do contingente indígena, que, somado aos *cholos*, alcança 80% do total. Apesar das diferenciações linguísticas e das variantes culturais e nacionais, o bloco inteiro deve ser encarado como um único complexo histórico-cultural e uma só macroetnia, a neoincaica. Seu dilaceramento em três nacionalidades — a peruana, a boliviana e a equatoriana — só se explica pelos azares da colonização hispânica e da ordenação oligárquica que se seguiu à Independência, com a substituição do domínio de Madri pelo reitorado de grupos oligárquicos, que impuseram sua hegemonia às novas sociedades e as conformaram segundo seus desígnios.

Dentro do contexto neoincaico, *brancos por autodefinição* são os mestiços hispano-indígenas das classes média e alta, originários, principalmente, dos caldeamentos raciais dos primeiros séculos da conquista. *Cholos* são ladinos predominantemente indígenas do ponto de vista racial, mas deculturados e integrados no sistema econômico e social, como sua parcela mais pobre. E *indígenas* são os contingentes marginalizados da vida nacional, porque atados às comunidades rurais que conservam a língua e parte da cultura original e veem a si mesmos com uma perspectiva própria, como diversos e estranhos ao mundo dos "brancos", que se implantou em seus territórios para dominá-los e explorá-los, e dos *cholos*, que são os agentes imediatos desta dominação.

1. O incário original

A civilização incaica se opõe à maia e à asteca por um perfil menos místico e por um profundo senso organizatório que lhes permitiu estruturar um dos impérios teocráticos de regadio mais coesos e mais bem integrados da história (D. Ribeiro, 1968). Haviam alcançado um nível de civilização urbana, servida por um magnífico sistema de transportes que unia Cuzco, sua capital, ao Altiplano andino inteiro, permitindo-lhes controlar e distribuir as colheitas, fiscalizar e vincular milhares de comunidades com uma população estimada em mais de 10 milhões de habitantes.[8] A cidade de Cuzco, localizada no centro da cordilheira, a 3 mil metros de altitude, constituía, ao tempo da conquista, uma das quatro ou cinco maiores cidades do mundo.

O que foi aquela colmeia humana, ultraorganizada, se pode ver ainda hoje pelas ruínas de sua cidade-capital, de suas vias de comunicação e dos terraços escalonados, construídos para os seus cultivos de regadio. Estes desciam em plataforma pelas montanhas, em sucessivas curvas de nível, levantadas, por vezes, em encostas de 45 graus, estendendo-se por vários quilômetros. Eram irrigados por um amplo sistema de canais, aquedutos e diques, erguidos através da serraria, cujo fluxo era rigorosamente controlado pelos funcionários imperiais e fertilizados com adubo de guano trazido da costa. Nesses canteiros cultivavam cerca de sessenta espécies vegetais, a maior parte delas domesticadas originalmente pelas populações indígenas da floresta tropical e adotadas pelos povos andinos. Também criavam lhamas e alpacas, fiavam sua lã finíssima e teciam, provavelmente, as telas mais elaboradas que o mundo conheceu.

Vivendo num território inóspito, a que tiveram de ajustar-se trabalhosamente, não só se adaptando biologicamente para sobreviver em grandes altitudes, mas conformando a própria terra, que, em sua feição natural, não se prestava à agricultura, fizeram-se lavradores de terraços plantados e irrigados a mais de 3 mil metros de altitude. Contando com apenas 2% de área agriculturável, aproveitavam cada nesga de terreno fértil. Essa lavoura intensiva e de alta rentabilidade por área é que lhes permitia manter uma grande população urbana, desobrigada das tarefas de subsistência, que, além da capital, se concentrava em várias cidades de milhares de habitantes, dividida em estratos militares, sacerdotais, burocráticos e artesanais, configurando uma civilização caracteristicamente urbana.

Além da tecelagem e da cerâmica, os artesãos incaicos dominavam uma metalurgia avançada e uma arte arquitetônica e escultórica em pedra, responsável por magníficas edificações, como pontes, aterros, estradas, templos, palácios e esculturas megalíticas que testemunham, hoje, a medida da capacidade organizatória e da suntuosidade de sua civilização.

As pesquisas arqueológicas mostram que essa extraordinária civilização indígena desenvolveu-se, originariamente, passo a passo, no próprio Altiplano. Nesse processo, evoluiu de uma estrutura tribal de aldeias agrícolas indiferenciadas para um sistema de comunidades agroartesanais independentes e, daí, para uma ordenação de Estados rurais-artesanais geridos por cidades e com suas populações já estratificadas em classes. Estes Estados se cristalizam, por fim, numa estrutura imperial teocrática, que leva a dominação incaica a vastas áreas, cobrindo todos os povos do Altiplano e da costa do Pacífico e projetando sua influência sobre as terras baixas do Leste e do Sul, tanto nos pampas argentinos como na região amazônica.

É provável que contatos intermitentes com o mundo maia-asteca tivessem permitido uma influenciação recíproca, mas os respectivos desenvolvimentos se fizeram de modo independente. Por todas essas características, a cultura incaica, tal como a mesoamericana, se insere entre os poucos núcleos mundiais de desenvolvimento autônomo de civilizações urbanas baseadas na agricultura de regadio. Sua principal característica era a organização social que não se fundava na propriedade privada, na escravidão e na economia monetária, mas numa estruturação de caráter coletivista, um Estado teocrático altamente centralizado e uma agricultura de regadio, do modelo que foi chamado por Marx de *formação asiática*.

O Império Incaico era regido por uma nobreza hereditária, que tinha seu centro na pessoa sagrada do inca, "filho do sol", casado com sua irmã carnal. A nobreza, formada pelos membros de velhas linhagens incas, sediadas nas proximidades de Cuzco, e pelas chefias de povos conquistados, exercia as funções superiores de administração do império, de culto e de guerra. Cabia-lhe, como privilégio, o uso de adornos de metais preciosos, de telas de alpaca e vicunha, uma alimentação requintada, serviçais domésticos para seu conforto, transporte em liteiras e casas apalaciadas. Todas essas prerrogativas lhe eram atribuídas como retribuição por serviços prestados, já que tudo pertencia nominalmente ao inca.

Abaixo dos nobres de sangue vinha um estrato menos qualificado de sacerdotes, burocratas, chefes militares e os *curacas*, todos eles formando uma pequena nobreza constituída por designação, cujos privilégios não eram transmissíveis aos filhos. Seguia-se, na escala social, uma camada urbana de artistas, arquitetos, médicos, artesãos e funcionários menores. Abaixo, vinham os conscritos temporários (*mitayos*), recrutados nas comunidades rurais por certos períodos do ano, como mão de obra para os serviços de correio e de transporte ao longo das estradas, de exploração das minas, de edificação, e também como serviçais da nobreza (*yana-conas*) e como soldados. O campesinato formava a base da estrutura social. Estava nucleado em comunidades locais, os *ayllus*, compostos por amplas parentelas, altamente homogêneas e solidárias. A pirâmide social incaica integrava, como se vê, três estratos distintos: a nobreza dirigente, a camada intermediária de administração e controle e a massa trabalhadora dos *ayllus*, servindo nos campos e nas cidades, com um *status* de vassalos.

A principal função integrativa dessa sociedade estratificada era preenchida pela religião de culto a Viracocha, o herói civilizador, ao deus sol, Pachacamac, simbolizado pelo inca, e a outras divindades menores. Contava com um vasto clero e com sacerdotisas, devotados ao culto, a ouvir o povo e a nobreza em confissões e a ditar-lhes penitências e, sobretudo, a reger o trabalho agrícola através do calendário ritual, que seguia o ritmo das estações, como se as marcasse e determinasse.

O inca era o proprietário nominal da terra, cuja possessão assim se assegurava às comunidades camponesas, mas cujos produtos ficavam sujeitos às taxas de apropriação e às formas de distribuição determinadas pelas autoridades imperiais. Não tendo propriedade privada da terra, nem moeda (todo metal precioso era estritamente controlado), nem escravidão, inexistiam condições para o surgimento de uma camada senhorial e outra escrava ou de setores mercantis ou latifundiários. Dentro de sua comunidade, o camponês era um trabalhador livre, porque só era regido por uma ordenação global que envolvia a sociedade inteira, personificada no inca e representada localmente pela burocracia do império.

Efetivamente, a sociedade incaica conformava-se como um poderoso sistema estatal altamente centralizado de organização da produção e de captação dos excedentes gerados nos diversos setores para custear a instalação e manutenção dos serviços coletivos, sobretudo do sistema de irrigação, das estradas e das grandes obras urbanas. Esta captação se fazia, principalmente, através da organização da força de trabalho, que, dispondo de grandes reservas de mão de obra e de um sistema escolar de formação de especialistas, pôde disciplinar e aprimorar um vasto mecanismo de provimento da subsistência e de produção suntuária, capaz de manter e dinamizar uma enorme massa humana, com ela construindo uma alta civilização original.

As terras de cultivo, nas vizinhanças de cada comunidade, eram divididas em três parcelas, sucessivamente trabalhadas pelos camponeses: a do *inca*, a do *templo* e a do *ayllu*. A produção da primeira parcela aprovisionava os paióis públicos, construídos ao longo das estradas, destinados à manutenção da nobreza, dos

As Américas e a Civilização

trabalhadores urbanos, do exército e de todos os indigentes, viúvas, órfãos, velhos, ou às vítimas da fome em regiões onde houvesse má colheita. As terras do *templo* mantinham o clero e seus serviçais. As lavouras das terras do *ayllu* destinavam-se ao consumo dos próprios camponeses. Todo o trabalho agrícola, no que respeita à distribuição das terras de cultivo, à irrigação, à adubação, ao cuidado dos rebanhos de lhama e ao trabalho artesanal, era estritamente controlado pelos *curacas* através de um sistema estatístico decimal e de um artifício mnemônico, o *quipus*.

A organização política dos incas, ao tempo da conquista, parecia tender para uma estruturação "geométrica" racionalmente imposta pelo poder imperial. Ela se assentava no *ayllu* como a unidade elementar do sistema, integrado por cem famílias e detentor de um território bem delimitado. As unidades superiores eram a "tribo", composta de cem *ayllus*; a "província", formada por quatro "tribos"; e os "estados", que reuniam quatro "províncias" em uma administração unificada. Em cada esfera atuavam comandos religiosos, administrativos e militares exercidos todos em nome do inca. Esse padrão ideal jamais se teria concretizado na prática em todos os seus detalhes, mas operava como um modelo de ordenação das populações submetidas ao império.

Como se vê, a civilização incaica caracterizava-se pelo desenvolvimento desse sistema coletivista estatal — oposto às estruturas mercantis escravistas e às capitalistas — em combinação com uma estratificação social rígida, dominada por uma aristocracia e por uma vasta burocracia administrativa, militar e teocrática.

Aos povos centro-andinos, que formaram o primeiro núcleo do império, foram acrescentados muitos outros através de um processo meticuloso de conquista e integração que visava menos escravizá-los do que assimilá-los linguística, cultural e socialmente ao incário. Um sistema formal de ensino, instalado em Cuzco, para a formação da alta hierarquia governamental e religiosa garantia a assimilação progressiva da camada dominante de todos esses povos num único corpo social, marcado por uma grande coesão.

O Império Incaico foi destruído pelo seu ciclo de expansão, quando parecia contar com condições excepcionais para organizar-se como um vasto sistema político que englobaria no seu processo civilizatório a maioria dos povos da América do Sul. Para isso contava com larga experiência de assimilação de outros povos, com um regime elaboradíssimo de organização do trabalho, de distribuição da produção e de premiação de méritos militares e civis, e, ainda, com uma religião de caráter integrativo. Contava, também, com uma nobreza aberta, através do sistema de designação do inca e da exogamia que lhe permitia incorporar os setores dirigentes dos povos conquistados. Efetivamente, os incas estavam completando a fusão no seu sistema de todos os povos do Altiplano e iniciavam sua expansão sobre o contexto exterior, tropical e temperado, sobre cujos habitantes começavam a exercer influência. Fatores de dissensão interna (como a disputa entre os dois irmãos incas, o de Cuzco e o de Quito), e que facilitaram a conquista espanhola, poderiam, entretanto, tê-los desviado do caminho imperial e civilizador para o mergulho numa idade obscura, de fracionamento e feudalização, como ocorreu com tantas civilizações do mesmo nível. Independentemente destes ciclos imperiais de ascensão e decadência, os incas acabariam por cumprir seu papel civilizador se não tivessem sido contidos por uma conquista externa paralisadora, como a espanhola. Ela estancou seu impulso evolutivo para integrá-los, através da atualização histórica, na condição de proletariado externo de uma formação sociocultural mais avançada.

2. O legado hispânico

O esboroamento do Império Inca — enorme, poderoso, militarizado —, em face de um pequeno bando de duzentos e poucos aventureiros espanhóis, não se explica apenas pela paralisação moral provocada ante a visão desses estranhos invasores, que lembravam a figura sagrada de Viracocha, o herói civilizador de sua mitologia, também branco e barbudo. Tal como ocorrera no México, a dominação do Império Incaico tornou-se praticável em virtude de sua estratificação social rígida, dominada por uma estreita camada nobre, facilmente substituível, e da incapacidade de autodefesa característica das camadas subalternas de sociedades despóticas. Aprisionado Atahualpa, o inca, subjugou-se o império. Substituindo-o por outro inca, designado por Pizarro, colocava-se a nobreza e a alta burocracia *curaca* a serviço do espanhol e, com ela, o disciplinado exército, o *mitayo* humilde e o campesinato submisso. Séculos de rígida disciplina hierárquica prepararam a sociedade incaica para uma ordem de dominação externa que jamais poderiam prever, porque nenhum povo de que tivessem notícia ousaria enfrentá-los. No seu caso, nem mesmo as epidemias de bexiga e outras enfermidades que foram tão decisivas na dominação dos mexicanos parecem ter representado papel importante, porque os povos do Altiplano, ao que se saiba, só as sofreram depois de completada a conquista, e seus efeitos parecem ter sido menos catastróficos. A depopulação do Império Inca foi, porém, do mesmo grau da experimentada pelos mexicanos. Dobyns e Thompson (1966) estimam que tenha sido de vinte a 25 pessoas do montante original para uma pessoa apenas, em 1650. O fator principal desta

As Américas e a civilização

depopulação, além das epidemias, parece ter sido a destruição do sistema de provimento da subsistência fundado na agricultura de regadio, simultaneamente com a constrição da população para servir aos objetivos econômicos do colonizador.

Com efeito, a organização de trabalho incaica, estritamente regulamentada, sofreu terrível impacto sob a dominação, à medida que sua interferência (esgotadas as reservas de ouro que podiam ser saqueadas) se foi aprofundando até atingir todo o sistema produtivo. Tratava-se do enfrentamento de um sistema econômico de caráter coletivista, baseado na organização do trabalho e na distribuição social da produção com um sistema de colonização mercantil escravista centralizado na metrópole, fundado na propriedade fundiária, na escravização da força de trabalho, na mercantilização da produção e na busca do lucro pecuniário como força motora de toda a economia.

O sistema econômico incaico foi quebrado através da imposição progressiva de uma série de inovações que o capacitaria a operar como uma componente colonial de um império mercantil salvacionista. Dentre elas se destacam a propriedade privada da terra, a orientação da produção para o mercado visando a obtenção de lucro pecuniário, a introdução de uma economia monetária e dos sistemas ibéricos de pesos e medidas, e, sobretudo, uma série de procedimentos compulsórios de contingenciamento da mão de obra, tanto novos, como a *encomienda*, quanto redefinidos de antigas formas incaicas, como a *mita* e o *yaconato*.

A *encomienda* consistia na atribuição de magotes de índios ou de comunidades inteiras a senhorios espanhóis que passavam a dominar suas terras e usufruir do produto do seu trabalho, como compensação pelos deveres que assumiam com a Coroa e com a Igreja de convertê-los ao catolicismo, alimentá-los e assisti-los. Por esse procedimento formalístico, tão ao gosto do espanhol, aplacavam-se os escrúpulos cristãos e alcançava-se o objetivo real, que era a apropriação dos índios outorgados, de suas famílias e de suas terras, como bens e como fazenda do conquistador. Integrados no novo sistema, sob a direção da velha camada *curaca*, os índios eram compelidos a produzir não só os artigos de subsistência e de uso a que estavam habituados, mas também artigos de consumo europeu para serem levados ao mercado. Assim se introduziu o gado e o cultivo de alfafa, do trigo, da vinha, pelo único modo praticável numa região onde as terras agriculturáveis eram tão escassas, que era o deslocamento dos índios e sua substituição pelo gado e pelas lavouras comerciais.

Os efeitos dessa inovação foram desastrosos para os índios, tanto mais porque eles foram introduzidos simultaneamente com a destruição do antigo sistema distributivo assistencialista. Assim, resultaram em anos de fome que reduziram a população de um total de mais de 10 milhões, calculado como mínimo,[9] para cerca de 1,5 milhão de habitantes nos cinquenta anos que se seguiram à conquista. Para o espanhol, não apenas as inovações eram lucrativas, mas a própria depopulação não apresentava maior inconveniente porque havia gente de sobra para tais perdas e, sobretudo, porque o sistema debilitava, como era desejável, os povos subjugados, e expulsava do campo a massa necessária para engajar como *mitayos* na exploração das minas e na edificação das novas igrejas, palácios e casas ou para recrutar *yanaconas* para o serviço doméstico, ou ainda, para aliciar escravos para as fazendas que começavam a ser abertas no Altiplano e na costa.

Assim é que o domínio das cidades (com a substituição da antiga classe dirigente por representantes do poder colonial), algumas alterações institucionais e técnicas — somadas depois às epidemias — tiveram no Altiplano o efeito de reordenar a sociedade, reduzir a população pela fome e prover vastos contingentes humanos para a mineração de ouro e prata, febrilmente intensificada. A solução casava-se idealmente com as aspirações da Espanha, que passara a viver da produção de metais preciosos das colônias americanas, com eles pagando suas importações de manufaturas e até de alimentos, custeando seu exército e sua armada e sustentando o luxo da corte mais ostentatória da Europa. Servia, igualmente, à oligarquia neoamericana que se ia formando com os agentes locais da exploração colonial.

As principais inovações tecnológicas introduzidas pelo europeu foram: o instrumental de ferro e a aparelhagem baseada na roda, que acrescentaram ao virtuosismo do tecelão indígena a roca de fiar e o tear de pedal; o aprimoramento da técnica da cerâmica modelada com a introdução do torno de oleiro; a melhoria dos transportes com a roda. Na agricultura, constituíram contribuições positivas, como a introdução do arado, do trigo e da cevada, do alho e da cebola, da cana--de-açúcar, de algumas frutas, além dos bovinos e muares e dos pequenos animais domésticos, como galinhas, porcos, ovelhas e cabritos, que melhorariam qualitativamente a antiga dieta vegetariana, drasticamente reduzida. Generalizou-se, também, o uso das roupas de lã e dos artefatos de couro.

A conversão do gentio, a cargo da Igreja, inicia-se com a implantação dos símbolos católicos no Templo do Sol e sua ressacralização acompanhada da erradicação da hierarquia sacerdotal incaica. Somente alcança vigor, porém, após a consolidação da conquista, através dos esforços de banimento dos cultos a Pachacamac e outras divindades, tarefa que jamais se completou, senão pela criação de cultos sincréticos, nos quais, disfarçados sob vestiduras cristãs, as antigas divindades continuaram comovendo seus fiéis.

As Américas e a civilização

A introdução do clero católico importou em novos deveres para o indígena, através da perda de mais terras e da fixação de maiores tributos e encargos destinados à construção das igrejas, únicas obras de vulto na nova civilização. Compensaram esses deveres e sofrimentos tão somente a implantação de um novo calendário religioso que reservava ao descanso e aos festejos religiosos quase uma dezena de dias do ano; a promoção de festas que revitalizavam a vida comunitária e a organização de confrarias, compondo, em conjunto, uma nova dimensão cultural que permitiria aos *mitayos* e *yanaconas* ladinizados alcançar certa participação numa nova concepção do mundo, consoladora de suas aflições e justificatória de seu destino. Constituiu, por tudo isso, a face menos brutal da colonização e a única que ensejou concepções menos desigualitárias, porque trazia implícito um reconhecimento formal da dignidade humana, extensível, em certa medida, ao próprio índio.

A Igreja, como instituição, porém, se transformaria na maior associada da exploração colonial (apropriadora das terras, detentora de monopólios e de direitos de taxação) e na grande agência de coerção social e de sujigação moral da sociedade nascente. Os tribunais de inquisição implantados junto aos *povos-testemunho*, por seu fanatismo e violência, seus poderes discricionários de prender, supliciar, expulsar ou matar, só eram comparáveis aos da Espanha. Com agentes e delatores designados para cada vila, controlavam a sociedade inteira, a todos ameaçando por crimes de heresia.

Os novos *mitayos* e *yanaconas*, ao contrário dos antigos camponeses incaicos, conscritos para essas funções com a garantia de regressar a suas comunidades compensados com bens e instrumentos de trabalho, eram escravos, a um tempo expelidos da terra pelo gado e pelos novos cultivos comerciais, e conscritos aos centros urbanos e às minas, bem como às lavouras comerciais e fazendas de criação de gado para se engajarem na máquina de exploração colonial. Com esses elementos desgarrados da vida comunitária e com os *curacas* (que permaneceram em sua função de intermediários, agora a serviço dos espanhóis) é que se foi plasmando o contingente neoindígena, deculturado, espanholizado e cristianizado que conformaria o homem novo do Altiplano.

O caráter escravista do seu engajamento é discutível sobretudo se comparável à escravidão negra ressuscitada em outras áreas americanas. Todavia, seu contingenciamento ao trabalho, sem qualquer direito efetivo à remuneração, sem liberdade de dirigir seu próprio destino, bem como o motor de sua atividade, que era a produção de lucros para um senhor, aproxima mais o estatuto social do *mitayo* e *yanacona* à escravidão romana do que à servidão feudal. Os regulamentos reais e as prescrições da Igreja, que lhes atribuíam direitos e dignidades jamais respeitados, eram atos de piedade farisaica destinados mais a consolar a consciência cristã do que a reger as relações de produção. Entre a ordem moral que exala dos códigos e das bulas e as relações reais que se processavam entre senhores e subalternos, mediava a mesma distância que entre os ideais cristãos abstratos e a cristandade efetiva dos conquistadores.

A forma final, pós-incaica, dos ladinos é a camada *chola*. Perfaz, hoje, cerca de 35% da população dos *povos-testemunho* sobreviventes da civilização incaica. Vive marginalizada entre os índios que não a reconhecem como sua gente e que ela própria discrimina, e a camada dominante, mais branca, mais hispânica e enriquecida, com a qual quer identificar-se, mas que também a rejeita.

Hoje, os *cholos* falam o espanhol; são por metade alfabetizados e dominam, com frequência, uma língua indígena, principalmente o quíchua, indispensável ao seu papel de camada intersticial. Não constituem uma casta fechada porque continuam alargando seu contingente pelo ingresso de novos elementos desgarrados das comunidades indígenas. Não são, também, um segmento racial de mestiços, como frequentemente se afirma, porque seu patrimônio genético básico é indígena, embora mais comumente se encontrem entre eles tipos brancoides do que entre os índios, e menos do que nos estratos superiores dos "brancos por definição". Quando junto ao indígena, comportam-se como estamento superior por sua ocidentalização, por seu nível mais alto de aspirações e por suas lealdades colocadas a serviço da camada dominante. Postos junto de gente da camada superior, comportam-se e são vistos como meio-índios. Predominam nas cidades e nas fazendas da costa, constituindo o proletariado nacional dos povos andinos.

Um estrato ladino bastante diferenciado dos *cholos* é constituído por uma camada urbana e um contingente rural caracterizados por seu monolinguismo espanhol e por seus costumes mais modernizados. Nesse estrato é que se inseriram os mestiços resultantes do cruzamento de índias e *cholas* com descendentes de escravos negros e de imigrantes orientais, chineses e japoneses, e também alguns brancos, introduzidos principalmente no Peru como mão de obra para as lavouras comerciais da costa e para a mineração e, mais recentemente, na encosta amazônica. Como estes três contingentes extra-americanos foram pouco numerosos e constituídos quase exclusivamente por homens, começaram, desde cedo, a dissolver-se na população, imprimindo marcas raciais diferenciadoras sobre a matriz indígena, que tornam perceptível, ainda hoje, sua participação no processo formativo dos povos andinos modernos. Em certas áreas se diferenciaram a ponto de constituir-se numa camada neoamericana minoritária, mais parecida com os ladinos de outras regiões do que com o estrato *cholo*. Esse é o caso dos *cambas* bolivianos e dos mestiços orientais peruanos.

O índio *comunero*, que logrou conservar um trato de terra e crescer na unidade solidária do *ayllu*, preserva mais elementos da cultura original, embora haja experimentado, ele também, profundas influências europeias e processos próprios de mudança cultural. Depois da drástica redução demográfica que se seguiu à conquista espanhola, começaram a recuperar progressivamente a população original. Somavam, em 1960, cerca de 7,5 milhões, perfazendo metade da população do Peru (3,7 milhões), 60% da boliviana (2,2 milhões) e 40% da equatoriana (1,6 milhão). Vivem principalmente nas mesetas e altos vales da cordilheira, cuja população rural é em 80% indígena. As poucas terras que lhes restaram da espoliação colonial não apenas são as piores, mas, oneradas pelo crescimento demográfico que provocou sua superutilização destrutiva, foram fracionadas em miríades de microparcelas, que, em certas áreas, apenas asseguram, em média, 0,44 hectare por família.

O que caracteriza o índio em relação aos outros estamentos, além do seu conservantismo cultural e da sua profunda integração na vida do *ayllu*, é o baixo grau de participação na sociedade nacional, expresso na porcentagem de apenas 18% que falam espanhol, na condição generalizada de analfabetos, na economia predominantemente natural, voltada para a subsistência. Sobre todas as características diferenciadoras, porém, sobressai sua postura étnica própria, oposta às superfetações nacionais peruanas, bolivianas e equatorianas em que se viram compulsoriamente incorporados. Por isso é que os índios quíchua e aimará, que conhecemos nas fronteiras do Peru com a Bolívia, se identificavam mais profundamente como indígenas da mesma cepa do que se contrapunham enquanto peruanos ou bolivianos.

Sobre índios e *cholos* domina a camada mais europeizada, orgulhosa de descender dos conquistadores, dos nobres e dos *curacas*, cultivando modos de vestir e de falar, gostos de comer, hábitos de trabalho e, principalmente, de lazer, bem como atitudes místicas e personalistas tipicamente espanholas. São os proprietários das fazendas, do comércio e da pequena indústria das cidades; os hierarcas, os profissionais liberais, os líderes políticos, os estudantes, funcionários e empregados. Todos alcançam tamanha identificação no seu papel formal de brancos por autodefinição que qualificam os *cholos* como mestiços, quando mais mestiços são eles próprios. Um jovem de um desses países, estudando numa universidade norte-americana, contava que, somente depois de meses de permanência na América do Norte, se apercebera de que era fenotipicamente índio, o que aliás representara um doloroso trauma.

Essa camada superior, envolvida nas lutas bolivaristas pela emancipação, converteu a independência num projeto próprio, transferindo a regência política de Madri para suas capitais; mantendo, porém, e de muitos modos aprofundando, a mesma ordenação social que assegurava a dominação, a opressão e a exploração sobre *cholos* e índios. Também nessa área, a independência, emancipando formalmente o índio de um *status* jurídico diferenciado, que prevalecia no período colonial (em nome da igualdade de todos os cidadãos das novas repúblicas), o tornou, de fato, mais vulnerável à exploração. Incentivando, em nome desses ideais igualitários e progressistas, a divisão das terras comunais do *ayllu* em parcelas individuais, passíveis de alienação, provocou-se a apropriação de grandes glebas de terras comunitárias pelos latifundiários vizinhos ou para a formação de novos latifúndios.

Essa estrutura tripartida de índios, *cholos* e brancos por autodefinição é tão remarcada que, efetivamente, opera mais como três castas simbolicamente organizadas do que como uma sociedade integrada. Assim é que cada indivíduo, via de regra, nasce, vive sua existência e morre dentro do seu próprio estamento, podendo experimentar variações de *status* interno, mas sendo acompanhado sempre por uma qualificação social genérica como integrante de um desses agrupamentos. Cada estamento tem sua estratificação interna. No caso dos brancos por autodefinição, camada que compreende desde a oligarquia até a classe média e certas parcelas do operariado, é mais acentuada, sendo menor entre os *cholos* e menor ainda entre os índios. Essa segmentação chega a ponto de haver prostitutas brancas para brancos, *cholas* para *cholos* e índias para índios. Os três estratos apenas se interpenetram porque, habitualmente, o filho do índio urbanizado ou fixado nas grandes fazendas se faz *cholo*. Nas cidades, essa segregação se desenha ecologicamente pela superposição em conglomerados topograficamente configurados: os "brancos" ou a "gente", no centro; os *cholos*, como "menos gente", nos bairros miseráveis da periferia; e os índios, como "não gente", nas áreas paupérrimas das imediações das cidades ou ao longo das estradas.

Esses "índios" desarraigados de suas comunidades são futuros *cholos*, muito mais do que os *cholos* poderão vir a ser, um dia, "gente", em virtude da estreiteza e rigidez da estrutura social e do caráter endogâmico da classe dominante. Os canais de ascensão da condição de *cholo* e de "gente" seriam a educação média, que não lhes é acessível, nem eles reivindicam, tal o espanto que viria a provocar tamanha ousadia, e a riqueza, que raríssimas vezes alcançam com seus pequenos negócios de feira e seu artesanato doméstico. Somente o exército, no recrutamento para a tropa, a Igreja, na busca de vocações sacerdotais, e o caudilhismo político-

-eleitoral e sindical abrem canais de mobilidade, todos muito exíguos para serem significativos.

A estreita camada superior somente se amplia por crescimento vegetativo, autolimitando-se para não repartir a riqueza social disponível, que já é escassa. Constitui-se, assim, num círculo fechado, estranho e hostil à nação mesma, tão parasitária quanto a elite colonial que substituiu. A resultante é uma sociedade formada por conglomerados díspares que só se integram pela complementaridade de seus papéis, mas não se fundem, pela carência de um corpo de valores coparticipado e de interesses nacionais explícitos. Desse modo, não chegam a ser povos conscientes de si mesmos e, menos ainda, nações entre as demais. São resíduos de um processo histórico de espoliação que as fez assim: primeiro, para cumprir funções produtivas prescritas pelo colonizador; mais tarde, para continuar servindo à oligarquia subsistente num contexto de exploração imperialista. Sociedades esdrúxulas, integrando culturas espúrias, a Bolívia, o Peru e o Equador permanecem sendo, depois de século e meio de independência, entrepostos estrangeiros implantados sobre os povos do Altiplano.

O Altiplano inteiro pode ser caracterizado como uma economia predominantemente natural, assentada na aldeia incipientemente mercantil, na agricultura de subsistência das comunidades indígenas, complementadas por uma produção artesanal doméstica de tecidos, cordas, chapéus trançados e cerâmica de índios e *cholos*. A produção vendável em cada um desses setores apenas permite atender às pequenas necessidades de artigos comerciais, como sal, fósforo, alguns medicamentos, combustíveis e poucos outros, consumidos em quantidades muito exíguas.

A produção propriamente mercantil concentra-se nas fazendas de lavouras comerciais (arroz, trigo, batatas) e de exportação (açúcar, bananas, café) instaladas principalmente na costa; na mineração de estanho e outros metais; na exploração pesqueira, hoje em grande desenvolvimento no Peru; em algumas exportações de petróleo e em pequenas indústrias urbanas de transformação. Todas elas, naturalmente, em mãos do estrato branco por autodefinição ou de agentes de corporações estrangeiras.

Os dois sistemas — dada a complementaridade de seus papéis —, embora não estanques, são autoperpetuantes. O crescimento do setor mercantilizado não gera riquezas, nem inovações que se irradiem sobre a economia total, contribuindo para integrar o povo inteiro numa sociedade homogênea. Apropriando-se da totalidade da riqueza criada, a estreita camada dominante nativa e as empresas estrangeiras implantadas na área a utilizam, no primeiro caso, para manter o seu alto cargo de vida senhorial, e, no segundo, para exortação de lucros. Suas contribuições para o Estado são insuficientes até mesmo para manter os serviços públicos mais indispensáveis, absorvidos no custeio do sistema policial e militar de repressão e no sustento de uma vasta burocracia parasitária.

A situação econômica, social e cultural do Altiplano andino é muito semelhante à do México dos começos do século, embora já então os mexicanos tivessem superado, em grau mais alto, o complexo colonial alienante. E é igualmente explosiva, em virtude do divórcio entre os interesses da oligarquia latifundiária e das empresas estrangeiras, e os de toda a população.

Seus problemas mais difíceis decorrem da necessidade de levar a cabo, simultaneamente, uma revolução política, socioeconômica e cultural que desencadeie um processo de renovação profunda da sociedade inteira. À revolução política cumpre pôr cobro à hegemonia da camada exógena dos brancos por autodefinição, integrando, porém, seus estratos profissionais no processo renovador como o único setor de mentalidade moderna e com alguma qualificação técnica. À revolução socioeconômica cumpre liquidar com o latifúndio e com a exploração estrangeira, a fim de criar novas bases institucionais para a organização da produção de modo a ensejar a industrialização da área e, por seu intermédio, a elevação do padrão de vida dos índios e *cholos*, sem lançá-los numa economia de subsistência ainda mais fechada que a atual. À revolução cultural cumpre enfrentar o problema da diversidade étnica, pelo reconhecimento e valorização das línguas e das tradições indígenas, de modo a reestruturar a área como uma só unidade nacional multiétnica. Todas as três revoluções importam no desencadeamento de um processo de mobilização que não só integre num só corpo todos os estratos sociais, mas os estruture segundo uma nova ordenação nacional e antioligárquica.

O Império Incaico assentava sua economia agroartesanal num regime de superorganização administrativa do trabalho, fundado em instituições coletivistas e numa alta tecnologia agrícola de regadio. As novas economias do Altiplano serão desafiadas a implantar-se sobre terras empobrecidas, já não irrigadas nem fertilizadas, como sistemas de produção mercantil baseados na propriedade da terra, que passou a ser a aspiração inarredável do índio, depois de séculos de exploração. O trânsito a formas coletivistas de organização do trabalho agrícola, que pareceria corresponder melhor à índole indígena em sua feição histórica, apresenta, por isso, especiais dificuldades. Jamais encontramos entre as massas camponesas das Américas uma consciência tão vívida da exploração latifundiária do que entre esses indígenas do Altiplano. Estruturados socialmente em *ayllu*, que viram suas terras serem apropriadas por estrangeiros e, depois, através de séculos, testemunharam sua transferência de mão em mão a novos patrões, aos quais a coletividade indígena permanecera sempre jungida, eles alcançaram inteira lucidez sobre a espoliação de que são vítimas.

Querem a posse da terra e a liberdade de trabalhá-la a seu modo, sem interferências de qualquer agente da ordem extraindígena que os subjugue. Essa atitude, se por um lado dificulta sua identificação com qualquer projeto nacional, por outro faz da massa indígena uma força potencial revolucionária, pronta a explodir. Todavia, mesmo a Revolução Boliviana que lhes assegurou a terra foi vista por eles como uma empresa dos "brancos", dos citadinos, que olhavam com suspeita, como coisa estranha. Sua solidariedade e integração raramente excedeu, por isso, o âmbito da defesa, a qualquer custo, da posse da terra que conquistaram. Nessas circunstâncias, a criação de um projeto nacional com que se identifiquem todos os corpos diferenciados da sociedade apresenta óbices enormes.

A *ayllu*, que durante séculos manteve viva a memória das eras que antecederam a chegada dos europeus como um tempo de fartura e, também, a memória da expropriação das terras e da escravização do povo pelos conquistadores, ressurge, agora, com todo o vigor reivindicatório. Não para a reconstrução do passado, mas para uma reordenação que lhe assegure terra e liberdade. O problema nacional excede, porém, essas demandas porque exige uma eficácia produtiva na agricultura só alcançável através da incorporação de novas formas de organização do trabalho, de uma tecnologia mais avançada e, sobretudo, porque requer uma industrialização intensiva como condição de vencer o atraso histórico do Altiplano andino no mundo moderno.

Nas cidades e nas minas, principalmente nestas últimas, se foram gerando, com os séculos, camadas sociais independentes da ordenação colonial e oligárquica. São formadas pelas massas operárias e por setores intelectualizados das classes médias desarraigadas dos conteúdos culturais tradicionais, modernizados por sua postura histórica que os faz ver o povo como a nação e desmistificadas pelo enfrentamento direto da exploração e da opressão oligárquica. Estas camadas é que são chamadas hoje a formular uma autoimagem nova de seus povos, como as únicas dotadas da necessária lucidez para superar a alienação e para conduzir as lutas emancipadoras no sentido de conquistar para si próprias as suas nações, ocupadas desde o nascimento por agentes do domínio externo e de exploração interna.

Esse é o desafio com que se defrontam os *povos-testemunho* do Altiplano andino, impossibilitados até agora de superá-lo, em virtude da oposição irredutível entre os interesses nacionais e populares e de duas ordens de interesses mancomunados. Primeiro, o das camadas oligárquicas e patriciais, que ordenaram o Estado e a sociedade como um projeto próprio e que reduziram a vida política a uma disputa de poder entre suas cúpulas civis e militares. Segundo, a condenação que pesa sobre toda a América Latina de continuar trotando pela rota do atraso e da penúria, imposta pelo sistema imperialista de dominação continental. Este sistema, regido hoje pelos norte-americanos, depois de controlar as fontes de riqueza dos países andinos, assumiu o comando de suas Forças Armadas para transformá-las em gendarmarias destinadas à manutenção da ordem oligárquico-patricial em nome da luta contra a subversão. Nos últimos anos, tenta até definir as lutas camponesas do Altiplano, com sua história secular de rebeldia, como movimentos subversivos de inspiração comunista, a fim de manter a velha ordem de miséria popular que ainda é lucrativa para as classes dominantes locais e para preservar um contexto continental subjugado e também lucrativo.

3. Revivalismo e revolução

A nostalgia do incário não comove e incita apenas os índios, mas também os *cholos*, como camada quase igualmente explorada e discriminada, e, ainda, a classe média intelectualizada do Altiplano, que vai amadurecendo para fazer-se a consciência do seu povo. Passivamente, essa nostalgia manifesta-se formulada como uma idealização de um passado mirífico, em que a felicidade do povo era assegurada pela bondade e justiça dos incas cusquenhos; e, ativamente, como um projeto ingênuo de reordenação da vida social pela restauração do incário. Ambas as manifestações deram frutos em toda a área, desde o período colonial, assumindo formas variadas que iam desde as criações literárias e os manifestos políticos até rebeliões das camadas subalternas visando restaurar a idade do ouro do passado.

Contam-se por dezenas os movimentos insurrecionais, pequenos e grandes, desencadeados com base nesse corpo de crenças revivalistas. Poucos anos após a Conquista, levantou-se o primeiro deles (1564), conflagrando todo o sul do Peru ao clamor pela restauração dos antigos monarcas na pessoa de um inca que teria sobrevivido, refugiando-se nas matas orientais. Essa legenda, desde então, seguiu aquecendo o ânimo combativo e as esperanças de ladinos e de índios. Assumiu, depois, a forma de uma visão de um reino miraculoso, situado em qualquer ponto do Leste longínquo, desde as margens do Beni até as Guianas. É a lenda de *Manoa*, o reino dourado dos incas que, entre muitos outros, o aventureiro Raleigh se propôs restaurar em todo o esplendor antigo, com o amparo da Inglaterra, mediante o pagamento de um tributo anual de 300 mil libras à Coroa.

Mais tarde, a legenda se redefine e se faz ação com a *Conjuração de Oruro* (1739), que também pretende restaurar o incário, fazendo coroar como inca um ladino de nome Juan Velez. Essa rebelião, abortada antes de deflagrar-se, fora cuidadosamente preparada, comprometendo dezenas de caciques do Altiplano e da costa. Fundava-se, tão somente, na ideia da restauração do incário. Uma nova insurreição messiânica estala poucos anos depois (1742), em torno de um índio alçado, Juan Santos Atahualpa, que se mantém em armas durante treze anos à frente de grande número de adeptos dispostos a morrer por ele. Quando, finalmente, é vencido, sua legenda sobrevive por décadas com a promessa de que retornaria, reencarnado como inca, para salvar seu povo da opressão.

A maior dessas rebeliões desencadeou-se em Cuzco, encabeçada por um ladino, descendente de velha linhagem inca, que se fazia chamar Tupac Amaru II. Quase todo o Altiplano indígena e *cholo* respondeu à sua conclamação, senão com atos de guerra, ao menos com o calor de sua esperança. Vencido, depois de anos de luta, foi morto, esquartejado e exposto em diferentes cidades para escarmento do povo. Sua luta, como as outras, era um levantamento messiânico de massas revoltadas contra a exploração colonial, que sonhavam com um mundo sem fazendeiros, sem leis, sem corregedores, sem comerciantes; enfim, uma sociedade idílica de que se extirparia tudo que os oprimia e avassalava.

Dirigia-se, por isso, contra o próprio sistema social que aspirava reformar de cima a baixo. Seu projeto reordenador não podia, entretanto, exceder da ideia de restaurar as velhas leis e a velha ordem, evidentemente inviáveis. E nisso estava a fraqueza fundamental, comum a todos os movimentos dessa natureza, os quais, ainda que vitoriosos na etapa de assalto ao poder constituído, não sabem consolidá-lo e menos ainda encaminhá-lo a uma reordenação racional da sociedade inteira. Só muito mais tarde, com o surgimento das doutrinas socialistas, se criariam os primeiros instrumentos teóricos, suscetíveis de orientar as revoltas populares, ao fixar uma estratégia para as lutas das classes subalternas e ao criar um modelo alternativo de ordenação social mais favorável aos interesses da maioria.

Depois da independência, movimentos da mesma natureza continuaram espocando periodicamente no Altiplano andino. Todos esmagados com menor ou maior trabalho pelas forças repressoras, em virtude de suas debilidades intrínsecas. Enquanto insurreições de classes subalternas, elas eram então incapazes de vitória. Mas eram também inevitáveis, porque exprimiam a revolta contra uma situação social insuportável, suscetível de manter sempre aceso o fogo insurrecional. Essa situação é que produzia, em cada geração, novas lideranças que, operando em nome da velha legenda revivalista, mantinham viva a consciência da espoliação.

Gerou-se, assim, um estado endêmico de inquietação social e de rebelião incipiente, que não alcançava jamais um enfrentamento vitorioso, mas conseguia manter e fortalecer os laços de coesão étnica, preservar sua própria visão da conquista e conservar a esperança de uma revanche que devolvesse às populações do Altiplano a autonomia e a dignidade perdidas. Mesmo as guerrilhas modernas, que surgem na região como renovos do modelo cubano de revolução e, por conseguinte, já formulados de acordo com um projeto viável de reordenação social, apelam para o poder conclamatório da velha legenda aos olhos dos índios e dos *cholos*, ainda hoje incandescidos pela esperança de uma restauração do passado mirífico.

A primeira expressão ideológica moderna e original da problemática dos povos do Altiplano andino se deve a Haya de la Torre, fundador do aprismo.[10] Inicia-se com um movimento intelectual irredentista, de inspiração marxista, posteriormente redefinido por várias outras influências ideológicas. Nasce no México com a aspiração de fazer-se uma frente política continental anti-imperialista — correspondente ao Kuomintang e ao Partido de Nehru, na Índia —, mas acaba por sobreviver apenas no Peru. Ali se estrutura como partido político, passando a experimentar toda sorte de deformações até transformar-se em mais um partido conservador, pleiteante do poder através de alianças e golpes. Sua influência sobre os movimentos populistas latino-americanos, de 1930 a 1945, foi tão grande[11] que só pode comparar-se à dos comunistas, com os quais, aliás, entrou em disputa desde os primeiros anos, acabando por tornar-se francamente anticomunista.

Seu papel na vida política peruana foi também decisivo, podendo-se afirmar que todas as eleições, programas de governo ou correntes intelectuais do país tiveram de definir-se sempre como apristas ou antiapristas. Em sua carreira política, Haya de la Torre conseguiu mobilizar muitas vezes a opinião pública peruana e aliciar milhares de militantes que, combatendo sob sua direção, se esforçaram, através de décadas, por alcançar o poder e reordenar, segundo os ideais apristas, a sociedade peruana.

A ideologia aprista compreendia um núcleo original de formulações, que revelava uma alta percepção dos problemas da América Latina e das condições peculiares do Altiplano, ao lado de toda uma palavrosa fundamentação doutrinária, haurida nos mais diversos contextos, desde Hegel e Marx até Splenger, Einstein e Toynbee. É de Marx, porém, que Haya de la Torre retira fundamentalmente sua teoria da sociedade, do Estado e da revolução social, aplicando-as criadoramente às condições latino-americanas e, em particular, às singularidades da situação do Peru. O aprismo retoma também os ideais unionistas bolivarianos, revitalizando-os pelo desmascaramento do caráter artificioso das unidades nacionais resultantes da independência.

Olhando a humanidade indígena do Altiplano andino, degradada pela dominação europeia e tendo como seu lema alçá-la à condição de uma nova civilização, é que Haya de la Torre alcança maior originalidade, criando a expressão *Indo-américa* como bandeira dessa aspiração restauradora.

> As nações que erigiram Chichen Itza, Uxmal, Palenque, Macchu Pichu, Tiahuanaco e San Agustín estão ali ao lado de suas obras. Os que dominaram a altitude para sobre ela imperar, conformando seus pulmões e seu coração para viver à plenitude sobre as cordilheiras e as mesetas, também aí estão no próprio cenário que os destruidores de sua civilização não alcançaram suplantar nem superar em sua grandeza.

Mas não olha apenas para trás; quando chama a atenção para a "presença do passado", tão peremptória nos povos do Altiplano, é para analisar objetivamente o sistema mundial de interesses que os condenou ao atraso e para buscar os caminhos de emancipação.

Os esquemas teóricos manipulados por Haya de la Torre lhe permitiram alcançar, pioneiramente na América Latina, uma compreensão objetiva das duas ordens de subordinação que mais pesavam sobre seus povos, condenando-os ao atraso: o latifúndio exportador e a exploração imperialista. E também compreender os nexos de toda natureza, que ligam essas duas ordens de interesses, fazendo-as atuar solidariamente como uma ordenação que, através de instituições reguladoras e de forças repressivas, perpetuam o regime e mantêm a miséria.

Para esta compreensão contribuiu, decisivamente, a própria crueza da estrutura social peruana, a exibir por todas as formas o caráter exótico e antipopular da elite nativa e sua consociação desabrida com interesses estrangeiros implantados no país. Essa velha aristocracia, ostentatória e orgulhosa como a mexicana, teve a mesma origem. Nasceu das concessões de "feudos" feitas pela Coroa espanhola aos conquistadores; cresceu com os áulicos contemplados com *encomiendas* de terras e índios; ampliou seu domínio com a apropriação das fazendas dos jesuítas no período de secularização; enriqueceu, ainda mais, com a "igualdade civil" decretada pelos republicanos, que colocou as terras comunais no mercado fundiário. Sua primeira associação com empresas estrangeiras se deu com a exploração dos excrementos de guano, que, por décadas, constituiu a principal renda da república peruana. Seguiu-se com a exploração de cobre, prata, ouro e, depois, com as explorações petrolíferas. A modernização do Peru por meio da construção de ferrovias e outros sistemas de comunicação, custeada com os recursos gerados pela economia extrativa, ao tornar viável a exploração de novas regiões, ensejou a abertura de grandes cultivos de exportação de que também se ocuparam empresas estrangeiras. A aristocracia nativa, associada a todos esses negócios não agrários como cotista menor, teve de admitir a entrada de empresários estrangeiros no seu velho negócio: a exploração da terra e dos camponeses através de latifúndios dedicados à monocultura. Acabou por formar com eles um grupo coeso de interesses solidários que se tornaria o maior empecilho ao progresso social e econômico do país.

Opondo-se ao evolucionismo unilinear dos comunistas, o aprismo assevera que as peculiaridades do desenvolvimento histórico latino-americano exigiam uma redefinição da teoria marxista, bem como dos objetivos da revolução social e da composição de forças que deveriam realizá-la e integrar o novo poder:

> É por isso que, se — segundo a tese neomarxista — "o imperialismo é a última etapa do capitalismo" (Lênin, 1917), essa afirmação não pode aplicar-se a todas as regiões da terra. Com efeito, é "a última etapa", mas só para os países industrializados que completaram todo o processo da negação e sucessão das etapas anteriores. Mas, para os países de economia primitiva ou atrasada, para os quais o capitalismo chega sob a forma imperialista, essa é sua primeira etapa. (Haya de la Torre, 1936: 21)

Desdobrando esse raciocínio, Haya de la Torre procurou demonstrar que, desde há muito, é o imperialismo que controla toda a economia latino-americana, como promotor efetivo da exploração das riquezas naturais com o objetivo de exportá-las e como coordenador da utilização da força de trabalho do continente para a produção de gêneros agrícolas, também reclamados pelo mercado mundial.

Nessas condições, o imperialismo apropria-se dos setores mais rendosos das economias nacionais, deformando-as, de modo a impedir o surgimento de um mercado interno, de um empresariado independente ou de centros de poder político capazes de orientar as inversões em benefício dessas economias. Apesar disso, estruturando-se como o setor mais progressista, o imperialismo promove a modernização das técnicas de produção, de transporte e dos procedimentos financeiros e administrativos. Crescendo sob essa dominação externa, os setores econômicos nacionais são condenados a operar como forças auxiliares, na periferia dos interesses imperialistas. A liberação das energias nacionais, assim contidas, e dos próprios capitalistas nativos só se alcançaria, a seu ver, mediante a ruptura com o imperialismo, através da luta comum das forças progressistas de todo o continente e da implantação de um amplo mercado regional comum.

As AMÉRICAS E A CIVILIZAÇÃO

Analisando, em 1927, as relações da América Latina com a América do Norte, Haya de la Torre produziu um documento que alcançou a maior repercussão no continente por constituir um dos primeiros balanços críticos realistas da espoliação a que os povos latino-americanos estavam submetidos.

> A experiência das relações políticas e econômicas entre a América Latina e os Estados Unidos, especialmente a experiência da Revolução Mexicana, nos leva às seguintes conclusões: 1) as classes dirigentes dos países latino-americanos, grandes latifundiários, grandes comerciantes e incipientes burguesias, são aliadas do imperialismo; 2) estas classes concentram em suas mãos o governo de nossos países, em troca de uma política de concessões, empréstimos ou outras operações que os latifundiários, burgueses, grandes comerciantes, caudilhos ou grupos políticos dessas classes negociam ou coparticipam com o imperialismo; 3) como resultado dessa aliança de classes, as riquezas naturais de nossos países são hipotecadas ou vendidas e a política financeira de nossos governos se reduz a uma louca sucessão de grandes empréstimos; nossas classes trabalhadoras, que têm de produzir para seus amos, são brutalmente exploradas; 4) a progressiva submissão econômica de nossos países ao imperialismo se transforma em subalternidade política, perda e soberania nacional, invasões armadas de soldados e marinheiros do imperialismo, compra de caudilhos crioulos etc. O Panamá, a Nicarágua, Cuba, São Domingos, o Haiti, por exemplo, são verdadeiras colônias ou protetorados dos ianques como consequência da "política de penetração" do imperialismo. (Haya de la Torre, 1927: 189-90)

Pela análise daquelas teorias e desses fatos, Haya de la Torre concluiu que a tarefa revolucionária fundamental da América Latina era a unificação de todas as forças progressistas para a luta contra o imperialismo como raiz e sustentáculo real do seu atraso. Por isso, também, antes que uma revolução socialista sob a hegemonia de um proletariado demasiado incipiente para levá-la a cabo, o que cabia era uma revolução nacional emancipadora a ser travada em âmbito continental, simultaneamente contra o imperialismo e as oligarquias locais.

Acrescenta que, para essa luta, se impunha a organização de uma frente única de todas as classes exploradas, na qual seria reconhecida a precedência social do campesinato e a liderança da intelectualidade classe-medista e cuja estruturação devia fazer-se segundo o sistema de células e a disciplina militante dos partidos comunistas. O poder revolucionário, uma vez conquistado, teria como objetivos programáticos a serem paulatinamente alcançados: a "nacionalização" da terra para libertar o campesinato da exploração patronal de tipo arcaico; a organização de uma forte economia estatal de tipo cooperativo que fomentaria uma industrialização independente e que liquidaria os monopólios estrangeiros para recuperar o domínio nacional sobre as riquezas naturais. Todos estes objetivos deveriam ser alcançados sob duas condições alicientes, expressas na divisa: "Não se trata de tirar a riqueza de quem a tem, senão de criar novas riquezas para os que não têm". E, ainda: "Não queremos pão sem liberdade, nem liberdade sem pão, queremos pão com liberdade".

O aprismo foi o primeiro movimento político nacionalista da América Latina que não se estruturou como uma elite patricial de intermediários entre o povo e o poder, mas como uma organização centralizada de milhares de pequenos núcleos de militantes. Para isso aliciou a maioria de seus quadros políticos, revolucionários e sindicais fora da classe dominante, na massa de ladinos modernos e de *cholos* das cidades, o que o capacitou a mobilizar enormes contingentes para as eleições, para manifestações de rua e, também, para a conspiração.

Através dessa organização e da sua influência sobre o movimento intelectual, estudantil e sindical do país, é que as bandeiras apristas foram desfraldadas durante trinta e cinco anos de luta tenaz, duas terças partes dos quais na ilegalidade, que custaram a vida a milhares de seus militantes, ademais de prisões, espancamentos e proscrições a muitos outros, bem como longos anos de exílio para Haya de la Torre e diversos de seus companheiros. Cativando multidões com sua mística reformadora, o aprismo se fizera o único partido de massas do Peru, alcançando sucessivas vitórias eleitorais, através da apresentação de Haya de la Torre ou de aliados seus para a presidência (1931, 1936, 1941, 1962). Mas viu todas elas escamoteadas por golpes militares, sem jamais alcançar o poder. O próprio sucesso popular do aprismo se tornara sua debilidade, porque apavorava a oligarquia, fazendo-a interromper o jogo liberal com apelo aos golpes militares. As Forças Armadas se fizeram, assim, o único e verdadeiro "partido" político de oposição à onda aprista. Atuando pela intervenção armada, antes ou depois de cada vitória aprista elas passaram a exercer funções de tutela sobre toda a vida política do país. Uma tutela que prevaleceu até 1968, como a garantia de que, quaisquer que fossem os governantes, as bases do sistema permaneceriam intocadas.

Embora visando à conquista do poder para a reordenação da sociedade peruana, Haya de la Torre não chega nunca a ser um líder revolucionário disposto a desencadear a insurreição popular. Seu radicalismo apenas chega a um golpismo conspirativo classe-medista. Diante do veto oligárquico, passa a rede-

As Américas e a civilização

finir suas próprias divisas políticas num esforço constante para alcançar o consentimento da classe dominante à sua participação no poder. Nesse processo, o aprismo acaba por desmoralizar-se diante de grandes parcelas dos seus partidários em virtude de alianças espúrias, de procedimentos escusos e de sucessivas revisões do seu programa.

Em 1960, grupos militantes apristas, principalmente jovens, separando-se do partido para constituir um *Apra Rebelde*, de inspiração fidelista, operando com outros grupos de esquerda, principalmente o *Mir*, levantaria os primeiros surtos de luta guerrilheira no Peru. A esses "apristas" de perfil novo juntaram-se, nos últimos anos, diversos núcleos que se propunham a tomada revolucionária do poder para uma reordenação socialista da sociedade peruana. Operam, hoje, sobretudo nas universidades, como um fator de radicalização que poderá atrair massas crescentes do estudantado para uma posição de vanguarda da revolução social.

O agravamento das condições de vida da população indígena, a repercussão alcançada em todo o Altiplano pela reforma agrária boliviana e, em certa medida, o longo trabalho de proselitismo dos apristas e das esquerdas acabaram por tornar os camponeses peruanos conscientes do caráter erradicável de sua pobreza. A última campanha eleitoral, travada entre Haya de la Torre e Belaúnde Terry — ganha por este último —, radicalizando ainda mais os debates políticos, contribuiu para generalizar entre os camponeses, sobretudo os índios *comuneros*, a convicção de que finalmente soara a hora da reforma agrária. Com efeito, logo após as eleições, iniciou-se um vastíssimo movimento espontâneo de invasão dos latifúndios constituídos pela usurpação de terras indígenas. Espraiando-se rapidamente por toda a cordilheira, o movimento mobilizava, em cada local, milhares de indígenas, adultos e crianças que, conduzindo a bandeira nacional e rufando tambores, avançavam sobre as fazendas, arrancando marcos e cercas divisórias e instalando-se nas terras conquistadas. Jamais hostilizaram os fazendeiros que puderam permanecer em suas casas. Assistiram, porém, à ocupação de suas terras de cultivo pelos índios, que imediatamente passavam a trabalhá-las para si próprios, sob a justificativa de que simplesmente reaviam o que sempre lhes pertencera.

Uma grande parcela dos milhões de indígenas peruanos, aglutinados nos *ayllu*, participou da invasão, pondo à mostra, dramaticamente, a gravidade do problema social representado pelo monopólio da terra. Apesar das reiteradas afirmações reformistas do novo presidente, a reação do seu governo foi desencadear a violência para conter os índios rebelados, a fim de obrigá-los a se reintegrar à condição de força de trabalho cativa dos latifúndios, para assim esperar que o Estado procedesse à distribuição legal das terras. Entrementes, o Congresso

Nacional negou-se a aprovar a proposta reformista do governo, impondo-lhe tantas modificações que lhe retirou qualquer instrumentalidade.

Assim é que Belaúnde, estancando pela força repressora o movimento espontâneo de recuperação da terra pelos índios-camponeses e vendo-se desarmado por um Congresso dominado pelos latifundiários que lhe negou os meios legais para a reforma bem-comportada que desejaria implantar, se encontrou na crista de um novo refluxo reacionário.

Frustrado o esforço para orientar revolucionariamente o movimento espontâneo dos índios e desmascaradas as intenções reformistas do governo, os setores mais combativos das esquerdas peruanas caíram na conspiração. Alguns deles se instalaram, desde então, na serra, como núcleos guerrilheiros, enfrentando, de um lado, a perseguição das forças repressivas "interamericanas" e, do outro, a suspeita secular de índios e *cholos* contra gente citadina, da qual só esperam traições. Para angariar sua confiança, esses estudantes e combatentes urbanos, transformados em guerrilheiros, apelam para todos os símbolos capazes de ajudar os índios a vê-los como seus aliados e libertadores. Assim, dão-se nomes que são reminiscências das velhas tradições irredentistas e messiânicas, como *Tupac Amaru, Atahualpa, Manco Inca, Pachacútec*, e realizam os esforços mais comoventes para se fazerem aceitar como uma liderança autêntica.

Entre índios e guerrilheiros medeiam, porém, as distâncias e discriminações acumuladas em séculos de opressão étnica. Todavia, no momento em que essas lideranças se tornarem capazes de inspirar confiança para dar orientação e programa à rebeldia contida das massas indígenas da cordilheira, nada poderia deter a revolução social que devolveria ao *povo-testemunho* da civilização incaica a capacidade de retomar o comando do seu destino, para recobrar sua capacidade criadora, numa nova civilização.

Se essa mobilização do indígena e do *cholo* para a revolução social não for alcançada, em virtude das distâncias culturais e da repressão policial, a forma da sociedade peruana futura dependerá da capacidade assimiladora e deculturadora de suas cidades e do poder de modernização da economia que se implantar no campo. Os índios se farão maciçamente *cholos*, e estes cada vez mais ladinos modernos para cumprirem a função de proletariado de uma sociedade cruamente desigualitária.

Já hoje esse processo se cumpre aceleradamente. Assim é que Lima, de 1940 a 1961, cresceu de 520 mil a 1,428 milhão de habitantes, ou seja, 174%. Medida em outros termos, essa urbanização abrupta revela que 84% dos limenhos de 1960 haviam ingressado na cidade nos dez anos anteriores. Grande parte dessas massas urbanizadas, de Lima e outros núcleos da costa, é constituída de indígenas, tanto expelidos do campo pelo latifúndio quanto atraídos pelas promessas de melhores condições de vida e de trabalho na cidade. A industrialização e a ampliação dos serviços não cresceram, porém, em ritmo correspondente ao êxodo rural, do que resultou a acumulação de massas humanas ainda mais miseráveis que as camponesas, na periferia urbana. Essas massas são vistas pela camada dominante como uma ameaça latente. Por isso propugna, como solução ao problema, o controle da natalidade para estancar o alto ritmo de crescimento das massas marginalizadas. As esquerdas, por sua vez, começam a vê-las como um protagonista potencial da revolução necessária. É sabido, entretanto, que a sufocação das rebeliões de massas urbanas é mais factível que a das populações rurais. Aqui, à eficácia policial se acrescenta o próprio espírito submisso destas camadas marginais, não reivindicantes de terra ou da propriedade alheia, mas de simples amparo social e de oportunidades de trabalho para sobreviverem como os citadinos mais pobres.

É necessário recordar, porém, que todas as sociedades industrializadas enfrentaram, em certas etapas do seu desenvolvimento, esses problemas de urbanização caótica. E que só puderam conter suas potencialidades revolucionárias mediante a exportação desses excedentes populacionais para a colonização de terras virgens, para outros países e por seu desgaste nas guerras. No Peru, se os efeitos de repulsão do campo continuarem intensos e se não for possível deslocar a população excedente para as áreas florestais do Leste, essa presença maciça da pobreza em face da riqueza tenderá a operar como uma força revolucionária que, atuando conjuntamente com as lutas camponesas, derrocará a estrutura social vigente. A organização e a coalizão dessas duas forças são o grande desafio com que se defrontam as lideranças revolucionárias peruanas.

4. A Bolívia revolucionária

Dentre os *povos-testemunho* do Altiplano andino só os bolivianos conseguiram desencadear uma autêntica revolução social que, entre avanços e recuos, se vem processando há mais de quinze anos. Também aqui a revolução eclode precisamente na área mais pobre. É deflagrada tanto pela revolta popular contra a miséria quanto pela capacidade de ação revolucionária autônoma do operariado mineiro, e, ainda, pela vontade de afirmação nacional de uma intelectualidade militante. A Revolução Boliviana é fruto desses fatores dinâmicos e também da incapacidade de reordenação social de uma estrutura política extremamente rígida, comandada pelos interesses das corporações internacionais exploradoras dos minérios e pela oligarquia latifundiária.

Desde a independência, a Bolívia desenvolveu-se como a concretização mais clara de um modelo de Estado nacional dominado por um setor empresarial monoprodutor, controlado do estrangeiro. Tal é a economia de mineração, explorada por empresários nativos tornados sócios do monopólio internacional do estanho, cujos escritórios centrais e plantas de beneficiamento do minério se situam no estrangeiro. Ingressando no *pool* de comercialização do minério, em virtude do valor das jazidas que controlavam e do vulto do capital de que dispunham, esses empresários bolivianos puderam entrar também na exploração das jazidas de outras áreas, embora tivessem de compartir, simultaneamente, sua própria área com os associados do monopólio internacional.

Toda a vida republicana da Bolívia, gerida mais por militares do que por civis, se processa como parte do negócio estanheiro, cujas exigências eram rigorosamente atendidas. A classe dirigente nacional surge, portanto, como uma burocracia local desses interesses empresariais, por eles alçada ou deposta, segundo sua eficácia em manter o "clima de tranquilidade indispensável ao trabalho produtivo". Nos escritórios das três grandes companhias de mineração (Patiño, Hochschild e Aramayo), muito mais do que no Parlamento, é que se discutem os programas de obras (ferrovias ou telégrafos destinados a facilitar a exploração mineira), os planos financeiros e assistenciais e os serviços de modernização urbana.

Dada a insolvência crônica do Estado boliviano, era também através dessas empresas que se conseguiam os empréstimos periódicos para custear as importações mais indispensáveis, para pagar o funcionalismo público e para subsidiar o exército como máquina de repressão. Nessas condições se anulava a capacidade do patriciado político boliviano, burocrático e subsidiado, para negociar com os mineradores, fazendo-os contribuir com maiores parcelas de seus lucros para o custeio dos serviços públicos. Dependentes diretos das empresas, esses "homens públicos" só disputavam em demonstrações de lealdade ao sistema e em solicitude no atendimento dos reclamos empresariais.

A economia mineira empregava, em 1960, cerca de 90 mil operários para produzir 95% do valor da exportação nacional. Que esta era vultosa se pode avaliar pelo fato de que a Bolívia contribuía com cerca de 30% da produção mundial de estanho e se calculam em 100 milhões de dólares os lucros anuais das empresas exploradoras de suas jazidas. Estes lucros eram sistematicamente aplicados no estrangeiro por força de dois fatores: a política intencional de manutenção da monoprodução, tida como indispensável à preservação do sistema; e a cosmopolitização dos empresários bolivianos.

A economia de subsistência, que devia alimentar e vestir os bolivianos, bem como a sua rede comercial desenvolveram-se deformadas e raquíticas por força do domínio da monoprodução intencional e do monopólio da terra em mãos de uma estreita camada latifundiária. Esses dois setores da economia, se não se interfecundavam devido ao caráter exógeno da mineração e autárquico da produção agrícola, se complementavam como uma só ordenação social, em cuja manutenção estavam igualmente interessados e que definiam como a tarefa precípua do Estado e das Forças Armadas. O comando superior desta ordenação — designado popularmente como a *rosca* — era integrado pelos proprietários das grandes empresas mineradoras e seus agentes locais, por generais e por políticos profissionais recrutados na oligarquia latifundiária, além de uma larga clientela de serviçais menores oriundos das classes médias urbanas.

Sob o domínio da *rosca*, as instituições políticas funcionaram através de décadas, a contento da classe dirigente, e o exército cumpria eficazmente seu papel repressor, contribuindo, cada qual com sua parcela, para perpetuar a servidão do índio e do camponês ao fazendeiro, e para conduzir os excedentes populacionais — que o *ayllu* não podia conter e a fazenda não queria ocupar — para o trabalho nas minas, onde eram gastos em poucos anos, nas condições mais desumanas. As contendas periódicas entre as lideranças patriciais, pela distribuição dos favores das empresas e pelo acesso às rendas estatais, não chegavam nunca a afetar o sistema. Gerava-se, porém, dentro das minas que deculturavam e proletarizavam massas de índios e *cholos*, uma camada social nova, oposta aos interesses das empresas, que resultava, também, numa oposição irredutível ao sistema político global, montado para assegurar o funcionamento tranquilo da economia mineira.

A classe média urbana, contida na estreiteza dessa estrutura, procurava, em vão, por sua intelectualidade e pelo movimento estudantil, desenvolver uma consciência nacional autêntica. Crescera, porém, alienada pela tara de introjeção de estereótipos europeus envilecedores e traumatizada pelos complexos nacionais advindos da derrota diante da invasão chilena e da competição com o Peru, que arrebataram à Bolívia toda a costa e o acesso ao mar. Caía, assim, facilmente nos descaminhos de uma patriotice estéril ou na anomia e no desespero. Com isso, tornou-se suscetível de servir como massa de manobra a aventureiros internacionais como os que desencadearam a guerra do Chaco.

Nessa guerra, Bolívia e Paraguai foram manobrados pelas grandes companhias petroleiras. As reclamações territoriais recíprocas só interessavam à Standard Oil e à Royal Dutch, cujo propósito era situar as zonas ricas em petróleo dentro dos países em que cada qual exercia influência. Bolívia perde a guerra e, em consequência, seu enorme território chaquenho (250 mil quilômetros quadrados), mas as jazidas petrolíferas ficaram dentro dos seus limites, em poder da Standard Oil, a única vitoriosa.

Os bolivianos sofrem uma frustração que teria efeitos de catarse sobre a intelectualidade classe-medista, compelindo-a a buscar ardentemente uma compreensão mais ampla do drama nacional. O mesmo efeito se projetaria sobre o povo que vira desmoralizar-se a máquina guerreira oligárquica e soçobrar o seu sistema partidário.

O resultado desta guerra imperialista foi o desencadeamento de um processo de criatividade étnico-nacional que acabaria por liberar o povo boliviano dos projetos alheios que sempre lhe haviam sido impostos para a formulação de um projeto próprio. Da guerra surge, pois, uma Bolívia nova, abatida pela derrota, mas capacitada a encontrar a si mesma. O convívio na luta, a solidariedade suscitada, pela primeira vez, entre índios, *cholos* e "brancos por autodefinição", rompe, ainda que episodicamente, as barreiras entre classes etnicamente estratificadas, em face dos objetivos comuns. Os que regressam já são distintos dos que partiram. Questionam a sociedade e a nação, sabem ser possível a ação conjugada, conhecem técnicas militares.

A partir de então, passam a influir decisivamente sobre os bolivianos duas ordens de aliciamento. Primeiro, os movimentos de esquerda que criam quadros sindicais autênticos entre o operariado das minas e se entregam a uma propaganda intensiva de reforma agrária. Segundo, uma forte corrente reformadora e anti-imperialista de caráter direitista. Essas tendências irredentistas foram fortalecidas, nos anos seguintes, pelo impacto exercido sobre os militares bolivianos pela propaganda "anti-imperialista" — sobretudo antibritânica — divulgada pelos nazistas. A Bolívia configurava tão nitidamente uma área de exploração dos financistas ingleses e seu drama nacional se explicava tão cabalmente pela espoliação por parte das três grandes empresas mineradoras com sede em Londres, que este novo anti-imperialismo, desligado das teses socialistas de esquerda, teve enorme aceitação nos meios militares.

Surgem, assim, ao lado das esquerdas que organizavam o operariado em sindicatos e aliciavam o campesinato com a divisa da distribuição da terra, novos grupos políticos, oriundos da direita mas ganhos para o anti-imperialismo. Isso permite às correntes renovadoras conquistarem as primeiras posições de força no exército e na máquina estatal. A mais poderosa dessas organizações seria o Movimento Nacionalista Revolucionário, que recrutara seus primeiros quadros militantes entre ex-combatentes da guerra do Chaco e se consolidara como organização política na liderança dos movimentos de reivindicação salarial dos mineiros. Passam a participar do poder na presidência de Villarroel (1943), que institui o primeiro governo nacional-reformista que a Bolívia conheceu. Com a queda deste governo, cujo tom dramático é dado com o enforcamento de Villarroel (1946), o mnr mergulha na clandestinidade, entregando-se intensamente à conspiração.

Nos anos seguintes, o MNR desencadeia dezenas de golpes que custam milhares de vidas num esforço desesperado e persistente pela conquista do poder. Finalmente, em 1951, conseguem impor ao governo a realização de eleições gerais, em que seu candidato, Víctor Paz Estenssoro, é eleito presidente por maioria absoluta de votos. Como era inevitável, segue-se mais um golpe da *rosca*, que anula as eleições fazendo reverter o poder a uma junta militar. Mas o episódio advertira a oligarquia para os riscos que corriam seus interesses, agora questionados em termos de salvação nacional por correntes políticas que alcançavam o apoiamento de toda a opinião pública, inclusive do operariado e do campesinato, e que encontravam sustentação num amplo setor das Forças Armadas.

A velha elite cosmopolita reage em duas frentes: primeiro, desencadeando a repressão mais sanguinária contra as forças insurgentes; segundo, envolvendo as Nações Unidas, através da mediação do governo norte-americano, na ridícula aventura de incumbi-las de planejar e dirigir (com técnicos internacionais de seus diversos órgãos) a modernização da sociedade boliviana, preservando, naturalmente, os interesses da *rosca* e mantendo a velha ordem oligárquica.

O povo boliviano amadurecera, porém, o suficiente para, através de levantes sucessivos, prosseguir sua própria luta. Em 1952, o Movimento Nacionalista Revolucionário lidera uma insurreição apoiada pelos carabineiros de La Paz, que mobiliza as camadas suburbanas de *cholos* e as lança sobre a cidade, criando um estado de conflagração generalizada que o aparelho de repressão do exército não consegue dominar. Derrubada a ditadura, é empossado na presidência Víctor Paz Estenssoro e, na vice-presidência, o líder popular Siles Zuazo, eleitos majoritariamente um ano antes.

À frente do povo em armas, dos *cholos* alçados, dos mineiros sublevados, dos índios insurgentes, o novo governo promove a derrogação do velho poder oligárquico, substitui a antiga elite antinacional e antipopular da *rosca* mineira e reestrutura o exército repressor. A seguir, decreta, sucessivamente, a nacionalização das minas de estanho, a reforma agrária, o direito de voto a todos os bolivianos e o cogoverno das empresas estatizadas pelos sindicatos operários. Para dar cumprimento a essas disposições que liquidariam com as bases econômicas do antigo poder, o governo organizou e armou milícias operárias e camponesas, assentando o Estado nascente sobre as massas populares, marginalizadas, desde sempre, da vida nacional.

Os andinos

O governo revolucionário não poderia ser mais radical nos atos legais reordenadores. A dificuldade estaria em levá-los à prática e tornar autossustentável o novo sistema socioeconômico e à sua cúpula política. Essas tarefas, já em si bastante complexas, eram mais dificultadas porque deveriam cumprir-se nas condições de quase inviabilidade da nação boliviana, insulada no meio do continente, dependendo de um mercado monopolizado de importação para seus minérios e mergulhada na pobreza e no analfabetismo resultantes de séculos de espoliação colonialista e de opressão oligárquica.

A todas essas dificuldades se acrescentariam as dissensões entre as próprias forças revolucionárias, que desencadearam polêmicas intermináveis sobre as teorias que deveriam orientar o novo poder, acabando por fracionar-se a frente única das esquerdas vitoriosas em diversos blocos competitivos, por vezes mais opostos uns aos outros do que ao inimigo comum.

A mais perigosa dessas discussões foi a que se abriu, progressivamente, entre a central sindical controlada pelos líderes mineiros (Lechín) e o núcleo burocrático--militar do mnr com suas bases principalmente camponesas e classe-medistas. Conceituando o novo poder como um cogoverno de caráter intrinsecamente dual, a liderança sindical se foi fazendo irresponsável pelos destinos da própria revolução e, ao mesmo tempo, meramente reivindicante de aumentos salariais.

O vazio criado pela retração operária foi sendo ocupado por lideranças da classe média, que haviam ascendido socialmente com a revolução, como uma clientela parasitária de novo tipo, não somente antiunitária, mas também antiobreirista. Desse modo, o governo se deixa envolver em manobras diversionistas de grupos nominalmente radicais, mas conjurados, todos, contra o aprofundamento do processo revolucionário.

Nessa conjura, a autocontenção da dinâmica revolucionária era pregada, por uns, como imperativo de sobrevivência da própria revolução, devido à inviabilidade de um Estado boliviano socialista; e, por outros, como a etapa prévia necessária à evolução da sociedade nacional de seu primitivismo tecnológico e cultural para as alturas de uma sociedade industrial moderna, aspirante ao socialismo. O pacto inexplícito resultante dessas contraposições era a condenação da Revolução Boliviana a um agrarismo granjeiro, complementado por uma economia de exportação de minérios, inserida no mercado mundial. Vale dizer, um projeto revolucionário tão tímido que acabou merecendo o apoiamento e o amparo dos próprios norte-americanos.

Assim, o próprio guardião da ordem capitalista no continente, o sócio principal da exploração mineira, que fizera a Bolívia do passado tal qual fora, encontrou modos de conviver e coexistir com a "revolução" para fortalecer seus conteúdos pequeno-burgueses e reformistas e, afinal, levar ao malogro o primeiro esforço autêntico de implantação de uma república socialista na América do Sul.

A reforma agrária, que constituía a base estrutural do novo regime, seria cumprida porque os milicianos camponeses armados cuidaram de realizá-la diretamente, apossando-se das terras em que trabalhavam. Espontaneamente, também, revitalizaram seus *ayllus*, transformando-os em centros de um novo poder que geria as tarefas coletivas de construção de caminhos, de escolas, de enfermarias, bem como a comercialização de suas safras.

Emergindo de séculos de compressão de suas necessidades até limites extremos e de opressão patronal que lhe retirava cada gota de energia no engajamento compulsório ao trabalho nas fazendas, o índio boliviano, tornado proprietário de uma gleba, reagiu, naturalmente, passando a comer maiores parcelas do que colhia e também a folgar, pela inadaptação a um regime de autocomando de sua rotina de trabalho e do seu ritmo de vida. Como era inevitável, o efeito imediato desse absenteísmo e da queda simultânea da produtividade nas áreas ainda dominadas pelas fazendas foi um incremento insuficiente da produção agrícola para atender às novas solicitações, com a consequente carência de alimentos, a elevação dos preços e a especulação. O ingresso do índio-camponês na economia mercantil se faria, também, pelas formas mais anacrônicas, transformando-os, frequentemente, em traficantes do mercado negro de alimentos. Onde cumpria reservar terras para explorações coletivistas e alargar as glebas para distribuição aos camponeses, a reforma ficou entregue ao espontaneísmo das ações diretas.

A instituição nacional diretora da reforma agrária caiu também no burocratismo, em face da enormidade da tarefa que deveria enfrentar e do despreparo dos seus dirigentes políticos e de seus quadros técnicos. Onde cumpria orientar a economia agrícola para formas empresariais novas e para implantar grandes obras de irrigação que exigiriam uma autoridade centralizada dotada de enormes recursos, apenas se contou com o burocratismo oficial, capaz de estabelecer as reservas de terras para a "colonização", mas inoperante para organizar unidades produtivas eficazes.

O total de terras distribuídas aos índios, de 1953 a 1963, alcançou 4,4 milhões de hectares, ou seja, cerca de 60% da área antigamente possuída pelos *ayllus*, e beneficiou 134 mil famílias. Deixou, como se vê, a maioria dos indígenas na mesma condição anterior, apenas liberados legalmente das obrigações de prestação de serviços gratuitos aos fazendeiros. Desse modo, a nova estrutura agrária afundou-se num sistema granjeiro incipiente, incapaz de ocupar a totalidade da massa índio-camponesa e carente de condições para induzir a elevação do nível técnico de produção, bem como de atender à demanda urbana de alimentos e melhorar substancialmente o padrão de vida das massas rurais.

Um outro desvio do comando estatal da reforma foi a tendência à implantação de novos núcleos agrícolas nas terras baixas, com índios-camponeses deslocados do Altiplano. Esse procedimento, que seria uma solução de escape para o Peru, por exemplo (porque reduziria a compressão demográfica, freando o motor principal da reforma agrária), no caso da Bolívia, configurou-se como um diversionismo agrarista. Além de gerar tensões sociais entre a antiga população das áreas florestais e os emigrantes indígenas para lá conduzidos, essa colonização interna retardou a conscientização do indigenato do Altiplano como núcleo efetivo da etnia nacional.

Apesar dessas debilidades, a reforma agrária, tal como se efetivou na Bolívia, importou numa profunda alteração dos estratos sociais básicos. Primeiro, pelo derrocamento da oligarquia fazendeira de sua posição de proprietária e de patriciado mediador entre os índios e a nação. Segundo, pela integração de enormes massas de indígenas no corpo da nação pela elevação de suas condições de vida e da sua própria dignidade, mercê de sua transmudação de bestas de carga que eram em seres humanos, com um futuro melhor diante de si, criado pela proclamação do seu direito à propriedade das terras em que viviam e trabalhavam e pelo exercício dos direitos de cidadão. Terceiro, pela desmarginalização dos *cholos*, que, como camada intersticial, tiveram oportunidades adicionais de ascensão social através dos canais abertos pelo surgimento de inúmeras funções parasitárias. Entre outras, o papel de lideretes políticos, de milicianos e de traficantes das safras agrícolas no mercado negro e de artigos industriais na campanha. Quarto, pela constituição de uma nova elite urbana classe-medista, desligada dos interesses latifundiários e, por isso mesmo, mais capaz de fazer-se aceitar pela massa *chola* e índia, embora esta última continuasse a olhá-la como "o outro", agora mais justiceiro, representando sempre, porém, a imagem do estrangeiro que, no passado, os avassalara e degradara.

Os problemas sociais da Revolução Boliviana, já graves no âmbito agrário, se aprofundaram mais ainda com a boicotagem internacional, de quase dois anos, à comercialização do estanho boliviano, que, embargando a única fonte de divisas do país, impossibilitou a importação complementar de alimentos que sempre se fizera. Para romper esse cerco econômico, o governo boliviano decidiu entregar a comercialização do estanho aos mesmos monopólios que antes o exploravam diretamente, sendo obrigado a aceitar sobre cada tonelada vendida o desconto de uma taxa destinada à amortização do valor das minas nacionalizadas. Além dessas

As Américas e a civilização

condições negativas, as minas estatizadas tiveram de enfrentar uma redução drástica de preços provocada artificialmente pelo ingresso no mercado das reservas estratégicas norte-americanas. Em consequência, o governo ficou privado de recursos até mesmo para repor os equipamentos desgastados, resultando uma queda substancial da produção mineira que afetou toda a economia do país.

Quando a crise se fez mais grave, o governo se viu na contingência de redefinir sua política econômica para levantar a produção mineira. A solução encontrada pelos assessores norte-americanos foi conduzir o governo a novas concessões, cada vez mais gravosas para a economia nacional. Assim é que se suspendeu o monopólio estatal sobre as explorações petrolíferas (1955); em seguida, sobre diversos outros minérios e, finalmente, sobre o próprio estanho, pela entrega de jazidas à administração direta de consórcios internacionais. Entre estas concessões, ruiu o próprio controle operário sobre a gestão das empresas, como condição para a obtenção de empréstimos supervisionados de banqueiros norte-americanos e alemães.

Esta política terminou por liberar a comercialização internacional da produção mineira e por onerá-la com o beneficiamento do seu minério em fundições instaladas no Texas que continuariam retirando de sua economia os recursos em moeda estrangeira indispensáveis à industrialização e ao custeio de reformas modernizadoras do país. Mais tarde, como consequência final dessa orientação, teve de enveredar por uma política de confisco das rendas populares, através da inflação e das reduções salariais, que atravancariam ainda mais a formação de um mercado interno e criariam um ambiente de descontentamento generalizado, fazendo desencadear constantes agitações das camadas assalariadas.

O fracasso do setor mineiro, único capaz de gerar recursos para custear a implantação de uma infraestrutura industrial, limitaria, ao extremo, as potencialidades da Revolução Boliviana. Acabou por condená-la a uma situação mais grave ainda do que aquela que pretendia remediar, levando a níveis catastróficos os problemas da inflação, da carestia, do desemprego e da crise econômica, que a desviariam, cada vez mais, dos objetivos originais. A Bolívia pagara todo o preço em sangue para, afinal, cristalizar-se como uma economia ancilar e dependente do sistema monopolístico mundial.

Apesar desses percalços e da elevação constante do custo de vida (35 vezes de 1952 a 1962), a Revolução Boliviana pôde enfrentar diversas investidas contrarrevolucionárias e consolidar o poder do Movimento Nacionalista Revolucionário. Este se assentava, principalmente, no apoiamento das massas camponesas, cujas milícias armadas foram chamadas, diversas vezes, a atuar em sua defesa. Apoiava-se, também, numa frente política pluripartidária que, aos poucos, se iria esfacelando para constituir núcleos de oposição tanto em nome do retorno à ordem anterior quanto, e principalmente, da radicalização do processo revolucionário.

Cada um desses grupos aspirava dar sua orientação política à revolução. Uns a definiam como a etapa "democrático-burguesa" da revolução socialista, propugnando o "desenvolvimento com liberdade através de um sistema parlamentar de governo", que orientasse a reforma agrária e a industrialização livre-empresarial, as quais gerariam, a seu tempo, a burguesia nacional e o proletariado moderno que deveria sucedê-la. Outras correntes assinalavam o caráter de "desenvolvimento desigual e combinado" da economia boliviana, cujo setor mineiro já seria plenamente capitalista, em oposição aos setores agrários mergulhados no feudalismo ou no comunismo primitivo. Essas forças pregavam a "revolução permanente" através do acicate de um movimento sindical reivindicacionista que obrigasse o Estado a "saltar rapidamente as etapas da revolução". Completando esse quadro, alguns setores das classes médias, desesperadas por sua proscrição da órbita do comando político e demasiadamente alienadas para se integrarem no novo sistema, caíram no puro terrorismo fascista. Fizeram-se agentes da contrarrevolução, negando uma ordem que lhes era adversa sem nada propugnar para substituí-la, mas se dispunham a qualquer ação desesperada.

Havia muitas outras correntes. Em meio a todas elas pontificava o presidente Paz Estenssoro, sempre conciliador, menos apegado a teorias do que à sua nostalgia da democracia uruguaia, cujos hábitos políticos, cujo sistema educacional democrático e cuja prosperidade pequeno-burguesa aspirava dar, a qualquer custo, aos seus patrícios bolivianos. A ideologia do Movimento Nacionalista Revolucionário, sob o comando de Paz Estenssoro e de Siles Zuazo, resultou ser uma doutrina menos revolucionária do que desenvolvimentista. Confiavam ambos em que um Estado liberal, fundado no pluripartidarismo parlamentar, na independência dos poderes e numa economia de lucro, pudesse cristalizar as aspirações revolucionárias de uma aliança autônoma das classes deserdadas contra seus exploradores tradicionais, de modo a garantir a implantação de uma sociedade nacional anti-imperialista e antioligárquica programatória das bases para uma futura revolução socialista.

Essas divergências doutrinárias cresceram e se fizeram oposições efetivas ao governo, estimuladas pela crise social que se agravava continuamente, provocada pela fome, pelo desemprego e pela especulação, numa economia assolada pela inflação e afundada na estagnação. As antigas alianças, que deram a vitória à revolução, acabaram por desfazer-se inteiramente, e as lideranças sindicais de esquerda entraram a conspirar, estabelecendo-se uma contraposição danosa entre a burocracia estatal e militar e o movimento camponês governista, de um lado, e os sindicatos mineiros, do outro. Acossado por todos os lados, o governo busca socorro em novos empréstimos estrangeiros; nos programas de estabilização do Fundo Monetário Internacional, mediante a aceitação de todas as suas exigências; e, ainda, recorrendo à Aliança para o Progresso, a fim de obter ajuda direta ou de alimentos que fazia vender para conseguir "recursos não inflacionários" com que custear a burocracia. Aos poucos, a influência ianque se restabeleceu soberana. Suas missões militares é que reorganizaram o exército nacional derrocado pela revolução e o fizeram crescer superarmado como o mantenedor da nova ordem.

Os movimentos de esquerda, sobretudo os sindicatos operários, lançaram--se abertamente contra essa política, desencadeando greves, marchas e demonstrações, tanto de reivindicações econômicas como de políticas pela restauração das liberdades públicas e das regalias sindicais. O governo reage com a repressão, acabando por perseguir e deportar alguns dos líderes mais prestigiosos, como Siles Zuazo e Lechín, companheiros de luta desde a primeira hora. Nesse caminho, Paz Estenssoro, que revelava pendores continuístas, foi perdendo o apoio das massas urbanas e terminou por sustentar-se principalmente no pacto de assistência econômica e militar com os norte-americanos e nas milícias partidárias, agora francamente subsidiadas para o exercício de funções repressivas. Caiu, finalmente, derrubado por um golpe dos próprios militares palacianos do novo exército. Na luta contra o golpe, o governo apenas conseguiria o apoiamento de alguns setores partidários e a mobilização de algumas milícias camponesas. A opinião pública e o operariado, decepcionados e sofridos depois de doze anos de revolução frustrada, assistiram sua queda sem tomar posição e até manifestando regozijo.

A percepção da derrota que sofreram as forças populares foi tardia e, quando se manifestou ativamente, a junta militar não teve dificuldades de restaurar a ordem através das ações mais drásticas. O movimento sindical foi depurado, desesquerdizado e entregue ao controle de organizações oficiosas e patronais, sendo simultaneamente despedidos milhares de operários. Os salários foram rebaixados, ao mesmo tempo em que os preços eram descongelados. Iniciou-se, depois, o desarmamento das milícias camponesas e a sufocação do movimento estudantil. Atrás de todas essas medidas, a Junta preparou o terreno para completar a desnacionalização das minas e para impor o retrocesso da reforma agrária, por meio de acordos de indenização aos latifundiários pelas terras que lhes haviam sido desapropriadas.

O saldo positivo da Revolução Boliviana de 1952 foi, até agora, sua reforma agrária, que pôs em marcha um processo de incorporação à vida nacional de milhões de índios e *cholos*. Mesmo essa conquista, entretanto, não foi consolidada porque a distribuição de terras apenas atingiu pequena parcela da área apropriada pelo sistema fundiário do país (principalmente aquelas glebas marginais em que o camponês trabalhava antes como arrendatário), enquanto as áreas mais férteis e as terras mais apropriadas à irrigação foram reservadas para futuras formas coletivistas de exploração, que não chegaram a ser implantadas.

O debate aberto pelo governo ditatorial boliviano sobre os procedimentos revolucionários da desapropriação, em termos dos direitos de ressarcimento aos antigos donos, pode conduzir ao questionamento da legitimidade dos próprios títulos de posse das terras ocupadas pelos indígenas; e, depois, ao retorno dos antigos fazendeiros às áreas de "reserva" fundiária não distribuída. Além dessa ameaça de restauração direta do latifúndio, a própria interrupção da distribuição de novas terras ao campesinato conduzirá, fatalmente, à atomização das áreas de que os camponeses se apropriaram pelo fracionamento sucessivo dos lotes em minifúndios e pelo desgaste resultante das formas primitivas de exploração.

É de temer, portanto, que a Bolívia tenha acionado em vão seus motores revolucionários fundamentais, que eram o reclamo de terras pela massa índio-camponesa e a combatividade política do movimento sindical mineiro, sem fazer sua revolução social. Efetivamente, a Bolívia, com sua revolução de 1952, apenas alcançou a antessala de um processo renovador da sociedade. Não conseguiu imprimir aos índios e *cholos* do Altiplano andino um impulso revolucionário próprio, capaz de uni-los aos seus irmãos peruanos e equatorianos e de orientá-los para a remodelação das superfetações nacionais em que estão inseridos, criando uma etnia nacional autêntica dos *povos-testemunho* do incário, base de uma nova civilização andina, autônoma e fecunda.

5. A Revolução Peruana

Não foram, conforme se esperava, os socialistas ou os apristas que protagonizaram a Revolução Peruana, pela qual lutaram por múltiplos caminhos, senão seus alternos, os militares. Estes, depois de décadas de exercício do papel de guardiães do velho regime oligárquico e o de repressores, tanto dos políticos apristas como das esquerdas insurgentes, mudaram, brusca e radicalmente, sua posição. De certa forma, assumiram o papel de renovadores do antigo aprismo precisamente quando este, esclerosado, se voltava para a direita na esperança de que assim lhe permitissem assumir o poder.

Essa mudança inesperada de papéis, que provocou perplexidade nos apris-

As AMÉRICAS E A CIVILIZAÇÃO

tas e desconcerto nas esquerdas, teve também um efeito surpresa na opinião popular peruana. Esta, entretanto, apoiou prontamente um poder que resgatava riquezas nacionais das mãos de estrangeiros; que reivindicava a dignificação de uma imagem nacional degradada, desde sempre, mercê da restauração de mártires indígenas como Tupac Amaru, e que enfrentava a oligarquia com uma reforma agrária radical. Os grupos políticos, pelo contrário, continuaram hostilizando o novo regime. Mas, desarmados de um projeto próprio alternativo e sem a menor capacidade de levar à prática uma ação eficaz contra um regime militar, se converteram em uma oposição mais verbal que atuante.

Apristas e esquerdistas, em seu desengano, negam que se possa falar de uma Revolução Peruana. Curiosamente, não duvidam de que houve uma Revolução Mexicana e uma Boliviana. É de perguntar: que é então uma revolução social? Uma revolução política se produz quando a antiga elite dirigente é proscrita do poder por uma nova liderança. Esta revolução política se transforma em uma revolução social quando esta liderança empreende uma reordenação radical do sistema econômico sob a inspiração de valores e interesses correspondentes à maioria da população e, portanto, opostos aos da velha ordem. Nesse sentido, não se pode negar que o Peru vive uma revolução político-social, porque ali as elites tradicionalmente dominantes foram deslocadas do poder e, sobretudo, porque ali o novo governo está tratando de refazer as bases da antiga ordenação socioeconômica fundada no latifúndio, na submissão às empresas estrangeiras, na precedência da gestão privada sobre a pública e na alternância entre os governos militares e os parlamentares, ambos coniventes com os fatores causais do atraso.

É evidente que não se trata de uma revolução socialista, o que, por outro lado, não está em discussão. O que, sim, está em debate é o caráter do regime peruano e suas potencialidades. Os que lhe negam caráter revolucionário alegam que no poder se encontra um governo militar composto por generais que participaram, desde sempre, da estrutura tradicional de poder; cujas metas de renovação estrutural se limitariam a uma modernização reflexa do sistema socioeconômico, destinada antes a perpetuar suas bases capitalistas que a miná-las e cuja postura autoritário-paternalista seria inconciliável com quaisquer formas de participação popular efetiva no poder. Consequentemente, a experiência peruana terminaria por reduzir-se a um *bonapartismo* bem-intencionado, mas incapaz de levar a cabo uma autêntica revolução social.

A verdade é que os atores da Revolução Peruana não são os esperados nem os desejados pela esquerda e pelos grupos reformistas. Ao contrário, são personagens vistos, ao longo de décadas, como os adversários das forças progressistas que lutaram pelas transformações que os militares agora levam a cabo de costas para elas. Semelhante atitude é compreensível em uma oposição intelectual que vê nos militares a própria encarnação da repressão política.

É natural, por isso, que, quando eles assumem uma postura revolucionária — mantendo sua velha linguagem, sua idiossincrasia antiesquerdista, ou apenas mudando seu estilo autoritário por uma postura paternalista —, se tenha dificuldades em reconhecer-lhes esse papel. Além disso, a má vontade sempre permite deduzir que suas motivações são questionáveis e até subalternas, uma vez que não fazem a revolução por amor a teses ideológicas ou doutrinas prescritas, senão por razões de outra índole. Entre elas, o reconhecimento do malogro dos políticos profissionais em levar a cabo transformações sociais indispensáveis; a suspeita de que as esquerdas seriam, por sua vez, também incapazes de oferecer uma alternativa válida e viável; o temor de que as tensões sociais que dinamizam seus países, ao serem ativadas pelas esquerdas, terminariam por conduzi-los a uma convulsão social generalizada que as Forças Armadas não poderiam controlar; e, finalmente, o anelo de libertar seu povo das contrições deformadoras impostas por minorias privilegiadas às quais já não querem servir.

Apesar dessas cavilações, cabe pouca dúvida de que, em 1968, assumiu o poder no Peru uma antielite militar de novo tipo, por sua orientação anti-imperialista e nacionalista; por sua disposição para promover profundas reformas estruturais; pela ousadia e criatividade com que busca soluções próprias e radicais para velhos problemas socioeconômicos com que se defronta a nação; por sua predisposição a explorar, até o limite do possível, a autonomia política relativa dos estamentos burocráticos; por sua capacidade de pôr em marcha a máquina estancada do Estado e modernizar os estilos da administração pública; e, finalmente, pela propensão — inusitada em militares — de respeitar as liberdades individuais e de evitar a repressão contra os dissidentes.

Comprovam essa apreciação cinco ordens de medidas econômicas tomadas pela Revolução Peruana. *Primeiro*, a amplitude e profundidade da reforma agrária em curso e a adoção do cooperativismo como forma preferencial de gestão das grandes empresas rurais. *Segundo*, a legislação sobre comunidades industriais, que programa a participação dos trabalhadores no capital (50%) e nos lucros das empresas industriais privadas, impõe formas de organização empresarial tendentes à cogestão e ao mesmo tempo ata o empresário às empresas, evitando a perda de sua capacidade gerencial. *Terceiro*, a política externa, tendente a encontrar formas mais favoráveis de intercâmbio internacional, fortalecer o Pacto Andino e romper com a dependência. Para isso propõem medidas destinadas, por um lado, a impedir o isolamento do Peru do comércio mundial e evitar o estancamento da exploração das riquezas naturais que constituem a principal fonte de recursos para o desenvolvimento; e, por outro lado, utilizar a exploração da mineração e do petróleo em benefício dos interesses nacionais. *Quarto*, o controle público do comércio exterior de minérios, farinha e azeite de peixe, além da nacionalização, ainda incipiente, do sistema bancário. Cumpre assinalar que estas últimas medidas não são já conquistas logradas e consolidadas, senão metas a alcançar. *Quinto*, o fortalecimento do papel do Estado na vida econômica, como o centro efetivo de decisões sobre capitalização e investimento, sobre as prioridades do desenvolvimento e como gestor das empresas básicas.

Tão importantes talvez como essas cinco ordens de medidas econômicas são as medidas propriamente políticas — já regulamentadas mas apenas parcialmente executadas —, no sentido de ganhar a opinião pública e mobilizar o povo para apoiar o programa de mudanças. Tais são, primeiro, a limitação do monopólio dos meios de comunicação de massa por parte dos estratos dominantes, a fim de garantir uma informação não distorcida pelos interesses privatistas dos mesmos. Segundo, a liquidação do poder econômico e político da oligarquia agrária e a anulação do antigo sistema político-partidário como força de oposição. Finalmente, a deliberação de não criar um partido da revolução — ao estilo mexicano ou egípcio — como aparelho oficial de organização, expressão e controle das massas.

Esta última é, talvez, a deliberação mais assimilável de todas as mencionadas, porque ninguém duvida da extraordinária eficácia política de um instrumento dessa ordem; da facilidade com que um regime, como o peruano, o criaria e faria crescer prodigiosamente; nem das gratificações que ele poderia trazer, de imediato, como forma de manifestação de um apoio popular tácito que ainda não encontrou expressão. Nessas circunstâncias, é tanto mais significativa a decisão de não criar esse aparelho, qualquer que seja a razão que a inspire. Entre outras razões se especula com a suposição de que a criação de semelhante partido concorreria para o surgimento de uma burocracia clientelista que se apropriaria das bandeiras revolucionárias em proveito próprio; de que o partido único geraria lideranças oficiais que, disputando à oposição esquerdista o controle das massas, tenderia a tomar posições reacionárias; e, finalmente, de que conduziria ao aparecimento de uma liderança civil competitiva com a militar.

Entretanto, o governo peruano não pode continuar operando no vazio político. No plano social, necessita que, à integração econômica das amplas massas camponesas e de marginalizados, operada pelas reformas estruturais (sobretudo a reforma agrária), corresponda sua incorporação a instituições políticas. Só assim elas poderão exercer um papel mais ativo e criador que o de simples usufrutuários de benefícios prodigalizados pelo poder. No plano político, necessita de um apoio popular explícito para impossibilitar o ressurgimento da velha estrutura de poder regida pelos políticos profissionais, para competir pela liderança popular com os quadros políticos e sindicais apristas e comunistas, e, sobretudo, para dissuadir os grupos militares reacionários, propensos a coactar a revolução.

Em consequência, a decisão de não criar o partido oficial teve de fazer-se simultaneamente com a busca de novas formas de institucionalização do poder através da organização oficial de um sistema de apoio à mobilização social (Sinamos). Essa deliberação encerra riscos e dificuldades extraordinários. Os riscos são evidentes porque um aparelho burocrático capaz de controlar e manipular as massas, uma vez consolidado, pode ser utilizado de preferência para permitir o pacto com novos herdeiros dos privilégios desfrutados anteriormente pelas classes dominantes tradicionais, em vez de servir como força impulsionadora da revolução social. As dificuldades residem na complexidade da tarefa de criar formas originais, não partidárias, de mobilização social que atendam, a um tempo, a carência de apoio ativo das massas à revolução; à necessidade de organizar as forças populares para que assumam um dia o papel de atores e impulsionadores da Revolução Peruana, a qual, induzida de cima para baixo, adquire, inevitavelmente, um conteúdo paternalista. Todos esses fatores postulam a necessidade de plasmar uma nova institucionalidade sociopolítica.

Com efeito, abandonando a institucionalidade anterior, visivelmente insatisfatória e arcaica, o Peru se encontra na fronteira de todos os movimentos revolucionários que buscam uma legitimação consensual que os antigos regimes, bem ou mal, exibiam, apesar do seu caráter retrógrado, e que os novos ainda não conseguiram apresentar. Não tendo cabimento as formas liberais da representação eleitoral, que no Peru jamais deram lugar a um modo de vida democrático, posto a serviço dos interesses da maioria da população; tampouco tendo cabimento os substitutivos nominais da legitimidade, como as "ditaduras do proletariado", que correspondem a conjunturas distintas, se recoloca aqui, em toda a sua amplitude, o problema da legitimação do mando. Voltam assim à cena tanto os conceitos rousseaunianos de *vontade geral* e *bem comum* como as doutrinas corporativistas, degradadas e desmoralizadas pelo fascismo. O desafio peruano é nada menos que encontrar formas institucionais de captar, exprimir e instrumentar a soberania popular para, em seu nome, empreender a reordenação da sociedade; legitimar o exercício do poder e regular a sucessão; e, acima de tudo, engendrar uma participação maciça no processo revolucionário por parte das camadas mais pobres da população. Como ninguém tem lições a oferecer nessa matéria, é inteiramente legítima a busca, pelos peruanos, de uma nova institucionalidade.

As medidas tomadas pelo novo governo vão tornando o Peru um país diferente do que foi até 1968, e as mudanças resultantes da reordenação econômica em curso já estão gestando uma sociedade e uma cultura renovadas. A isso cabe acrescentar que ninguém duvida, no Peru, de que tanto os antigos regimes parlamentares como as ditaduras militares foram incapazes de promover as transformações estruturais protagonizadas pelo novo regime. E muitos suspeitam de que as esquerdas peruanas, devido à sua debilidade, desorientação e divisão, estavam, por sua vez, incapacitadas de oferecer uma alternativa viável. Embora, ao mesmo tempo, pareçam concordar em que teriam sido as lutas guerrilheiras travadas no campo nos últimos anos que, ao ativar velhas tensões estruturais, forçaram os militares a assumir um novo papel histórico, desencadeando uma revolução social. Uma revolução insólita, porque protagonizada por aqueles de quem se esperava unicamente o papel de repressores, porque desconcerta os que se supunham chamados a urdir a Revolução Peruana, e finalmente porque, apesar de estar em desenvolvimento, ainda busca sua própria definição. Uma definição explícita e genuína que permita a seus condutores, transcendendo do papel de estamento burocrático, assumir o de atores revolucionários; e que possibilite aos que beneficia e convence aderirem a ela com a convicção de quem se incorpora a um movimento revolucionário autêntico, generoso e fecundo.

Os próprios militares concebem seu governo como um regime singular, não classificável como "capitalista nem como comunista". Essa definição por negação indica, aparentemente, que eles se convenceram de que o capitalismo dependente — tal como se cristalizou na América Latina, onde gozou da mais completa hegemonia, ao longo de um século e meio, para promulgar a Constituição e as leis — nada tem a oferecer aos povos deste continente. Expressa, por outro lado, a rejeição do "comunismo" pelos militares, tal como ele se apresenta historicamente cristalizado na União Soviética, em Cuba ou na China. E talvez também a percepção de que, sendo cada um daqueles "comunismos" o resultado de sequências históricas singulares e estando todos eles impregnados pelas peculiaridades dos respectivos contextos socioculturais, seu transplante, mais que indesejável, é impossível. A conceitualização do regime peruano de forma duplamente negativa tem, como consequência positiva, a de compelir suas lideranças a avançar até a fronteira da utopia em busca de soluções que convenham às grandes massas da população peruana. Soluções de tipo tal que não sejam identificáveis "nem como capitalistas, nem como comunistas". Mas que será isso, concretamente, senão a alternativa socialista (porque não capitalista) na forma que seja historicamente praticável no Peru? Ou, ao contrário, alguma forma de neocapitalismo (porque não comunista) que, mediante a modernização, reimplante, fortalecido, o privatismo? O aspecto mais grave dessa ambiguidade do regime peruano é que, ao conter virtualidades opostas — sem realizar quaisquer delas —, pode chegar a compartilhar os defeitos do capitalismo e do socialismo sem alcançar as qualidades de nenhum deles.

Em nosso modo de ver, o regime peruano corresponde ao paradigma nacionalista modernizador da tipologia que desenvolvemos em outro estudo,[12] embora reconheçamos que, dada sua originalidade, seu enquadramento nessa categoria ou em qualquer outra seja forçada. Em nossa tipologia, aquela categoria indica regimes oriundos de insurreições populares, como a boliviana; guerras de emancipação, como a argelina; golpes militares, como o de Nasser; reativações revolucionárias, como a de Cárdenas. Em todos os casos, se trata de uma antielite que, assumindo o poder em sociedades atrasadas, com populações majoritariamente marginalizadas, estrutura regimes atípicos — porque não classificáveis como capitalistas nem como socialistas — através de movimentos que devem ser conceituados como revoluções sociais porque proscrevem a velha estrutura de poder e porque se capacitam a levar a cabo mudanças estruturais. Por conseguinte, excedem os horizontes dos regimes "desenvolvimentistas", habilitados unicamente a promover modernizações reflexas das quais resulta um revigoramento das velhas estruturas de poder. Trata-se, também, de regimes nacionalistas, por sua propensão a romper as formas mais espoliativas da dependência externa, o que lhes confere um caráter anti-imperialista. Finalmente, são movimentos de modernização (embora não reflexa) que empreendem uma renovação dos estilos arcaicos de propriedade, da administração e da gestão, que fortalecem o papel do Estado e que favorecem a tecnificação das atividades produtivas e dos serviços. Sem embargo, sua capacidade de inovação, sendo insuficiente, os enquadra melhor na categoria dos impulsos de atualização ou incorporação histórica conducente a formas neocoloniais de dependência do que na de movimentos de aceleração evolutiva que abrem a uma sociedade perspectivas de autotransfiguração para integrar-se autonomamente na civilização do seu tempo.

Os regimes estruturados como nacionalistas modernizadores contrastam com os socialistas porque não erradicam a propriedade privada dos meios de produção nos setores básicos da economia; porque confiam no poder renovador e progressista do empresariado privado e inclusive na possibilidade de associação mutuamente proveitosa com as corporações transnacionais; porque, em lugar de uma planificação

As Américas e a civilização

centralizada da produção e do consumo, confiam antes nos mecanismos de mercado e na busca de lucros privados como estímulo e forma de organização da economia; e, finalmente, porque não prometem proscrever a estratificação da sociedade em classes. Tampouco são regimes de transição ao socialismo, como o demonstra o fato de que, em todos os casos conhecidos, esse trânsito jamais ocorreu, senão que, ao contrário, muitas vezes se produziram movimentos opostos de retrocesso, isto é, de restauração capitalista.

A inserção da Revolução Peruana nessa modalidade de estruturação do poder traz consigo o risco de que venha a experimentar os percalços intrínsecos ao modelo. Principalmente o de não conduzir a um desenvolvimento pleno e autossustentado. Isso foi o que ocorreu tanto nas nações que o perfilaram pioneiramente, como a Turquia de Mustafá Kemal e o Egito de Nasser, como nas que o encarnaram depois. Nas configurações que assumiu nas nações latino-americanas — México e Bolívia —, sobrevieram retrocessos que reduziram grandes expectativas revolucionárias, provenientes de movimentos sociais vigorosos, a revoluções autocontidas, restritas e frustradas.

Não cabe dúvida, no entanto, de que o modelo nacionalista modernizador cria pelo menos condições para empreender a reforma agrária e para conter parcialmente a exploração estrangeira. Graças a isso, torna possível a integração socioeconômica de grandes massas da população, mas nisso esgota o potencial revolucionário das mesmas, não propiciando a libertação de energias que conduza a graus de desenvolvimento comparáveis aos experimentados pelas nações socialistas. É verdade que essas observações se referem às cristalizações históricas do modelo, sendo provável que a conjuntura mundial presente ofereça aos regimes estruturados com base nele perspectivas de melhores desempenhos.

No caso do Peru, entretanto, o modelo também pode resultar insuficiente porque, ademais de uma reforma agrária — que integre a população camponesa —, o regime está desafiado a criar, a partir de uma economia débil e atrasada e na base de um mercado interno reduzido, um sistema produtivo capaz de incorporar as crescentes massas urbanas marginalizadas à força de trabalho assalariado e à vida social, cultural e política da nação. Esse desafio de criar prontamente milhares de empregos — já em si extremamente difícil no plano econômico — possivelmente não encontrará solução política dentro do modelo nacionalista modernizador. Tanto mais se a disposição de mudança do governo peruano for freada por temor das altas hierarquias militares aos experimentos ousados. Esse seria o caso se não se leva em conta que a opção peruana é antes desenvolver uma tecnologia social de organização do trabalho — que ocupe toda a mão de obra disponível — que a simples tecnificação modernizadora que aumente a produtividade das empresas. Ou, ainda, se não se consegue converter o que tem sido um remanejo da propriedade latifundiária e da gestão empresarial em um movimento revolucionário, controlado, sustentado e impulsionado por amplas organizações populares, que incorporem as camadas marginalizadas em todas as esferas da vida nacional.

Isso significa que a cristalização do modelo nacionalista modernizador, embora permita ao Peru romper algumas das constrições do antigo regime e lograr avanços impossíveis de atingir dentro dele, não lhe dará ainda as necessárias condições para impulsionar um processo de desenvolvimento pleno, autônomo e autossustentado, de modo a engendrar uma prosperidade generalizável a toda a população. Para tanto será preciso uma superação criativa do modelo a fim de buscar novas vias e metas mais altas, o que o converteria, de fato, em uma variante peruana do caminho socialista.

Existem algumas evidências expressivas de que os peruanos queiram dar esse passo. A principal é o empenho do ex-presidente Velasco Alvarado em definir o regime, já não por negação, senão através de formulações positivas:

> Aspiramos a uma ordem econômica em que, gradualmente, a propriedade e o controle das decisões cheguem às mãos de todos os que intervêm no processo produtivo, mediante um crescente apoio estatal às formas de propriedade social dos meios de produção e à organização de instituições que deem aos setores tradicionalmente marginalizados uma verdadeira autonomia econômica cada vez maior e capaz de garantir sua fecunda e criadora participação nas decisões nacionais. (1971: 20)

Dessa argumentação surge a imagem de um regime tendente a conformar-se, amanhã, como socialista. O mesmo se desprende das referências do ex-presidente ao ideal de uma "democracia social de participação plena" ou de uma "sociedade solidária" fundadas, no plano ideológico, na "tradição mais ilustre do pensamento libertário socialista e humanista" e, no plano econômico, "em empresas de propriedade social, em formas autogestionadas de produção e em cooperativas" dentro de uma estrutura em que "o Estado deve assumir o papel diretor e reitor no processo produtivo e na orientação e controle da economia peruana em seu conjunto".

Sem embargo, ao lado dessas referências se poderia citar outras de tom divergente que refletem a reação adversa que uma opção francamente socialista suscita nos setores militares mais conservadores, ou dificuldades naturais da busca de um caminho próprio e viável para o Peru real e problemático que a revolução deve transfigurar.

Nessas circunstâncias, se acumulam as interrogações que, ao não serem respondidas, debilitam a liderança oficial do regime, aprofundam a inquietação das esquerdas peruanas e aumentam sua perplexidade. Com isso se dificulta a amplos setores, influenciados pelas mesmas, situarem-se politicamente no marco da nova conjuntura, como atores positivos. Com efeito, no momento, os quadros da esquerda encontram mais obstáculos que facilidades para optar entre sua atual postura de oposição impotente e a postura oposta, de participação ativa com vistas a levar adiante o processo revolucionário em curso, contribuindo para realizar suas potencialidades latentes. Isto é, orientá-lo a uma formação socialista. Estes obstáculos residem, em parte, nas próprias esquerdas, cuja autossuficiência as induz a reservar-se para desempenhar o papel de protagonistas centrais de uma revolução prometida, embora seja improvável que possam levar à prática suas expectativas. Mas residem também no caráter do regime militar peruano, que não pode admitir adesões politicamente condicionadas e ideologicamente intencionalizadas. Assim, o impasse e a indefinição tendem a permanecer, frustrando as esquerdas e empurrando alguns setores radicalizados a ações clandestinas que resultam ser contrarrevolucionárias. E, o que é mais grave, privando a Revolução Peruana do concurso de quadros políticos de grande criatividade de que ela carece vitalmente.

Apesar dessa ambiguidade — ou em virtude dela —, o modelo peruano de reordenação socioeconômica vem provocando um enorme impacto na vida política da América Latina. As esquerdas, não obstante sua frequente prevenção contra o regime, não podem deixar de reconhecer que no Peru foi posto em marcha um processo de reformas estruturais de profundidade poucas vezes alcançada. Maior ainda é sua influência sobre os militares latino-americanos, que olham a experiência peruana como surpreendente e atrativa para uns, ou como abominável e perigosa para outros. Primeiro, pelo efeito de contraste que produz em relação às ditaduras regressivas, cujo caráter antinacional e antipopular, em face do desempenho peruano, já não pode ser atribuído à sua extração militar. Em segundo lugar, porque abriu novas perspectivas aos militares latino-americanos para que abandonem o papel tradicional de instrumento repressivo das camadas dominantes, a fim de assumir a condição de agentes da transformação intencional de suas sociedades a serviço das maiorias. Assim concebido, constitui um modelo altamente atrativo para os militares progressistas, porque está em seus horizontes de decisão; porque assegura ao poder militar uma legitimidade talvez mais autêntica do que a eleitoral, na conjuntura latino-americana, uma vez que se baseia no apoio maciço a um programa concreto de ação em defesa dos interesses nacionais e populares; e, finalmente, porque cumpre a função

— para eles da maior transcendência — de substituir ou adiar uma revolução socialista e de evitar, preventivamente, as convulsões sociais que ela costuma desencadear, sem a necessidade de se transformarem em instrumentos de repressão.

Olhando para a frente, num esforço por entrever os desdobramentos prováveis da experiência peruana, o que ressalta são as opções colocadas diante dela que marcam o perfil futuro do modelo. *Primeiro*, a escolha entre subsidiar — à maneira mexicana — o empresariado privado na esperança de criar artificialmente a "burguesia nacional" que a história não gerou nos países dependentes; ou a disposição oposta de criar uma vigorosa economia baseada em empresas públicas de autogestão, como fundamento de uma democracia socialista. *Segundo*, a alternativa de adotar uma política econômica dependente de associação com as grandes corporações multinacionais, confiando em que a contribuição de capital e técnica estrangeira venha a operar como um ativador e acelerador do progresso; ou, ao contrário, romper todo tipo de dependência, através de alguma forma autônoma de intercâmbio internacional que não seja espoliativo. A política adotada pelo governo relativamente à mineração e ao petróleo — através de convênios com empresas estrangeiras — levantou dúvidas, e muitos creem que se trata de uma claudicação diante do imperialismo, embora não se tenha formulado uma alternativa — a um tempo viável e satisfatória — para o problema crucial de explorar os principais recursos disponíveis a fim de produzir as divisas indispensáveis para a inversão. Os que acreditavam na possibilidade de uma interação fecunda com as economias socialistas se viram desiludidos pela dificuldade ou pouca disposição destas para realizar grandes investimentos ou incrementar maciçamente o intercâmbio econômico fora de sua área de hegemonia.

Outra ordem de opções com que se defrontam os peruanos diz respeito a metas sociais. Isto é, se se propõem conduzir o Peru a um desenvolvimento concebido segundo o padrão ocidental de produção e consumo; ou se, ao contrário, se dispõem a redefinir radicalmente estas metas, introduzindo novos ideais de vida mais satisfatórios no plano humano. No primeiro caso, o caminho seria formular uma equação econômica que, equilibrando o máximo de esforços que se poderia exigir de cada um, com o mínimo de gratificações que se lhe asseguraria, indicasse em quanto tempo e sob que requisitos de coerção se poderia — se isso fosse possível — alcançar o estilo de vida das nações desenvolvidas. No segundo caso, as exigências são muito maiores, tanto no que se refere à criatividade para a formulação do projeto de sociedade em que os peruanos desejam viver como para viabilizar sua edificação através de um esforço coletivo empreendido com fé e entusiasmo.

As Américas e a civilização

O debate sobre o modelo peruano levanta, ademais dessas, outras questões. Entre elas, a concernente à estratificação social e à institucionalidade política que resultará das mudanças em curso. Qual será o caráter do estrato superior da nova sociedade? Seu setor predominante será um *patronato* privativista de empresários, ou um *patriciado* burocrático cujo poder advenha do desempenho de cargos? Que controles populares se poderão institucionalizar e tornar efetivos? Será praticável criar no Peru uma sociedade efetivamente solidária fundada em novas formas de sociabilidade? É de supor que o temor dos militares ao tumulto social e à competição com lideranças partidárias — sejam reformistas ou esquerdistas — paralise as tendências democratizadoras. E sobretudo a coragem de repensar o mundo e a existência humana com originalidade, a partir do contexto peruano. Para que isso não ocorra será necessário, em nosso modo de ver, formular um projeto nacional atrativo e convincente que opere como um programa revolucionário que represente para a maioria da população um ideário com o qual qualquer pessoa possa identificar-se, como ocorre com as identificações ideológicas ou partidárias.

Mais decisivas que essas opções e indagações que aguardam respostas e decisões são as que se levantam diante das esquerdas como um severo desafio teórico e político para a redefinição de seu papel e de sua função na forma de uma estratégia viável e genuína de luta pelo socialismo. Essa inquietação tem sido expressa muitas vezes por peruanos e estrangeiros, mas ninguém até hoje indicou uma saída para a perplexidade da esquerda na forma de um plano concreto de ação confluente com o impulso revolucionário em curso e capacitado a orientá-lo para o socialismo.

O Peru vive um momento crucial de sua história e da história latino-americana, procurando um modelo de reordenação socioeconômica que será decisivamente importante se realizar suas melhores potencialidades. O assinalável, contudo, é que, embora muito improvável, não se pode deixar de admitir a possibilidade de que o Peru experimente um retrocesso, como ocorreu tantas vezes, em casos semelhantes. Mas deve-se admitir também que, se isso chegasse a ocorrer, não corresponderia a um desdobramento necessário das tendências do modelo, senão a uma vicissitude histórica. E, nesse caso, não seriam as esquerdas peruanas as herdeiras do despojo, senão, seguramente, alguma forma de regime regressivo que traumatizaria por longo tempo o povo peruano.

No fim de 1976 eram numerosos os indícios de que esse retrocesso estivesse em marcha. O ímpeto revolucionário contido desde a derrubada de Velasco Alvarado, em lugar de acumular forças para ressurgir mais vigoroso, se debilitava cada vez mais. Nenhum retrocesso grave se fizera na reforma agrária ou nos setores nacionalizados na mineração. Mas a principal preocupação do governo já não era aprofundar a revolução, e sim buscar soluções de emergência para a grave crise econômica e política que enfrentava.

Aparentemente o processo peruano experimentava efeitos tardios de uma debilidade decorrente da natureza do próprio social que o impulsionara. Protagonizado por um grupo militar-ideológico que dominara as Forças Armadas e as compelira a representar um papel revolucionário, o processo peruano começou a perder impulso quando aquele grupo acabou por desgastar-se no exercício do poder. Não logrando criar um movimento popular de base que lhe desse autonomia, o processo revolucionário ficara na dependência total da liderança que aquele grupo militar ideológico exercia sobre a oficialidade.

Precisamente nesta debilidade essencial é que se baseou a ação reacionária articulada internacionalmente para frustrar a Revolução Peruana. O mecanismo consistiu nesse caso em utilizar ampla e reiteradamente o sistema mundial de comunicação de massas para difundir a ideia de uma ameaça iminente de guerra entre o Peru, de um lado, e o Chile e a Bolívia, de outro. Depois de quase um século de frustração de uma guerra perdida para o Chile, que se apropriara de grande parte de seu território e de todo o litoral da Bolívia, esse noticiário intranquilizava fortemente a oficialidade peruana. Em lugar de continuar argumentando que a revolução em marcha, sobretudo a reforma agrária, criava as bases de uma verdadeira segurança nacional — porque vinculava as Forças Armadas ao grosso da população nacional formada por camponeses —, agora se dizia que a revolução constituía uma ameaça mortal para a segurança nacional. Argumentava-se que, em caso de guerra, atrás do Chile, sustentando suas forças, estariam os norte-americanos e os brasileiros. E o Peru, com que aliados contaria?

Essa ameaça hipotética de uma futura guerra perdida, manipulada como uma arma psicológica, atuou primeiro como um fator de inquietação com a segurança nacional em cujo nome se passou a questionar a revolução nos meios militares. Atuou depois como motivo de agitação contrarrevolucionária que criou conflitos de hierarquias cada vez mais difíceis de serem contidos. Finalmente, somado aos problemas econômicos decorrentes da crise do petróleo e do desaparecimento da farinha do pescado, que era um importante artigo de exportação, criou-se uma conjuntura na qual Velasco Alvarado perdeu a liderança sobre as Forças Armadas. Desde então se tornou iminente o risco de que uma contrarrevolução levantada por qualquer setor militar contasse com o apoio imediato da maioria das Forças Armadas. Nessas circunstâncias, ao que parece, os remanescentes do grupo militar ideológico, que desencadeara a Revolução Peruana, tentaram um contragolpe preventivo — substituindo Velasco

Alvarado por Morales Bermúdez e buscando uma posição centrista — para, assim, evitar o mal maior. O que resultou, porém, foi um movimento de retrocesso que, fortalecendo a direita militar, faria cair, em seguida, os generais mais identificados com a Revolução Peruana (Leónidas e Maldonado) e daria início a um movimento repressivo que está afastando do governo a quase totalidade dos quadros civis que ajudavam a levar adiante a Revolução Peruana.

TERCEIRA PARTE
OS POVOS NOVOS

Estamos condenados à civilização. Ou progredimos ou desaparecemos.

Euclides da Cunha

Os *povos novos* constituem a configuração histórico-cultural mais característica das Américas porque surgiram em todo o continente, embora tenham sido posteriormente transfigurados em certas áreas. Seus símiles são, entre outros, as formas incipientes de alguns povos europeus modernos que tiveram moldadas suas matrizes étnicas fundamentais mediante o domínio e a miscigenação de populações estranhas por colonizadores escravistas. Assim surgiram a macroetnia ibérica e as etnias nacionais francesa, italiana e rumaica, como resultado do projeto romano de colonização mercantil que transfiguraria cultural e linguisticamente suas populações originais através do domínio militar, dos deslocamentos de populações, da escravização, da amalgamação e da deculturação. São seus equivalentes, também, os povos transfigurados pela expansão muçulmana mediante processos similares de dominação colonial e que somam, hoje, mais de 300 milhões de pessoas distribuídas pela Ásia e pela África. Em todos esses casos — como no americano — deparamos com o surgimento de *povos novos* pela conjunção e amalgamação de etnias originalmente muito diferenciadas, sob condições de domínio despótico por parte de agentes coloniais de sociedades mais desenvolvidas, ou de *herenvölkers* capazes de conquistar e dinamizar sociedades mergulhadas no feudalismo e de integrá-las em corpos imperiais e em sistemas mercantis internacionais, como no caso islâmico.

Os *povos novos* das Américas são, também, o resultado de formas específicas de dominação étnica e de organização produtiva sob condições de extrema opressão social e deculturação compulsória que, embora exercidas em outras épocas e em distintas áreas do mundo, alcançaram na América colonial a mais ampla e a mais rigorosa aplicação. Tais foram, em primeiro lugar, a colonização europeia do Novo Mundo, mediante a escravidão utilizada como processo capitalista mercantil de aliciamento de mão de obra de povos tribais, africanos e aborígines, para a produção agrária e a exploração mineral. Em segundo lugar, a implantação da *fazenda* como instituição social básica e como modelo de organização empresarial capitalista que, reunindo o domínio da terra e o monopólio da força de trabalho, permitia produzir artigos destinados ao mercado mundial, a fim de obter lucros pecuniários.

O mesmo modelo básico serviu para abrir grandes monoculturas de cana e fábricas de açúcar; para organizar as grandes plantações de algodão, de café, de tabaco, de cacau, de bananas, abacaxis e outros produtos; primeiramente, dentro do regime escravocrata e, após a abolição, com trabalhadores livres. Foi também empregado, com as necessárias adaptações, à criação extensiva de gado com objetivos comerciais e até ao extrativismo vegetal. Essas formas diferenciadas do modelo de fazenda tinham em comum o domínio do território onde operavam e o controle de um contingente humano posto a serviço da empresa, sem qualquer respeito por seus costumes ou aspirações que se pudessem opor aos imperativos da produção e do lucro. Todas tinham, também, como dominador comum, o seu caráter de instituição mercantil que permitia vincular as colônias de ultramar às economias metropolitanas.

Em certo sentido, a fazenda colonial se antecipa à fábrica moderna, por suas características de concentração de trabalhadores, sob o comando patronal do proprietário dos meios de produção, visando à apropriação do produto do seu trabalho. Era, contudo, uma "fábrica" esdrúxula, porque rural e escravocrata e, por isso, capacitada a isolar os que nela estavam internados, configurando comunidades atípicas, cujo ritmo de trabalho e de lazer, cujos costumes, cujas crenças, cuja organização familiar, cuja vida inteira se sujeitavam à intervenção dominadora de uma vontade estranha.

A oposição natural e irredutível entre os interesses patronais, que visam extrair o máximo de lucro da empresa, e os "proletários", que buscam obter uma parcela maior dos valores que criam, se restringe, dentro da fazenda tradicional, a limites extremos. Nessas condições, o trabalhador só pode diminuir seu ritmo de trabalho para desgastar-se menos rapidamente, ou fugir para ser caçado, se se trata de um escravo, ou, ainda, procurar outra fazenda de regime equivalente, quando cai numa dessas formas espúrias de assalariamento que sucederam à escravidão.

Na fazenda, sob o regime escravista, não havia lugar para o pai de família em relação à companheira e aos filhos, também *peças* pertencentes ao *amo*, e não a ele. Ainda hoje, não cabe o cidadão, porque a pátria é a fazenda para quem nasce e vive nos limites dos seus cercados. Entre a fazenda e o mundo exterior — dos negócios, da sociedade, da nação, da religião — só cabe um mediador, que é o fazendeiro, com seus papéis de patrão, de padrinho, de protetor, de chefe político e de empresário.

Na sua forma escravocrata e, depois, "livre", a fazenda tem sido a instituição básica conformadora do perfil dos *povos novos*. Dentro do seu condicionamento é que se modelaram a família, a religiosidade, a nação mesma, como projeção de sua estrutura elementar sobre a ordenação legal do Estado e do seu papel hegemônico sobre os poderes públicos. Modeladora básica da sociedade, a fazenda se imprimiu tanto nos descendentes dos que nela mourejavam como escravos ou como forças de trabalho livre quanto nas camadas dominantes, rurais e urbanas, deformados todos pelo espírito autocrático-paternalista, pelos gostos senhoriais, pela discriminação racial e social.

Implantadas sobre uma sociedade assim estruturada, as instituições republicanas se conformaram como um simulacro de autogoverno popular, incapaz de disfarçar o caráter efetivamente oligárquico do poder que se esconde atrás da aparatosidade democrático-representativa. A própria Revolução Industrial, operando sobre tal contexto, encontra resistências que desfiguram todas as suas potencialidades de reordenação social. Estas resistências decorrem do caráter exógeno da economia de fazendas, estruturada antes para atender a necessidades alheias do que às da sociedade de que faz parte.

Enquanto populações plasmadas pela amalgamação biológica e pela aculturação de etnias díspares dentro desse enquadramento escravocrata e fazendeiro, são *povos novos* os brasileiros, os venezuelanos, os colombianos, os antilhanos, uma parte da população da América Central e do sul dos Estados Unidos. Estes últimos, experimentando o mesmo processo formativo, configuraram-se também como *povos novos*, embora os centro-americanos se singularizem por uma presença maior de conteúdos indígenas e a região sulina norte-americana porque, não tendo conseguido estruturar-se como nação, foi compelida a sobreviver como corpo estranho de uma configuração de *povo transplantado*. Uma segunda categoria de *povos novos*, pronunciadamente diferenciada da primeira por sua formação étnico-nacional basicamente indígeno-tribal e por não terem experimentado as compulsões da *plantation*, encontra-se no Chile e no Paraguai. Foram *povos novos* do mesmo tipo destes últimos, embora mais tarde transfigurados por um processo de sucessão ecológica que os europeizou maciçamente, o Uruguai e a Argentina.

Os perfis culturais dos *povos novos* se diferenciam, também, segundo três ordens de variáveis, correspondentes às matrizes europeias, africanas e americanas que se conjugaram para constituí-los. No primeiro caso, essas variantes opõem os diversos povos europeus que promoveram a colonização das Américas. A principal diferença, nesse caso, é a que contrasta os colonizadores latinos dos demais. E estas diferenças são irrelevantes com respeito ao processo de formação dos *povos novos*, em face do poder uniformizador do dominador comum representado pelo escravismo e pelo sistema de *plantation* que presidiu a atuação de todos os colonizadores. Comprova essa irrelevância a uniformidade essencial de todos os *povos novos*

As Américas e a civilização

constituídos com base naquelas formas de contingenciamento da força de trabalho e de organização empresarial capitalista mercantil. É certo que a maior maturidade institucional e econômica como formação capitalista dos colonizadores não latinos acrescentou coloridos distintos a certas áreas. Mas não chegou a diferenciá-las tão substancialmente que pudesse infundir características irredutivelmente opostas às etnias-nacionais resultantes.

Os poderes de dominação exercidos pelos agentes europeus da colonização dos *povos novos* fez de cada unidade, linguisticamente, luso-americanos, hispano--americanos, franco-americanos, anglo-americanos, batavo-americanos, e a aculturou segundo tradições religiosas católicas ou protestantes, no espírito dos corpos de instituições, de costumes e hábitos prevalecentes na metrópole colonial. Essas diferenças, altamente significativas para a compreensão das entidades nacionais em suas singularidades, são, contudo, irrelevantes na construção de modelos mais gerais e explicativos. Sua importância maior está no seu caráter de enquadramentos culturais gerais qualificadores da ação de cada contingente europeu. Sobre esses fatores culturais diferenciadores prevaleceram, porém, os socioeconômicos, condicionadores da subjugação e da conformação das populações americanas através da colonização escravista que as configurou como *povos novos*.

Na segunda variante, concernente à matriz africana, é mais significativa a presença e a proporção dos seus contingentes integrados em cada população neoamericana do que a variação cultural dos diversos grupos negros trazidos à América. Isso porque a deculturação, sob condições de escravidão, deixou pouca margem para a impressão de traços culturais específicos dos povos africanos nas etnias nacionais modernas das Américas. Apenas no terreno religioso são assinaláveis suas contribuições. Mesmo estas, impregnadas de sincretismo, são mais expressivas do protesto do negro contra a opressão a que é submetido do que da preservação de corpos originais de crenças.

A terceira variante, referente à matriz indígena, parece ser mais significativa no plano cultural do que a negra, porque os contingentes nativos encontrados pelos europeus proporcionaram os elementos básicos da adaptação ecológica dos primeiros núcleos neoamericanos. Contribuíram, assim, decisivamente para a configuração das protoculturas de implantação dos empreendimentos colonizadores em terras americanas. Essas variantes indígenas apresentam pelo menos duas formas básicas, correspondentes aos níveis de desenvolvimento tecnológico que havia alcançado cada grupo aborígine e as diferenças dos respectivos patrimônios culturais, parte dos quais ainda sobrevive e é responsável por certas singularidades dos povos neoamericanos.

198

TERCEIRA PARTE — OS POVOS NOVOS

Tais são, em primeiro lugar, a variante correspondente aos Tupi-Guarani da costa atlântica da América do Sul; aos Aruak, aos Karib, da floresta amazônica e da área do Caribe, todos eles classificáveis no plano da evolução sociocultural como *aldeias agrícolas indiferenciadas*. Esses povos indígenas participavam de uma mesma forma básica de adaptação às regiões tropicais, através do cultivo das mesmas espécies vegetais e de uma tecnologia produtiva do mesmo nível de desenvolvimento. Em segundo lugar, os *araucanos* da costa chilena e as diversas confederações tribais do noroeste da América do Sul e da América Central, que já haviam alcançado um nível de *Estados rurais artesanais* ou progrediam nesse sentido.

Os povos Tupi-Guarani ocupavam, ao tempo da descoberta, quase toda a costa atlântica da América do Sul e vastas regiões interioranas onde se instalaram, originalmente, os portugueses e os espanhóis. De sua conjunção resultaram não só mestiços, mas cristalizações culturais novas que acabaram por configurar-se como protocélulas étnico-culturais para as quais aqueles grupos indígenas contribuíram com a língua que se falou nos primeiros séculos e com a quase totalidade das formas de atendimento da subsistência dos núcleos originais brasileiros, rio-platenses e paraguaios. Os Aruak e os Karib antilhanos, que tinham o mesmo nível de desenvolvimento dos Tupi-Guarani e a mesma forma de adaptação ecológica, constituíram a matriz genética e cultural básica das primeiras implantações espanholas naquela área. Apesar de rapidamente exterminados pelo contágio de enfermidades antes desconhecidas e pela escravização, esses povos tribais deram às populações que os sucederam as formas fundamentais de provimento da subsistência que lhes permitiriam sobreviver nos trópicos.

Em todas essas regiões, a configuração cultural primitiva, em que predominava a contribuição indígena, sofreu posteriormente profundas transformações pela introdução de elementos culturais europeus ou africanos e pela especialização econômica como áreas de plantações de produtos tropicais e de pastoreio comercial. Só os paraguaios e, em menor escala, os brasileiros conservam, ainda hoje, nítidos traços linguísticos e culturais resultantes da herança indígena Tupi-Guarani, que, por sua distribuição espacial pré-colombiana e por sua uniformidade cultural, pré-configuraram o que viriam a ser as etnias nacionais da costa atlântica da América do Sul.

Na costa do Pacífico, os espanhóis defrontaram-se, ao sul, com vários grupos indígenas, dentre os quais se destacam os *araucanos*, sobre cujas primeiras aldeias subjugadas se plasmou o chileno moderno. Na Venezuela e na Colômbia, bem como na América Central, os espanhóis depararam com os Chibcha, os Timote e as confederações Fincenu, Pancenu e Cenufaná; com os Cuna (Panamá), os Jicague

199

(Nicarágua) e alguns outros. Todos esses povos se encontravam num nível cultural mais alto que os do primeiro grupo. Aqueles que, como os Chibcha, se estruturavam politicamente como *Estados rurais artesanais*, contando com uma classe dominante que procurou conciliar com o invasor e com uma classe dominada já condicionada a servir a qualquer senhorio, foram prontamente dominados e erradicados como etnias. Os que davam os primeiros passos nesse caminho, como os *araucanos*, não contando ainda com um estrato senhorial conciliador, nem com estamentos subalternos afeitos à exploração do seu trabalho, resistiram por séculos à conquista e, ainda hoje, subsistem como minorias étnicas enquistadas no corpo da nação. Todos esses grupos indígenas, porém, transmitiram alguns dos traços do seu patrimônio cultural às novas etnias nacionais, que floresceram em seus territórios, integradas principalmente por mestiços de índias com europeus. Por esse processo, também naquelas áreas surgiram etnias neoamericanas resultantes da multiplicação de protocélulas culturais formadas pela fusão de elementos indígenas com europeus. Configuraram, no sul, os chilenos e, no noroeste, os venezuelanos e colombianos, bem como os panamenhos e nicaraguenses, na América Central, plasmando a todos eles como *povos novos*.

Também esses povos experimentaram transformações ulteriores, que mudaram profundamente sua configuração original. Em todos os casos, porém, é ainda indispensável reportar ao papel conformador das matrizes indígenas, em suas diversas variantes, para compreender as singularidades que os distinguem como variantes dos *povos novos* e os contrapõem aos *povos-testemunho* e aos *povos transplantados* das Américas.

Os traços comuns a todas essas nações e enclaves, que as caracterizam como *povos novos*, não se revelam apenas no seu processo formativo. Manifestam-se, também, nos seus perfis atuais e nos problemas de amadurecimento étnico-nacional e de desenvolvimento socioeconômico com que se defrontam. Manifestam-se, sobretudo, pelo seu desatrelamento de qualquer tradição arcaica, que permitiu configurar as parcelas mais atrasadas de suas populações como componentes marginais de tipo diverso daquele que encontramos nos *povos-testemunho*, porque marginalizados antes social do que culturalmente. O processo de integração compulsória a que foram submetidos os deculturou drasticamente, conformando-os como massas propensas à mudança e, por isso mesmo, menos conservantistas e mais flexíveis.

A categoria de *povos novos*, em cuja formação representaram papel fundamental a escravidão africana e o sistema de fazendas, conformou-se segundo dois padrões básicos. O primeiro deles tem de singular a situação em que foram geradas suas primeiras células étnicas — antes da chegada do negro — pela miscigenação

TERCEIRA PARTE — Os povos novos

e deculturação de contingentes europeus e aborígines. Estas células elementares nasceram híbridas porque mestiças e porque herdeiras do patrimônio cultural indígena na sua forma de adaptação ao meio; e do europeu, por suas estruturações como núcleos vinculados a sociedades mercantis distantes das quais receberam muitos elementos culturais e a cuja ordenação social tiveram de ajustar-se.

Poucas décadas após a localização de europeus em cada área americana essas protocélulas já se haviam cristalizado na forma de uma configuração cultural nova, já não indígena, nem europeia. Multiplicando-se por cissiparidade, permitiram ocupar amplos espaços, formando uma primeira matriz que se transformaria, com o tempo, pela especialização em diversos tipos de produção, simultaneamente com o ingresso dos contingentes negros. Assim cresceram, vinculadas à terra pela herança indígena e ao mundo exterior pelas formas mercantis, que viabilizaram seu desenvolvimento como proletariado externo de centros reitores europeus. Desenvolveram-se como resultado de projetos exógenos, devotados a atividades agroindustriais de exportação, como os engenhos de açúcar; mineradores, como a extração de metais preciosos; extrativistas, na recoleta de produtos florestais; e, ainda, pastoris, com a introdução do gado. Estas protocélulas índio-americanas, como primeiras cristalizações culturais dos *povos novos*, absorvendo os contingentes negros e brancos chegados mais tarde, é que presidiriam à aculturação de ambas, chamando-os a integrar-se nas suas formas de vida, como o modo de ser das sociedades neoamericanas.

O segundo padrão — prevalecente em algumas das Antilhas francesas e inglesas e no sul da América do Norte — não contou com essa formação mestiça índio-europeia ou a erradicou ao especializar-se como plantação açucareira ou algodoeira. Configurou-se, por isso, mais cruamente ainda, como subproduto de empresas capitalistas, que importavam combustível humano, na forma de negros escravos, para gastar nas plantações. Suas fazendas, dirigidas por capatazes ainda mais eficientemente capitalistas que os do resto do continente, alcançaram maior eficácia no rendimento de cada *peça*, no seu acasalamento para produzir novos escravos e na sua desumanização. Lançado nesses currais humanos, o negro tribal não tinha condições de conservar sua língua e sua cultura, nem de integrar-se numa cultura nova, que não fosse o papagaiar da fala e das ideias do seu patronato, em comer o que lhe davam e, sobretudo, em adestrar-se nas singelas tarefas produtivas das fazendas e das minas.

Apesar de tudo, a humanidade intrínseca de alguns crioulos da terra — muitos deles mestiços de branco protestante com as negras — conseguia reagir e alcançava dominar rudimentos de uma cultura maior, fazendo-se, depois, agentes da aculturação do escravo comum. Só desse modo se alargava seu horizonte mental, se enriquecia seu linguajar boçal, livrando-o da singeleza infantil, que não era o reflexo de uma mentalidade primitiva, como se supunha, mas do processo intencional de fazê-lo tão somente um instrumento eficaz, uma besta falante posta a serviço do amo.

As duas modalidades de estruturação dos *povos novos* construídos principalmente com mão de obra escrava trazida da África distinguiam-se, assim, pela presença ou ausência daquela célula cultural índio-europeia, que imprimiu as marcas distintivas das variantes dos *povos novos* do Brasil, da Nova Granada, das Antilhas espanholas, em oposição às outras formações antilhanas e do sul dos Estados Unidos. Todas elas têm, porém, em comum o que receberam os seus povos da matriz genética africana e as uniformidades impressas pelas compulsões comuns, que sofreram do sistema de fazendas e do escravismo. Ambos representam o resultado de um dos maiores empreendimentos humanos, aquele que permitiu generalizar em todo o mundo o uso do açúcar, das vestimentas de algodão, do tabaco, do café, do cacau e, mais tarde, de muitos outros produtos. Com ela, também, é que foram exploradas as minas de ouro do Brasil e de outros países americanos.

A contribuição da mão de obra escrava africana não pode, porém, reduzir-se à produção dessas mercadorias. Dela resultaram duas outras ordens de efeitos, de vital importância para a civilização. No início, a contribuição, provavelmente maior, para a formação de capitais investidos na Europa e nas Américas que custeou a edificação das cidades, o armamento dos exércitos e, mais tarde, a implantação dos parques industriais. Na formação destes capitais, o negro contribuiu duplamente. Primeiro, como mercadoria, uma vez que o tráfico negreiro se constituiu, durante séculos, num dos maiores negócios do mundo. Segundo, como força de trabalho que produziu as safras das fazendas e os minérios americanos, cuja comercialização possibilitou aquele fantástico acúmulo de capitais, para a dissipação e para a aplicação produtiva. O rápido amadurecimento do capitalismo mercantil bem como o alto ritmo de aceleração evolutiva experimentado pelos países pioneiros da Revolução Industrial só se tornaram possíveis graças à contribuição desse vasto "proletariado externo", cujo consumo era comprimido até o limite biológico para produzir o máximo de excedentes.

A segunda contribuição se constituiu na formação dos *povos novos* pela amalgamação dos cimentos genéticos trazidos pelo negro com os branco-europeus e os indígenas; na europeização linguística e cultural de seus descendentes, que permitiu estender as etnias europeias sobre uma larguíssima província da Terra onde elas se encarnam em povos predominantemente mestiços. Acresce, ainda, que onde se concentraram grupos negros a europeização dos demais contingentes se fez mais

TERCEIRA PARTE — OS POVOS NOVOS

aceleradamente. Esse poder de homogeneização cultural se deve ao imperativo que o negro enfrentou de desenvolver um sistema de compreensões comuns que permitisse o entendimento entre escravos de diversas extrações e entre estes e os demais contingentes que a todos obrigava a conhecer a língua do colonizador, facilitando, assim, sua generalização.

A destribalização do negro e sua fusão nas sociedades neoamericanas constituiu um dos mais portentosos movimentos de população e o mais dramático processo de deculturação da história humana. Para efetuá-lo, o europeu arrancou da África, em quatro séculos, mais de 100 milhões de negros, vitimando cerca da metade no apresamento e na travessia oceânica, mas conduzindo a outra metade para as feitorias americanas, onde prosseguiu o desgaste. Um dos efeitos cruciais dessa transladação de africanos e de sua incorporação como escravos na força de trabalho das sociedades americanas nascentes foi a implantação de uma estratificação étnica com as tensões da discriminação racial. Sobre a diferença entre citadinos e rurícolas e até mesmo a de ricos e pobres passaram a ressaltar as relações fundadas na escravidão, que opunham os homens livres aos escravos. Separadas por esse distanciamento social, as relações humanas impregnaram-se de vicissitudes de uma coexistência desigualitária que bipartia a condição humana numa categoria superior de "gente" oposta a outra de "bichos": a primeira, com todos os direitos; a última, somente com os deveres. Muito da discriminação racial e social que ainda hoje enfermiza os povos americanos tem suas raízes nesta bipartição que fixou, tanto nos brancos quanto nos negros e seus mestiços, rancores, reservas, temores e ascos até agora não erradicados. Seu efeito mais dramático foi a introjeção no negro de uma consciência alienada de sua subjugação, haurida da visão do branco, e que associa à cor negra a noção de sujo e de inferior, explicando por ela e não pela exploração a inferioridade social do negro.

O negro e seus mulatos contribuem, hoje, com um dos maiores contingentes da população dos *povos novos*, avaliado em cerca da metade do total, e com parcelas também ponderáveis dos habitantes da América do Norte. Constitui, igualmente, a parte da população que mais tende a crescer e, por isso mesmo, a que dará o colorido futuro dos povos latino-americanos como "gente de cor". Ao contrário das etnias indígenas contemporâneas, em grande parte inassimiladas, todo esse contingente negro e mulato foi deculturado de seu patrimônio original e engajado nas novas formações americanas.

Incorporados, originalmente, às suas sociedades como escravos, os negros emergiram para a liberdade como a parcela mais pobre e mais ignorante, incapaz de integrar-se maciçamente nos modos de vida modernos, concentrando-se nas

203

camadas mais marginalizadas, social e politicamente, da vida nacional. A miscigenação, atuando ao longo de séculos, fez das camadas mestiças de negros e brancos uma das matrizes genéticas fundamentais das populações neoamericanas. Mas, simultaneamente, as condenou, enquanto "mulatos", a condições de discriminação apenas mais brandas do que as que pesaram sobre os negros, não lhes ensejando canais de ascensão e de integração social correspondentes àqueles que foram dados aos outros estratos. A erradicação dessas discriminações e preconceitos não é um problema do contingente negro e mulato, mas um dos desafios fundamentais das sociedades neoamericanas, que, só pela integração de todas as suas matrizes e pela franca aceitação de sua própria imagem mestiça, preencherão as condições mínimas para chegarem a ser povos autônomos e culturas autênticas.

Em algumas das sociedades classificadas como *povos novos*, encontramos intrusões de contingentes imigrantes transplantados da Europa e da Ásia no século XIX. Em certos casos eles estão ilhados em determinadas regiões às quais emprestam características peculiares, como a zona europeia do sul do Brasil, algumas áreas da América Central e do Chile. Em outros casos, se dispersam em meio à população nacional, só sendo distinguíveis dela pelas marcas raciais que conduzem, como os diversos contingentes centro e norte-europeus, os japoneses, chineses e indianos do Brasil, do Peru e do Caribe.

Uma grande parcela dos integrantes destes contingentes, principalmente os europeus, exerceram um papel dinamizador da maior importância na modernização tecnológica e política dos *povos novos*. Habilitava-os para o exercício desse papel uma série de características. Primeiro, a de serem contingentes com maior qualificação profissional que as populações locais. Em geral, incluíam certa proporção de artesãos capacitados a criar pequenas oficinas — algumas das quais se tornariam fábricas — ou para trabalhar nas tarefas de modernização tecnológica, como a instalação de ferrovias, portos etc. Segundo, o fato de manterem vínculos culturais com sociedades mais adiantadas, de cujo progresso industrial se podiam informar mais facilmente, encontrando, assim, canais especiais de ascensão social. Terceiro, em razão de terem uma ampla pauta de consumo que incluía diversos artigos industriais, influindo, com isso, para alargar o mercado nacional e para difundir novos hábitos de consumo. Quarto, por sua adaptação prévia a formas mais avançadas de organização do trabalho, fundadas no salariado, e por sua capacidade de aceitar encargos de trabalho manual recusados pelas parcelas brancas das populações locais por serem tidos como próprios de escravos. Quinto, por sua atitude de "estranhos" desobrigados das responsabilidades sociais tradicionais, a qual, acrescida às suas habilitações, os tornava capazes de explorar oportunidades de enriquecimento não perceptíveis ou não aceitáveis para os trabalhadores locais. Sexto, pela capacidade da maioria destes contingentes de se integrarem nas novas sociedades sem constituírem quistos étnicos inassimiláveis.

Só em casos excepcionais e por provocação motivada do exterior — como a exploração de lealdades nacionais pela Itália fascista e a Alemanha nazista e pelo Japão imperialista — esses núcleos de imigrantes, imersos nos *povos novos* da América Latina, chegaram a criar sérios problemas de integração. A massa de imigrantes europeus e asiáticos era, em geral, maleável à assimilação por sua própria atitude integracionista. Queriam fundar na América um novo lar, dentro de uma sociedade mais promissora do que aquela que deixaram para trás, porque distanciada das guerras, da humilhação e da opressão que experimentaram. Não traziam, também, uma ideologia remarcada, mesmo porque as nacionalidades europeias modernas emergiram à época daquelas migrações maciças. Eram antes gente de sua província e religião, frequentemente tão opostos aos seus conacionais de outros cultos e dialetos, e às vezes até mais, do que à gente de outras nacionalidades.

Vinham dispostos a engajar-se na hierarquia ocupacional, situando-se conscientemente na camada trabalhadora, aceitando com disciplina o comando patronal, procurando demonstrar sua eficácia e aspirando, essencialmente, a tornarem-se granjeiros ou proprietários urbanos. Eram, porém, altivos diante de qualquer abuso, sobretudo das sobrevivências do trato escravocrata, que impregnavam todas as relações de trabalho. Contribuíram, assim, para a fixação de um perfil novo de trabalhador, mais independente e mais altivo em face do patronato e capacitado a estabelecer relações contratuais antes que paternalísticas.

Nos primeiros tempos, não se envolviam na vida política nem tinham lugar nela. Mais tarde, os que alcançaram maior sucesso econômico ingressaram na camada patronal e, por via dessa ascensão, tiveram acesso à vida político-partidária. A massa, porém, inclinava-se a conduzir-se como classe trabalhadora, não se identificando ideologicamente com o liberalismo formal das oligarquias locais.

Os que se fixaram no campo, criando áreas granjeiras, fizeram-se cada vez mais conservadores, sobretudo os de tradição católica, que nem chegaram a alfabetizar-se. Aqueles que se dirigiram às cidades atuaram predominantemente como força política de esquerda e, também aqui, como fator de modernização institucional. Eles é que criaram os primeiros núcleos de movimentos radicais na América Latina. Eram anarquistas, anarcossindicalistas ou socialistas que enfrentavam os patrões com greves e depredações e eram reprimidos com a maior violência. Por décadas, toda a esquerda da América Latina teve uma composição essencialmente imigrante-europeia e se exprimia politicamente através da atuação de sindicatos que eles fundavam e lideravam.

Sua atitude político-social era um socialismo romântico, fundado na aversão tanto à burguesia empresarial quanto ao Estado e às instituições reguladoras, como o Exército e a Igreja. Atuavam com a ingenuidade típica dos movimentos socialistas anteriores à experiência soviética, quando se supunha que à supressão formal da propriedade dos meios de produção se seguiria, natural e fatalmente, a constituição da sociedade sem classes, como o reino da igualdade e da fraternidade.

Depois da Primeira Guerra Mundial, a intensificação do processo de industrialização e de modernização reflexa da América Latina ensejou uma grande ampliação das camadas assalariadas urbanas. Os descendentes de imigrantes, que não conseguiram ascender à condição de proprietários, foram então maciçamente incorporados ao proletariado industrial e às novas camadas de empregados burocráticos, como a "aristocracia" do estrato assalariado. A partir daí, passaram a viver o destino desse estrato, vendo-se integrados à ordem política através de processos heterodoxos, como a identificação com lideranças autocráticas, populistas ou reformistas. Em qualquer caso, porém, como uma força eleitoral antipatricial e antioligárquica.

Nas últimas décadas, a identificação maciça das camadas urbanas com essas posições políticas renovadoras criou uma situação de crise política, porque tornou inviável para o patriciado tradicional a manutenção dos procedimentos liberais democráticos. Em consequência, prescreveu-se o voto livre e direto em quase toda a América Latina ou se condicionaram os procedimentos democráticos ao controle de tutelas militares e civis, que inviabilizam a expressão da vontade popular. Nessas circunstâncias, os descendentes de imigrantes dos *povos novos*, como toda a população, foram condenados a assumir posições mais radicais por verem somente nelas perspectivas de ruptura da hegemonia política das camadas dominantes tradicionais.

Nos capítulos seguintes serão estudadas as diversas etnias nacionais americanas, que se configuram hoje como *povos novos*. Do padrão constituído com a dominância dos contingentes aborígines e sem a presença impregnadora da *plantation*, apenas focalizamos o Chile, já que o Paraguai é estudado juntamente com os povos rio-platenses. Estes últimos, tendo-se transfigurado em *povos transplantados*, serão analisados em capítulo posterior, juntamente com os anglo-americanos.

V. OS BRASILEIROS

O Brasil se integra no conjunto dos *povos novos* da América como a unidade nacional que domina maior território, de maior população e como a única nação colonizada pelos portugueses. Da totalidade da América do Sul, ocupa metade da área com seu território de 8,5 milhões de quilômetros quadrados e, também, metade da população, com os 93 milhões de habitantes que atingiu em 1970. Mesmo considerado o conjunto da América Latina, ressalta a posição do Brasil, com 40% da área total e cerca de 30% da população. No plano mundial, figura como o quarto país em área contínua e como o sétimo em população.[1]

O território brasileiro configura um enorme losango irregular, com a face menor projetada para o Atlântico, numa linha litorânea de 7.500 quilômetros, e a maior separada do Pacífico e do Caribe por um cinturão de sete repúblicas hispano-americanas, através de 16 mil quilômetros de fronteiras. Na América do Sul, apenas o Chile e o Equador não têm limites com o Brasil.

Uma faixa paralela ao litoral atlântico, que se aprofundasse quinhentos quilômetros adentro prosseguindo pelo curso do rio Amazonas, englobaria 60% do território e 90% da população brasileira. O bolsão resultante, onde têm suas nascentes o rio Paraguai e o Paraná e a rede hidrográfica Araguaia-Tocantins, é a área menos explorada do país. A implantação ali da nova capital, Brasília, teve em vista precisamente constituir um núcleo capaz de promover a ocupação humana da área e sua efetiva integração na vida econômica e social do país. Ainda hoje, aqueles 90% dos brasileiros da faixa atlântica se concentram em ilhas demográficas separadas umas das outras por largas extensões pouco povoadas. Somente depois da última guerra mundial estas ilhas passaram a comunicar-se regularmente por terra. Antes coexistiam sem conviver, como um vasto arquipélago apenas ligado através de viagens marítimas ou de travessias terrestres por estradas precaríssimas ao longo de centenas de quilômetros de mata virgem ou de enormes extensões de campos desabitados.

Um isolamento ainda maior prevalece com relação a quase todo o bloco continental sul-americano, que, apesar de sua contiguidade geográfica, não apresenta uma integração social e econômica correspondente. Os países hispano-americanos confinantes com o território brasileiro dele antes se separam do que com ele se comunicam pelos milhares de quilômetros de fronteiras, que atravessam

As Américas e a civilização

enormes extensões despovoadas. Na verdade, somente o Uruguai e a Argentina, o Paraguai e a Bolívia têm núcleos regulares de comunicação com o Brasil através de cidades fronteiriças. O contato com os demais países se faz por mar ou pelo ar, vencendo distâncias equivalentes às que os separam da África, da Europa e da América do Norte. Nos últimos anos, o transporte aéreo, cada vez mais intenso, pareceu encurtar distâncias. Entretanto, dados os enormes vazios da América Latina, mesmo os aviões mais rápidos só oferecem viagens caras e longas que dificultam o convívio maciço.

Todas essas características revelam o quanto é incipiente a implantação dos projetos nacionais latino-americanos. Nas próximas décadas, forçados por uma taxa de incremento demográfico, que parece ser a mais alta do mundo, e servidos por sistemas mais eficazes de transporte, veremos multiplicar-se as suas populações, povoando os desertos interiores e ensejando, assim, um convívio e uma interinfluenciação maiores. A unidade latino-americana, fundada numa solidariedade moral que se afirma a cada dia, não tem base, portanto, no convívio, mas na semelhança da fisionomia cultural dominante — hispânica ou lusa — e na ausência de qualquer competição capaz de gerar conflitos. As célebres rivalidades argentino-brasileiras, de que tanto se falou nas primeiras décadas do século XX, eram mais exercícios escolares de militares ociosos do que a expressão de oposições reais de interesses nacionais.

Aos fatores originais de unidade acrescentaram-se, nas últimas décadas, três outros. Primeiro, a conscientização do atraso regional como uma atitude dinâmica de inconformismo e a deliberação de progredir pela exploração autônoma dos enormes recursos de cada país, a fim de elevar o nível das suas populações. Segundo, a compreensão de sua comunidade de interesses como povos explorados, em face da América do Norte, transformada em potência imperialista, sobretudo depois da Segunda Guerra Mundial. Finalmente, o esforço continental por alcançar, como fruto do planejamento, maior grau de complementaridade econômica, através da organização de um mercado comum privilegiado, mutuamente satisfatório. O desenvolvimento autônomo, a ruptura com a espoliação externa e interna e a integração regional têm, como obstáculo básico, a política de potência da América do Norte, orientada para a perpetuação do atraso como mecanismo de dominação do continente.

1. A protocélula Brasil

O caráter de *povo novo* da etnia nacional brasileira assenta-se na sua formação multicultural e multirracial em que representaram papéis decisivos o negro e o indígena, além do europeu. Os processos de destribalização e deculturação desses contingentes para plasmar a etnia nacional operaram sob as compulsões da escravidão e, simultaneamente, com a miscigenação de uns com os outros e de todos com o português, sob a dominação deste último, que impôs sua língua, sua religião e uma ordenação social conformada de acordo com seus interesses de nação colonizadora.

Apesar da disparidade das matrizes originais e das diferenças ecológicas, plasmou-se no Brasil uma etnia peculiar: racialmente heterogênea e em pleno processo de fusão, mas culturalmente coesa pela unidade do idioma, dos modos de ação sobre a natureza, das formas de organização social, das crenças e da visão do mundo. Esse foi o processo básico de formação de todos os *povos novos*. O que têm os brasileiros de singular decorre das qualidades diferenciadoras trazidas por suas matrizes indígenas, africanas e europeias, da proporção particular em que elas se congregaram no Brasil, das condições ambientais que enfrentam e, ainda, da natureza dos objetivos de produção que as engajou e reuniu.

A partir de que momento se pode falar de uma cultura neobrasileira diferenciada em seu processo de desenvolvimento? Situaríamos esse momento em meados do século XVI, ao se erigirem os primeiros engenhos, sendo dominante o comércio com o pau-brasil e quando ainda se tratava de engajar o índio no trabalho escravo. Terá sido gerada nas primeiras comunidades da costa são-vicentina, baiana, pernambucana e carioca, integradas principalmente por mestiços de europeus com índias e que já contavam com um modo de vida próprio, diferente de suas matrizes. Dessas comunidades originais é que se projetariam os grupos constituídos das diversas configurações socioculturais brasileiras, imprimindo em todas elas traços uniformes. Suas bases culturais eram a matriz tupi, encontrada ao longo de toda a costa, e a matriz europeia, representada quase exclusivamente pelos portugueses.

Esses primeiros núcleos brasileiros — protocélulas ainda da etnia nacional — surgiram da miscigenação e da aculturação do europeu com índios da costa, nas décadas iniciais do contato. Os dois processos moldaram um tipo humano novo, já não indígena, nem europeu, que representaria o papel principal na formação da sociedade brasileira. É o *mameluco*,[2] filho de europeu com índia, identificado com o pai, mas falando melhor a língua materna em cuja comunidade nasce, mais herdeiro da cultura indígena que da europeia. Esses mestiços, dirigidos por alguns europeus encarregados das feitorias implantadas na costa, tiravam sua subsistência principalmente das roças dos índios e devotavam-se ao único negócio da terra: o fornecimento de toras de pau-brasil às naus que tocavam a costa, em troca de

AS AMÉRICAS E A CIVILIZAÇÃO

manufaturas europeias de que necessitavam e das bugigangas com que aliciavam o trabalho indígena de descoberta, corte e carreto das árvores.

Estas protocélulas da cultura brasileira, plasmadas quando ainda o negro não havia chegado e o europeu era raro, operaram como o denominador comum do modo de vida popular de todas as regiões. Eram integradas, principalmente, pela herança por parte do mameluco — por via deste, do branco e, mais tarde, do negro — do patrimônio milenar de adaptação dos povos tupi à floresta tropical. Este era representado por um saber concernente à natureza tropical, por uma tecnologia a ela ajustada e por uma visão do mundo característica. Com efeito, esses novos núcleos humanos só puderam surgir, sobreviver e crescer em condições tão inviáveis e em meio tão diverso do europeu porque aprenderam com o índio a dominar a natureza tropical, fazendo deles seus mestres, seus guias, seus remeiros, seus lenhadores, seus caçadores e pescadores, seus artesãos e, sobretudo, fazendo das índias suas mulheres, em quem geraram uma vasta prole mestiça que viria a ser, depois, a gente da terra.[3]

Na escala da evolução cultural, os povos tupi davam os primeiros passos da Revolução Agrícola, superando, assim, a condição de tribos de caçadores e coletores. Fizeram-se por caminho próprio, juntamente com diversos outros povos da floresta tropical, que haviam domesticado a mandioca e diversas outras plantas, retirando-as da condição selvagem para seus roçados. Além da mandioca, cultivavam o milho, o feijão, o amendoim, o tabaco, a batata-doce, o cará, abóbora, cabaças e cuias, varas de flechas, a pimenta, o urucu, o algodão, o carauá, o caju, o mamão, o mate, o guaraná, entre muitas outras plantas, em grandes roçados que lhes asseguravam fartura de alimentos durante todo o ano e uma grande variedade de materiais para fabrico de artefatos, condimentos, venenos, pigmentos e estimulantes. Desse modo, escapavam da condição de carência alimentar a que estão sujeitos os povos pré-agrícolas, dependentes da dadivosidade da natureza tropical que, se provê fartamente frutos, cocos e tubérculos durante uma quadra do ano, na outra os condena à penúria. Permaneciam, porém, dependentes da natureza para outros alimentos que obtinham da caça e da pesca, também sujeitos a uma estacionalidade marcada por fases de fartura e de carência.[4]

A tradição cultural que se imprimiu nos núcleos neobrasileiros foi a Tupi-Guarani, que, juntamente com grupos Karib, Aruak e poucos outros, participava de uma das tecnologias adaptativas mais avançadas dos indígenas da floresta tropical. Desde um século antes da descoberta, tribos dessa matriz linguístico-cultural haviam ocupado a costa brasileira, com exceção de pequenos bolsões mantidos por outros povos indígenas. Os mesmos Tupi-Guarani encontravam-se no alto Paraguai, onde nasceria Assunção; nas ilhas do rio da Prata, onde surgiria o núcleo primitivo de Buenos Aires; e em afluentes do Amazonas, onde mais tarde se instalariam os portugueses. Essa ampla distribuição dos povos Tupi-Guarani pré-configurou, de certo modo, o que viria a ser o Brasil como sociedade nacional, porque permitiu ao português defrontar-se com uma cultura indígena uniforme ao longo de quase toda a área territorial que viria a englobar.

As protocélulas da cultura rústica brasileira se plasmaram, por isso, com uma feição essencialmente tupi. Mais tarde, os neobrasileiros procurariam, de preferência, grupos indígenas da mesma matriz para conviver ou para escravizar. A seus olhos, esses povos eram gente com quem podiam entender-se sem grandes dificuldades, porque todos falavam variantes de uma mesma língua, cultivavam e consumiam os mesmos alimentos e tinham um patrimônio comum de compreensões culturais. Ao fim do primeiro século de colonização, os neobrasileiros só se haviam instalado em áreas anteriormente dominadas pelos Tupi-Guarani, crescendo sobre suas antigas aldeias, cujas populações eram progressivamente dizimadas pelas epidemias ou pelos rigores da escravização. Contudo, até sua extinção, elas continuaram contribuindo como matriz genética e cultural para a formação da sociedade brasileira que a sucederia no mesmo território.

Ainda hoje, no Brasil, as frentes pioneiras que avançam sobre áreas virgens, ao se defrontarem com grupos do tronco tupi, reconhecem de imediato a unidade essencial dos modos de adaptação à natureza e de muitas crenças desses povos como suas próprias. Pela mesma razão, reagem diante dos outros troncos indígenas tidos como gente estranha e atrasada, porque não cultivam as mesmas plantas, porque têm diferentes hábitos alimentares e costumes contrastantes, que não encontram ressonância em sua própria experiência.

As fazendas de cultivo de cana e a produção de açúcar que viabilizaram o projeto de colonização do Brasil instalaram-se, inicialmente, com base nesses núcleos, mediante a escravização do indígena, o que proporcionou ao mameluco uma função econômica nova: o apresamento de índios para vender como escravos aos plantadores. Romperam-se, desse modo, as relações simbólicas com os índios, que haviam ensejado as primeiras décadas de convívio pacífico e de cooperação. A rebeldia do índio contra a escravidão fundava-se em sua própria estrutura social igualitária, que, não diferenciando uma camada submissa, nem um estrato superior, tornara inviável a sua dominação global.

Por via da escravidão e do amansamento jesuítico, porém, certa parcela de indígenas foi desgarrada de suas tribos e compelida a integrar-se, individualmente, nos novos núcleos, somando-se aos mamelucos e, mais tarde, aos negros.

As Américas e a civilização

O fato relevante é que, em lugar do amadurecimento das comunidades tribais para a civilização, através de um suposto processo de aculturação que os faria progredir da condição tribal à nacional, da aldeia à vila, como supuseram tantos historiadores e antropólogos, os grupos indígenas simplesmente se extinguiram pela morte de seus integrantes, à medida que cresciam os núcleos neobrasileiros. Onde quer que tenhamos dados precisos, podemos observar que à coexistência de aldeias indígenas com novos núcleos mestiços se segue o crescimento destes e a extinção daquelas, cuja população vai diminuindo, ano após ano, até desaparecer (D. Ribeiro, 1957).

O fracasso na conscrição do braço indígena para os engenhos canavieiros é que conduziu à escravização do negro africano, igualmente tribal, mas, via de regra, mais evoluído cultural e socialmente e, por isso, mais bem condicionado a servir como escravo. Acresce ainda que, vendo-se em terra estranha, depois de alquebrada sua vontade pelo apresamento, pela travessia e pela separação da gente de sua comunidade e de sua língua, o negro sentia-se menos encorajado a fugir do eito. Para o índio tratava-se, tão somente, de ganhar o mato circundante, tentando escapar das tribos hostis para procurar aldeamentos de gente amiga até voltar à própria tribo.

As novas comunidades que se foram constituindo em função da economia açucareira eram capazes de abranger muito maior número de membros que as aldeias indígenas e as protocélulas iniciais, porque se estruturavam segundo modos de organização socioeconômica em que a interdependência dos indivíduos deixara de circunscrever-se aos núcleos familiares para estender-se a um conjunto de setores produtivos especializados, os quais, enquanto camponeses, artesãos, comerciantes, se faziam mutuamente dependentes, como partes de uma sociedade compósita. Os conformadores fundamentais desses núcleos foram a escravidão, como forma de contingenciamento da mão de obra, e o sistema de fazendas, em que cada novo núcleo foi estruturado.

Embora com alto grau de autossuficiência, esses núcleos dependiam de certos artigos importados, sobretudo de instrumentos de metal, sal, pólvora e poucos outros que não podiam produzir. A tecnologia em que se baseava sua ação produtiva — originalmente quase só indígena no que dizia respeito à subsistência — foi sendo enriquecida por contribuições europeias, que lhe emprestaram uma produtividade crescente. Tais foram o uso de instrumentos de metal (machados, facas, facões, foices, enxadas, anzóis); das armas de fogo para a guerra; de alguns dispositivos mecânicos, pouco difundidos nos primeiros séculos, como a prensa que substituiu o *tipiti* indígena no preparo da farinha de mandioca; o monjolo, com que se pilava o milho; o carro de boi, as moendas de espremer cana, a roda-d'água, o tear composto, o descaroçador de algodão e, ainda, a roda de oleiro, os tachos de metal, que substituíram o torrador de cerâmica no fabrico de farinha. Representou, também, papel importante a introdução pelo europeu de gado maior para o consumo de carne, montaria e tração; das criações de terreiro que enriqueceram a dieta alimentar; e de diversas plantas cultivadas, tanto alimentícias quanto industriais.

As casas melhoraram com a técnica de edificação de muros e paredes de taipa ou adobe, para os mais humildes, e de tijolos e cal e cobertura de telhas, para os mais nobres. E se enriqueceram com um mobiliário mais elaborado, deslocando as redes de dormir para dar lugar a catres; as cestas trançadas, substituídas por canastras de couro ou arcas de madeira, a que se somariam bancos, armários e oratórios. A tudo isso se acrescentaram as técnicas de preparo e de uso de ferramentas e utensílios de metal e do sabão, da aguardente, das lâmpadas de azeite, dos couros curtidos, de novos remédios, de sandálias e chapéus e aperfeiçoamentos na técnica de tecelagem indígena que permitiram fabricar melhores panos de algodão.

O traço dominante dos novos núcleos era terem um comando econômico e político externo de alto poder determinante sobre seu destino. Esse vínculo é que conduziria, mais tarde, as comunidades nascentes para um sistema produtivo novo, de base mercantil, porque montado para produzir lucro e de organização escravocrata da mão de obra trazida da África. Com o desenvolvimento econômico, essas características levariam, também, à tendência das comunidades a diferenciarem-se, cada vez mais, numa parcela rural, camponesa, integrada inicialmente pela gente nascida na terra, devotada à produção de alimentos e de gêneros comerciais e, mais tarde, por negros escravos nas plantações de exportação; e numa parcela urbana, de trabalhadores braçais, artesãos e comerciantes, bem como de funcionários, sacerdotes e autoridades, vindos todos do reino, os quais administravam o empreendimento e o dirigiam tecnicamente. Forma-se, assim, uma camada de pessoal especializado, desligada das tarefas de subsistência, na qual se destacavam um setor letrado, participante do conteúdo erudito da cultura europeia, que exercia as funções de mando, de guerra e de regulamentação social, especialmente nos planos político, empresarial e religioso.

Essa posição cultural mais alta não representou uma ascensão das sociedades tribais brasileiras à condição urbana e estratificada, mas a simples projeção sobre os núcleos neobrasileiros do avanço alcançado previamente pelo europeu, que conformava seus rebentos americanos numa etapa mais elevada de evolução sociocultural. Não se trata, portanto, de um processo de aceleração evolutiva, mas de uma mera atualização histórica.

A protocélula brasileira, de indígena, tinha, como vimos, principalmente a forma de adaptação à natureza para o provimento da subsistência, e a língua comumente falada dos dois primeiros séculos, que era o tupi. De europeu, as linhas ordenadoras da nova sociedade, como um componente colonial do capitalismo mercantil e escravocrata; a tecnologia produtiva do setor de exportação, da edificação das casas e de fabricação dos meios de transporte. De europeu, também, a língua portuguesa, que, com os séculos, iria se impondo, pela necessidade de um sistema coparticipado de comunicação entre tanta gente desgarrada de matrizes tão diversas. De europeu, ainda, a religião católica, também imposta, mas que, ao confluir para a nova cultura, tanto se impregna de crenças indígenas e tanto se mescla com conteúdos religiosos africanos que assume uma feição peculiar, mais distanciada, provavelmente, da ortodoxia católica romana do que as heresias mais duramente combatidas na península Ibérica.

A cultura assim plasmada se expandiria dos núcleos originais para os engenhos açucareiros que se multiplicam ao longo da costa. Daí passa aos campos naturais de criação de gado que se abrem pelo interior. Depois, por um ramo, conformaria a vida social das minerações de ouro e diamante; por outro, se internaria na mata amazônica com os coletores de borracha; por um terceiro, atingiria, no extremo sul, a novas áreas pastoris. Em cada uma destas áreas a nova sociedade cresce, adquirindo coloridos diversos, tanto ecológicos quanto econômicos, decorrentes das variações regionais e da diversificação das tarefas produtivas a que se dedicam. Através de longos períodos de tempo a vemos em permanente alteração e enriquecimento, incorporando, pelo trabalho, novos espaços físicos e os humanizando. Mas, simultaneamente, transfigurando sua própria fisionomia, redefinindo seus objetivos e suas lealdades. Por todos esses processos se plasmaram, historicamente, diversas formas de ser dos brasileiros, que permitem distingui-los, hoje, como sertanejos do Nordeste, caboclos da Amazônia, crioulos do litoral, caipiras paulistas, mineiros ou goianos, gaúchos das campanhas sulinas, gringo--brasileiros etc. Marcados todos pelo que têm de comum como brasileiros, mais do que pelas diferenças eventuais de adaptação regional ou funcional, ou de miscigenação e aculturação que emprestam colorido próprio a cada parcela da população nacional.

Estruturadas como um complexo socioeconômico, cada uma dessas áreas culturais conheceu um período de esplendor enquanto durou a higidez de sua atividade produtiva, possibilitada por sua integração no mercado internacional. Com a decadência da produção exportável, caíram, uma após outra, em largas quadras de letargia, em que regrediam a uma economia de subsistência. Veem, então, deteriorarem-se suas empresas, cidades, fazendas, transladando-se os capitais e parte da população para outras áreas, nas quais surgiam novas atividades; retroagindo, assim, a uma condição social e cultural marcada pela penúria, com a degradação dos níveis de civilização que haviam alcançado.

Como raramente ocorreram dois ciclos numa mesma área, em cada uma delas, após o declínio, permanecia uma população residual, cada vez mais pobre, incapaz de reordenar a vida econômica e social sem uma motivação externa.

Isso ocorreu na área açucareira, passado um século e meio de grande prosperidade econômica (1530-1650), que lhe permitiu instalar e manter grandes contingentes de negros, mestiços e brancos, e criar os primeiros núcleos urbanos do país. A partir da segunda metade do século XVII, a economia açucareira entra em decadência provocada pelo surgimento da produção antilhana, e pelas rebeliões dos negros escravos que se tornaram crônicas. Esse declínio se acentuaria com o surgimento das zonas de mineração aurífera, para onde acorre grande parte de sua população. Inicia-se, então, um novo ciclo que duraria quase um século (1700--80), concentrando enormes contingentes populacionais na região montanhosa do Centro e levando grande número de habitantes para o extremo Oeste. A economia mineradora decai, também, com o esgotamento das lavras de ouro e diamante, entrando no mesmo processo de regressão a formas econômicas de subsistência e a uma cultura da pobreza. Só meio século mais tarde surge e se implanta nas áreas vizinhas um novo motor econômico com a grande lavoura do café (1840-1930). Mais uma vez, parcelas da população livre e escrava de antigas áreas (mineradora, açucareira e dos sertões pastoris) são recrutadas para o novo núcleo de trabalho que cresceria intensamente durante quase um século para dar lugar, depois de 1930, à economia industrial.

Além desses centros dinâmicos maiores, que dominaram a vida econômica nacional por largos períodos, alguns núcleos menores surgiram e se desfizeram mais rapidamente, vivificando algumas áreas que depois também retrocederam. Tais foram as economias de algodão do Maranhão (1770-1820), da borracha amazônica (1880-1913), que possibilitaram implantar núcleos civilizadores em áreas marginais, incorporando-as à sociedade nacional.

Esse desenvolvimento por grandes impulsos seguidos de largos períodos de retração e letargia, sucedendo-se no tempo, um após o outro, e ocupando diferentes áreas do país, possibilitou a ocupação do imenso território brasileiro e facilitou a unidade nacional, mas importou, também, na condenação à penúria de vasta população engajada sucessivamente em cada ciclo. Nenhum deles pôde fortalecer--se pela interação econômica com os outros. Apenas se complementariam pela transferência de mão de obra e pela constituição de núcleos auxiliares de economia de subsistência e de pastoreio dos sertões interiores e do sul do Brasil que, sucessivamente, serviram às diferentes áreas produtivas. E essa expansão pastoril, embora jamais alcançasse a prosperidade episódica dos grandes ciclos, permitiu formar a frente móvel responsável pela ocupação da maior parte do território brasileiro, preenchendo, assim, os vazios interiores entre as zonas de economias de exportação.

Só a industrialização, ainda em curso, lastreada no atendimento a um mercado interno de âmbito nacional já constituído, ensejará a integração dessas diferentes regiões num sistema econômico único, capaz de cobrir todo o país, superando, ao mesmo tempo, a condição arcaica da sociedade brasileira para imprimir-lhe as características de uma nação moderna.

No plano do desenvolvimento cultural, todas essas formas de produção brasileiras e as respectivas configurações socioculturais são variantes de um sistema tecnológico de baixa energia prevalecente em todo o mundo antes da Revolução Industrial. Realizavam as potencialidades adaptativas de uma civilização agrário-mercantil, fundada na lavoura, no pastoreio e na mineração com técnicas rudimentares, utilizando energia muscular, humana e animal, e dispositivos de captação da força das correntes fluviais, como a roda-d'água, e do vento, como a embarcação a vela. Essa tecnologia é que possibilitou a implantação do empreendimento comercial de que resultou a colonização do Brasil: tornando viável a transladação de enormes massas humanas da África para o trabalho nas lavouras e nas minas, e fazendo o transporte das mercadorias e as comunicações internas entre os diversos núcleos litorâneos e deles com os mercados europeus.

Os complexos socioculturais resultantes refletiram, em seu nível de desenvolvimento, essa tecnologia civilizadora que propiciava maior expansão onde era mais exaustivamente explorada, mas também estabelecia os limites alcançáveis pela população e as formas possíveis de organização social.

O modo de vida prevalecente era fundamentalmente agrário, ocupando nas plantações comerciais e nas lavouras de subsistência a quase totalidade da população para isso dispersa, através do sistema de fazendas, sobre um imenso território. A rede urbana consistia em pequenas cidades portuárias que, além da atividade básica de exportação, exerciam funções administrativas, militares, comerciais e religiosas. Frequentemente, o funcionário, o soldado, o comerciante e o padre eram também fazendeiros. Em qualquer caso, viviam dos excedentes produzidos e tinham a razão mesma de sua existência na satisfação das necessidades de ordenação, de defesa e de comercialização da economia agrária e mineradora. A vida realmente criativa estava nas fazendas e minas, organizadas para produzir bens de exportação e aspirando satisfazer autarquicamente às necessidades de subsistência de suas populações.

O principal artigo importado era a mão de obra escrava que não conseguia multiplicar-se internamente em virtude das próprias condições de vida e de trabalho a que era submetida. Além dos negros do eito, importavam-se alguns instrumentos de metal, sal e artigos de consumo conspícuo da camada senhorial. A comida, as roupas, as moradias eram produzidas na própria fazenda, exceto a carne, os couros e os animais de tração, vindos das zonas de pastoreio. Nas quadras de alta cotação do artigo exportável, tornava-se conveniente comprar gêneros alimentícios e panos para a escravaria, ativando-se fora das fazendas a lavoura ancilar de subsistência destinada primacialmente às feiras urbanas.

Jogando com suas contas de compras e vendas, cada fazendeiro procurava manter seu capital, ameaçado de minguar pela usura dos financiadores, a carestia dos artigos importados e pelo desgaste permanente de suas fontes humanas e animais de energia. Quando alcançava saldos excedentes de seu consumo suntuário, o aplicava na expansão das áreas de cultivo, abrindo novas fazendas.

Um alto índice de natalidade apenas permitia um aumento discreto da população em virtude das altíssimas taxas de mortalidade infantil e geral que pesavam sobre todos, mas especialmente sobre a massa escrava. Esta, utilizada como fonte básica de energia que se gastava no serviço, devia ser reposta pelo fluxo permanente do tráfico. Os núcleos de economia ancilar provedores de carne e de gêneros ao incipiente mercado interno, não sendo onerados pela compra da mão de obra escrava e tendo um reduzido consumo de artigos comerciais, atendiam melhor à própria subsistência, aumentando constantemente seu montante populacional.

Os primeiros negros introduzidos no Brasil alcançaram a costa nos últimos anos da primeira metade do século XVI. Eram pouco numerosos, como se demonstra pelo próprio empenho dos historiadores em documentar esses primeiros ingressos. Com o desenvolvimento da economia açucareira, são trazidos em grandes levas. Cada senhor de engenho tinha regalia real para importar 120 *peças*, mas nunca foi limitado o seu direito de comprar negros trazidos aos mercados de escravos. Os concessionários reais do tráfico negreiro tiveram um dos negócios mais sólidos da colônia, que duraria três séculos, permitindo-lhes transladar milhões de africanos ao Brasil e, desse modo, absorver a maior parcela do investimento das empresas açucareiras, auríferas, de algodão, de tabaco, de cacau e de café, que era o custo da escravaria.

Compelido a integrar-se na sociedade nascente como sua mão de obra fundamental, o negro africano faz-se brasileiro ao assimilar-se à cultura daquelas

As Américas e a civilização

protocélulas, a cujas formas de vida, hábitos e costumes teve de ajustar-se. Pouco contribuiu culturalmente para elas, já que preexistiam a seu ingresso. Mas as marcaria profundamente como matriz genética, transformando-as de mamelucas em mulatas. Contribuiria, igualmente, na passagem do tupi ao português como língua materna, processada primeiro nas áreas onde o negro mais se concentrou e que acabou por abranger todo o país.

Ao tornar-se o contingente maior da população agrária, bem como uma força europeizadora das matrizes originais, porque submetido à rigorosa disciplina do trabalho escravo, nas condições de isolamento das fazendas, o negro se tornara uma massa humana mais moldável à deculturação e integração em novos corpos culturais do que os mestiços livres provindos dos núcleos iniciais. Estritamente conduzido por vontades alheias em toda a sua existência, o negro escravo destribalizou-se rapidamente, perdendo suas características originais e sendo impedido de criar um mundo cultural próprio no qual seus descendentes se criassem dentro da mesma tradição. Nessas condições de deculturação compulsória, teve de mergulhar numa cultura espúria, construída com base na protocélula original, a que se acrescentava um arremedo da visão do mundo, das crenças e dos hábitos do grupo senhorial, à qual o negro apenas conseguia imprimir algumas originalidades. A contribuição do negro, que poderia ter sido muito maior, acaba por reduzir-se ao seu papel de força de trabalho, de matriz racial e a algumas inovações tecnológicas, além de certas sobrevivências de ordem religiosa que só após a abolição da escravatura tiveram oportunidade de alcançar uma expressão mais livre.

A partir da abolição, a parcela negra passa a crescer numa proporção muito menor que os contingentes branco e pardo e, nos últimos anos, chega a reduzir-se. O fato se explica pela própria interrupção do tráfico e pelo incremento da imigração europeia. Como a proporção dessa população excede, no entanto, esses fatores, deve-se atribuir a drástica redução do contingente negro no Brasil principalmente à precariedade das condições de vida suportadas pelo ex-escravo, cujo descendente enfrenta piores condições de sobrevivência que os outros contingentes. Pesará também nessa redução estatística a própria ideologia racial branquizadora, que leva o brasileiro comum a definir como branco ou claro, e no máximo como pardo, o preto socialmente bem-sucedido. Assim, muito pardo estará na enorme parcela dos brancos por definição e muito preto, provavelmente, na parcela residual dos pardos.

A análise do crescimento da população brasileira e de sua composição segundo a cor é altamente expressiva das condições de opressão que o branco impôs aos outros componentes. Avaliamos em 10 milhões o número de negros introduzidos no Brasil como escravos até a abolição do tráfico (1850); em 2 milhões o número de índios com que as fronteiras da civilização brasileira se foram defrontando sucessivamente no mesmo período; e em 5 milhões, no máximo, o número de europeus vindos para o Brasil até 1950. Considerada a composição da população, em 1950[5] verifica-se que os índios de vida tribal, mais ou menos autônoma, foram reduzidos a cerca de 100 mil (D. Ribeiro, 1957), os negros alcançaram um máximo de 5,6 milhões, enquanto os que se definiam como pardos orçaram por 13,7 milhões e os brancos ascenderam a 32 milhões.

Apesar das deformações que lhe são impostas pela confusão bem brasileira da condição social com a cor, essas avaliações refletem um evidente decréscimo progressivo da massa negra, tanto em porcentagem, que passa de metade da população, em 1800, para uma terça parte, em 1850, e, afinal, para um décimo em 1950, como em números absolutos, que, depois de um ascenso de 2 milhões, em 1900, a 6,6 milhões, em 1940, cai para 5,6 milhões em 1950, sendo de supor que posteriormente se tenha reduzido ainda mais.

É evidente o contraste da progressão do negro com o grupo branco. Este último salta de 22%, em 1800, para 62%, em 1950; e, numericamente, de 920 mil para 32 milhões no mesmo período. O alto incremento do contingente branco não é explicável unicamente pelo crescimento da migração europeia a partir de 1880. O seu vulto nunca alcançou um nível que permitisse influir decisivamente sobre a composição da população original. A explosão demográfica dos brancos brasileiros só é inteligível, pois, em termos de um crescimento vegetativo muito intenso, em números absolutos, e prodigiosamente grande em relação às outras parcelas da população, propiciado pelas melhores condições de vida que fruía em relação aos negros e aos pardos.

O papel do imigrante foi muito ponderável como formador de certas populações regionais, nas áreas sulinas em que mais se concentrou, criando paisagens caracteristicamente europeias e populações dominadoramente brancas. Seu papel, conquanto importante na constituição racial e cultural destas áreas, não tem grande relevância explicativa das tendências evolutivas da população brasileira como um todo. Quando começaram a chegar imigrantes em maiores levas, a população nacional já era tão maciça numericamente e tão definida do ponto de vista étnico que pôde efetuar sua absorção, cultural e racial, sem grandes alterações no conjunto. Não ocorre no Brasil, por conseguinte, nada parecido com o que sucedeu nos países rio-platenses, onde uma etnia original numericamente fraca foi submergida pelas massas de imigrantes, passando estes a imprimir uma fisionomia nova, caracteristicamente europeia, à população e à cultura nacional.

Assim, o que distingue os brasileiros das diferentes áreas são antes originalidades culturais do que quaisquer distinções capazes de operar como aglutinadores de subunidades racial, cultural, linguística ou etnicamente opostas. O conjunto plasmado com tantas contribuições é essencialmente uno enquanto etnia nacional, não deixando lugar a que tensões eventuais se organizem em torno de unidades regionais, raciais ou culturais opostas. Uma mesma cultura a todos engloba e uma vigorosa autodefinição nacional, cada vez mais brasileira, a todos anima.

As diferenças profundas que separam e opõem os brasileiros em estratos flagrantemente contrastantes são de natureza social. Distinguem os círculos privilegiados e camadas abonadas que conseguiram, numa economia geral de penúria, alcançar altos padrões de consumo, da enorme massa deserdada por viver à margem do processo produtivo e da vida cultural, social e política da nação. A redução destas diferenças, porém, só se fará através de uma reordenação da sociedade nacional que enseje a integração de todo o povo num sistema produtivo moderno e, por essa via, nas diversas esferas da vida social e cultural do país.

Assim, os brasileiros de mais nítida fisionomia racial negra que, emergindo recentemente das condições de escravidão, ainda se concentram nas camadas mais pobres não atuam social e politicamente motivados pelas diferenças raciais, mas pela conscientização do caráter histórico e social — portanto, incidental e superável — dos fatores que os lançaram nos estratos mais pobres da população. Não como negros que operam no quadro brasileiro, mas como integrantes das camadas pobres, mobilizadas todas por iguais aspirações de progresso econômico e social.

A natureza mesma do preconceito racial prevalecente no Brasil age mais como força integradora do que como mecanismo de segregação. O *preconceito de raça* ou de origem de padrão anglo-saxônico incide indiscriminadamente sobre cada pessoa de cor, qualquer que seja a proporção de sangue negro que detenha, conduzindo necessariamente à segregação e à violência, pela hostilidade a qualquer convício. O *preconceito de cor* dos brasileiros (O. Nogueira, 1960), incidindo, diferencialmente segundo o matiz da pele, tendendo a identificar como branco o mulato claro, conduz antes a uma expectativa de miscigenação, só discriminatória enquanto aspirante a que os negros clareiem em lugar de aceitá-los tal qual são.

O que diferencia as condições de conjunção inter-racial no Brasil é o desenvolvimento de expectativas mais incentivadoras que condenatórias do intercurso sexual. O nascimento de um filho mulato, nas condições brasileiras, não é nenhuma traição à matriz negra ou à branca. Essa ideologia integracionista encorajadora do caldeamento é, provavelmente, o valor mais positivo da conjunção inter-racial brasileira. Não conduzirá, por certo, a uma branquização de todos os negros brasileiros na linha das aspirações populares, mas tem a virtude de reprimir antes a segregação do que o caldeamento. E está permitindo difundir uma ideologia racial que tende a atribuir as qualidades positivas do homem brasileiro precisamente à mestiçagem dos três troncos elementares.

A unidade essencial, linguística e cultural, dos brasileiros de todas as regiões se explica, principalmente, por dois fatores. Primeiro, a precocidade da constituição de uma matriz básica, cujo vigor e flexibilidade lhe permitiria conformar, como meros ajustamentos locais, todos os brasileiros. Segundo, pela unidade do processo civilizatório que, integrando todas aquelas implantações isoladas num só sistema produtivo colonial, comandado desde a metrópole, os faria crescer como um só corpo, configurando o que viria a constituir o Brasil moderno.

Com base naquelas protrocélulas formou-se o núcleo inicial do que hoje podemos designar como *cultura brasileira rústica*.[6] Ao longo de quatro séculos ela se diversificou em vários complexos socioculturais representados pela *área cultural crioula*, que se desenvolveu na faixa de massapé do Nordeste, tendo como instituição fundamental o engenho açucareiro. Pela *área cultural caipira*, da zona de ocupação dos mamelucos paulistas, primeiro com as atividades de mineração, depois nas grandes fazendas de café. Pela *área cultural sertaneja*, que se difundiu através dos currais de gado, desde o Nordeste árido até os cerrados do Centro-Oeste. Pela *área cultural cabocla* das populações da Amazônia, engajadas na coleta de drogas da mata, principalmente nos seringais. Pela *área cultural sulino-gaúcha*, com suas três variantes: a da zona do pastoreio nas campinas do Sul; a *cultura gringo-caipira* das regiões colonizadas por imigrantes, predominantemente alemães e italianos nos estados sulinos, e a dos *matutos* descendentes de açorianos, muito semelhante à caipira.

Cada uma dessas faces da cultura tradicional brasileira tem feições citadinas e rústicas, como ajustamentos às duas condições humanas fundamentais. Constituem, porém, unidades orgânicas, já que uma e outra são mutuamente interdependentes, como as contrapartes urbana e rural de uma mesma sociedade. Ambas têm um caráter heterogêneo, decorrente de sua estratificação social. A face citadina apresenta maior número de variantes culturais e sociais pela coexistência, no mesmo espaço físico, de uma população mais densa, diferenciada em pessoas das classes alta, média e baixa, mais moderna em seu modo de vida. No ambiente rural, a população ilhada nas fazendas forma pequenos núcleos menos diferenciados, cada qual dividido em um pequeno contingente superior constituído pela família patronal e alguns empregados, oposto à massa de dependentes, outrora escravos, hoje serviçais.

Nas estruturas tradicionais brasileiras, a camada senhorial dos fazendeiros, comerciantes estabelecidos e, por vezes, profissionais liberais integra a sociedade total como um dos seus elementos constitutivos, mas com uma participação diferenciada na vida cultural. Participando, embora, dos folguedos populares, por exemplo, fazem-no antes como patronos benevolentes e céticos do que como integrantes em comunhão funcional com as crenças populares. Na verdade, constituem um círculo fechado de convívio, que cultua seus próprios valores, hauridos no acesso a centros metropolitanos nacionais e forâneos, onde, bem ou mal, se fazem herdeiros da literatura, da música e de formas eruditas de ilustração; mas sobretudo se alienam, pela adoção de conceitos e preconceitos sobre seu próprio povo.

Coexistem, assim, como dois círculos culturais distintos. O popular, assentado no saber vulgar, de transmissão oral, em que se fundam todas as atividades produtivas, forma um *continuum* da cidade ao campo, unificado nos mesmos valores e tradições, coparticipantes nos mesmos festejos do calendário religioso e no convívio semanal da feira. E o círculo senhorial de cultura erudita, influenciado por concepções profanas, por novos valores políticos e por formas próprias de diversão, contrasta com o popular, como o "moderno" em face do tradicional. Nas cidades, essa modernidade impregna também as populações mais pobres, diferenciando-as das massas rurais por atitudes racionalistas, impessoais e menos conservadoras. Essas diferenciações na linha do rural e do urbano, do senhorial e do popular não afetam, porém, o caráter arcaico de toda a cultura tradicional, nem o caráter espúrio da visão do mundo das classes superiores, enquanto agentes de uma dominação externa, ontem colonial, hoje dependente ou neocolonial.

A passagem do padrão tradicional, tornado arcaico, ao padrão moderno vai se operando a diferentes ritmos em todas as regiões. Ele tem seu obstáculo básico na oposição da camada dominante a transformações que afetem seus interesses hegemônicos, cuja preservação inclui o atraso como condição necessária. E tem como agente renovador as lideranças políticas das camadas populares urbanas, independentes da ordem tradicional e, em certas condições, o empresariado citadino que procura capitalizar as oportunidades de lucrar com a modernização. O povo, rural ou urbano, submetido a essas forças opostas é obrigado a integrar-se no enquadramento que elas estabelecem. Sua atitude fundamental, porém, é de aceitação das inovações pela percepção de que só podem ganhar com as mudanças.

Essa atitude corresponde a uma vontade de progresso como um desejo de transformação do mundo arcaico que constitui, talvez, a característica mais remarcável dos *povos novos*. As populações rurais brasileiras, marginalizadas antes social do que culturalmente, em virtude do seu desatrelamento de qualquer das matrizes originais, são antes atrasadas do que conservadoras. Cada estrada que se abre, quebrando o isolamento de uma "ilha arcaica", atrai novos contingentes ao circuito de comunicação moderna. Dada a homogeneidade cultural dessas ilhas — resultante da deculturação das matrizes originais e seu consequente engajamento na forma local da cultura tradicional —, cada um dos seus membros se predispõe a aceitar inovações. Não estando atados a um tradicionalismo camponês, nem a valores de caráter tribal ou folclórico, nada as apega às suas formas miseráveis de vida. Em lugar de se fazerem conservantistas, como ocorre nas áreas em que a marginalidade é cultural, apresentam uma atitude aberta e receptiva à modernidade e ao progresso. Na família mais humilde do interior mais recôndito, o primeiro caminhão que chegar encontrará, provavelmente, jovens que só aspiram fazer-se motoristas, que antes desejam partir do que ficar, todos prontos a se incorporar a novos modos de vida.

Esse é o resultado fundamental do processo deculturativo das matrizes formadoras do povo brasileiro. Embora empobrecido, no plano cultural com relação a seus ancestrais indígenas, africanos e europeus, o brasileiro rural tornou-se mais receptivo às inovações do progresso do que o camponês tradicionalista, o índio comunitário ou o negro tribal. As formas futuras, que deverá assumir a cultura brasileira com o avanço da modernização, importarão, seguramente, no reforço da unidade étnico-nacional, pela maior homogeneização dos modos de fazer, de interagir e de pensar. Mas comportarão, por muito tempo ainda, variantes locais, provavelmente do mesmo nível das atuais, em virtude da ação dos fatores especializantes do meio e das atividades produtivas, e por operar-se o processo transformador sobre contextos culturais já diferenciados. Assim se preservará, possivelmente, o colorido mosaico que hoje enriquece o Brasil pela adição às diferenças de paisagem, de variações de usos e costumes de uma região a outra, através da vastidão do seu território.

2. A ordenação oligárquica

A fazenda constitui a instituição básica modeladora da sociedade brasileira. Em torno dela é que se organiza todo o sistema social como um corpo de instituições auxiliares, de normas, de costumes e de crenças destinadas a preencher suas condições de existência e de persistência. Até mesmo a família, o povo e a nação surgem e se desenvolvem como resultantes da fazenda e, nessa qualidade, por ela conformados.

Embora outros modelos ordenadores aparecessem depois — como os núcleos urbanos fundados na fábrica, nos serviços —, disputando a antiga área de poder hegemônico, é ainda a fazenda o núcleo de força determinante do destino da imensa maioria dos brasileiros. Não apenas daquelas duas terças partes da população nacional dela diretamente dependentes, mas também de todos os que, fora da fazenda, têm nela um condicionante essencial de sua existência.

Até a implantação da grande indústria e o surgimento dos centros metropolitanos nela fundados — o que é muito recente —, cada elemento da vida nacional era redutível à ordem fazendeira, e só por ela justificava sua forma e sua existência. Hoje, o sistema social é algo mais complexo porque novas forças sociais instaladas nas cidades já fazem valer seus interesses desligados ou opostos à ordem fazendeira, impondo limites à sua antiga hegemonia. Mas a fazenda permanece sendo a instituição ordenadora fundamental. A expressão mais eloquente do seu poderio está, provavelmente, na sua espantosa longevidade, capaz de sobreviver por quatro séculos e de persistir, mesmo quando visivelmente obsoleta e só apta a operar como o limitador essencial do padrão de vida do povo e da grandeza da nação.

O que torna inteligível esse poderio é o fato de que o sistema de fazenda, ao instituir-se, deu nascimento à própria sociedade brasileira. Esta se desenvolveu, por isso mesmo, como um subproduto dos engenhos de açúcar do Nordeste, dos criatórios de gado do sertão — dos extrativismos vegetais e minerais em que se alongou, estruturados nas mesmas bases —, das fazendas de café, de algodão e de cacau. Em todos esses casos, o protótipo ordenador dos núcleos, que se multiplicaram e diversificaram, conformando a sociedade brasileira, é a fazenda. Sua fórmula básica — a propriedade da *sesmaria* agrícola ou pastoril, da *data* para mineração ou da concessão extrativista, combinada com o controle de um grupo humano aliciado como força de trabalho — é que permitiria desalojar o antigo povoador e promover a ocupação da terra; caldear e deculturar as matrizes negra, indígena e europeia que plasmaram o povo brasileiro; estruturar famílias em tipos correspondentes às posições e aos papéis sociais de seus membros na economia fazendeira; organizar internamente cada novo núcleo, articulando-o dentro de um sistema global vinculado ao mercado externo.

A fazenda brasileira tem mudado sensivelmente através dos seus quatro séculos de história, ganhando diferentes características conforme se adapta a novos cultivos, com a passagem do regime escravocrata ao trabalho livre e a incorporação das inovações tecnológicas decorrentes da Revolução Industrial. Sua estrutura básica, de instituição ordenadora que modela o sistema social, conformando toda a vida da nação, permanece, todavia, intocada.[7]

Sua fórmula básica cristalizou-se no engenho açucareiro que inaugurou, no mundo moderno, o sistema de plantações[8] caracterizado pelo regime escravista e pela natureza comercial de sua atividade monoprodutora, bem como pelo vulto econômico que alcançava como investimento de capital em relação às outras explorações agrícolas da época. Configura-se como uma comunidade *sui generis*, integrada, de um lado, pelo patronato residente e o pequeno número de seus serviçais e, do outro, pela massa escrava. O primeiro, vivendo em residências confortáveis, comendo e vestindo segundo os usos fidalgos do tempo. Os últimos, amontoados em rancharias, alimentados e tratados como bestas de carga. Essa instituição esdrúxula, que combinava objetivos, vínculos e traços do capitalismo mercantil, como a grande força econômica do mundo de então e uma tecnologia nova de produção agroindustrial, tudo assentado na escravidão, é que tornaria viável o projeto Brasil. A tentativa anterior de ocupação da terra com a transplantação de um sistema feudal já superado na própria metrópole fracassara redondamente. Como feitoria de plantadores escravocratas é que amadurece a protossociedade brasileira e a principal modalidade de *povos novos* das Américas.

As sociedades nacionais desenvolvidas dentro desse enquadramento, em lugar de constituírem um povo crescentemente coparticipante das fontes do poder, capaz de influir na tomada de decisões que afetam seu destino, constituem uma massa mantida na ignorância e na miséria, dirigida por uma camada patrícia que adapta todas as instituições sociais aos seus desígnios, disfarçando seu domínio das formas mais variadas, mas mantendo-o a qualquer custo.

A camada senhorial dos fazendeiros, alargada nos políticos, bacharéis e negociantes, todos sustentados na mesma base física e social — a propriedade fundiária explorada por braços alheios —, opera, assim, não como a liderança de uma sociedade nacional, mas como um patronato privatista, vendo a si mesma como a nação e só enxergando no povo a massa servil indispensável ao funcionamento do sistema. Nessas condições, não é de estranhar que se tenha criado uma ideologia fazendeira, com profunda penetração em todas as camadas sociais, que procura explicar a riqueza dos ricos e a pobreza dos pobres como expressões naturais e necessárias de méritos intrínsecos, apenas sancionados por uma ordem sábia e justiceira.

Como modelo organizatório da vida social, o sistema de fazendas se opõe — por sua natureza de empresa capitalista mercantil destinada a produzir lucros pecuniários — ao sistema tribal, fundado no usufruto coletivo da terra por parte de uma comunidade indiferenciada, devotada ao preenchimento de suas condições de sobrevivência através do trabalho cooperativo de todos os seus membros; ao sistema feudal, baseado na sujeição servil do camponês a um senhorio territorial hereditário, mas estruturado, essencialmente, para o provimento da própria subsistência, bem como ao sistema capitalista de granjas e sítios, fundado na propriedade da gleba por um grupo familiar, que a explora coletivamente visando, como objetivo principal, a subsistência da família e o seu progresso. O que contrapõe os quatro sistemas é, pois, a forma monopolística de propriedade da terra e a diversidade de objetivos fundamentais da exploração agrícola: o lucro patronal, no caso da fazenda; a sobrevivência e a reprodução dos modos de vida de uma comunidade humana, em todos os outros casos.

Os pré-requisitos fundamentais para a implantação da fazenda são, por isso mesmo, a posse da terra e o domínio de uma força de trabalho. A primeira é obtida por outorga governamental, por herança ou por compra. A segunda, pelo controle da mão de obra preexistente na área ou para aí transladada, através de formas de aliciamento mais ou menos coercitivas. Assumindo as feições mais diversas, esse contingenciamento da mão de obra deu lugar à identificação de conteúdos *feudais* que parecem a muitos estudiosos o elemento distintivo do sistema de fazendas.[9] Efetivamente, várias características arcaicas de coerção, que lembram a servidão feudal, foram e ainda são utilizadas na conscrição da mão de obra às exigências da fazenda. O fato, porém, de as formas de recrutamento de trabalhadores irem desde o apelo à escravidão até o salariado indica seu caráter de recursos circunstanciais do sistema capitalista de fazendas, capaz de operar com uns e outros, a todos transcendendo como um modelo organizacional novo, capitalista e mercantil. A essência do sistema não se encontra, pois, no caráter escravocrata, semifeudal ou feudal das relações de trabalho, mas na organização empresarial que integra a mão de obra numa unidade operativa destinada à produção para o grande mercado, sob um comando patronal que visa lucros pecuniários. E essas qualidades fazem dele um modo de produção capitalista mercantil dentro de uma formação colonial escravista.

O símile mais próximo do sistema de fazendas que se implantou no Brasil e em outras áreas das Américas não se encontra nos três modelos citados, mas nas grandes plantações gregas e romanas do norte da África, estruturadas para produzir através do trabalho escravo gêneros para um mercado mundial que se ia constituindo. Com o desenvolvimento do capitalismo mercantil fundado num mais amplo mercado internacional e numa tecnologia mais evoluída, o modelo greco-romano foi retomado em sua feição mercantil e escravocrata para constituir novos "proletariados externos" muito mais pujantes e a distâncias também muito maiores. Isso se deu simultaneamente com a ampliação das manufaturas e culturas comerciais instaladas na Europa pós-feudal como procedimentos básicos de restauração da economia mercantil. O Brasil, surgindo dentro desse desenvolvimento histórico, ao passar à etapa do capitalismo industrial, como uma economia neocolonial, não retroage a uma ordenação feudal, mas é conduzido à acentuação dos atributos capitalistas do sistema.

Ao superar-se, no Brasil, a característica mais obsoleta do sistema de fazendas, que era o escravismo, o novo trabalhador liberto não cai na condição de servo de uma gleba feudal, porque esta simplesmente não existia. A situação é, portanto, completamente distinta daquela em que antigas estruturas produtivas mergulharam no feudalismo pela ruptura do sistema mercantil que as dinamizava. O negro forro encontra-se numa fazenda onde é compelido a uma condição de parceiro (*colonus*) pleiteante da terra que lavra, tal como o servo europeu das fases de restabelecimento da economia mercantil que se levantou em insurreições camponesas para se fazer granjeiro; ou de assalariado, reivindicante de maiores soldos e melhores condições de trabalho. A linha de evolução brasileira é, portanto, muito diferente porque arranca de uma formação híbrida fundada no sistema de fazendas que combinava o capitalismo mais desenvolvido de então com a forma mais arcaica de contingenciamento da mão de obra: a escravidão. E, sobretudo, porque jamais rompe seus liames de "proletariado externo" com o mercado mundial a cujo serviço permanecerá engajado.

O problema colocado historicamente ao Brasil pela Revolução Industrial foi o de habilitar-se para dominar as novas formas de energia e a tecnologia mecânica em que esta se assentava, a fim de escapar à espoliação de que era vítima no sistema anterior de intercâmbio e que tenderia, doravante, a acentuar-se. Esse teria sido o projeto nacional brasileiro, a partir de meados do século XIX, tal como foi o norte-americano, se o Brasil constituísse, já então, uma sociedade formada predominantemente por um contingente de população livre e independente, como os granjeiros norte-americanos. Não era, porém, uma nação, mas uma feitoria. E os interesses da camada dominante a queriam assim, latifundiária e escravocrata, depois latifundiária e "livre", mas sempre latifundiária e oligárquica. Por essa razão o acesso do camponês à posse da terra, que teria formado a base da sociedade nacional, jamais se concretizou, e a Independência e a República se fizeram como contrafações de um sistema oligárquico que era e queria continuar a ser o "proletariado externo" de mercados estrangeiros.

Decorrem da natureza comercial da empresa fazendeira quatro outras compulsões. Em primeiro lugar, o monopólio da terra em mãos de uma minoria que obriga toda a massa da população a servi-la como mão de obra escrava ou assalariada, como condição única e indispensável para prover a própria subsistência. Segundo, a tendência a especializar-se numa só atividade para

As Américas e a civilização

alcançar o máximo de rentabilidade econômica, o que conduz à monocultura. Terceiro, o pendor à acumulação de bens, de terras e de pessoas dependentes em mãos da camada proprietária — a única que dispõe de recursos monetários —, pela apropriação sistemática de todos os excedentes da economia, impedindo o surgimento de uma camada média rural, capaz de alargar o mercado interno. Em quarto lugar, a fazenda compele o fracionamento da população rural em milhares de micronúcleos sociais desgarrados que não chegam a constituir comunidades humanas, porque são coitos de humílimos dependentes do arbítrio patronal. Internado nesses currais, onde não pode receber visitas e dos quais só pode sair de vez para cair em outros, dentro de uma nação toda loteada em fazendas, o camponês brasileiro mal alcança condições mínimas de interação social, de convívio e de informação para desenvolver uma personalidade livre, capaz de opções e consciente de seus direitos. É antes um pária do que um cidadão, menos por seu analfabetismo do que por sua dependência estreita a uma vontade senhorial.

A pressão compulsora da fazenda se exerce tanto dentro das propriedades agrícolas como fora, sobre as vilas e cidades vizinhas e, transcendendo delas, sobre a nação inteira. Onde quer que a sociedade se assente no sistema de fazendas, ela é grande potência dominadora, a cujos desígnios e interesses se ajustam as leis e se acomodam as autoridades, imprimindo sobre tudo e sobre todos sua marca de força reitora da vida social. Produzindo para mercados longínquos, estrangeiros ou nacionais, e negociando em alta escala, a fazenda pode articular-se diretamente com os centros atacadistas nacionais, saltando sobre as vilas e cidades vizinhas. Estas, não tendo na fazenda uma fonte de revigoramento do seu comércio nem um contribuinte de recursos fiscais (porque o fazendeiro sistematicamente se exime dos impostos locais), veem-se inibidas em seu crescimento. Nessas condições, apenas alcançam ser pobres entrepostos, justificados por uma estação ferroviária ou um porto que só se ativa nos períodos de movimentação das safras. Por isso é que nas áreas de fazendas as cidades regridem e estiolam nas mesmas quadras em que surgem cidades novas e cada vez maiores nas zonas onde a terra se fraciona e se instalam economias de granjas e sítios.

O Brasil, resultante de uma colonização presidida pelo sistema de fazendas, foi impregnado em cada uma de suas células com suas marcas distintivas. Desse modo, cada pessoa que exerce uma parcela de poder congruentemente com o sistema o faz no papel de agente da sua consolidação, contribuindo para mais perpetuá-lo. E, reciprocamente, cada pessoa que se rebela contra a ordem fazendeira, seja o camponês que invade terras alheias, o intelectual que estuda problemas sociais ou o político que luta pela reforma agrária, age como um *subversivo*, atraindo

228

sobre si todo o peso da máquina oficial de repressão. Assim se vê que a ordem fazendeira e a ordem vigente constituem uma mesma ordem nacional, destinada a preservar o sistema a qualquer custo.

A camada dominante sente-se tão integrada no sistema que até aspira ser considerada generosa, altruística e civilizadora. Orgulha-se de haver instituído para com seus dependentes um tratamento temperado de autoridade e de amparo, de ter dignificado as relações de trabalho para com os servidores, que lhe devotam mais eloquente fidelidade, através do paternalismo e do compadrio, e, ainda, de exercer com sobranceria os superiores deveres da caridade cristã.

Para os que suportam o peso do sistema como sua força de trabalho, a visão é diferente. Em algum tempo remoto (ou ainda hoje em algumas comunidades mais isoladas), a ordem fazendeira pôde ser tida por aqueles que sujigavam como ordem natural, porque não sabiam de outra; e sagrada, porque representava o ônus de uma condenação divina que recaía sobre os pobres. Nessas condições de insciência era possível infundir expectativas congruentes de respeito recíproco entre as posições polares, mantida cada qual em seu papel. As relações sociais podiam mesmo assumir certa cordialidade sob o peso da opressão. Um senhor e seus peões podiam configurar uma constelação plausível, ele colocado no centro do sistema como o objeto da devoção e das esperanças de todos; os demais, na periferia, como seus braços e pernas adicionais, no cumprimento de todos os seus desígnios. Aqueles que não conseguiam introjetar essas atitudes prontamente se desajustavam, saindo a perambular de fazenda em fazenda ou encaminhando-se às cidades, quando não caíam na anomia ou no banditismo. Na maior parte das vezes, porém, o contexto sociocultural era suficientemente homogêneo para induzir os indivíduos à acomodação, só escapando delas as personalidades mais vigorosas que, por sua própria rebeldia, iam sendo excluídas das fazendas.

Assim se constituía uma base nas relações de trabalho dentro da fazenda para a ordem que estruturava a sociedade inteira. Os fazendeiros de cada região, vinculados pela vizinhança e pelo parentesco, formavam um grupo dominante solidamente irmanado, em cujo poderio, expresso em bens e em subordinados, se apoiavam os poderes públicos para a manutenção da ordem e de cujos familiares recrutavam os novos quadros de comando político. A fazenda era, pois, a célula elementar do sistema nacional, tanto econômico e social quanto político e militar.

A sociedade resultante dessa ordenação tem incapacidades insanáveis, dentre elas a de assegurar um padrão de vida mesmo modestamente satisfatório para a maioria da população nacional; a inviabilidade de instituir-se sob seu domínio uma vida democrática; a impossibilidade de alcançar um nível razoável de tecnificação das atividades produtivas e de promover grandes acumulações de capitais. Por tudo isso é que ela se caracteriza como uma organização oligárquica que só se pode manter artificiosamente pela compressão das camadas majoritárias da população as quais condena ao atraso e à pobreza. Assim se compreende a coerência reacionária da política brasileira da Colônia ao Império e na República como uma imposição necessária dessa ordenação intrinsecamente antipopular e antidemocrática, assentada no monopólio da terra e da mão de obra por uma minoria.

Toda a história brasileira foi tecida com os fios desse instituto, que, nascendo da transplantação da sesmaria portuguesa para os desvãos brasileiros, ganhou coloridos próprios, variou de formas, como era inevitável num lapso de quatro séculos, mas se manteve fundamentalmente o mesmo.

O regime de sesmaria — concedida como um ato de graça pela Coroa, ou em seu nome, pelos agentes do poder real — prevaleceu até a Independência. Deu lugar, então, a uma legislação mais liberal de acesso à terra, com o regime de posse que se manteve por trinta anos, assegurando a propriedade da terra a quem a ocupasse e fizesse produzir e simplificando a legalização destas posses desde que fossem continuadas, mansas e pacíficas (R. C. Lima, 1935).

Essa orientação liberal coincide e se explica pela quadra de decadência que então atravessava a agricultura brasileira — o açúcar fora desde há muito desbancado dos mercados internacionais pela produção antilhana e as minas de ouro se haviam esgotado. A população dos antigos núcleos produtivos regredia a uma economia de subsistência, os mineradores dispersavam-se com seus escravos e os engenhos se fechavam sobre si mesmos para produzir tudo o que consumiam, a fim de reduzir seus custos. A população livre e pobre entrara a ocupar, então, as trevas vagas entre as sesmarias ou, além delas, a estruturar-se como sociedades caipiras. Muitos ricos marchavam também com sua escravaria e seu gado para abrir grandes fazendas autárquicas, instalando-se como ilhas no deserto já despovoado de índios. O valor venal da terra decaíra a níveis irrisórios e toda a riqueza passara a pautar-se pela posse de escravos e rebanhos. Mas o povo livre e pobre podia comer melhor e até aspirar a uma condição de independência e dignidade.

Começa a surgir, então, um novo produto-rei, o café, tão exigente de terras e de força de trabalho quanto o antigo engenho canavieiro. De terras, menos para usar do que para monopolizar, compelindo, assim, a mão de obra disponível a servi-lo. Cai, em consequência, o regime de posse para dar lugar à Lei de Terras,[10] de 1850, reforçada e ratificada, desde então, por copiosíssima legislação que estatuía a compra como única forma de acesso à terra; criava um sistema cartorial de registro que tornaria quase impraticável a um lavrador pobre legalizar suas terras, e estipulava como valor de venda das glebas devolutas níveis de preço muito mais altos que os correntes para terras já apropriadas.

Assim se instituem como princípios ordenadores fundamentais da sociedade brasileira: a outorga de terras, em extensões incomensuráveis, não àqueles que as lavravam, mas a uma camada de contemplados, controladores das fontes do poder político; a garantia da legitimidade e da intocabilidade dos títulos de propriedade por todo um aparato judiciário e policial de repressão; o direito tranquilo de manter a terra improdutiva por força do instituto da propriedade; o controle da força de trabalho obrigada a engajar-se no sistema como único modo de sobreviver.

A República ratificaria toda essa legislação restritiva de uma forma ainda mais ardilosa. Primeiro, transferindo à autoridade estadual, ainda mais submissa ao poderio latifundiário, o domínio das terras devolutas. Segundo, instituindo formas de demarcação e de registro cartorial das propriedades que tornavam inviável a legitimação de posse ao pequeno lavrador. Terceiro, com a promulgação de um Código Civil que lançava sobre as costas da massa rural todo o peso da "liberdade de contrato" em nome das relações "igualitárias" com os proprietários.

Na tessitura histórica brasileira, esses direitos configuram os fios da urdidura entre os quais se traçam as linhas da trama representadas pelas relações de trabalho entre amos e escravos, ou patrões e dependentes, sempre entre senhores e subalternos. Sobre o denso tecido trançado pelo entrecruzamento destas duas linhas de força — a propriedade monopolítica da terra e o regime de trabalho — se bordam as diferenças históricas e regionais como meras agregações, que colorem mas não alteram a verdadeira estrutura das relações humanas numa sociedade constituída para servir a uma estreitíssima camada patronal todo-poderosa.

Só em nossos dias a ordem fazendeira se viu realmente ameaçada, menos porque se tornara socialmente intolerável do que pela emergência de novas forças sociais e políticas, de base metropolitana, que começaram a atuar como um novo motor de reordenação da sociedade. Nas massas rurais passa a difundir-se uma imagem citadina cada vez mais realista das relações de subordinação entre amos e serviçais que quebra a antiga "ordem moral", libertando-se as consciências para a sua compreensão em termos objetivos e para a sua condenação como um mal e uma injustiça sanáveis. A sociedade inteira vai se apercebendo de quanto a ordem fazendeira é danosa e constitui o obstáculo essencial à fartura, ao progresso e à democracia.

A aliança das forças políticas de base urbana com as massas camponesas é que, pela primeira vez na história brasileira, lhes veio dar condições de luta pela democratização da propriedade da terra. Através desta aliança é que se inicia, depois da última guerra, a luta por uma reforma agrária, capaz de abrir à sociedade brasileira perspectivas reais de integração na civilização industrial e capaz de assegurar à maioria dos brasileiros os requisitos mínimos para o exercício da cidadania, a elevação do nível de vida, de educação, de saúde, de moradia e de dignidade humana.

3. O patrimônio fundiário

Um dos traços distintivos da estrutura agrária brasileira é a pequena proporção da área apropriada para a agricultura e o pastoreio em forma de propriedade, no conjunto do país. Do total de 8,51 milhões de quilômetros quadrados, apenas 2,65, ou seja, 31,1% do total, são cobertos por propriedades rurais de todo tipo. Todo o espaço restante, além das pequenas instruções compreendidas pelas áreas urbanas e pelos caminhos, são zonas ainda não alcançadas pela sociedade nacional, em seu esforço secular por abrir e utilizar o território. Se é certo que uma parcela dessas extensões devolutas é formada por terras impraticáveis à exploração econômica com as técnicas vigentes, é também verdade que a maior parte delas é constituída de terras tão boas quanto quaisquer outras, e não exploradas tão somente porque ainda não alcançadas.

A primeira observação que ressalta desses dados é o velho argumento simplista de que não se pode falar de reforma agrária como uma questão crucial e menos ainda de monopólio da terra em um país que conta com tão grandes extensões de terras vagas. A verdade, porém, é que esses espaços sobrantes representam o mesmo que os da África ou da Lua para a população rural brasileira que vive a centenas de quilômetros do perímetro dessas regiões indevassadas, para as quais não se podem trasladar e onde ninguém conseguiria sobreviver senão como ermitão no deserto. Acresce, ainda, a circunstância de que tais desertos não são propriamente terra de ninguém. Sua posse foi constitucionalmente transferida aos estados da União desde 1891 e estes jamais as tornaram acessíveis à população rural.

As fronteiras novas através das quais a sociedade brasileira se expande sobre estas áreas vagas como uma onda de milhões de trabalhadores não são integradas por famílias de homens livres em busca de um trato de terra própria, como os pioneiros que, há um século, ocuparam o Oeste norte-americano. São compostas de *enxadeiros* contratados para servir a novos donos previamente empossados na propriedade daquelas terras pela máquina cartorial dos estados.

Nas duas últimas décadas essas fronteiras de pioneiros nativos avançavam principalmente pelo Maranhão, sobre a mata amazônica, sobre as florestas do vale do Paraná, sobre as áreas de campos cerrados e florestas de galeria de Goiás e Mato Grosso e sobre as matas do Vale do Rio Doce, em Minas Gerais e no Espírito Santo. Somava um contingente humano de mais de 2 milhões de trabalhadores e suas famílias, cujo engrossamento se pode avaliar pelo crescimento da população ativa rural destas áreas de 1950 a 1960, que foi de 300 para 500 mil trabalhadores, em Goiás; de 400 mil para 1 milhão, no Maranhão; e de 500 mil para 1,3 milhão, no Paraná.

Em quase todos os casos, essa massa de lavradores avança sobre terras já possuídas, uma vez que a apropriação legal se antecipa dezenas de anos à ocupação efetiva e avantaja-se em centenas de quilômetros sobre as áreas povoadas. Somente em certas extensões do Paraná a iniciativa de uma companhia inglesa de negociar com a colonização de terras obtidas do Estado — imitada depois por empresas brasileiras — permitiu implantar uma ilha de pequenas propriedades. Mesmo estas, porém, jamais foram efetivamente acessíveis à massa rural, porque escassas e caras, exigindo pagamentos prévios proibitivos para a maior parte dos trabalhadores agrícolas.

Os únicos esforços governamentais conduzidos no sentido de dar acesso à terra na forma de pequenas propriedades de exploração granjeira foram os programas de colonização com imigrantes europeus. Isso vinha confirmar o princípio de negar a posse da terra à massa rural nativa para submetê-la à exploração oligárquica, porquanto a regulamentação oficial dos programas de colonização proibia a incorporação de brasileiros nos núcleos criados ou a limitava a um máximo de 10%.

Assim se implantaram núcleos coloniais de imigrantes na região Sul (Paraná, Santa Catarina e Rio Grande do Sul), no Espírito Santo, em Minas Gerais e no estado do Rio de Janeiro, como ilhas de pequenas granjas que permitiriam instalar em terras brasileiras um novo modelo de vida rural, suscetível de garantir melhores condições de vida às populações nele engajadas. Pouco se expandiram, todavia, apenas crescendo onde o esforço persistente de empresas privadas de colonização conseguiu vencer barreiras governamentais e a oposição de todo o sistema agrário à criação desses novos núcleos, a fim de conduzir os imigrantes para suas fazendas. As tentativas oficiais de colonização granjeira com nacionais foram tão poucas, tão pobres e levadas a cabo com tamanha má vontade que mal merecem uma referência.

Uma demonstração concludente da capacidade de imposição da ordenação oligárquica sobre a massa camponesa sedenta de terras está no fato de que, onde quer que um litígio haja suspendido por certo prazo a capacidade de reger legalmente a concessão de terras pela autoridade competente, a área é quase instantaneamente invadida pela massa rural na tentativa de implantar aí uma ilha de pequenas propriedades. Assim se deu na zona contestada entre os estados do Paraná e Santa Catarina, na primeira década do século XX, conflagrando a área numa insurreição popular que o exército só pôde conter depois de matar milhares de camponeses. Uma invasão abrupta do mesmo tipo, que, em poucos anos, transformou uma região desértica num enxame de gente, ocorreu na área contestada entre Minas Gerais e o Espírito Santo. O mesmo sucedeu, também, na área do antigo território de Ponta Porã, no sul de Mato Grosso, que, apesar de prontamente extinto, criou uma situação de suspensão das funções cartoriais que ensejou o surgimento ali de uma nova zona de invasões de terras. Desse modo, o projeto de colonização da região de Dourados, que teria tido o destino medíocre dos demais, se gerido burocraticamente como os outros, permitiu instituir uma ilha de progresso no mar do latifúndio mato-grossense.

A abertura, nos últimos anos, de grandes troncos rodoviários através de milhares de quilômetros de regiões desabitadas, como a Belém-Brasília e a Brasília-Acre, ensejou às massas camponesas uma expansão pelas novas áreas. Mas foi constringida, ali também, pelos mesmos mecanismos oligárquicos, mediante a atribuição prévia ou posterior de toda aquela imensidão de terras, como latifúndios colossais à velha classe proprietária. Um por um, os grupos de camponeses que enfrentaram aqueles ermos, aspirando ali plantar sua casa definitiva sobre terra que lhes pertencesse, foram expulsos ou obrigados a engajar-se como parceiros e assalariados na exploração dos novos latifúndios.

Na faixa de terras apropriadas se registravam, segundo o Censo Agrícola de 1960, 3,35 milhões de propriedades agrícolas ou pastoris, onde vivia a quase totalidade dos 38 milhões de brasileiros rurais. Se medíssemos a densidade da população brasileira pela ocupação desta faixa, veríamos elevar-se dos 8,3 nominais para 27,6 o número de habitantes por quilômetro quadrado. Dentro dessa porção apropriada, portanto, é que se situa o sistema agrário brasileiro, ou o país real.

Vejamos, agora, como se distribuem as propriedades agrícolas dentro desse sistema. Para isso, a extensão da propriedade se impõe como o critério básico de classificação, tanto por sua objetividade como porque pode ser combinado com outros fatores na definição de grupos significativos.[11] Partamos de uma classificação tripartida em propriedades menores (menos de cem hectares), médias e grandes (cem a mil hectares) e propriedades excessivas ou latifúndios (mais de mil hectares).

No grupo das propriedades menores impõe-se o destaque de um contingente de microempresas, visivelmente incapazes de operar economicamente, constituído pelos estabelecimentos com menos de dez hectares de área. São os *minifúndios*, resultantes, em geral, do fracionamento de propriedades maiores. Quase metade das 710 mil propriedades dessa categoria existentes em 1950 eram, por isso, inexploradas ou muito pouco produtivas dentro do nível tecnológico vigente no país. As restantes eram superexploradas para suportar uma população desproporcional à área, mal podendo, na maioria dos casos, prover a subsistência da família proprietária.

As propriedades de dez a cem hectares devem ser desdobradas em dois outros grupos. Um primeiro formado pelas *granjas* de dez a cinquenta hectares (36,5% dos estabelecimentos, 10,8% da área total e 32,3% da área cultivada do país) diferenciáveis pela intensidade de suas atividades produtivas, de caráter principalmente familiar. E um segundo grupo constituído pelos *sítios* de cinquenta a cem hectares, distinguível por ocupar um contingente assinalável de trabalhadores estranhos ao grupo familiar.

Dentro do sistema agrário nacional, os *minifúndios* e as *granjas* (menos de cinquenta hectares) exercem duas funções capitais. Primeiro, a de criatório de gente exportável para as áreas novas sobre as quais cresce o latifúndio e para as cidades. Segundo, a de principal núcleo nacional de lavouras temporárias (43% do total) que provê o mercado interno de gêneros e legumes, bem como da exploração leiteira (30% do rebanho) e de toda a multiplicidade de produção granjeira de porcos, galinhas e ovos, hortaliças, frutas e flores.

As condições de vida da população nela concentrada, apesar de sua deficiência, são substancialmente mais altas que a dos contingentes submetidos ao fazendeiro ou ao latifundiário como parceiros ou assalariados (C. Caldeira, 1955, 1956; M. Diégues Júnior, 1959). Sua regalia mais preciosa e cobiçada é a de serem donos de si próprios, para o trabalho ou para o lazer, investidos de uma dignidade humana drasticamente anulada quando ingressam no mundo do latifúndio. Seu problema fundamental é o de sustar o avanço e, se possível, romper as barreiras da fazenda e do latifúndio que cercam por todos os lados as ilhas de pequenas propriedades, procurando absorvê-las.

Os *sítios* (cinquenta a cem hectares) constituem uma categoria nitidamente intermediária entre as *granjas* e as *fazendas*, com características comuns a ambas. Distinguem-se delas pela maior folgança do espaço em relação às primeiras, que não alcança, todavia, dimensões suficientemente grandes para uma exploração tipo fazenda. De acordo com o Censo Agrícola de 1960, os sítios somavam cerca de 273 mil, correspondendo a 8,1% do número de estabelecimentos e a 6,6% da área apropriada nacional; suas lavouras, porém, perfaziam 12,4% da área cultivada do país. A rentabilidade muito menor dos sítios em relação às granjas explica-se, provavelmente, pela enorme parcela deles apropriada por citadinos com objetivos puramente diletantes e ostentatórios.

Ao conjunto formado pelas granjas e sítios (dez a cem hectares) correspondia, em 1960, 44,6% dos estabelecimentos agrícolas do país, mas cobriam tão somente 17,9% da área apropriada. Todavia, contribuíam com cerca de 44,7% da área cultivada do país e absorviam metade da população ativa no campo. Esse grupo de propriedades utilizava em suas lavouras 28,3% de sua área total, proporção que se eleva a 30,5% nas granjas e cai a 17,3% nos sítios, mas apenas alcança 8,4% nas fazendas e 2,3% nos latifúndios.

A categoria das propriedades de cem a mil hectares que vimos designando como *fazendas* cobria, em 1960, 9,5% dos estabelecimentos rurais e absorvia 32,5% da área total possuída, sendo responsável por 32,5% da área cultivada. Em 1950, as fazendas contribuíram com 23 das 31 mil lavouras com área superior a cinquenta hectares e, ainda, com 44,6% do rebanho bovino nacional. Essa categoria intermediária entre as pequenas propriedades e os latifúndios representa, como se vê, o núcleo mais pujante da economia agrária nacional, ocupando quase metade dos assalariados e dos parceiros agrícolas.

Uma análise mais detida das fazendas exige, também, seu desdobramento em dois subgrupos, a *fazenda-típica*, de cem a quinhentos hectares, e a *grande-fazenda*, de quinhentos a mil. Elas diferem, essencialmente, pela produtividade, tanto na agricultura quanto na pecuária, que decresce sensivelmente da menor para a maior. Os dados econômicos disponíveis indicam que os dois tipos de fazenda variam consistentemente, também, quanto ao grau de capitalização e de tecnificação das atividades produtivas. Assim é que a *fazenda-típica*, que representa 11,2% do número total de estabelecimentos e 25,3% da área cultivada do país, alcança uma concentração muito maior das plantações com mais de cinquenta hectares de área de colheita, bem como um número muito maior de tratores. Nesse subgrupo, portanto, é que encontramos a *plantação* brasileira característica, como empreendimento que mobiliza vultosos recursos financeiros e recruta ponderáveis parcelas de mão de obra rural, tanto de parceiros como de assalariados.

A *grande-fazenda* aproxima-se mais do latifúndio, por seu baixo grau de produtividade, do que a *fazenda-típica*. Todavia, inclui um número ponderável de unidades altamente exploradas, tanto na agricultura quanto na pecuária, para que possa ser confundida com o latifúndio. Isso não significa que a *fazenda-típica* configure um conglomerado uniforme representativo do moderno em face do arcaico, no mundo agrário brasileiro. Tanto nos *sítios* como nas *fazendas-típicas* e nas *grandes-fazendas* encontram-se unidades empresariais modernas, exploradas através de mão de obra assalariada, com alta tecnologia e através de grandes investimentos de capital, ao lado de modelos arcaicos, de orientação tradicionalista, em que predominam a parceria sobre o salariado e o trabalho manual sobre o mecânico, as técnicas antigas sobre as modernas. O número de explorações modernas na *fazenda-típica* é, porém, suficientemente avantajado sobre os outros para permitir afirmar-se que nessa categoria a extensão da propriedade incentiva mais o uso de recursos modernos, inacessíveis às menores e dispensáveis às maiores, que, mesmo tendo sua economia baseada numa exploração extensiva, são suficientemente lucrativas a seus proprietários.

O terceiro grupo de estabelecimentos com mais de mil hectares de área, formado pelas propriedades excessivamente grandes para uma exploração intensiva, configura o mundo do *latifúndio* brasileiro. Em 1960 representava apenas 0,9% do número total de estabelecimentos, mas absorvia 47,3% das terras apropriadas do país e cultivava, tão somente, 2,3% das mesmas, contribuindo seus cultivos com apenas 11,5% do total das lavouras do país e ocupando 7% da mão de obra ativa do campo. Mesmo no pastoreio, que constitui sua atividade preferencial, o latifúndio não alcança destaque, porquanto, detendo 60% das pastagens, criava 36,6% do rebanho. Todas essas proporções importam em que, se o latifúndio passasse a ser explorado com a apoucada intensidade em que opera a fazenda brasileira, dobraria a área de cultivo agrícola, e se cuidasse do pastoreio com igual operatividade — que, aliás, é bastante baixa se comparada com a de outros países —, também dobraria o rebanho. Esses são índices expressivos do seu caráter "latifundiário" como detenções de terras, não para explorar, mas para monopolizar.

Movidos pela preocupação obsessiva de não se desfazerem de suas terras, mas, ao contrário, estendê-las cada vez mais, os latifundiários invertem preferentemente na compra de novas glebas e pautam sua atividade empresarial numa conduta parasitária em relação aos parceiros que retêm nos latifúndios como meeiros e "terceiros", ou aos empreiteiros aos quais arrendam glebas para explorações agrícolas ou pastoris. Na região tritícola e de cultivo arrozeiro do Rio Grande do Sul, de Minas Gerais e de Goiás, na de cultivo de algodão e do amendoim em São Paulo, esse tipo de parasitismo alcança um nível de institucionalização tal que os verdadeiros agricultores modernos, proprietários das máquinas agrícolas e responsáveis pelas grandes áreas de colheita, não são os proprietários rurais, mas arrendatários urbanos das terras que os latifundiários dominam, porém não são capazes de utilizar.

Por tudo isso é que a estrutura agrária brasileira tem sido definida como um sistema de grandes propriedades territoriais e de pequenas explorações agrícolas (J. Lambert, 1959; T. Lynn Smith, 1946). Isso se revela pela comparação das áreas de lavoura do Brasil com as de outros países. Os 29 milhões de hectares cultivados, em 1960, para uma população de 70 milhões de brasileiros, contrapostos aos 40,6 milhões de hectares de lavouras dos 18,6 milhões de canadenses, aos 30 milhões de hectares cultivados dos 21 milhões de argentinos, ou aos 188 milhões de hectares de cultivo dos 179,6 milhões de norte-americanos e aos 195,8 milhões de hectares dos 205 milhões de russos, nos estão a dizer que o Brasil não é este país agrícola que tantos apregoam. Se se considera, ainda, a baixa produtividade da agricultura brasileira em comparação com a dos países citados, verifica-se o quanto ele é mais um país de latifundiários do que de lavradores.

A vocação inelutável do sistema de fazendas e latifúndios para a atividade extensiva ou meramente aventureira tem certos concomitantes assinaláveis. Primeiro, o fracasso do Brasil na consolidação de mercados internacionais já conquistados, sempre que se apresenta um competidor. Isso foi o que ocorreu sucessivamente com o açúcar, com o algodão, com a borracha, com o tabaco, com a juta, com a mamona, com o milho, e é o que ocorre, agora, com o café e o cacau.

O segundo concomitante é que este fracasso empresarial, decorrente do caráter extensivo da exploração agrária, constitui, paradoxalmente, uma das bases do sucesso do sistema de fazendas: sua força de perpetuação. Assentando-se no domínio do espaço físico fundiário — a terra — para alcançar o controle do espaço social — o trabalho —, torna-se uma necessidade vital do latifúndio absorver toda a área apropriada para impedir a instalação de núcleos granjeiros ou de sítios que entrem a competir pela mão de obra. O sistema opera, por isso, com base numa apropriação pletórica de terras, infinitamente superior à que possa utilizar, mas indispensável para que detenha o comando da economia agrária e da sociedade.

Outro concomitante do sistema é a precedência social do fazendeiro. Esta precedência, exercida secularmente, cercada de todos os atributos de prestígio, se acrescenta à dominação oligárquica imposta pelo monopólio da terra como um outro incentivo à acumulação fundiária representado pelo valor ostentatório da condição de afazendado. Isso é o que explica a ânsia pela posse de uma fazenda — tão extensa quanto possível — por parte de todos os endinheirados brasileiros. São milhares os comerciantes, industriais, juízes, médicos, advogados, sacerdotes, funcionários, militares que têm na terra o objeto preferencial de investimento por esse atributo de nobreza que não alcançariam comprando um açougue ou ações de uma empresa qualquer.

Essa competição gera uma supervalorização artificiosa da propriedade da terra como bem de raiz e como mero seguro contra a deterioração da moeda, automaticamente beneficiável com o crescimento urbanístico, a abertura de estradas e a construção de obras públicas. A esse proprietário ostentatório, cujo negócio é outro que não a agricultura, se soma o fazendeiro de estilo arcaico que vive exclusivamente da terra, mas dela espera tirar todo o proveito possível sem nada inverter. Onerado por esses dois tipos de empresários, o sistema de fazendas funciona como um repositório de parasitas, que, apesar de não fazerem render seu negócio, se eternizam à frente dele, protegidos pelo instituto da propriedade e pela regalia de não pagar impostos mantida desde sempre em todas as esferas de governo.

Por todo o Brasil se podem ver zonas que exprimem, no seu modo de ser e no padrão de vida de sua população, o sistema sítio-granjeiro, o de fazendas ou o de latifúndios. Dentro de cada zona de predomínio de um tipo principal de exploração, comparecem, por vezes, os outros modelos exercendo funções complementares, mas seu caráter decorre do tipo predominante de propriedade. Como a extensão e a atividade produtiva se combinam naturalmente, as zonas sítio-granjeiras se estruturam como áreas de lavouras pobres de cultivo de hortaliças, frutas e de criação especializada; as fazendas, como núcleos de plantações comerciais, criatórios e invernadas de mais alta produtividade; e o latifúndio, como explorações predominantemente pastoris extensivas ou como áreas de economia de coleta.[12]

As zonas onde predomina o sistema sítio-granjeiro na exploração agrícola o exprimem em todo o mundo de vida de sua população. São densamente povoadas, cruzadas por redes de estradas vicinais, salpicadas de vilas onde opera um pequeno comércio ativo e servidas por redes urbanas novas e em plena expansão. Exemplificam essa situação todas as áreas onde a propriedade se fracionou, como o norte do Paraná, certos trechos do centro-oeste paulista, grande parte do Espírito Santo, de Santa Catarina e do Rio Grande do Sul, e algumas manchas de Minas Gerais, do sul de Mato Grosso e do Nordeste.

A paisagem humana e social configura uma situação oposta onde predomina a fazenda e, mais ainda, onde prevalece o latifúndio. São imensas regiões entorpecidas, cortadas por ferrovias e rodovias que atravessam desertos humanos, nada tendo a transportar senão certos produtos por ocasião das safras. São raras as vilas e cidades, geralmente pobres e decadentes, abrigando o entulho humano enxotado das fazendas e latifúndios, depois de exaurido do trabalho ou corroído de enfermidades.

O patronato fazendeiro ativo se elevava, provavelmente, em 1960,[13] a 100 mil pessoas, que, somado ao parasitário de mais 250 mil proprietários de fazendas e latifúndios subexplorados ou inexplorados, constituía o ápice da estrutura de

As Américas e a civilização

dominação do sistema agrário brasileiro. Abaixo dessa cúpula vêm os estamentos intermediários, mais amplos, formados pelos pequenos proprietários que exploram sítios, granjas e minifúndios. De acordo com o Censo de 1950, este patronato se dividia em proprietários ativos (1,3 milhão), arrendatários (176 mil) e posseiros ou ocupantes de terras alheias (192 mil), somando cerca de 1,7 milhão de empresários rurais, que perfaziam 3,3% da população total de 15,4% da população ativa do campo. Provavelmente seu número, em 1960, pouco excedeu de 2,3 milhões sobre o total de 15,5 milhões de trabalhadores rurais do país, se as proporções se mantiveram inalteradas. Nessa camada se encontra a parcela da população rural com algum poder de compra e com certas possibilidades de alcançar padrões de conforto, de saúde e de educação correspondentes aos níveis médios de aspiração das populações brasileiras.

Abaixo desse estamento vem o submundo da marginalidade estrutural em que está mergulhada a massa rural brasileira, com índices de fome, de morbidade, de mortalidade, de analfabetismo, de expectativa de vida que se incluem entre os mais miseráveis da Terra. O número de trabalhadores ativos eleva-se, em 1960,[14] segundo nossos cálculos, a 13 milhões de pessoas sobre o total de 32,5 milhões de brasileiros rurais maiores de dez anos de idade. Essa é a massa camponesa do país, em que se distinguem dois escalões básicos, os parceiros e os assalariados.

O primeiro escalão, integrado pelos *parceiros*, surge no Brasil simultaneamente com o engenho de açúcar, pela alocação de braços de mestiços pobres em parcelas de terras dos engenhos, como supridores de gêneros, de verduras, porcos, galinhas, ovos e frutas para a casa-grande e, também, como sequazes do senhor, sempre prontos a servi-lo na repressão à escravaria. Desdobram-se, mais tarde, como provedores dos mesmos gêneros para as feiras das cidades nascentes, raramente alcançando ser granjeiros-proprietários. Com a libertação dos escravos aumentam extraordinariamente, pela absorção de toda a antiga massa de negros forros como procedimento utilizado pelo patronato para jungi-la ao trabalho e fixá-la nas fazendas como mão de obra, sem fazê-la assalariada.

Sua condição é a de arrendatários de tratos de terra mediante o pagamento da metade (meeiros) ou de uma terça parte (terceiros) das colheitas que obtêm. O patrão, por vezes, adianta sementes ou proporciona outras facilidades que desconta no acerto anual de contas. Via de regra, o dono da terra tem também o privilégio de comprar, ao preço da época da colheita, toda a safra obtida. Geralmente, a *meia* e a *terça* recaem sobre toda a produção do parceiro, incluindo o roçado e as criações de terreiro, destinadas ao sustento da família. Cada privilégio, especialmente o direito de manter um cavalo de montaria ou uma vaca nas pastagens da fazenda,

240

é contratado à parte, importando, frequentemente, na obrigação adicional de dar certo número de dias de trabalho gratuito ao fazendeiro.

A vocação histórica dos parceiros e sua aspiração fundamental é possuir a terra que cultivam. Seu grande orgulho é destacar-se da massa rural de *enxadeiros* indiferenciados, como pequenos empresários que, uma vez contratado o negócio com o dono da terra, o gerem com independência, podendo pleitear créditos com prazo de um ano, ou de plantio-a-colheita, com os comerciantes locais.

Contra sua ambição de se tornarem proprietários conspirou, desde sempre, toda a ordem oligárquica, formulada em leis e garantida pelas polícias e exércitos para, assegurando o monopólio da terra em mãos de uma minoria, compelir a massa rural a servi-la. O fracasso dos parceiros em seu esforço por se tornarem granjeiros-proprietários representou, como demonstramos, não apenas a vitória do sistema de fazendas e seu concomitante latifundiário, mas a condenação do Brasil ao atraso. Essa imposição oligárquica, marginalizando a massa rural que amadurecera para a condição de pequeno proprietário, que a tornaria, progressivamente, capaz de alimentar, educar e dignificar suas famílias, impossibilitou ao país criar as bases de uma sociedade industrial moderna e de uma verdadeira democracia política. O fracasso dos parceiros foi, por isso, o fracasso da nação.

Hoje, o número de parceiros e suas frentes avançadas de *posseiros* (invasores de terras alheias ou baldios avaliados em 208 mil famílias, em 1950) excede 2 milhões de famílias, dispersas entre todos os tipos de propriedades rurais, mas concentradas principalmente nas fazendas médias de exploração arcaica. São os proletários de patrões sem capitais, que só participam da vida agrária na qualidade de detentores da terra, montados nas costas dessa massa de parceiros rurais. Formam multidões no Brasil nas áreas de velha ocupação, com um *status* consolidado de humílimos dependentes do patrão, dono das terras de que eles tiram seu sustento, dono também de uma parcela substancial da força de trabalho de toda a sua família; dono de sua valentia, se ela for necessária numa disputa entre "coronéis"; e dono do seu voto, se for eleitor.

Nas zonas novas, o parceiro é empreitado para derrubar matas virgens, a fim de abrir cultivos permanentes ou criar novas pastagens. Áreas imensas de floresta pujante do Paraná, do Vale do Rio Doce, do Mucuri e do Jequitinhonha, em Minas Gerais, foram assim devassadas nas duas últimas décadas. Hoje, em Goiás, em Mato Grosso e no Maranhão, outras florestas estão sendo derrubadas, incendiadas, cultivadas por um ou dois anos para serem depois convertidas em pastos, numa expansão constante do latifúndio pastoril. Em cada uma dessas regiões, os parceiros formam enormes massas de camponeses maltrapilhos e famélicos,

As Américas e a Civilização

dedicados ao duro trabalho de devastar matas ínvias, abrindo terras novas que jamais possuirão. Esgotada uma frente pela redução de suas matas e pastagens, os parceiros são enxotados para mais adiante; decai abruptamente a população rural e a produção agrícola, morrendo as vilas e cidades nascentes, para se implantar o mundo latifundiário.

O segundo grande contingente da população ativa rural do Brasil é formado pelos *assalariados*, cujo número deve ter ascendido a 6 milhões de trabalhadores em 1960. Cerca de 62% deles, ou seja, 3,7 milhões, eram trabalhadores temporários, vale dizer, gente aliciável nas quadras de intensa atividade rural que raramente somam seis meses ao ano e que em todo o tempo restante deve curtir sua miséria fora das fazendas.

A massa de trabalhadores rurais, segundo nossa avaliação, se distribuirá, em 1960, por ramos de produção, nas seguintes bases: sobre 13,5 milhões de pessoas ativas, não proprietárias, inclusive os familiares não remunerados, somavam cerca de 9 milhões os trabalhadores das chamadas lavouras brancas ou pobres, de cereais e leguminosas; 3 milhões, os que se ocupavam das grandes plantações de café, cana, algodão, cereais e cacau; 500 mil, os vaqueiros e outros trabalhadores engajados na atividade pecuária. Os outros 500 mil ocupavam-se das diversas atividades agrícolas complementares. É de assinalar que esta divisão por ramos bem como as condições de assalariado e parceiro mais escondem que revelam a verdadeira natureza do trabalho da massa rural brasileira. Na verdade, ele é muito mais homogêneo, como demonstra o Censo de 1950, quando registra que 93% de seus integrantes são profissionalmente qualificáveis como *enxadeiros*, ou seja, força bruta de trabalho aplicada na derrubada, na limpa, no plantio, na carpa e na colheita, só habilitada ao uso da enxada, da foice, do facão e do machado.

A propalada diversificação do trabalho no campo pela introdução de uma nova tecnologia na agricultura brasileira não foi capaz de diferenciar profissionalmente qualquer estamento ponderável em face da massa dos enxadeiros. Nessas condições, o valor de uma família rural, aos olhos do patrão, se aprecia pelo "número de enxadas" que integra, inclusive crianças que mesmo antes dos dez anos já são aliciáveis nas quadras em que mais se necessita de mão de obra. Essa massa é que forma a categoria censitária de "familiares não remunerados" que alcançava, no Brasil de 1950, 16,8% da mão de obra rural ativa, enquanto somava apenas 1,9% na América do Norte, numa desproporção demonstrativa do grau de exploração a que o camponês brasileiro está submetido.

4. A reforma agrária

Uma apreciação global do papel da agricultura na economia brasileira indica que, nos últimos anos, ela vem perdendo terreno na competição com a indústria e com os serviços urbanos. Assim, a agropecuária, que absorvia, em 1960, cerca de 40% da mão de obra ativa do país, contribuía com apenas 30% na formação do produto nacional. Sua força e sua importância social estão na capacidade de ocupação da mão de obra num país em plena expansão demográfica e, também, no campo da exportação, onde contribui com cerca de 85% da receita de divisas, da qual absorve diretamente muito pouco, gerando recursos para outros setores.

Na década de 1950 a 1960 a população rural brasileira aumentou de 33,1 para 38,6 milhões de habitantes, reduzindo-se sua porcentagem sobre a população total de 63,8% para 54,2%. Entretanto, a população ativa do campo passou de 10,9 para 15,5 milhões de trabalhadores, experimentando um incremento maior (141 para 100 em 1950) do que a população total do país (136) e a população rural (116). No mesmo período, a população urbana cresceu de 18,7 para 32,1 milhões de habitantes (171 contra 116 rurais), mas a população ativa não agrícola, que se esperava passasse de 7,5 para 11,8 milhões de pessoas,[15] aparentemente ficou aquém dessa cifra, revelando uma estreita capacidade de absorção de mão de obra. Assim é que o operariado fabril teria crescido apenas de 1,177 milhão de trabalhadores para 1,519 milhão no período de mais intensa industrialização do país. Como se vê, a indústria, alcançando uma rentabilidade cada vez maior de sua mão de obra pela tecnificação do processo produtivo, tornou cada vez mais irrelevante sua capacidade de absorção de novos contingentes. A agricultura, muito menos tecnificada, baseando a produção na pura força muscular, continuou operando com base nas ofertas de mão de obra barata para atender ao crescente mercado urbano, podendo, assim, elevar substancialmente a população rural do país.

O Brasil marcha, todavia, a passos largos, para uma tecnificação agrária, cujos efeitos serão cada vez mais ponderáveis sobre a produtividade do trabalho e sobre as ofertas de oportunidade de emprego. Seguramente, por volta de 1970, esse efeito terá sido alcançado em algumas regiões, com todas as suas consequências positivas e negativas. Positivas, como promessa de fartura alimentar para um povo que viveu sempre com uma dieta paupérrima. Negativas, pela ameaça que representa de marginalizar ainda maiores contingentes rurais, atirando-os fora das fazendas e conduzindo-os à periferia das cidades, cuja industrialização de alto nível técnico será incapaz de absorvê-las. Mas positivas, ainda assim, pela pressão que essas massas fatalmente irão exercer sobre a estrutura socioeconômica, no sentido de absorver os milhões que necessitarão de emprego.

A solução única para esse problema é uma reforma agrária radical. Ela só foi evitada em situações semelhantes pelas sociedades europeias que enfrentaram o mesmo problema em meados do século XIX, no curso do seu processo de industrialização direta ou reflexa, através da exportação maciça de seus contingentes rurais e do desgaste da própria população nas guerras. Como a camada patronal brasileira não contará, provavelmente, com esses distensores, a reforma agrária se fará inexorável. Quanto mais adiada for, maiores compressões se acumularão, tornando-a, nesse caso, capaz de ameaçar todo o sistema, inclusive o regime capitalista de produção.

Nos últimos anos, amplos setores das classes dominantes — políticos, religiosos, econômicos, militares —, advertidos para a gravidade do problema, assumiram uma posição lúcida de combate por uma reforma agrária de padrão capitalista. Essa disposição foi revelada, entre outros indícios, pelo fato de ter sido o Congresso Nacional chamado a examinar, na última década, mais de quatrocentos projetos de reforma agrária. Embora a imensa maioria deles não passasse de meros remendos à ordem fazendeira, seu número é demonstrativo da inquietação que atinge todas as camadas sociais.

A partir de 1961, a campanha reformista assumiu uma feição mais combativa e autêntica, ao tornar-se um dos propósitos legislativos fundamentais das forças políticas urbanas mais progressistas, que independiam do voto rural para sua reeleição. Sua expressão mais alta foi o Estatuto do Trabalhador Rural, sancionado em maio de 1963, que estendeu o direito de sindicalização e outras regalias do trabalhador urbano ao assalariado agrícola. E, também, o projeto de reforma agrária do próprio Poder Executivo, constante da Mensagem Presidencial de março de 1964 e que, provavelmente, teria sido aprovado se o governo Goulart não caísse, deposto por um golpe militar.

As teorias desenvolvimentistas, que veem na reforma agrária o mecanismo fundamental de aceleração do progresso econômico, buscam, em primeiro lugar, ativar a economia e assegurar uma base ao desenvolvimento industrial; fazer uma parcela do campesinato ascender à condição de pequenos proprietários integrados na economia de mercado como produtores e consumidores, mantendo a maioria na condição de assalariados rurais mais bem remunerados do que agora. Em segundo lugar, reduzir as tensões sociais perigosamente revolucionárias geradas pela miséria do campo e implantar um fator de estabilidade político-social, interessando os camponeses na consolidação da ordem capitalista, para defender suas pequenas propriedades.

As forças que lutam pela reforma agrária nela se engajam por um ou outro desses objetivos. Geralmente os setores políticos urbanos estão mais interessados no alargamento do mercado interno e no abrandamento da pressão demográfica sobre as cidades do que nos efeitos emancipadores da reforma agrária para a massa rural. Por isso mesmo, a mobilização popular da campanha pela reforma agrária se travou nesses termos. Mas, no nível das camadas dominantes, ela foi provida em nome da consolidação da propriedade mediante a multiplicação do número de proprietários. A divisa predileta do maior propugnador da reforma agrária que foi João Goulart era a ponderação de que a propriedade estaria mais bem defendida quando, em lugar de 2,5 milhões, o Brasil tivesse 10 milhões de proprietários.

Nessas condições, a luta pelas reformas se fez principalmente como uma mobilização política de massas urbanas e como um esforço de sindicalização dos assalariados rurais consentido e estimulado pelo governo federal. Para isso se empenharam, conjuntamente, os diversos grupos de esquerda e o próprio clero. No Nordeste brasileiro, a campanha se aprofundou mais graças à coordenação do governo de Pernambuco com o governo federal, permitindo promover a sindicalização maciça de assalariados agrícolas das usinas de açúcar. Além dos efeitos diretos da organização destas massas que possibilitou uma substancial elevação dos níveis salariais, ela representou um passo decisivo na mobilização das populações rurais para a campanha pela reforma agrária.

Todavia, quase nenhum esforço — exceto o trabalho de Francisco Julião com suas Ligas Camponesas — foi feito no sentido de dinamizar a combatividade propriamente "camponesa" na luta por seus interesses, expressa nas aspirações dos 2 milhões de parceiros e das dezenas de núcleos invasores de terras alheias que se disseminam por todo o país de se fazerem granjeiros-proprietários. Segundo o Censo de 1950, excedia a 200 mil o número de famílias registradas como ocupantes ou posseiros. Desde então, esses núcleos se multiplicaram, cobrindo amplas regiões onde se fixaram grupos de posseiros, procurando manter-se de armas na mão, exigindo a intervenção do próprio exército para expulsá-los. A mobilização dessas camadas para a campanha pela reforma agrária teria dado a esta um caráter mais dinâmico, escoimando-a do cunho de outorga paternalista que tendia a assumir. Mas teria, por outro lado, o efeito de precipitar a divisão das forças políticas e militares estruturadas, até então, como sistema de apoiamento ao programa de reformas.

A campanha pela reforma agrária se reduziu, por isso, principalmente a um esforço de esclarecimento da opinião pública das cidades, de conscientização e organização das massas de assalariados agrícolas e de mobilização sindical para forçar o Congresso Nacional a aprovar o corpo de medidas reformistas propugnado pelo governo. Essas medidas, tardiamente formuladas e por isso pouco difundidas, se consubstanciam nas proposições do presidente João Goulart, enviadas em Mensagem ao Parlamento, a 15 de março de 1964. Dezesseis dias depois, caiu o governo.

O traço fundamental do modelo de reforma agrária propugnado na Mensagem Presidencial estava nos dispositivos que permitiriam a abolição progressiva da ordenação oligárquica e no caráter instrumental e autoaplicável de alguns dos princípios propostos. Estes assegurariam imediatamente e sem necessidade de criar custosos serviços técnico-burocráticos grandes conquistas aos 2 milhões de famílias de parceiros e posseiros. Com esse objetivo foram propostas algumas medidas de reforma constitucional, que transformariam a massa de 2 milhões de famílias de parceiros numa camada expansiva de foreiros com regalias explicitamente consignadas. Primeiro, a redução da "terça" e da "meia" que hoje pagam pelo arrendamento da terra a uma taxa máxima de 10% que só recairia sobre sua produção destinada ao mercado. Segundo, a garantia de que não poderiam ser expulsos da terra que ocupavam senão por decisão judiciária. Terceiro, o livre acesso dos lavradores (nas condições já referidas de arrendamento) às terras de cultivo, que os proprietários mantivessem inaproveitadas ou destinadas à pastagem. Essas conquistas não importariam, ainda, na libertação do camponês do jugo patronal, mas viriam a melhorar substancialmente sua situação, garantindo-lhe requisitos mínimos de elevação do seu padrão de vida e de exercício da cidadania como eleitores independentes do dono da terra.

Essa renovação imediata das condições de vida e de trabalho de milhões de camponeses se seguiria, mais tarde, com a constituição do fundo de colonização, mediante a desapropriação das fazendas e latifúndios improdutivos,[16] a criação de amplas oportunidades de acesso à terra, como proprietários. Estas dependeriam, porém, de medidas jurídicas, burocráticas e técnicas, necessariamente morosas.

A reforma proposta, se vitoriosa, teria vários efeitos decisivos sobre a estrutura agrária. Primeiro, representaria um poderoso estímulo aos proprietários rurais para a exploração agrícola de suas terras, sob pena de ter de entregá-las compulsoriamente a quem se propusesse lavrá-las. Desse modo, afastava-se o maior risco de fracasso dos programas de reforma agrária, que consiste na ameaça de provocar uma redução drástica da produção agrícola pelo desestímulo da camada empresarial e pela entrega das terras a uma massa de camponeses atrasados, com necessidades de consumo muito reduzidas, tendente, por isso mesmo, a reverter a uma economia de mera subsistência quando transformados em proprietários.

Importaria, em segundo lugar, numa grande redução do preço da terra, em virtude da queda da taxa de arrendamento e da constituição de um enorme fundo de terras agriculturáveis, independentemente da condição de proprietário. Assim se poria termo à especulação fundiária que, por força do princípio constitucional novo referente ao uso lícito da terra, deixaria de ser o bem de raiz, possuído com direitos de uso e desuso que sempre foi, para se transformar na base social da atividade agrícola, compulsoriamente produtiva ou, em caso contrário, livremente acessível a quem a quisesse fecundar pelo trabalho. Desse modo, se teria quebrado o monopólio da terra, exercido secularmente pela classe dominante do Brasil como mecanismo fundamental de conscrição da mão de obra.

Uma terceira consequência da reforma agrária proposta na Mensagem Presidencial do governo Goulart seria a destruição das bases eleitorais dos partidos de direita, cujos votos, predominantemente rurais, são controlados pelos fazendeiros através da exploração da dependência dos milhões de parceiros, assalariados agrícolas e seus familiares, que vivem e trabalham em suas terras em condições de opressão, que não deixam lugar ao livre exercício da cidadania. Seu efeito sobre as massas rurais seria, por isso, equivalente ao da legislação trabalhista sobre as massas urbanas.

O caráter capitalista da reforma propugnada se demonstra por seu duplo empenho em liberar os parceiros das formas mais atrasadas da exploração e em multiplicar o número de pequenos proprietários, interessando-se na defesa do instituto da propriedade e, ainda, na preservação do sistema de fazendas. Efetivamente, as medidas consignadas só hostilizavam o fazendeiro e o latifundiário parasitários, resguardando para os empresários ativos o domínio lícito de área equivalente ao dobro da que utilizavam no exercício de sua atividade produtiva.

O aspecto mais polêmico do modelo de reforma agrária proposto consistia no caráter aparentemente anacrônico da medida básica: o *aforamento* em lugar da *apropriação*, que poderia ser apontado como uma tendência ao fortalecimento dos conteúdos "feudais" da estrutura agrária brasileira pela revitalização da enfiteuse. Esse percalço, porém, é sobretudo formal, uma vez que o artifício propugnado representava a fórmula mais capaz de proporcionar um atendimento imediato às reivindicações mais importantes da principal camada do campesinato (os parceiros), tanto por seu vulto numérico como por ser a mais amadurecida socialmente e, ainda, porque constitui o setor efetivamente reivindicante da terra em que trabalha. Como tal, a reforma proposta seria mais efetiva do que a promessa da concessão de títulos de propriedades que, em virtude das dificuldades políticas, jurídicas e técnicas opostas à sua consecução, poderia levar, nas condições brasileiras, várias décadas para atingir uma parcela dos atuais 2 milhões de parceiros e posseiros. Em qualquer caso, essa medida mobilizaria as massas rurais para futuras lutas, mais radicais, e as estruturaria dentro de um enquadramento político que as tornaria capazes de exercer uma pressão mais efetiva pela aplicação das medidas de divisão da grande propriedade também consagradas no referido projeto governamental.

Este enquadramento político é que tornaria possível dar os passos seguintes da reforma agrária pela transformação dos parceiros em proprietários das glebas aforadas, através da aplicação do programa de desapropriação das grandes propriedades improdutivas. Nessa segunda etapa é que se poderiam formar os núcleos granjeiros ou de empresas coletivas de exploração das terras irrigáveis, na forma de cooperativas agrícolas capacitadas a utilizar uma tecnologia mais avançada, para elevar sua produtividade, para melhorar o padrão de vida das populações rurais e assegurar fartura alimentar ao povo brasileiro. A combinação das duas soluções — o atendimento imediato às aspirações das massas de parceiros e a implantação futura de um sistema agrícola novo fundado em granjas familiares e em cooperativas agrícolas — permitiria absorver parcelas crescentes da população rural e marginalizada das cidades, integrando-as na economia como produtores ativos e como consumidores, e confinaria progressivamente o sistema de fazendas a sobreviver onde e quando sua produtividade pudesse competir com as novas formas de ordenação da economia agrária, compelindo-o a uma elevação constante do seu nível técnico e do padrão de vida dos assalariados dele dependentes.

Desse modo se resolveria, também, o dilema mais difícil da atual estrutura agrária brasileira, que é a incompatibilidade entre o imperativo da renovação tecnológica da agricultura e a necessidade de ocupar maiores contingentes humanos numa população em intenso crescimento, dentro de um sistema dominado pela gestão privada das empresas agrícolas que só visa aumentar seus lucros pecuniários.

Uma projeção estatística singela dos dados referentes à estrutura agrária atual para aquela que se criaria com a reforma agrária proposta por Goulart permite algumas antevisões sugestivas de seus resultados. Assim, se a desapropriação autorizada no projeto atingisse apenas as empresas agrícolas com mais de quinhentos hectares de área — que representam 2,2% do número de estabelecimentos, mas absorvem 58,02% da área apropriada do país —, ela afetaria tão somente 75 mil proprietários. Assegurar-lhes-ia o uso lícito do dobro da área que exploram, ou seja, 15 milhões de hectares — que corresponde ao triplo da área possuída pelo 1,5 milhão de pequenos proprietários —, e liberaria, como fundo de colonização, 140 milhões de hectares a serem progressivamente distribuídos a milhões de granjeiros e sitiantes, bem como a explorações cooperativas onde estas mais se recomendassem.

Cerca da metade desta área, estando coberta de pastagens, continuaria explorada por seus donos atuais através da pecuária extensiva, até que a autoridade competente determinasse a proporção dela que deveria ser reservada para usos agrícolas, seja pelo proprietário, seja por arrendatários que ele teria de admitir, se não quisesse apelar para seu privilégio de lavrá-las. Admitindo-se que a proporção média fixada para uso agrícola correspondesse à metade da área das pastagens, o fundo de reserva para a colonização equivaleria a cerca de 100 milhões de hectares, que hoje só operam como objeto de especulação, representando um valor nominal da ordem de centenas de trilhões de cruzeiros. Repartido não em micropropriedades mas em granjas (dez a cinquenta hectares) e sítios (cinquenta a cem hectares), este fundo permitiria acrescentar 500 mil novos sitiantes aos 300 mil hoje existentes e mais 3 milhões de famílias granjeiras ao 1,2 milhão atual.

Quando estas propriedades entrassem a produzir, se apenas alcançassem a produtividade com que hoje trabalham as granjas e os sítios, somariam mais de 20 milhões de hectares (66%) à área cultivada do país e mais 25 milhões de reses (30%) ao rebanho nacional, permitindo ainda triplicar a produção nacional de produtos granjeiros, como porcos, galinhas e ovos, leite, frutas, legumes e flores. Sua contribuição mais importante seria, porém, a integração na força de trabalho ativa do país de cerca de 11 milhões de pessoas com um padrão de vida muito mais alto que o da massa de parceiros, posseiros e assalariados de agora.

A resultante fundamental da reforma agrária proposta, de acordo com essa projeção, seria criar-se a possibilidade de integrar na força de trabalho nacional a mão de obra rural hoje inativa ou subutilizada e os milhões que a ela se acrescentarão pelo aumento demográfico em curso, para formar um poderoso mercado interno, capaz de propiciar a ampliação das indústrias e dos serviços urbanos, auspiciando, assim, também nas cidades, mais amplas oportunidades de trabalho e de progresso. É bom recordar que, contra essas perspectivas de trabalho, de desenvolvimento e de fartura vitais para todo o povo brasileiro, se colocam os interesses de tão somente 75 mil grandes proprietários, empenhados em se manter no domínio monopolístico da imensidade de terras que possuem, mas não são capazes de utilizar.

Toda a história brasileira mais recente foi presidida, em grande parte, pelas batalhas da luta pela consecução dessa reforma agrária capitalista e até consolidadora do sistema de fazendas, mas efetivamente capaz de abrir ao Brasil perspectivas de desenvolvimento, que o fariam evoluir de feitoria que sempre foi a uma nação moderna. É sabido que, no último episódio, perderam as massas rurais e com

As Américas e a civilização

elas o povo, ao cair o governo que se lançara inteiro na luta pelas reformas. Essa derrota foi, no entanto, um mero episódio dentro de um largo processo histórico. Uma simples batalha dentro de uma guerra que prossegue como a luta crucial do povo brasileiro.

A tática da campanha das reformas, assentada na mobilização política das massas rurais e urbanas, no esforço de persuasão das camadas empresariais e, sobretudo, na custódia do exército nacional, teve nessa última dependência a sua debilidade essencial. Quando as Forças Armadas foram desviadas da posição nacionalista e reformadora que pareciam encarnar para regredir ao papel tradicional de mantenedoras da ordem oligárquica e dos interesses alienígenas, fracassou essa última tentativa de alargar as bases da sociedade nacional para nela integrar uma parcela maior do povo brasileiro.

Prevaleceu, mais uma vez, o clube dos contemplados sobre o povo e a nação.

5. Modernização reflexa

A rede urbana brasileira desenvolveu-se com extrema lentidão e, enquanto prevaleceu a economia agrário-mercantil, jamais atingiu uma parcela assinalável da população. Ao fim do primeiro século, contava o Brasil com apenas três núcleos alçados oficialmente à condição de cidades e com catorze vilas. Um século depois, tinha sete cidades e 51 vilas. Por volta de 1800, eram dez as cidades e sessenta as vilas, tendo a população total alcançado 2,5 milhões de habitantes.

Com essa precária rede urbana é que o Brasil ascende à independência (1822) e começa a sofrer o impacto de uma nova expansão civilizadora — a Revolução Industrial — que, apesar de reflexa, transformaria profundamente a estruturação da sociedade nacional. As cidades maiores eram, então, o Rio de Janeiro (50 mil habitantes), Salvador (45,6 mil), Recife (30 mil), São Luís (22 mil) e São Paulo (16 mil).

Os primeiros efeitos da Revolução Industrial foram indiretos e consistiram na abertura dos portos ao livre ingresso das manufaturas industriais, especialmente das inglesas, amparadas por privilégios impostos ao país, como condição de reconhecimento da independência. A esses artigos de consumo se seguiram, já na segunda metade do século XIX, a importação de máquinas a vapor para mover os engenhos de açúcar do Nordeste, de barcos a vapor para a navegação fluvial e de cabotagem. E, finalmente, de ferrovias que iriam devassar o interior do país, ligando as diferentes zonas produtivas aos portos. Na mesma época instalaram-se as primeiras fiações e tecelagens, que se localizam preferencialmente nas áreas rurais produtoras de algodão. Outros efeitos, também indiretos, foram a abertura de lavouras de algodão, no estado do Maranhão, para suprir as tecelagens inglesas: e, mais tarde, a exploração intensiva dos seringais nativos da Amazônia para a exploração da borracha.

Essa primeira modernização reflexa de uma industrialização, que se processava fora e longe do país, mas cujos frutos e carências o afetavam, começa a transformar os modos de vida da sociedade brasileira, provocando um intenso movimento de translação das famílias fazendeiras para as cidades, que altera profundamente a rede urbana. Já em 1900, ela estava enormemente ampliada, juntando, em apenas quatro cidades, cerca de 1,5 milhão de habitantes, ou seja, dez vezes mais que as grandes cidades do fim do período colonial. Transmudara-se a qualidade mesma da sociedade nacional, que, de uma área de implantação colonial da civilização agrário-mercantil cuja vida social se instalara nas fazendas, ascendera à categoria de base neocolonial da civilização industrial, inserida dentro de um sistema mundial, que se exprimia tanto em polos industriais autônomos e reitores como em esferas periféricas e dependentes.

Em começos do século XX, instalam-se as primeiras centrais hidrelétricas no Rio de Janeiro e em São Paulo, com as quais surgiriam a iluminação elétrica, os serviços de transporte urbano, o telégrafo, o telefone, o equipamento mecânico dos portos, todos explorados por empresas estrangeiras. Outras cidades se antecedem ou sucedem imediatamente nessas inovações, bem como na implantação de serviços urbanos de abastecimento de água, de esgotos e de obras de saneamento e de vacinação obrigatória contra a varíola. A partir de 1920 se difundem também o automóvel e o transporte por caminhão.

Até então, a implantação de uma indústria autônoma no Brasil apresentava dificuldades quase intransponíveis. Primeiro, as de natureza externa decorrentes da sujeição colonial, que vetava qualquer esforço de produção autônoma. Segundo, a inserção autoperpetuante no mercado internacional como economia agrária produtora de matérias-primas tropicais e importadora de manufaturas. Terceiro, as carências internas, resultantes do baixo nível de domínio do saber e da tecnologia, desenvolvidas com base numa economia monocultora e escravocrata, que não ensejava a formação de uma mão de obra qualificada.

Por todas essas razões, as disponibilidades de capital e de matérias-primas, bem como a existência de um mercado consumidor incipiente, não conduziram a um esforço de industrialização autônoma, como ocorreu, no mesmo período, nos Estados Unidos, no Japão e em outras áreas. Através de uma lenta difusão cultural e uma morosa reordenação social, provocadas por efeitos reflexos da industrialização alheia, é que o Brasil se modernizaria parcialmente, amadurecendo para uma urbanização também reflexa e, por isso mesmo, extremamente dificultada.

No curso desse processo, a população total do país se multiplica, passando de 10 milhões, em 1872, a 17,4, em 1900, e a 30,6 milhões, em 1920. Na mesma proporção se amplia a rede urbana, que já inclui as primeiras metrópoles. Em 1872, contava o país com três cidades com mais de 100 mil habitantes, cuja população somava 500 mil; em 1930, eram seis as metrópoles, e sua população ascendera a 2,7 milhões de habitantes.

Essa urbanização intensifica o abandono das fazendas pelas famílias proprietárias e de grandes parcelas da população rural. As cidades eram agora mais acolhedoras, defendidas das epidemias por obras sanitárias, servidas de água encanada, de esgotos e de iluminação pública, e dotadas de sistemas educacionais já capazes de escolarizar seus filhos. Essa mudança do grupo de maiores rendas para as cidades foi acompanhada, naturalmente, de uma intensa atividade de construção de residências e de estabelecimentos comerciais, bem como da ampliação das facilidades de transporte e comunicações, de urbanização das cidades e edificação de obras públicas, da expansão do artesanato, das oficinas e de serviços domésticos e auxiliares para servir à nova população fixa, o que permitiu ocupar grandes massas de antigos trabalhadores rurais.

Outra fonte não agrícola de ocupação dissemina-se, simultaneamente, por todo o país, com a construção de ferrovias, de centrais hidrelétricas, de fábricas, que ensejam novas oportunidades de trabalho, trasladando do campo parcelas subutilizadas da população, que, depois de engajadas em trabalhos remunerados com salários, tendiam a urbanizar-se. Desse modo, os procedimentos técnicos, os artigos manufaturados, os serviços e os hábitos de vida e de consumo gerados pela Revolução Industrial transformam a sociedade brasileira, começando a urbanizá-la em moldes "modernos" antes de a industrializar diretamente.

Para essa primeira expansão urbana contribuíram, além do referido processo de renovação tecnológica, na qualidade de seus intensificadores, três profundas reordenações socioeconômicas. A primeira delas foi a abolição da escravatura (1888), que conduziu às cidades grandes parcelas de ex-escravos libertos, integrando-os nas camadas mais pobres. A segunda foi a imigração estrangeira, composta de populações europeias que, havendo já experimentado o processo de metropolização, estava mais predisposta a urbanizar-se. O Brasil recebe, de 1850 a 1915, cerca de 3 milhões de imigrantes, duas terças partes dos quais foram para o estado de São Paulo. O terceiro fator foi o processo inflacionário desencadeado nas primeiras décadas do século XX como resultado da política de valorização do café e das emissões promovidas pelos governos estaduais, que, expandindo enormemente os meios de pagamento, permitiria um surto de iniciativas empresariais, de construções particulares e de obras públicas.

O acicate inflacionário atuou sobre os detentores de recursos como um acelerador do processo econômico, punindo a todos os que retinham recursos monetários ociosos e premiando os que investiam mais ousadamente ou que mais apelavam ao crédito. Numa economia de tradição colonial, em que muitos valores se acumularam por outorga, como a terra e as regalias oficiais, a expansão dos meios de pagamento, em lugar de operar como simples disputa de fatores produtivos, promoveu a transferência de rendas das camadas ricas, mais conservadoras e cautelosas, para as novas camadas ascendentes, dotadas de maior capacidade empresarial. Ensejou, desse modo, aos imigrantes europeus mais preparados para as tarefas da modernização tecnológica, grandes oportunidades de enriquecimento e de ascensão social.

Os três fatores atuaram, pois, como agentes de urbanização e aceleradores da industrialização, provendo a técnica, os capitais e a mão de obra qualificada para a instalação de indústrias. De início, estas eram exclusivamente substitutivas de manufaturas de consumo habitual, cujos preços de importação haviam se tornado proibitivos, em virtude da desvalorização cambial que visava à defesa do café. A inflação, atuando ao lado dos dois outros fatores de modernização sobre uma economia anteriormente pouco monetarizada, operou como uma peneira, favorecendo os mais empreendedores e transferindo recursos antes devotados à produção e comercialização agrícola para a indústria. Esta se tornara logo a seguir o principal campo de aplicação do elã renovador dos imigrantes europeus e dos capitais disponíveis, uma vez que os produtos reais estavam em crise: o café produzido não encontrava mercado e a borracha nativa amazonense fora substituída pela seringueira cultivada no Oriente.

Distinguem-se na implantação da tecnologia da civilização industrial no Brasil três períodos bem diferenciados. O primeiro, quando as novas instalações eram sobretudo máquinas a vapor movidas à lenha, constituiu uma pré-industrialização concentrada nos novos meios de transporte e dispersa em núcleos renovadores nos canaviais, nas pequenas instalações de fiação e tecelagem, cada uma das quais tinha um efeito centrípeto sobre sua área, pela eliminação do sistema produtivo tradicional, tecnicamente inabilitado para competir com o novo, e pela criação de novos núcleos de trabalho. Muitas vilas fabris desse período, transformadas em centros de mercados regionais, progrediram como cidades articuladoras de redes urbanas regionais.

As Américas e a civilização

São também dessa época as ferrovias e as embarcações a vapor, que substituíram, progressivamente, formas anteriores de transporte, como os veleiros, as tropas de muares e os carros de boi. Tiveram efeitos mais amplos: proporcionaram grandes oportunidades de trabalho na fase construtiva e retiveram, depois, algumas parcelas de trabalhadores nos serviços de operação e manutenção. Abriram novas zonas produtivas e as ligaram umas às outras. Criaram e revitalizaram cidades, sobretudo aquelas que permaneceram mais tempo como "pontas de trilhos" na função de empórios de vastas regiões. Provocaram, também, a decadência de outras, deslocadas de seu papel de centros do antigo sistema comercial e de transporte, ou colocadas em segundo plano pela acessibilidade facultada a outros centros. Outro efeito das ferrovias é a criação de oficinas mecânicas de nível tecnológico mais alto, que formariam as primeiras gerações de operários especializados.

Essas ferrovias, construídas por empresas estrangeiras mediante empréstimos com garantia governamental de juros mínimos, além de outras regalias, eram um alto negócio em si mesmas, independente do lucro de operação que viessem a propiciar. Multiplicavam-se, por essa razão, ligando os principais núcleos produtivos do interior do país a diversos portos, representando um extraordinário progresso para as áreas que atravessavam.

O segundo período da industrialização brasileira se inicia com a instalação de centrais hidrelétricas relativamente grandes ou já capazes de prover energia para as indústrias. Em lugar de multiplicar as vilas fabris dispersas por todo o país, nas quais prevalecia o sistema de trabalho da grande lavoura, esta nova industrialização tende a concentrar as fábricas nas grandes cidades, conduzindo-as à suburbanização para abrigar a crescente população operária e dos trabalhadores dos serviços que se expandiam simultaneamente.

A especialização da mão de obra, iniciada com a introdução das máquinas a vapor, dará alguns passos adiante. É facilitada pela rigidez do próprio maquinário importado, só prestável para realizar tarefas prescritas, o que permite o desdobramento de cada ofício numa série de operações simples a que correspondem outras tantas especializações de mão de obra. Desse modo, simples camponeses rapidamente se fazem operários fabris. Ocorre, porém, que a maquinaria industrial, exigindo uma assistência técnica mais qualificada que qualquer tarefa produtiva anterior, impunha a formação de novos quadros técnico-profissionais. Essas necessidades específicas fazem surgir em alguns centros industriais urbanos uma mão de obra qualificada e serviços complementares de manutenção da maquinaria que, juntamente com a disponibilidade de energia hidrelétrica, tornariam cada vez mais impositivo nelas implantar as novas instalações fabris. Inicia-se, assim, um processo de concentração industrial em centros urbanos que teria efeitos conformadores de toda a rede urbana nacional.

Nesse segundo período, iniciado com o século XX, é que se constitui, no Brasil, um primeiro parque industrial produtor de artigos de consumo, gerado principalmente por falhas ocasionais do sistema de provimento de manufaturas pela importação. Permite sua constituição a existência, no país, de um mercado consumidor de manufaturas industriais, e incentiva sua expansão a crise do comércio internacional dos artigos brasileiros de exportação, incapazes de produzir divisas para continuar atendendo a procura de artigos manufaturados. Surge, desse modo, uma produção local substitutiva, de qualidade precária, fundamental, porém, para o país, porque gera um empresariado industrial e uma força de trabalho especializada, que começariam a atuar como grupo de pressão para assegurar-se condições de sobrevivência e de expansão. O crescimento da indústria brasileira, nesse período, pode ser apreciado pelo aumento do número de operários, que, de 55 mil, em 1890, passa a 160 mil, em 1900, e a 275 mil, em 1920.

Duas ordens de fatores resistiam, porém, à industrialização, com capacidade de sofreá-la. A identificação dos interesses da agricultura de exportação com o comércio importador, que, juntos, constituíam o grupo social hegemônico e, na defesa de seus privilégios, argumentavam com as vantagens da especialização da economia brasileira na produção de artigos tropicais para troca por manufaturas. E a própria dominação imperialista, supridora de recursos financeiros ao governo e compradora das safras agrícolas, que defendia as regalias que se havia assegurado criando um mercado privativo para seus produtos manufaturados. Só as grandes crises internacionais, tornando transitoriamente inermes os dois setores, permitiriam progredir a industrialização intersticial que se vinha operando.

Durante a Primeira Guerra Mundial, a interrupção do comércio internacional, isolando o Brasil das fontes tradicionais de suprimento, viria libertar o empresariado nascente para iniciativas de maior envergadura, dando lugar ao surto industrial substitutivo. A paz recaiu, porém, sobre esses brotos de industrialização autônoma como uma catástrofe, levando centenas de empresas à falência ou promovendo sua anexação a corporações internacionais. Esses fatos operavam, todavia, como aceleradores do amadurecimento de uma consciência nacionalista, desperta para a contradição irredutível entre os interesses nacionais e os alienígenas em matéria de industrialização. Assim se criaram condições ideológicas para a instituição de uma política oficial protecionista, que proporcionaria um desenvolvimento amparado da indústria.

Depois da Primeira Guerra Mundial, alguns setores das camadas dirigentes — empresários na defesa de seus empreendimentos — e militares — preocupados com a segurança nacional — começaram a tomar consciência de que o processo de modernização tecnológica, com base nos núcleos externos da civilização industrial produtora das máquinas e motores que o Brasil importava, não conduziria jamais o país a um desenvolvimento autêntico. Apenas permitiria independentizá--lo da importação de alguns itens mediante a inclusão de outras despesas na pauta das importações, acrescida das remessas de lucros e de juros. Seu efeito crucial seria, portanto, tornar a economia nacional mais eficiente no exercício de sua função tradicional de provedora de matérias-primas de produtos tropicais e de lucros exportáveis. Tratava-se, pois, de implantar um novo tipo de dependência, mais sutil e mais efetiva do que a sujeição colonial e igualmente incompatível com um desenvolvimento pleno e autônomo.

O terceiro período de industrialização brasileira tem início em 1930, quando o parque industrial entra num ritmo mais acelerado de crescimento que, logo a seguir, garantiria o predomínio da produção fabril sobre a agrícola. A crise de 1929, reduzindo drasticamente a capacidade de compra no exterior, provera a necessária liberdade ao empresariado nacional, impulsionando um novo esforço de industrialização substitutiva e, com ela, a transição para uma economia voltada para o mercado interno antes que para a exportação. Além de expandir a produção manufatureira dos artigos de maior procura, como tecidos e calçados, bebidas e alimentos, inicia-se a produção de cimento, de ferro-gusa e de laminados, bem como de papel, vidro e soda cáustica.

A quase totalidade dessas indústrias contava com instalações precárias e operava num nível rotineiro de baixo padrão técnico. Muitas delas se limitavam à montagem de peças ou elementos pré-industrializados que deviam importar, e todas dependiam de artigos complementares ou de instrumental estrangeiro. Em muitos casos, haviam sido instaladas como sucursais de grandes empresas internacionais, destinadas a simples operações de acabamento. Posteriormente, desenvolveram o fabrico local de componentes para fazer face às crescentes dificuldades de importação e para desencorajar o surgimento de concorrentes locais, amparados pela legislação que proibia a importação de artigos similares aos produzidos no país.

Não obstante tratar-se de uma industrialização em larga medida jugulada pelo controle externo, ela permitiria utilizar a conjuntura financeira, que reduzia a capacidade nacional de importação e a pressão inflacionária, decorrente da estocagem de café pelo governo, para assentar as bases da autossuficiência na produção de bens manufaturados.

As deficiências maiores desse surto industrial encontravam-se no setor vital das fontes de energia, devido à carência de carvão e de petróleo. A energia usual era a hidrelétrica, que entrara em expansão. E o combustível principal continuava sendo a lenha. Os censos industriais das décadas seguintes revelariam grandes saltos no número de estabelecimentos industriais e de operários, bem como nos capitais empregados na indústria e no valor da produção. Assim, os estabelecimentos industriais passam de 25 mil para 50 mil, entre 1930 e 1940, e no mesmo período o operariado salta de 400 mil para 781 mil.

Superada a grande crise, inicia-se o período preparatório da Segunda Guerra Mundial, que enseja à indústria brasileira condições de continuar ampliando-se e diversificando-se, pela necessidade de substituir artigos importados de mercados que se tornariam inacessíveis. Mais uma vez, o isolamento compulsório, rompendo os vínculos de dominação, permitiria à economia brasileira expandir-se pela utilização de seus recursos produtivos, mediante o monopólio do mercado interno e a transferência de recursos do setor primário, em recesso, para o secundário, em expansão.

Ao iniciar-se a Segunda Guerra Mundial, o parque fabril brasileiro era capaz de atender à maior parte do consumo nacional. Dependia, porém, da importação de maquinaria, de combustíveis e de lubrificantes, bem como de elementos complementares semi-industrializados. Apesar das importações efetuadas nos últimos anos, o parque industrial era, em grande parte, obsoleto. Um estudo, realizado em 1939, revelou que a indústria paulista, a mais avançada do país, operava, então, com 11,3% de maquinaria com menos de cinco anos de uso e com 14,2% de máquinas que já tinham cinco a dez anos; todo o restante tinha uso superior a dez anos. Acresce, ainda, que parte da maquinaria tida como nova fora importada depois de largo desgaste nos seus países de origem, pela carência de recursos de importação com que lutavam os industriais.

Com esse parque é que o Brasil teve de enfrentar o isolamento para suprir as necessidades internas e, ainda, exportar alguns artigos, como os têxteis, que se tornam o segundo produto de exportação. Compelida a improvisar toda uma série de materiais e tendo de utilizar exaustivamente o seu potencial através de dois a três turnos de trabalho, a indústria, apesar do desgaste, saiu da guerra mais possante e muito mais experimentada. Naturalmente, não foi o isolamento em si que a beneficiou, mas a interrupção do opressivo sistema de controle e ingerência externa sobre sua expansão por parte dos proprietários estrangeiros de instalações nacionais, bem como o impedimento da concorrência dos monopólios internacionais. Isolada, teve a indústria de produzir improvisadamente, no país, a maior parte do equipamento e dos materiais que utilizava, operando assim uma renovação adaptada às condições locais de trabalho e de mercado.

Assim, não é por coincidência que o grande surto industrial se inicia com a crise mundial de 1929, que deu folga aos empresários nacionais quase até o início da conjuntura de guerra, prosseguindo com esta até 1945. Nesses quinze anos, apesar dos déficits das fontes de força elétrica, da necessidade de improvisar combustíveis de baixo teor energético e da falta de peças de reposição, a indústria brasileira progrediu como nunca.

A expansão quantitativa e qualitativa de 1930 a 1940 exprime, essencialmente, o efeito constritivo exercido sobre a economia brasileira pela interação com estruturas industriais desenvolvidas do sistema capitalista internacional. Mas exprime, também, os resultados de uma nova política governamental francamente industrializadora, que lhe assegurava condições privilegiadas de aquisição de equipamentos, sempre que esta se fazia viável, e até colocava toda a capacidade de barganha política a serviço da implantação da indústria de base. Esse é o caso específico da aciaria de Volta Redonda, fundamental no desenvolvimento industrial do país, e da reconquista das jazidas de ferro de Minas Gerais para a Companhia Vale do Rio Doce, conseguidas ambas durante a guerra, graças à lucidez da política estatal e à competição que se desencadeara entre as grandes potências capitalistas.

O exemplo de Volta Redonda é altamente expressivo porque se trata do único caso de empréstimo e fornecimento de grandes instalações industriais e de assistência técnica para instalá-los concedidos pelos norte-americanos, de governo a governo, para implantar uma aciaria competitiva com suas corporações monopolísticas. E mais, de uma grande instalação independentizadora do Brasil, que teve de ser produzida durante a guerra, quando as plantas industriais norte-americanas eram mais reclamadas para a produção militar. O sucesso jamais se repetiu porque os norte-americanos não mais se viram em situação de pleitear a aliança brasileira e de pagar por ela.[17]

A reabertura do comércio internacional, depois de 1945, encontrou a indústria brasileira mais capaz de defender-se e de se expandir, utilizando as oportunidades de importação para repor sua maquinaria e implantar novas linhas de produção. Durante o período de isolamento, ela mudara de qualidade e de vulto, atraindo recursos que a tornaram um setor econômico poderoso, capaz de defender seus interesses e que contava com grandes disponibilidades de recursos acumulados durante a guerra, que lhe permitiriam competir com outros setores importadores na disputa das divisas disponíveis para compras no exterior.

A industrialização inicia um novo ciclo no período pós-guerra, agora como agente e como paciente das transformações desencadeadas no país pela modernização reflexa. Era já impossível um recuo no sentido da criação de uma economia industrial autônoma. A população do país passara de 41,2 para 70,9 milhões de 1940 a 1960; os estabelecimentos industriais, de 50 para 110 mil; o operariado, de

781 mil para 1,519 milhão. A constituição de um núcleo industrial (São Paulo, estado do Rio e Guanabara) capaz de atuar como o centro reitor da economia nacional vinha preencher o pré-requisito fundamental para a conquista da plena autonomia do desenvolvimento nacional. Defendido, porém, mediante procedimentos tradicionais, sobretudo através de barreiras alfandegárias, esse parque industrial se veria assaltado pelos flancos por uma investida mais sutil que ele não estava preparado para enfrentar.

Tal é a entrada das grandes corporações, sobretudo das norte-americanas, no mercado nacional, não mais como exportadoras, mas pela implantação de fábricas locais de artigos de consumo, como aparelhos eletrodomésticos, a indústria automobilística, a química, e de uma multiplicidade de produtos manufaturados de venda popular. Saltando as barreiras alfandegárias que lhe impediam o acesso ao mercado nacional, as grandes corporações estrangeiras passam a explorá-lo diretamente, colocando-se sob o amparo da legislação nacional protecionista e tendo acesso aos serviços financeiros oficiais de fomento à industrialização. Desse modo, estabelecem um dreno de sucção dos recursos nacionais para pagar os lucros de investimento, *royalties, know-how*, serviços de seguro e administração, que oneram a economia nacional, tão somente, em muitos casos, para expandir o consumo de refrigerantes, artigos de toalete, medicamentos, aparelhos elétricos ou alimentos e bebidas industrializados de famosas marcas internacionais.

O novo procedimento é muito mais lucrativo que o antigo sistema de privilégios coloniais de exportação e muito mais tenaz porque parece meramente competitivo com os "atrasados" empresários nacionais e até progressista pela qualidade técnica superior de suas plantas industriais. Apresenta-se, assim, como promotor do progresso e da industrialização, apenas escamoteando o fato de que jamais se orienta para setores básicos da produção industrial, independentizadores da economia nacional, e disfarçando seu caráter de bombas de sucção de divisas.

A integração do Brasil na civilização industrial continua se fazendo, pois, reflexamente, mediante um quarto mecanismo de domínio e subordinação a forças externas. O primeiro fora o sistema de privilégios de importação que fizeram do país, por quase um século, mercado cativo ou preferencial das manufaturas britânicas. O segundo, a implantação por empresas estrangeiras de ferrovias, dos serviços de energia, iluminação, gás e telefones, mediante a garantia prévia de taxas mínimas de seguros ou do monopólio do mercado. Esse foi, seguramente, o modo mais proveitoso dos processos de vinculação porque, apesar de onerar o país, tinha a forma de empréstimos ou investimentos destinados a implantar uma infraestrutura produtiva de importância capital para o desenvolvimento. O terceiro consistira no controle estrangeiro das jazidas minerais, menos para explorá-las do que para excluí-las do mercado mundial trustificado, a fim de comandar os preços das matérias-primas. Esse processo de dominação permitia aos ingleses se apropriarem da quase totalidade das reservas minerais conhecidas do país, sobre as quais se sentaram, simplesmente, armados de seus títulos de propriedade para só fazê-los valer quando o Estado ou alguns particulares cogitavam de promover sua exploração. O quarto, por fim, foi a industrialização induzida mediante a instalação de fábricas locais das grandes corporações internacionais, principalmente norte-americanas, e da absorção progressiva do parque nacional através da participação acionária e da vinculação tecnológica.

Das quatro formas de dominação, a primeira era impeditiva da industrialização; as duas outras, limitativas de sua expansão e coparticipantes nos lucros; a quarta é absorvente e alienadora. É também a mais nociva, porque transfere para o estrangeiro os centros de decisão com maiores poderes sobre a economia nacional; porque se faz pagar com recursos em divisas, absorvendo uma parcela crescente dos frutos do trabalho nacional; porque impede o surgimento de um empresariado nacional, transformando a burguesia industrial numa camada de gerentes de negócios estrangeiros; e, ainda, porque frustra a criação de um quadro técnico que assegure autonomia ao desenvolvimento cultural e científico da nação pela transferência das tarefas mais nobres de pesquisa, planejamento e aprimoramento tecnológico, a laboratórios estrangeiros.

6. O dilema brasileiro

A política econômica governamental brasileira amadureceu passo a passo para a industrialização. Começa com uma orientação francamente anti-industrialista, que prevalece até a Primeira Guerra Mundial. É a fase da modernização reflexa em que a hegemonia política dos cafeicultores e da burguesia portuária, importadora e exportadora, impõe uma ideologia agrarista, hostil a qualquer esforço de industrialização. O Brasil é concebido como um país privilegiado pela natureza para produzir artigos tropicais, cujo enriquecimento só se faria pela ampliação das lavouras, que permitiriam trocar café, algodão, cacau e alguns produtos extrativos por ferrovias e portos que mais facilitassem a expansão agrária, e por manufaturas industriais de consumo.

A segunda orientação, que se inicia com a Primeira Guerra Mundial e prossegue dominadora até a grande crise de 1929, recrudescendo periodicamente daí em diante, pode ser caracterizada como espontaneísta. Corresponde à industrialização reflexa que se opera, não por um ato de vontade e como fruto de uma política oficial de amparo, mas como uma consequência inelutável da retração do poder de compra do país e dos períodos de isolamento em que se encontrava durante as guerras e as crises.

A política governamental amadurece, mais tarde, para uma primeira orientação industrialista, pela conscientização da imperatividade de modernizar o país para assegurar sua autonomia e seu progresso. A existência já então, no Brasil, de uma ampla industrialização substitutiva, ocupando centenas de milhares de operários, na qual setores da burguesia haviam concentrado grandes investimentos, torna-a capaz de pôr em xeque a dominação oligárquica. Surge, então, uma política oficial deliberadamente autonomista, que define a industrialização como o objetivo fundamental da economia e da segurança nacional.

Essa política se desdobraria em duas orientações opostas, ambas industrialistas. A primeira, nacionalista e estatizante, consciente do papel constritor dos monopólios internacionais, propugnava pela implantação da infraestrutura produtiva e das indústrias de base na forma de empresas estatais. A outra, cosmopolita e livre-empresista, defende a integração da economia brasileira no mercado capitalista mundial, já não apenas como produtor de artigos tropicais, mas também como economia industrial, através da introdução dos capitais e da técnica das grandes corporações internacionais.

Essas duas orientações industrialistas se formulam como políticas econômicas concretas com Getúlio Vargas, a primeira, e com Juscelino Kubitschek, a segunda. Getúlio Vargas e sua assessoria militar nacionalista, ainda que de direita, propugna pela reserva ao Estado do papel fundamental na implantação da siderurgia, na produção e refino de petróleo, na produção e distribuição da energia elétrica, na prospecção de minérios, na produção de ácidos e bases e de motores e veículos. Deixava, porém, todas as outras áreas livres à exploração empresarial privada, assegurando-lhes, ainda, o amparo do Estado na forma de financiamento privilegiado e de reserva de mercado. A ênfase estava posta, no entanto, no primeiro setor, estruturado em empresas estatais, às quais se garantia precedência na atribuição de recursos públicos e na concessão de regalias.

Juscelino Kubitschek, que sucede a Getúlio Vargas, resguardando embora as posições nacionalistas mais irredutíveis pela profundidade do apoiamento que recebiam da opinião pública (como o monopólio da exploração do petróleo), orientou-se para uma política econômica oposta. Abriu o mercado brasileiro às grandes corporações internacionais, assegurando-lhes todos os privilégios exigidos para se instalarem no país. Seu objetivo era imprimir à industrialização um novo dinamismo, a fim de elevar a economia brasileira a um estágio de pleno amadurecimento capaz de conferir-lhe condições autárquicas de desenvolvimento. Confiou que esses objetivos poderiam ser alcançados com sacrifício da própria autonomia na condução do desenvolvimento, uma vez que aceitou a transferência do centro de decisões das empresas estatais para as corporações internacionais instaladas no país.

Nada contrasta mais na história brasileira do que a oposição da política econômica destes dois presidentes. Getúlio Vargas suicida-se, em 1954, culpando a exploração estrangeira pela crise em que mergulhara o país, conduzindo-o àquele gesto. Juscelino Kubitschek o sucede, apelando, para sair da crise, precisamente para o caminho de um alargamento sem precedentes das regalias concedidas ao capital estrangeiro. Como se explica essa disparidade? Porque Vargas vira a espoliação inaceitável onde Kubitschek vislumbra a saída para o desenvolvimento. Um ano antes de seu suicídio, Getúlio Vargas dizia:

> Estou sendo sabotado por interesses contrariados de empresas privadas que já ganharam muito no Brasil; que têm em cruzeiros duzentas vezes o capital que empregaram em dólares, para levá-los para fora a título de dividendos. Em vez de dólares produzirem cruzeiros, os cruzeiros é que estão produzindo dólares e emigrando.

Na sua carta-testamento consignaria com outras palavras sua condenação à espoliação de que o povo brasileiro era vítima: "Os lucros das empresas estrangeiras alcançam 500% ao ano. Nas declarações de valores do que importamos existiam fraudes constatadas de mais de 100 milhões de dólares por ano". Apesar do impacto causado sobre a opinião pública por essa denúncia, o governo brasileiro se orientaria, após o suicídio de Getúlio Vargas, para uma política econômica de concessões sem limites, apelando para o aprofundamento do processo espoliativo como forma de superá-lo, ainda que transitoriamente.

E o expediente utilizado foi o de tudo conceder ao capital estrangeiro para conseguir, a qualquer custo, sua cooperação num vasto programa de industrialização. As dificuldades da empresa podem ser avaliadas pelo fato de que o ambicioso projeto de industrialização de Kubitschek devia ser realizado numa conjuntura econômica desfavorável, incapaz de financiar importações — dado o declínio das exportações — e também impossibilitado de prover recursos nacionais para empréstimos — em virtude do enorme déficit que pesava sobre o orçamento.

O financiamento do programa, sendo obviamente inviável nos termos da política econômica tradicional, exigiu procedimentos novos e ousados de captação e alocação de recursos externos e internos, que viriam onerar enormemente o país. Como alcançar estes recursos? Como escalonar no tempo e distribuir socialmente as cargas de sua amortização? — eram as questões fundamentais do Plano de Metas que jamais foram explicitadas. Só depois de cumprido o programa é que se pôde avaliar o seu montante, verificar sobre quem recaíra o seu custeio e apreciar a contribuição que trouxera ao amadurecimento da economia nacional.

As soluções foram, na verdade, tão simples quanto ousadas. Não exigiam dos empresários nacionais ou estrangeiros chamados a participar ativamente do programa senão o desejo de ver expandidos os seus negócios em condições próximas às ideais, praticamente sem riscos e quase sempre subsidiados na quase totalidade dos empreendimentos. Dera-se uma reversão de critérios que, transferindo às empresas privadas condições de amparo e custeio previstas para empresas estatais (que eram bens públicos), emprestava à "livre-iniciativa" uma nova dimensão. A nova política econômica se estribava, igualmente, numa idealização do livre-empresismo como forma suprema de gerenciamento de bens, levada a tais extremos que propugnava nada menos que a doação de recursos públicos a empresas particulares.

Provavelmente, só dentro destas condições seria a livre-iniciativa capaz de atuar numa economia tributária, onde era chamada a criar indústrias substitutivas de suas próprias exportações. No contexto econômico internacional, que não enseja às nações subdesenvolvidas condições mínimas de romper com a dependência e a dominação das grandes potências industriais, o Plano de Metas constitui uma invenção: é um novo modelo de desenvolvimento industrial rigorosamente capitalista. Resultou, como era inevitável, numa industrialização recolonizadora que induz o Brasil a uma nova atualização histórica tendente a eternizar sua posição de economia neocolonial, e só capaz de ensejar um novo surto de modernização reflexa.

Aparentemente pouco elaborado, porque consistia essencialmente numa relação de objetivos almejados, o Plano de Metas resultou numa programação objetiva que unificava, num só projeto, os principais planos de expansão econômica elaborados pelos governos anteriores. Em sua apresentação singela, relacionava os problemas fundamentais de estrangulamento da economia brasileira, situados no setor da energia elétrica, no dos transportes e da produção petrolífera, bem como as categorias de produtos industriais que mais pesavam na agenda nacional de importações. Aos primeiros procurava atender com amplos investimentos destinados à ampliação e modernização das disponibilidades energéticas. Aos demais, com facilidades para a implantação de indústrias substitutivas.

As Américas e a civilização

Mais importante que o diagnóstico e as recomendações era o seu sentido de conclamação ao país para o desenvolvimento; a capacidade de tratar os problemas da industrialização como questões de salvação nacional; e a vigorosa disposição de enfrentá-los e solucioná-los a curto prazo, apelando para qualquer procedimento que viabilizasse os projetos.

O montante de recursos mobilizados pelo Plano de Metas alcançou 355 bilhões de cruzeiros, sendo 236 bilhões em moeda nacional e 119 em moeda estrangeira, ou seja, 2,318 bilhões de dólares de bens e serviços importados. Dessa soma distribuiu-se 43,4% para a ampliação da capacidade geradora de energia elétrica; 29,6% para o sistema nacional de transportes; e 20,4% para as indústrias de base. O restante destinara-se a diversos pequenos projetos complementares de sentido assistencial e educativo, inclusive a construção da nova capital, Brasília.

O problema dos financiamentos em moeda nacional teve solução com a mais temerária utilização do poder de emissão do governo para arrecadar recursos e com a mais dadivosa disposição de entregá-los às empresas que se propunham alcançar os objetivos do Plano. Para isso, o sistema oficial de créditos (através do BNDE, do Banco do Brasil, dos órgãos autárquicos de controle das Caixas de Previdência Social e os fundos nacionais rodoviário, ferroviário, marítimo etc.) negociava adiantamentos para obras e financiamentos em condições excepcionalmente favoráveis.

Os recursos adiantados para o custeio dos projetos permitiram às firmas empreiteiras equiparem-se com maquinaria e serviços, que as habilitaram a atender obras enormemente superiores à sua capacidade anterior. Os empréstimos concedidos a empresas nacionais e estrangeiras — principalmente a estas últimas — cobriam a quase totalidade de suas despesas em moeda nacional para edificações e outros gastos de instalação, garantindo-lhes ainda facilidades bancárias posteriores para o giro comercial. Em muitos casos, recursos em cruzeiros foram fornecidos até para a compra de divisas de importação. Estes empréstimos concedidos a largo prazo (frequentemente dez e até quinze anos) a juros negativos (9 a 12%), dentro do regime inflacionário vigente, representaram verdadeiras doações. Avalia-se, hoje, que a reposição dos empréstimos assim obtidos pelas empresas privadas vai de 13 a 17% do poder de compra da importância que lhes foi emprestada.

O financiamento do Plano de Metas em moeda estrangeira foi ainda mais dadivoso. Oferece, por isso, uma medida das condições em que uma nação subdesenvolvida pode alcançar a cooperação, em programas de industrialização substitutiva, das grandes corporações internacionais, dentro do regime econômico vigente. Assinale-se que tais empresas eram chamadas a operar em condições excepcionalmente favoráveis, uma vez que a instalação de plantas industriais no Brasil lhes assegurava a reserva monopolística do mercado nacional de maior envergadura que se oferecia em todo o mundo, através de uma legislação protecionista que proibia a importação de quaisquer similares a artigos produzidos no país. Acresce ainda que, simultaneamente, o governo investia nos setores básicos que lhe garantiriam o provimento dos insumos fundamentais — energia elétrica, aços, combustíveis, lubrificantes, ácidos e bases —, em moeda nacional e a preços subsidiados.

Mesmo essas condições excepcionais, porém, se revelaram sem atrativos, como se pode constatar pelo fato de que, no quinquênio anterior ao Plano de Metas, elas não moveram nenhuma empresa estrangeira ao preenchimento de carências básicas do sistema industrial do país. Tanto é assim que o movimento de capitais estrangeiros se tornara deficitário pelo desequilíbrio entre o vulto das remessas para o exterior — a título de juros, lucros, *royalties* e amortizações — e a irrelevância dos ingressos através de novos investimentos. Com o Plano de Metas a situação se transmuda: a entrada de capitais de empréstimos e de risco passa a superar as remessas, gerando saldos escriturais crescentes. Não eram, naturalmente, saldos reais, porque parcelas muito maiores ingressaram, simultaneamente, no país como empréstimos que foram engrossar os investimentos efetivos, endividando a nação em enormes montantes a serem pagos pelos futuros governos.

O exame da conta em moedas fortes do Plano de Metas que totalizou 2.391,6 milhões de dólares indica que a importância de 1.972,6 milhões foi coberta por empréstimos obtidos no estrangeiro diretamente pelo governo ou por particulares com o seu aval. As inversões estrangeiras efetivamente entradas no país alcançaram apenas 419 milhões, ou seja, 17% do total. Do conjunto dos empréstimos, 75%, vale dizer, 1.477,3 milhões de dólares, foram transferidos às empresas com prioridade, ou seja, com regalias especiais quanto ao custo em cruzeiros do câmbio e quanto à reserva prioritária das disponibilidades de divisas. No caso da indústria automobilística, por exemplo, sobre um total de 685,9 milhões de dólares aplicados no país, 200 milhões foram representados por investimentos diretos e 485,9 por empréstimos, sendo que destes, 113,4 milhões da categoria de empréstimos prioritários.[18]

Esses números retratam bem as condições a que se teve de submeter o país para alcançar a suspirada colaboração dos capitais estrangeiros: o vulto irrisório dos ingressos eletivos de dólares em comparação com o montante dos empréstimos em moeda forte transferidos pela economia nacional a empresas privadas contra pagamento futuro em cruzeiros. Como vimos, na maioria dos casos, os recursos em cruzeiros também foram obtidos mediante empréstimos a juros negativos concedidos pelos órgãos oficiais de crédito. Assim se verifica que a contribuição estrangeira para a constituição de suas filiais brasileiras apenas representou uma parcela irrisória dos bens de que se fizeram detentoras e que passariam, doravante, a gerar lucros a serem transferidos ao exterior, em dólares.

Os dados da Sumoc (Superintendência da Moeda e do Crédito) divulgados pela Cepal revelam um aspecto provavelmente positivo da cooperação privada estrangeira. Ao discriminar as fontes bancárias internacionais dos recursos obtidos pelo Brasil para custear o Plano de Metas, indica que, do montante de 1.792 milhões de dólares entrados no país como empréstimos financiadores do Plano de Metas, 1.503 milhões foram providos por bancos particulares. Isso significa que tão somente 289,3 milhões tiveram sua origem no Eximbank, no BID e em outras agências nominalmente fomentadoras do desenvolvimento, capacitadas para operar com os chamados *soft loans*. O volume maciço de recursos em moedas fortes foi obtido de banqueiros privados no exercício de seu ofício de negociar com dinheiro, naturalmente mediante as mais compensadoras taxas de juros, além de toda sorte de garantias oficiais. Mas eles foram obtidos, em geral, pela intermediação das empresas privadas diretamente interessadas na operação.[19]

A principal colaboração financeira de grupos estrangeiros à industrialização do Brasil programada no Plano de Metas consistiu em oficiar esses arranjos. Mais importante foi sua colaboração em outros campos, como a capacidade técnica para levar a cabo os empreendimentos, por vezes muito complexos, e a concessão de licença para utilização de suas patentes e de suas prestigiosas marcas. Estas últimas, naturalmente, ao custo de enormes despesas em moedas fortes.

Essas foram as condições efetivas que a economia nacional teve de aceitar para viabilizar o programa de industrialização substitutiva e que de fato a converteram em uma industrialização recolonizadora. Elas importaram em onerar a população inteira pela captação de recursos através da inflação, a fim de entregá-los, quase como doação, a empresários privados, sobretudo as corporações internacionais. Importaram, ainda, em agravar enormemente o endividamento do país para suprir as mesmas empresas e os próprios programas governamentais com os recursos em moeda forte indispensáveis ao custeio do programa. Assim se vê que a simples reserva monopolística de um grande mercado nacional com as garantias de liberdade de operação livre-empresarial e até o amparo e o estímulo mais cálidos não são suficientes para assegurar a cooperação internacional em programas de desenvolvimento. Além de tudo isso, foi necessário praticar uma política de outorga que excede a tudo que se poderia prever teoricamente como as condições ideais de operação da economia empresarial capitalista.

Uma apreciação dos principais resultados econômicos do Programa de Metas mostra que, de 1955 a 1960, se elevou a capacidade de produção de energia elétrica em 154%; a produção de petróleo, em 468%; a de refinação, em 274%; a produção de cimento, em 161%. Outras conquistas do Plano estão na implantação da indústria de bens de capital representada pela produção de automóveis, de navios, de construções mecânicas e de material elétrico pesado. A indústria automobilística, partindo quase de zero, alcança, em 1960, a instalação de doze grandes plantas e 1.200 fábricas auxiliares que ocupam mais de 150 mil operários e produzem 133 mil veículos. Em 1963, o montante se eleva a 185 mil, entre automóveis (86.023), utilitários (20.546), caminhões (3.478), jipes (13.922) e tratores (9.908). A construção naval alcança, no período, uma capacidade nominal de produção de 158 mil toneladas/ano de navios, iniciando a produção de dragas e habilitando-se para grandes obras de reparação. A indústria produtora de máquinas e equipamentos dobrou sua capacidade, e a de material elétrico pesado cresceu 200%, passando ambas a ter capacidade de produzir duas terças partes dos bens industriais antes importados pelo país.

Cabe perguntar se os mesmos resultados — posto que estes são altamente positivos pela qualidade nova que agregam à economia nacional — poderiam ser alcançados por outros caminhos menos onerosos. A comprovação da quase inviabilidade de uma opção encontra-se no fato de que nenhuma economia subdesenvolvida conseguiu encontrar ou inovar um caminho alternativo dentro da conjuntura capitalista mundial.

Entretanto, o principal efeito econômico do Plano de Metas que só pôde ser medido em 1965[20] consistiu na apropriação da indústria brasileira pelas corporações internacionais e na dominação do empresariado brasileiro por uma burguesia industrial cosmopolita. Examinando a relação das empresas industriais privadas com capital superior a 4 bilhões de cruzeiros, verifica-se que 60,6% delas e 71% dos seus capitais são pertencentes a consórcios internacionais, principalmente norte-americanos. Considerando-se que, mesmo na parcela residual de empresas nominalmente nacionais, há uma participação estrangeira ponderável, na forma da propriedade de ações, de contratos para exploração de patentes, assistência técnica, serviços de *royalties, know-how* e outros mecanismos de exploração e controle, deve-se concluir que o Brasil não tem, na verdade, um parque nacional de indústrias de base, mas um sistema de plantas industriais estrangeiras implantado em seu território.

Essa constatação lança luz sobre muitos fatos aparentemente extravagantes, como a ausência de uma burguesia empresarial combativa no Brasil, capacitada

As Américas e a civilização

a defender seus interesses de expansão, em face da dominação estrangeira e da constrição oligárquica interna. Na verdade, a burguesia industrial autenticamente brasileira, sufocada pelo alude das grandes corporações internacionais que se instalaram no país, teve seu crescimento jugulado e foi compelida, na sua maior parte, a associar-se aos interesses estrangeiros para sobreviver. Não alcançou, por isso, aquela massa crítica mínima indispensável para torná-la capaz de enfrentar a mole de interesses exógenos, desenvolvendo uma conduta autonomista. Como mera associada da exploração estrangeira, não assume, também, uma postura independente que a capacite a pleitear o controle hegemônico dos fatores internos de poder, preferindo conciliar com os interesses latifundiários tradicionais, de certa forma mais autenticamente nacionais porque não têm o caráter gerencial dessa burguesia industrial.

Somente quando se considera o montante do capital das empresas estatais (659,2 milhões de cruzeiros) somado ao das grandes empresas industriais privadas pertencentes a brasileiros (428,7), alcançamos uma maioria de capitais nacionais (1.079,9 milhões de cruzeiros) capaz de confrontar a cifra de investimentos estrangeiros (1.052,6 milhões de cruzeiros). Essa escassa maioria, porém, é puramente estatística e formal, porque os grandes consórcios privados nacionais tendem a aglutinar-se, como força de pressão sobre os poderes públicos e para todo tipo de ação, antes com os capitais estrangeiros do que com as empresas estatais ou com as pequenas indústrias nacionais. Assim é que a poderosa ação empresarial sobre a vida política, econômica e financeira do país, exercida por diversos mecanismos, tende a operar contra o desenvolvimento autônomo e no sentido de uma dependência cada vez maior das potências mundiais de onde se originam os capitais.

O empresariado nacional, operando suas empresas, ou a parcela delas que está sob seu controle, segundo esquemas técnicos importados com maquinaria, acaba por definir seus interesses de classe pelos mesmos critérios. Fazem-se estrangeiros em seu próprio país. Duplicando a escrituração de seus negócios para ter uma referência em dólares da sua marcha, reduzindo a dólares todas as suas reservas para melhor defendê-las contra o desgaste da inflação, terminam por habituar-se a operar seus negócios em um circuito extranacional que os faz cosmopolitas. Hoje são cidadãos do mundo capitalista. Como tal, mais cosmopolitas e incondicionais na defesa do sistema de espoliação que os próprios estrangeiros. Estes guardam, ao menos, certa lealdade fundamental às suas próprias nações.

Nessa conjuntura é que se tornou um procedimento "normal" de segurança e de precaução de muitos capitalistas brasileiros trocar as ações comanditárias de suas empresas por ações ordinárias das matrizes das grandes corporações internacionais.

Assim, um proprietário de uma companhia produtora de vidro plano, por exemplo, que troque o comando de suas empresas nacionais por ações de valor equivalente de alguns empreendimentos internacionais da Pittsburgh Glass, procede com toda a tranquilidade, concebendo o negócio em termos das seguintes vantagens: evita uma competição que lhe poderia ser desastrosa; assegura-se um mecanismo de assistência técnica altamente vantajoso; diminui sua margem de risco diante de quaisquer eventualidades, uma vez que uma revolução, uma guerra ou um terremoto no Brasil ou na Alemanha seria compensado pela preservação de seus interesses na Austrália, ou na França, ou alhures. Internacionalizando-se, por esse procedimento, os empresários brasileiros sublimam sua própria condição de capitalistas para situá-la num plano supranacional de solidariedade para o qual revertem também suas lealdades.

Todavia, esse é o principal tipo de empresário nativo que se encontra hoje na grande indústria, toda ela direta ou indiretamente controlada pelas corporações internacionais. Sua dominação já é tão opressiva que as discussões sobre o mercado comum latino-americano se vêm processando no âmbito de seus interesses e com o evidente propósito de mais servir a eles do que às economias nacionais engajadas no sistema. Assim, a Alalc tende a ser um mercado cativo das corporações já implantadas na região que dividirão entre si os setores produtivos e as áreas de mercado.

Nessas circunstâncias, mesmo as operações econômicas mais bem-sucedidas, pela exploração das oportunidades de negociação dentro da área com moedas locais, resultarão em lucros que, ao fim do exercício, serão remetidos para fora, em dólares. Note-se que mesmo a parcela nacional desses empreendimentos, que poderia produzir novos recursos para inversão, transformada em ações da matriz da corporação, só irá gerar mais lucros em dólares, que sobrecarregarão a balança comercial e cujo retorno ao país só se fará nas mesmas condições de ingresso de quaisquer capitais estrangeiros.

Essa internacionalização das economias latino-americanas tende a tornar-se, por isso, tanto mais danosa quanto maior eficiência alcançar. Acabará por fazer das reuniões dos executivos das grandes corporações internacionais com interesses na área a instituição mais poderosa na determinação dos destinos nacionais e contra cujas decisões não haverá força alguma a que se possa apelar. Provavelmente esse limiar já foi alcançado.

Impõe-se, agora, uma apreciação final dos resultados financeiros da política econômica livre-empresarial, viabilizada pelo Plano de Metas. Isso pode ser feito através da análise dos resultados que o Brasil alcançou nos últimos quinquênios em seu intercâmbio externo. Conta-se, para tanto, com os registros do Fundo Monetário Internacional divulgados pela Cepal[21] para todo o período pós-guerra, ou seja, de 1945 a 1960.

O exame das operações em conta-corrente demonstra que o intercâmbio de mercadorias (importação e exportação) deixou ao Brasil, nestes quinze anos, um saldo favorável de 2.716,5 milhões de dólares. As operações classificadas como serviços, porém, custaram ao país 5.601,7 milhões de dólares, dos quais 2.439,9 correspondente a fretes, seguros e turismo, e 3.161,8 milhões, ao atendimento das remessas de lucros, amortizações e empréstimos ou outros serviços referentes aos capitais estrangeiros. Esse déficit dos serviços, muito superior ao saldo alcançado nas trocas de mercadorias, importou num desequilíbrio da conta-corrente escandalosamente desfavorável ao Brasil, que se viu, ao fim do período, com um saldo negativo de 2.885,2 milhões de dólares, o qual teve de ser custeado através do endividamento externo.

Considerando-se todo o período pós-guerra, pode-se concluir que os fatores fundamentais do desequilíbrio no balanço de pagamentos (déficit de 2.885,2 milhões de dólares) são, primeiro, a deterioração das relações de troca que só permitiu alcançar saldos comerciais capazes de fazer frente às necessidades de importação através do aumento constante da tonelagem exportada. Segundo, o ônus representado pelos chamados "serviços", entre os quais se destaca, como fator fundamental de ruína, o custo das remessas financeiras para o exterior e dos pagamentos da dívida externa (3.161,8 milhões de dólares) e em que também pesam os custos de transportes, fretes e seguros (2.139,9 milhões) pagos a empresas internacionais.

As remessas de lucros no período considerado (1945-60) custaram ao país 1.105,8 milhões de dólares, quantia essa quase duplicada pelos pagamentos de comissões, honorários e *royalties* que importaram em 1,2 bilhão. Se a essas cifras se somam as amortizações da dívida externa, da ordem de 818 milhões de dólares, e as pequenas remessas privadas de divisas para vilegiaturas ao estrangeiro ou despesas semelhantes, encontramos, só nessa conta, o déficit já referido de 3,1 bilhões de dólares em quinze anos, superior em si a todo o saldo das exportações.

Assim se vê que praticamente o Brasil trabalhou, no período pós-guerra, principalmente para atender a esse dreno das remessas de lucros e custeio de serviços, orçados em 5,6 bilhões de dólares. Sua cobertura se processou com os saldos das exportações (2,7 bilhões), com novos investimentos de capitais e novos endividamentos (1,3 bilhão). Como tudo isso não foi suficiente porque ainda restou um déficit de 1.534,6 milhões de dólares, teve-se de apelar para formas ainda mais

Os brasileiros

onerosas de compensação do desequilíbrio através de empréstimos de emergência. Vale dizer, o custeio dos lucros dos capitais introduzidos no Brasil não só consome parcela ponderável do resultado das exportações, mas ainda obriga o país a um crescente endividamento.

Os dados já disponíveis para o quinquênio posterior (1960-5) indicam que a situação agravou-se consideravelmente. Demonstram a inviabilidade de uma economia industrial assentada sobre empresas pertencentes a consórcios internacionais (que produzem lucros em dólares pela manipulação de empréstimos feitos em moeda nacional e pela exploração do mercado interno de consumo de bens não essenciais) cujas remessas de lucros absorvem já metade da capacidade total da economia brasileira de produzir divisas. Nessas circunstâncias, a exploração econômica terá que gerar seu próprio remédio, que só poderá ser alguma forma de congelamento dos lucros estrangeiros ou de subsidiamento da economia nacional para pagá-los, sem deixar de atender às necessidades incomprimíveis de importação. A alternativa, provavelmente inevitável, é a nacionalização dos capitais estrangeiros.

O problema não é apenas brasileiro, porquanto, segundo avaliações de Raúl Prebisch, toda a América Latina alcançará, por volta de 1970, uma posição de absoluta insolvência, porque o déficit anual de suas balanças comerciais será, então, da ordem de 20 bilhões de dólares (R. Prebisch, 1964; J. H. Rodrigues, 1965). Naquela altura, ficará ainda mais evidente, também para a América do Norte, a inviabilidade do império de suas empresas, capaz de gerar fabulosos lucros exportáveis, mas incapaz de produzir as rendas internas indispensáveis para saldá-los. Seu valor será então, principalmente, o de um instrumento de chantagem internacional contra nações economicamente fracas, condenadas a serem morosas no pagamento do que já devem e das importâncias cada vez maiores que passarão a dever ao centro reitor do sistema.

Toda esta análise está a demonstrar as condições em que o Brasil conseguiu iniciar um processo acelerado de industrialização. Elas importaram na substituição do antigo pacto colonial por novos mecanismos de atualização histórica, que, embora permitindo produzir no país muito mais do que antes importava, o mantém no mesmo estado de dependência. Permanece, desse modo, tributário de economias externas, cujos padrões de vida e de progresso ajuda a manter à custa da perpetuação do seu próprio subdesenvolvimento e da dependência de decisões estrangeiras sobre todos os problemas nacionais.

Assim, à espoliação interna do latifúndio monocultor que controla uma terça parte da terra agriculturável para a produção subsidiada de artigos de exportação, acrescenta-se uma nova *plantation*; a tanto equivale uma indústria e um comércio de propriedade estrangeira que, explorando as potencialidades do mercado interno, colocam a serviço da produção de divisas para suas remessas de lucros mais da metade dos trabalhadores brasileiros.

Nos últimos anos, o ascenso da pressão inflacionária, com o consequente aumento dos preços, passou a criar um grande descontentamento nas camadas assalariadas. Entrara-se num círculo vicioso de aumentos salariais compensatórios de altas de preços que, por sua vez, produziam novas elevações no custo de vida. Era a espiral inflacionária, cujo ritmo acelerado exigia medidas urgentes e radicais. A luta instalou-se, então, entre os diversos setores econômicos, cada qual procurando escapar ao custeio do reajustamento. As camadas populares, que já haviam pago o custo principal dos investimentos através do imposto indireto das emissões, defendiam-se mediante greves salariais. A camada empresarial, que até então se beneficiara da inflação, procurava escapar à pressão dos aumentos dos salários mediante o aumento dos preços e o acesso ao sistema financeiro oficial, através de empréstimos dadivosos. Diversas tentativas de contenção inflacionária foram iniciadas, provocando, porém, ondas de desemprego ainda mais graves que a própria inflação numa economia em expansão que já não atendia às necessidades mínimas de oferta de trabalho a uma população que crescia mais de 3% ao ano. A partir de 1962, o descontentamento se agravou e se generalizou, sobretudo nas camadas médias, menos aptas a defender seus salários e indispostas contra uma política governamental que parecia privilegiar a camada operária.

O saldo final desse esforço foi uma crise inflacionária de proporções alarmantes que transmudou a atitude empresarial, fazendo-a mais temerosa da inflação do que da estagnação econômica; e uma crise sem precedentes da balança de pagamentos, incapaz de suprir as importações indispensáveis e de custear os serviços da dívida contraída no exterior. Mas foi, também, uma situação econômica alvissareira pelo acrescentamento de forças à economia nacional que quase conseguiram esgotar as possibilidades de industrialização substitutiva.

O enfrentamento desses dois dilemas recolocou perante os novos governos toda a problemática com que se defrontara Getúlio Vargas, agravada pelo aguçamento das diferenças entre o setor integrado na economia e o marginal, acrescida, ainda, de um problema novo: a questão crucial de decidir sobre a divisão dos encargos do esforço anti-inflacionário e de pagamento da dívida externa. Seu custo deveria recair sobre o povo, que já pagara, através da inflação, o preço da industrialização subsidiada e da estocagem do café altamente favorável aos produtores, ou deveria distribuir-se por todos os setores, pesando mais sobre as camadas privilegiadas? A resposta a essa questão é toda a história posterior do país, agora mais política do que econômica.

Além da aceleração do processo inflacionário e do endividamento externo do país, que liquidaram com qualquer possibilidade de continuar utilizando a emissão de papel-moeda e de avais do governo como mecanismo de captação e distribuição de recursos, destacam-se outros dois efeitos negativos do esforço nacional de industrialização. Primeiro, o agravamento das disparidades setoriais da economia nacional, ocasionando um desnível ainda maior entre as condições de vida da parcela da população integrada nos serviços urbanos e industriais e as da imensa maioria jungida ao trabalho agrícola. A orientação unilateralmente industrialista resultara nesse agravamento, uma vez que toda a expansão da produção alimentar ficara confiada ao antigo sistema latifundiário, só capaz de crescer pela expansão da área cultivada, mantendo sempre a mesma tecnologia rudimentar e condenando a população rural aos mais baixos níveis de vida.

Segundo, pela disparidade de desenvolvimento entre o núcleo industrial concentrado em torno de São Paulo, do estado do Rio de Janeiro e da Guanabara e o restante do país, cujas relações recíprocas passaram a configurar, mais nitidamente ainda, um quadro de colonização interna. Esse núcleo industrial, contando, em 1960, com 26,4% da população total do país, detinha 41,8% da população urbana, 61,1% do operariado fabril, 71% do valor da produção industrial, 52% das pessoas com curso primário completo, 60% dos que tinham curso de nível médio e 61% dos que se graduaram em escolas superiores.[22] Outras expressões da concentração alcançada por este núcleo reitor encontram-se na sua participação na renda nacional arrecadada, da qual absorve 50% e 60% dos impostos estaduais e 72% dos federais. Absorve ainda 67% do giro comercial interno e 84% das importações do país, embora contribua com 44% das exportações. Esses números comprobatórios da concentração de recursos e de facilidades no núcleo reitor nacional mostram bem o seu domínio sobre a economia brasileira, transformada em sua área de mercado e de influência.

É sabido que núcleos metropolitanos dessa natureza, uma vez constituídos, exercem sobre as suas áreas de mercado e de influência duas ordens de ação. Uma, indutora das renovações tecnológicas e de progresso técnico que atua como dissolvente dos processos produtivos arcaicos para atrelá-los à economia moderna. E uma ação complementar, de sentido contrário, que induz e aprofunda os desequilíbrios setoriais e regionais, privilegiando sempre os centros reitores e condenando as outras áreas à perpetuação do atraso.[23] Abandonado o processo ao simples jogo das forças econômicas em choque, torna-se fatal a preponderância do segundo efeito, provocando maior e mais intensa dissociação do que reordenação, pela absorção dos poucos capitais gerados nas áreas periféricas, pela marginalização crescente da população que nelas permanece, sempre a menos capaz e a mais envelhecida.

Estes efeitos decorrem, na verdade, da integração do país inteiro num sistema produtivo único, dividido em áreas especializadas, cada qual compatível com um padrão de vida diverso, inferiores todos ao centro reitor. Esta integração desequilibrada é, seguramente, um primeiro passo indispensável para uma reordenação posterior menos deformada. A tendência do processo, enquanto atua espontaneamente, porém, é antes para acentuar as diferenças religiosas do que para minimizá-las. Assim, à constelação internacional de núcleos reitores e áreas periféricas passa a corresponder, no plano nacional, uma configuração semelhante, tendentes ambas à perpetuação das diferenças.

Os esforços governamentais para fazer face a esses desequilíbrios regionais, como a Superintendência do Plano de Valorização Econômica da Amazônia (spvea), a Superintendência do Desenvolvimento do Nordeste (Sudene) e outros órgãos de desenvolvimento regional, só puderam exercer um papel de meros paliativos em virtude do contingenciamento de sua ação à preservação da estrutura social, especialmente do monopólio da terra, no caso do Nordeste.

Como se vê, essa forma colonialista de industrialização induzida acentuara os antigos desajustes estruturais que alcançaram o nível de problemas sociais agudos, pela nitidez com que se apresentaram seus efeitos dissociativos. Nessas circunstâncias, já não era possível postergar, como sempre se fizera, o enfrentamento dos problemas estruturais apelando-se para expedientes artificiosos. Impunha-se enfrentá-los, optando entre o favorecimento do privatismo, que colocava todo o poder público a serviço do enriquecimento de uma minoria, e a alternativa, nunca antes praticada, de uma corajosa política de reformas estruturais capazes de atenuar substancialmente ou de anular os efeitos deformadores da ordenação oligárquica e da exploração estrangeira sobre a sociedade, sobre a nação e a economia do país. Hesitando entre os dois projetos, Jânio Quadros foi conduzido à renúncia. Optando pela solução nacionalista e popular, João Goulart foi deposto, impondo-se ao país, para executar uma política de orientação oposta, entreguista e privatista, um regime regressivo que se esforça por cumprir essa lúgubre tarefa.

Já vimos a solução proposta pelo governo Goulart para a reforma agrária. Vejamos, agora, a que se procurou dar durante seu governo ao problema da espoliação estrangeira. Esta se assentava, essencialmente, num corpo de medidas instituídas pela Lei de Remessa de Lucros e regulamentadas por decreto do Poder Executivo, destinadas a controlar o montante e a movimentação dos recursos das empresas estrangeiras.

Consistia na distinção legal de dois conteúdos no capital pertencente a estrangeiros, aplicado no Brasil. Primeiro, o *capital estrangeiro*, ao qual se assegurava o direito de remessa de lucros até o limite de 10% anuais e regalias de retorno. Este passava a ser o montante de dinheiro em qualquer moeda ou de bens transferidos, em qualquer tempo, para o país. Segundo, o *capital nacional pertencente a estrangeiros*, formado pelo resultado em cruzeiros de suas operações no Brasil, dos reinvestimentos efetuados por meio de empréstimos feitos no estrangeiro, ou de quaisquer operações que não envolvessem o ingresso de recursos próprios provenientes do exterior. Este segundo conteúdo permanecia na plena posse das empresas que o continuariam gerindo com inteira autonomia — tal como operam os capitalistas nacionais —, mas não daria direito a remessas de lucros, nem ao retorno, por tratar-se de bens gerados no país com apelo à rede bancária nacional e graças ao amparo privilegiado que a lei assegura aos empresários nacionais.

A execução dessa lei de remessa de lucros e da respectiva regulamentação apenas se iniciava quando sobreveio o golpe de Estado. Transcorrido menos de um mês, a ditadura militar revogou tanto a lei quanto a regulamentação, substituindo-a por estatutos e tratados ainda mais concessivos que qualquer dos anteriores.

O efeito fundamental da solução dada por Goulart ao problema da espoliação estrangeira era obrigar as empresas a registrar as quantias de seus investimentos efetivos, restringindo a estes tão somente as regalias dadas ao capital externo entrado efetivamente no país para colaborar com a economia nacional. Quanto aos capitais oriundos de suas operações no Brasil, a estes se asseguravam as mesmas garantias conferidas a todos os empresários nacionais. A solução era, pois, de caráter nitidamente capitalista, mas capitalista nacional, porque ressalvava os interesses do país.

Avaliações efetuadas nos estudos que precederam a referida legislação demonstraram que a maioria das grandes empresas chamadas estrangeiras investiu no país parcelas que raramente alcançavam a 20% do seu capital nominal. Vale dizer que a essa proporção se restringiriam as suas remessas de lucros que hoje custam ao Brasil, como foi demonstrado, uma sangria crescente do produto do trabalho nacional. Outro efeito seria desestimular o governo norte-americano em sua nova política de pressão sobre o Brasil para comprar as empresas mais obsoletas, menos lucrativas e mais visadas pela opinião pública. Esse efeito seria alcançado através da limitação do conteúdo "nacionalizável" àquela parcela efetivamente estrangeira. A aquisição efetuada pela ditadura militar de uma das empresas de energia elétrica por cerca de 500 milhões de dólares não se teria concretizado se aquela legislação estivesse em vigência, ou se faria a um custo cinco vezes menor.

O maior inconveniente apontado na legislação sobre o capital estrangeiro derrogada pela ditadura estava na sua capacidade reduzida ou nula de atrair novos investimentos privados, já que, sabidamente, estes não se contentam com uma taxa de 10% de lucros anuais quando operam abaixo do rio Grande. Na realidade, as condições exigidas para se obter investimentos industriais estrangeiros são tão onerosas que melhor é prescindir deles. E o problema da América Latina de nossos dias é antes desmontar as bombas de sucção já instaladas em seus países do que facilitar a implantação de novas.

Aquela legislação derrogada se revestia, também, de todos os atributos legais, democráticos e até capitalistas. Assim é que impossibilitou qualquer protesto formal do governo norte-americano. Naturalmente, aos olhos da administração Johnson não se credenciava um governo latino-americano que propugnava por soluções tão atraentes para outros países espoliados. Muito ao contrário, constituiu o fator fundamental da deliberação norte-americana de conspirar por todos os meios para derrocar o governo Goulart. Tanto mais quando, ademais dessa lei, os problemas da emancipação econômica do Brasil vinham sendo tratados, simultaneamente, pelo governo Goulart através de medidas de fortalecimento do monopólio estatal dos produtos de petróleo; de recuperação das jazidas minerais apropriadas por empresas estrangeiras como reservas para exploração futura; da ampliação das empresas estatais de exportação de minério; bem como da implantação de uma rede de siderurgias que fariam do Brasil, dentro de uma década, um exportador de aço, e não de matérias-primas. E, ainda, de medidas de controle efetivo do comércio exterior do país.

A execução da reforma agrária, da nova política de controle dos capitais estrangeiros e de todo o programa de emancipação econômica em curso teria encaminhado o Brasil à condição de desenvolvimento acelerado e autossustentável. Para uma nação que contará 100 milhões de habitantes em 1970 — 250 milhões no ano 2000[*] — e que dispõe de grandes reservas de recursos naturais de toda natureza, esta política importaria na criação de uma grande nação independente, porque fundada numa economia autônoma e próspera na América Latina.

Isso foi o que o governo norte-americano vetou, da defesa de sua política de potência e dos interesses de suas corporações. Para justificar o golpe, apelou-se para toda sorte de argumentos, principalmente para o anticomunismo. A verdade, porém, é que jamais os norte-americanos temeram o governo Goulart como uma ameaça de revolução comunista. Muito ao contrário, estavam perfeitamente

---

* Em 2000, a população era de 173 milhões de habitantes. [N. do E.].

cientes de que ele representava precisamente a tentativa de uma evolução pacífica, dentro dos quadros capitalistas.

Temeram que a aliança nacionalista reformista que se alicerçava entre a parcela democrática e patriótica das Forças Armadas e as forças populares, num esforço de emancipação nacional, assegurasse condições de progresso e de independência ao maior dos países latino-americanos. Ainda que o reformismo de Goulart fosse o único modo de preservar o regime democrático e o capitalismo no Brasil, os norte-americanos preferiram a alternativa de uma ditadura repressiva que lhes dá a tranquilidade de que não surgirá (enquanto ela detiver o poder) uma potência econômica e politicamente independente na América Latina. Todavia, se uma ditadura pode adiar a revolução brasileira — tal como Franco vinha adiando a espanhola —, também torna fatal a sua radicalização, pela obstrução das vias de uma evolução pacífica.

Os dois corpos de soluções propugnadas pelo governo Goulart para os problemas fundamentais do Brasil — a reforma agrária e o disciplinamento da atividade das empresas estrangeiras — só se explicam por três ordens de fatores circunstanciais que lhe davam viabilidade de aplicação prática. Primeiro, a conjuntura internacional marcada pelo pensamento e pela ação de João XXIII e do presidente Kennedy. Segundo, a precedência alcançada nas Forças Armadas brasileiras, desde a crise da renúncia de Jânio Quadros, em 1961, de contingentes de oficiais de formação democrática e nacionalista. Terceiro, o apoiamento que as camadas populares, especialmente operárias, emprestavam ao presidente Goulart como continuador da política trabalhista de Getúlio Vargas. Só nessas circunstâncias soluções daquele tipo, jamais postas em prática senão por governos revolucionários, tinham certa possibilidade de concretização.

Elas representaram, por isso, uma tentativa madura e responsável de encontrar uma saída pacífica — através da persuasão de dentro do enquadramento institucional democrático e do regime capitalista — para os problemas de desenvolvimento do país. A deposição de Goulart, exatamente quando maior era o apoiamento popular que recebia, demonstra, porém, que algumas daquelas condições circunstanciais se haviam deteriorado. Demonstra, por igual, as debilidades intrínsecas da política reformista. Estas decorrem da contradição entre o caráter revolucionário da reordenação socioeconômica de sentido antioligárquico e anti--imperialista que esses governos se propõem e o caráter instável e meramente conciliatório da estrutura de poder em que eles se assentam.

Os conteúdos reordenadores do regime reformista de Goulart, antes mesmo de entrarem a operar, provocaram a contrarrevolução, sem que o governo estivesse armado de poderes para enfrentá-la. Nessas circunstâncias é que uma conjura vitoriosa de embaixadores, de hierarcas militares doutrinados pelos norte--americanos e de governadores reacionários impôs uma ditadura regressiva que proscreveu a política de reformas, abandonou a orientação nacionalista e se fez executora do veto externo e interno ao desenvolvimento autônomo.

Para o Brasil, como para toda a América Latina, o desafio que se coloca é o enfrentamento dessas forças como condição prévia para a ruptura com o subdesenvolvimento. Só através da erradicação da estrutura tradicional de poder que fracassou secularmente em conduzir o país a uma ordem democrática e a um progresso generalizável a toda a população poderá o Brasil realizar suas potencialidades, deixando de ser a segunda nação do Ocidente e a primeira das latinas apenas em massa populacional, para sê-lo também por seu grau de desenvolvimento.

VI. Os grã-colombianos

Na costa noroeste da América do Sul, encontramos o segundo bloco de *povos novos*, representado pelos 15 milhões de colombianos e pelos 8 milhões de venezuelanos. Seu caráter de *povos novos* decorre da unidade essencial do seu processo de formação como etnias nacionais resultantes da conjunção de contingentes humanos profundamente diferenciados no plano cultural e racial e de sua deculturação e miscigenação sob condições de extrema compulsão presidida pelo domínio colonial e pela escravidão para formar uma etnia nova já não indígena, nem africana, nem espanhola.

Essa foi uma das primeiras áreas da América em que os espanhóis se instalaram, fixando os núcleos de onde partiram para a conquista do continente e para o desencadeamento do processo civilizatório de que resultaram os povos americanos. O ciclo inicial desse processo consistiu na sujigação dos índios e no seu engajamento nos trabalhos de mineração, através da *mita*, e nos de produção agrícola, através da *encomienda*. Um segundo ciclo inicia-se quando, desgastada a mão de obra local, começa a transladação maciça de negros escravos da África, primeiro para as minas, depois para os grandes empreendimentos agrícolas de exportação e para todo o serviço pesado. O terceiro ciclo tem lugar quando as sociedades mestiças, surgidas como subprodutos daqueles empreendimentos e como resultantes da amalgamação daqueles contingentes humanos, conquistam sua independência em relação à Espanha, para cair sob o domínio inglês e, mais tarde, norte-americano, à medida que a produção da área passa a constituir-se principalmente de petróleo, de minérios e dos produtos tropicais modernos.

O derradeiro ciclo desenvolve-se em nossos dias. É o da rebeldia contra a ordenação social imposta pelas oligarquias locais, sustentada pelos interesses estrangeiros implantados na região, para se perpetuarem como super-ricos no mar da miséria latino-americana. Essa situação se exprime de mil modos: na instabilidade política, no golpismo, nas ditaduras, nas guerrilhas. Mas se manifesta principalmente pela irrupção da violência que assume as formas mais sangrentas, em que o povo se dilacera às centenas de milhares, aparentemente por querelas fúteis, mas, na verdade, como uma forma de repressão maciça desencadeada pelas oligarquias para manter seu domínio.

Na análise que se segue da constituição dos *povos novos* da Nova Granada e dos problemas de desenvolvimento com que eles se defrontam, focalizaremos, especialmente, duas ordens de problemas. Primeiro, o desencadeamento da violência como técnica de manutenção do domínio oligárquico, tal como o exemplifica o caso colombiano. Segundo, o modo de operação e as características fundamentais do sistema de dominação de economias dependentes por parte das corporações norte-americanas, através do exame detido do caso concreto que melhor o exemplifica, que é o venezuelano.

Em nenhuma área do mundo os empresários norte-americanos e os seus assessores governamentais tiveram tão completa liberdade de atuar, exceto, talvez, na América Central. Na Venezuela, chegaram mesmo a redigir a legislação atinente a concessões petrolíferas e à movimentação de capitais e tiveram sempre a palavra decisiva na aprovação de qualquer reforma constitucional e de todos os programas governamentais. Nenhuma nação latino-americana experimentou, também, tão amplos períodos de estabilidade política, é certo que sob o guante das ditaduras mais cruéis, cujos titulares foram os mais condecorados em todo o mundo pelo governo norte-americano. Nenhum governo serviu-se, também, tão amplamente quanto os venezuelanos de todos os tempos, do auxílio e assessoramento técnico norte-americano, contratado com empresas de planejamento, com bancos e com universidades, ou através de estabelecimentos interamericanos (Eximbank, AID, BID) controlados de Washington.

Por tudo isso, a Venezuela é uma demonstração viva e mensurável do padrão de desenvolvimento econômico e social propugnado pelos Estados Unidos para o mundo subdesenvolvido e a visualização mais expressiva do modelo norte-americano de progresso proposto a todas as nações latino-americanas, em especial aos povos do Caribe, mas ali imposto em condições ideais.

As riquezas naturais, descobertas e em exploração, fazem da Venezuela a área mais rica da Terra e, na América Latina, a que atrai maiores investimentos norte-americanos (35% do total, ou cerca de 3 bilhões de dólares), em condições operacionais sistematicamente recomendadas como as mais livres, as mais avançadas e as mais convenientes para a atuação franca da livre-empresa. Nem mesmo ocorre que ali se tenham instalado grupos aventureiros para explorar o petróleo, os minérios de ferro e de alumínio, os bancos, o comércio ou a indústria. Nada disso. Na Venezuela dominam as grandes *corporations* pelas quais responde o renome e a tradição dos Rockefeller, dos Morgan, dos Dupont e dos Mellon. As empresas desses grupos e de outros igualmente honoráveis da América do Norte é que controlam toda a economia venezuelana, apenas admitindo uma participação minoritária na exploração petrolífera à Royal Dutch Shell (26%).

Os Rockefeller são na Venezuela os maiores produtores de petróleo (60%) e minério de ferro (30%). Controlam os bancos e os seguros, mas não se escusam de colaborar também em negócios menores. Dedicam-se, com igual afinco, à exploração da maior rede nacional de supermercados e fizeram-se os maiores produtores venezuelanos de carne, leite, galinhas e ovos. O próprio presidente da Standard Oil, de Nova Jersey, declarou, em 1962, que metade dos lucros da *corporation* vinha da Venezuela. Estes lucros alcançam anualmente cifra superior a 600 milhões de dólares.

Ocorre que o povo venezuelano é dos mais pobres, enfermos e ignorantes desta paupérrima América Latina. Fracassou a livre-empresa em condições tão propícias e, para ela própria, tão lucrativas? Ou é o venezuelano comum, por suas características de povo tropical, mestiço, preguiçoso, ignorante e sem iniciativa, o responsável pelo seu atraso mantido apesar do ingente esforço civilizador das *corporations*?

1. Liteiras para espanhóis

As principais populações indígenas que o conquistador espanhol encontrou nos atuais territórios da Colômbia e da Venezuela — Chibcha, Timote e outras — situavam-se, por seu nível de desenvolvimento cultural, acima das aldeias agrícolas indiferenciadas da floresta tropical e a meia distância entre os proto-Estados clânicos dos araucanos e as civilizações urbanas do México e do Altiplano andino. Eram já sociedades estratificadas em classes de agricultores, artesãos e nobres, aglutinadas em cinco *Estados rural-artesanais*[24] cujos chefes disputavam o poder central. Haviam ingressado numa economia mercantil em que os diferentes estratos de produtores comerciavam produtos agrícolas, cerâmica, tecidos, sal, pedras preciosas e ouro, servindo este, provavelmente, como moeda. Viviam, porém, em aldeias de poucos milhares de habitantes. Tinham uma agricultura intensiva — embora não irrigada — graças à qualidade da terra, às condições climáticas favoráveis e à sua alta tecnologia de horticultores. Plantavam milho, batata-branca, quinoa, mandioca, vagens, tomates, pimenta, coca e tabaco; criavam patos, cobaias e perus.

Os índios Chibcha, da Colômbia, avaliados em cerca de 600 mil ao tempo da conquista, concentravam-se, principalmente, nas terras férteis dos planaltos e dos vales do Altiplano colombiano. Um de seus principais núcleos ficava onde hoje se encontra a cidade de Bogotá. Os artesãos Chibcha alcançaram uma alta mestria na cerâmica, nos trabalhos de metal e na preparação de sal extraído de

As Américas e a civilização

salinas subterrâneas. Seus adornos de ouro repuxado revelam um grande virtuosismo e constituem algumas das mais belas produções metálicas da América indígena.

Os nobres constituíam-se num estamento privilegiado que se ocupava do culto religioso, da guerra, da administração e da cobrança de taxas aos agricultores e artesãos. Eram servidos por escravos e faziam-se tratar com extrema reverência pela gente do povo, que não podia encará-los e devia queimar resinas aromáticas e jogar flores nas estradas à sua passagem. Transportavam-se em liteiras, ajaezadas com ouro e finas telas. Quando morriam, eram enterrados com suas esposas (sacrificadas, depois de embriagadas com drogas) e com seus tesouros de joias de ouro e prataria para se assegurarem o mesmo *status* no além-túmulo.

Os espanhóis, que penetraram no mundo Chibcha desalojando a nobreza nativa para ocuparem seu lugar, não se contentaram com a veneração expressa em flor e incenso, nem com as dádivas de joias. Trataram logo de arrebanhar todos os objetos de metais finos e pedras preciosas entesourados por aqueles povos, revolvendo para isso desde as casas até os cemitérios. Esgotada essa riqueza acumulada, entregaram-se ativamente à exploração do ouro aluvional e, depois, dos *placers* e veios auríferos, engajando nesse trabalho toda a indiada que podiam apresar.

A submissão dos Chibcha, dos Timote e de outros povos no mesmo nível de desenvolvimento foi rápida. Os primeiros principados entregaram-se quase sem luta na esperança de alcançar a aliança dos espanhóis, com seus cavalos e escopetas para dominar as parcialidades rivais. O fator decisivo, porém, foi a própria estratificação social que permitiu aos espanhóis substituírem-se à nobreza local, impondo-se como uma nova classe dominante sobre os artesãos e agricultores previamente condicionados, por sua cultura, para servirem a uma nobreza. Dois anos decorridos do primeiro encontro, só restava uma resistência de guerrilhas nas matas, onde o espanhol não ousava penetrar. Toda a população dos Estados rural-artesanais Chibcha e Timote tinham sido avassalados e loteados em repartimentos para o destino de *mitayos* ou entregues a *encomenderos* incumbidos pela Coroa e pela Igreja de prover seu bem-estar material e espiritual. Alguns grupos indígenas marginais às grandes concentrações Chibcha e Timote, apegados à terra de seus antepassados, conseguiram fazê-las reconhecer como *resguardos*, mediante o pagamento do dízimo à Igreja e taxas à Coroa. Mantida, assim, a comunidade tribal, puderam sobreviver algum tempo mais.

Antes do fim do século XVI, os sobreviventes indígenas se tinham deculturado, perdendo sua língua, suas técnicas artesanais e sua cultura, tornadas supérfluas na nova vida de estrato dominado. Os mestiços de índias com espanhóis, que começavam a superá-los em número, já os haviam suplantado como agentes de uma nova cultura que se cristalizara como o corpo de técnicas, de normas e de compreensões comuns que tornaria possível a vida social da sociedade nascente. A nova cultura se compunha de uma combinação de elementos selecionados dos patrimônios indígenas (principalmente os modos especializados de adaptação às condições locais para a produção agrícola e artesanal) e de contribuições hispânicas que lhe imprimiram as características básicas, vinculando os novos núcleos à civilização mercantil europeia.

A essa matriz étnica é que se teriam de integrar — pela aculturação — todos os contingentes chamados mais tarde à conjunção para formar os povos modernos da Nova Granada. Os outros grupos indígenas e os negros africanos, que só se incorporaram nela depois de previamente destribalizados e deculturados através da escravidão, pouco contribuíram para alterar aquela protomatriz. Os espanhóis, que continuavam ingressando no corpo social, se fizeram neoamericanos pela imersão nesta matriz, mas contribuíram também para mais fortalecer seus conteúdos culturais hispânicos, em prejuízo dos indígenas e dos africanos.

A camada dirigente da nova sociedade seria integrada pelos descendentes dos aventureiros espanhóis transformados em nobreza colonial e pelos funcionários e clérigos mandados do reino para gerir a rapina e sacramentá-la. A camada subordinada era a massa de índios escravizados e de mestiços livres, engajados, principalmente, na produção de metais. O escravo africano só começou a ser importado quando a dizimação dos índios *mitayos* ameaçava paralisar o trabalho das minas, e assim estancar a produção, apesar de os regulamentos fixarem limites rigorosos para a atividade agrícola a fim de assegurar braços para a mineração. O fluxo de escravos negros cresceu constantemente; das minas passaram aos serviços de transporte e, mais tarde, às culturas de exportação e a todo setor onde o trabalho árduo gastasse mais rapidamente os homens.

Mesclado com brancos, índios e seus mestiços, o negro produziu massas de mulatos e *zambos* que, liberados da dureza do trabalho escravo, sobreviviam e se integravam na nova matriz étnica, multiplicando-se como neoamericanos. Assim se plasmou o contingente humano, que viria a formar os colombianos e os venezuelanos. A camada mais brancoide, detendo as propriedades e gerindo a administração colonial, instalada nas cidades; os índios, refugiados em territórios cada vez mais longínquos, só sobreviveram como etnias na orla amazônica; os mestiços, mulatos e *zambos*, disseminados pela área integrada na nova economia mercantil, como sua força de trabalho, vieram a ser o contingente mais numeroso.

A Venezuela, como área mais pobre em ouro ou prata em relação a outros domínios espanhóis e mesmo à Colômbia, permaneceu marginal ao esforço de implantação do império colonial, ficando, por isso, em grande parte entregue a si mesma. Os espanhóis, que desembarcaram em suas praias, apenas contavam para enriquecer com sua iniciativa e a força de trabalho dos índios. Alguns, como os Timote, configurados socialmente como Estados rural-artesanais do mesmo nível dos Chibcha colombianos, igualmente divididos em Estados autônomos e hostis, foram, pelas mesmas razões, facilmente dominados: contavam também com uma camada dominante desejosa de aderir e que pôde ser rapidamente substituída, e com uma camada de agricultores e artesãos condicionada à subordinação e, por isso, predisposta para a escravização.

Que fazer com tamanha gente em terra pobre de metais preciosos? A solução encontrada pelos espanhóis foi fazerem-se exportadores de índios escravos para as minerações da Colômbia. Assim se instalaram os primeiros grupos, mantendo-se com os mantimentos da terra, na função econômica de apresadores de índios. Mais tarde, iniciaram cultivos de especiarias para exportação e a criação de gado para suprir mercados longínquos. Naturalmente, ocupavam-se também de produzir gente, surgindo uma vasta camada de mestiços espanholizados pela identificação com o pai dominador, que lhes podia estender alguns dos seus privilégios.

Constitui-se, desse modo, uma economia natural de subsistência complementada por um setor de exportação. A indiada foi gasta nessas labutas, no comércio de escravos e nas expedições pelas grimpas andinas, pelas escarpas e pelos pântanos em busca de ouro, sob a chefia de espanhóis incandescidos pela ideia de que em algum lugar se escondia mais um reino encantado.

Desiludida a Coroa com a pobreza das terras, aquiesce em hipotecá-las a uma casa bancária alemã, os Welser, que se propunham arriscar seus recursos na busca do ouro que os espanhóis não encontravam. Depois de enormes esforços, os Welser vão à falência, retornando o vale do Orinoco e as terras adjacentes da costa e da serra ao controle espanhol.

Prossegue a colonização pela sujigação do índio ao trabalho agrícola. No fim do século XVII já existiam cerca de vinte núcleos de índios, espanhóis e seus mestiços que cultivavam tabaco, cacau, anil e açúcar, aos quais, mais tarde, se agregariam escravos negros importados da costa africana. O vulto econômico dessas empresas era, porém, tão pequeno que raramente os navios espanhóis tocavam a costa venezuelana, passando o comércio a ser feito principalmente com contrabandistas ingleses, franceses e holandeses. Aos produtos tropicais acrescenta-se, depois, o salitre, explorado na costa, e os couros de gado, que também nos *llanos* venezuelanos se multiplicara prodigiosamente.

Em princípios do século XVIII, a Espanha é despertada para o valor daquela colônia abandonada que arriscava perder-se nas mãos de competidores europeus. Para fazer face a esse risco, instala-se a Companhia Guipuzcoana com privilégios reais, que lhe davam o monopólio do comércio e o controle administrativo da colônia. A empresa se defrontaria ali, porém, com gente altiva, acostumada a comerciar livremente seus produtos tropicais, crescentemente valorizados, e pouco disposta a deixar-se dominar pela rigidez do sistema colonial espanhol. Acabou por acertar-se um *modus vivendi* mais liberal que em qualquer outra área hispano-americana. Admitia, inclusive, certo intercâmbio com os contrabandistas nos longos períodos em que o comércio marítimo espanhol era paralisado em virtude das guerras europeias. A própria companhia colonial negociava então com os contrabandistas para prover a população dos artigos industriais indispensáveis.

Nessas circunstâncias, foi-se criando, pouco a pouco, uma atitude autonomista, que se afirmaria cada vez mais com o enriquecimento crescente dos cultivos tropicais e a reordenação da área na linha de uma economia monocultora, fundada no braço escravo.

Nesse quadro é que se plasma o povo venezuelano. Aos mestiços de índios e espanhóis do primeiro século se juntam os mulatos, que voltavam a fundir-se, formando uma população igualmente vinculada às três matrizes. A fisionomia espanhola impressa pelos reinóis e pelos crioulos nascidos na terra, mas principalmente pelos mestiços espanholizados, impõe-se aos novos contingentes. O negro, sob a pressão da escravidão, é deculturado, e em convívio com o mestiço linguisticamente espanholizado vai se integrando também na nova sociedade. A resultante, porém, como etnia, diferia quase igualmente das três matrizes. Já não eram índios, nem europeus, nem africanos, mas uma outra entidade étnica que se constituiria como a feição venezuelana do latino-americano: um *povo novo* por todas as suas características de deculturação e mestiçagem, bem como de disponibilidade para o progresso, por não estar atado a nenhuma tradição conservantista. Embora racialmente ainda em processo de caldeamento, permitindo, portanto, distinguir os predominantemente brancos dos dominantemente negros ou índios, culturalmente a unidade já se alcançara.

Esta, como todas as etnias de *povos novos*, representa uma redução dos patrimônios culturais de origem ao que era compatível sob a pressão de dois modeladores básicos. Primeiro, a dominação espanhola com força para impor a maior massa de valores e a correspondente flexibilidade dos estratos dominados de indígenas e africanos aos quais faltava unidade porque derivavam ambos de povos tribais muito diferentes e mutuamente hostis. Segundo, a contingência de adaptação ao meio e aos modos de vida de produtores de artigos tropicais, na condição de populações escravas ou submetidas a um regime de servidão, dentro do rígido enquadramento do sistema de fazendas.

Assim se constitui uma sociedade estratificada, mais próxima do sistema de castas que do de classes. A camada superior de brancos *reinóis* constituía a burocracia e o clero dirigente do empreendimento colonial, no plano do governo civil e do eclesiástico. A camada *crioula* matizada com genes indígenas e por vezes também negros (com frequência "branquizada" legalmente através de certificados reais de limpeza de sangue, que lhes estendiam os privilégios dos brancos espanhóis) detinha a maior parte das propriedades agrícolas e do comércio. A massa de *pardos* dedicava-se, de preferência, ao artesanato e ao pastoreio. Aos *negros* cabia o trabalho do eito, incumbindo-lhes as tarefas mais duras na lavoura e no transporte. Os *índios* sobreviventes, ainda presos à etnia tribal, marginalizavam-se sob o controle missionário, quando mais próximos, ou viviam independentes nas áreas indevassadas, sobretudo na floresta tropical, onde se refugiavam. O contingente demogeneticamente mais dinâmico era o dos pardos — predominantemente mulatos — que crescia pelo entrecruzamento e pela absorção constante de novas injeções de genes brancos, negros e índios.

Socialmente, as populações colombiana e venezuelana se sedimentam também em estratos identificáveis pela cor da pele, correspondendo, *grosso modo*, às camadas mais pobres, a tez mais pigmentada, e às camadas dominantes, a tez mais clara. Essa escala social de pigmentos apenas foi afetada pela imigração estrangeira, muito diminuta em relação à população total. Por isso mesmo, as lutas sociais da Colômbia e da Venezuela são por vezes falsamente interpretadas como conflitos raciais de negros, mulatos e mestiços contra brancos. Na verdade, mestiço é o povo inteiro das duas nações, dominado por oligarquias predominantemente brancoides. O que opõe uns aos outros a estes segmentos das mesmas etnias não são suas origens raciais, mas as contradições de interesses entre as oligarquias cosmopolitas beneficiárias do *status quo*, e que tudo fazem para manter a ordem dominante, e o povo que resiste a seguir representando o papel de besta de carga, sem nenhuma expectativa de progresso e liberdade.

A espantosa violência que explode, periodicamente, nas lutas políticas colombianas bem como o caráter sanguinário das ditaduras venezuelanas são expressões dramáticas e desordenadas dessa oposição frontal, só redutível revolucionariamente, entre as oligarquias nacionais e os descendentes deculturados de índios e dos negros escravos. Eles é que construíram, em séculos de esforços ingentes, as duas etnias nacionais. Etnias de *povo novo* que só encontrarão as condições de sua libertação no prosseguimento do processo civilizatório que as gerou, mediante a integração de toda a sociedade venezuelana e colombiana nos moldes de vida das sociedades industriais modernas, através de uma reordenação social que permita ao próprio povo apropriar-se dos destinos da nação e dos frutos do seu trabalho.

2. Irredentismo e emancipação

Em fins do século XVIII, a produção de produtos tropicais alcançara altos níveis, constituindo-se como uma agricultura comercial de tipo *plantation* combinada com cultivos de alimentos e com o pastoreio extensivo. Configuravam juntas uma economia balanceada, capaz de prover a subsistência de toda a população e também de prover recursos para custear seu maior gasto de importação, que era a compra de mão de obra escrava.

Todas essas condições peculiares de relativa autonomia, de contato mais fácil com a Europa extraibérica, de maior sucesso econômico em relação às outras colônias espanholas — cuja economia extrativista de mineração acabara por entrar em colapso — colocaram a Nova Granada à frente do movimento de emancipação. Ali se instala, por isso, o principal centro de conspiração independentista da América hispânica.

A luta pela independência em sociedades tão desigualitárias assume, como era natural, duas feições distintas e até opostas. De um lado, como movimentos populares irredentistas de massas subjugadas que visavam não apenas livrar-se da opressão colonial, mas de toda sorte de exploração. De outro lado, como lutas das camadas dominantes nativas que, aspirando chamar a si o gozo dos privilégios reservados exclusivamente aos reinóis, se deixam incandescer pela ideologia liberal europeia e pelo "iluminismo" norte-americano. Assim, se propõem edificar repúblicas utópicas com as massas humanas resultantes dos empreendimentos tropicais europeus, fazendo-as saltar de feitorias coloniais a nações, fundadas na liberdade, na igualdade e na fraternidade. Mas queriam realizar esse milagre promovendo-se, simultaneamente, como a elite civilizadora das novas repúblicas.

A melhor encarnação das lutas irredentistas na Nova Granada foi liderada pelo mestiço Galán — *"hombre de oscurísimo origen"*, segundo o arcebispo Góngora —, que simbolizou à frente da Revolução dos *Comuneros* de 1781 todas as contradições da luta do povo colombiano por sua própria libertação. Tal como Tupac Amaru, no Peru (1781), e Tiradentes, no Brasil (1789), Galán se pôs à frente do povo, foi vencido e morto pelos agentes do poder colonial. Todos os três foram enforcados, esquartejados, salgados e expostos nos lugares onde haviam pregado a sedição, para execração pública. Nos três casos, ainda, a revolta popular lavrou a propósito da promulgação de novas cobranças escorchantes do fisco colonial.

Galán liderou os lavradores e artesãos, mulatos e índios, que lutavam contra o *estanco* (monopólio) da aguardente e do tabaco; pela redução dos impostos e pela restituição aos índios de suas terras e salinas usurpadas. Marchando sobre a capital, conseguiu alçar, à sua passagem, o povo inteiro, impondo-se às tropas coloniais que se entregaram quase sem luta e colocando novos chefes, saídos do povo, à testa das cidades e vilas, e libertar os escravos. Pela primeira vez na história colombiana os índios recuperaram o governo de suas comunidades, mestiços pobres integravam o poder público e negros conheciam maciçamente a alforria. Desfez-se, assim, a estrutura colonial e começou a surgir um poder novo. A tarefa era, porém, demasiado complexa para esses *comuneros* que não contavam em seu patrimônio cultural com qualquer precedente de ordenação social que permitisse substituir a velha regulamentação oligárquica por uma outra, capaz de exprimir os interesses populares. Sua oposição não era aos desmandos de autoridades específicas ou a certas formas de exploração colonial, mas à organização social global que precisariam subverter desde as bases até a cúpula, para instituir um novo regime. Como todos os movimentos populares irredentistas, o de Galán logrou assaltar quartéis e guarnições, destituir autoridades e até dominar transitoriamente o poder, mas não foi capaz de instituir uma nova ordem social.

Como era inevitável, Galán e seus *comuneros* cometem o erro fatal de aceitar a participação de comerciantes ricos na sua luta, dando a chefia de suas tropas a um certo Berbeo. Esses aliados, embora também prejudicados pelos novos tributos, estavam conscientes de que melhor servia a seus interesses o domínio espanhol do que um governo popular. Agiram em consequência; aceitando o comando dos *comuneros*, mas fazendo redigir secretamente, em cartório, uma declaração formal sobre o caráter involuntário de sua adesão ao movimento irredentista e uma reiteração de sua fidelidade ao vice-rei. Em seguida, mandam seus agentes adiantarem-se às próprias tropas a fim de apelar para os homens ricos e ao clero que também adiram, como forma de salvar seus bens e restaurar sua ordem. Vence, assim, o movimento popular, já agora sob a liderança dos negociantes. Foge o vice-rei, mas o arcebispo assegura aos *comuneros* o atendimento das reivindicações de todos.

Em face da vitória inesperada, o povo se entrega a festejos, e Galán desmobiliza suas tropas. Quando é informado de que o vice-rei não ratificara os arranjos do arcebispo, já é tarde para reorganizar a insurreição. É preso. Condenado.

Enforcado. Esquartejado. Exposto. "Sua cabeça", reza o julgado, "será conduzida a Guadrias; sua mão direita posta em Socorro; a esquerda na Vila de San Gil; o pé direito, em Chavala, e o esquerdo, em Mogotes..." O negociante Berbeo é feito corregedor e o arcebispo Góngora, vice-rei.

A outra frente de luta pela independência é conduzida pelos nascentes patriciados venezuelano e colombiano movidos pela aspiração de expulsar o reinol a fim de assumir o controle da aduana, alcançar o acesso aos cargos e privilégios exclusivos do espanhol e, também, apropriar-se das rendas auferidas pela metrópole. Vestia, porém, toda a roupagem brilhante da ideologia liberal europeia e ostentava o orgulho nacional emergente das camadas mais ilustradas. O óbice principal estava nas massas de pardos pobres e negros submetidos, desde sempre, à sujigação senhorial do patronato nativo, a seus olhos nada melhorado que o ibérico. Por longos anos, a disputa essencial se assentava na conquista do apoio ou da neutralização destas massas que se comportavam como quem nada tivesse a ganhar com a "liberdade", mesmo porque permaneceriam escravas ou submetidas a igual exploração patronal. Os reinóis jogaram lucidamente com essas contradições, lançando os crioulos pobres contra os ricos, vale dizer, os mais escuros contra os mais claros, em lutas cruentas que custaram uma quinta parte da população e criaram um ambiente carregado de hostilidade.

Somente depois de sucessivos fracassos é que Bolívar amadurece para sua tarefa histórica, quando, refugiado no Estado independente do Haiti, aprende a respeitar o negro e o mulato, a reconhecer o seu papel nas lutas de libertação e também a acatar suas aspirações. A nova campanha emancipadora que empreende já é lançada em outras bases. Começa por alforriar os escravos de suas próprias fazendas e promete a abolição geral da escravatura. Desse modo, alcança o apoio dos negros escravos. Os peões *llaneros* são atraídos com a promessa de receberem terras e rebanhos pertencentes a antirrevolucionários. Falando essa nova linguagem, ganha o apoiamento das massas negras e pardas que, juntamente com a ajuda inglesa em armamento e em tropas, permitiria infligir as primeiras derrotas aos espanhóis e, a partir delas, empreender a campanha de libertação de toda a América espanhola.

Mesmo assim, a independência se trava como uma luta dos crioulos enriquecidos contra os reinóis, para a qual o povo é tardiamente mobilizado e da qual é alijado logo depois da vitória. Ao contrário da insurreição de Galán, que se propunha reordenar a sociedade inteira de acordo com os interesses populares, as lutas de emancipação política resultaram numa simples alteração da classe dirigente, que, de colonial, passava a ser nativa. A utopia unitarista e generosa de Bolívar deu lugar à atomização. Junto a cada porto, com o único propósito de controlar um mecanismo de comercialização dos produtos locais e de importação de manufaturas, surge um projeto de nação. A camada mais rica da população crioula, até então proscrita das altas dignidades civis e eclesiásticas, alijada do exercício do poder e das regalias e proveitos decorrentes, ascende à condição de classe dirigente. Divide entre si os latifúndios dos espanhóis desterrados, apropria-se das minas de metais e salitre e das outras "minas" representadas pelas rendas das aduanas e dos *estancos*. Investe nas dignidades políticas, judiciárias e nas eclesiásticas, distribui os cargos burocráticos menores entre os protegidos que começam a multiplicar-se como a clientela do novo poder.

Assim se constituem os Estados nacionais de toda a América hispânica após a independência. Não representam a conquista de burguesias nacionais capitalistas e maduras, contraposta a forças sociais retrógradas, nem do povo contra a oligarquia, mas a apropriação pelo patriciado crioulo da máquina de domínio e extorsão colonial, montada pela Espanha, tornada obsoleta e desnecessária. O objetivo dos controladores da rebelião emancipadora foi substituir-se aos agentes espanhóis para enriquecer com o usufruto da mesma máquina, mediante as mesmas técnicas de exploração da massa trabalhadora e o mesmo regime de opressão escravocrata.

As novas classes dirigentes postas no comando de suas sociedades nacionais eram, no mundo das coisas, a expressão desses interesses e apetites. Mas, no mundo das ideias, encarnadas pelo setor ilustrado, professavam o maior devotamento ao ideário rousseauniano, aos dogmas católicos, à soberania popular e à escravidão, gerando uma ideologia formalmente contraditória, porém efetivamente congruente e capaz de justificar e racionalizar a nova ordem oligárquica. Assim é que a república mantém as instituições do *mayorazgo*, do dízimo e dos *estancos* e, em nome da igualdade e da liberdade, inicia uma luta sem tréguas contra o *resguardo* das terras comunais e, em nome do progresso e do *free-trade*, contra as regalias asseguradas à produção artesanal. Milhares de índios e artesãos são despojados através desses procedimentos. Primeiro, os índios, mais indefesos contra a máquina da liberdade. Depois, os artesãos que, organizados em associações e contando com a aliança de outras camadas, puderam resistir algum tempo mais.

Por trás dessas lutas estava o novo patrão, a Inglaterra. Já não colonial, mas imperialista, que financiou as guerras de independência, criando e multiplicando Estados nacionais que surgiam hipotecados a seus banqueiros.[25] Através desses mecanismos, a Inglaterra industrial e banqueira se substituía à Espanha, agrária e mercantil, no mundo latino-americano, conquistando mercados privilegiados para suas manufaturas e fornecedores cativos de matérias-primas.

A Revolução Industrial que se processava alhures atinge, assim, a Colômbia e a Venezuela através de uma modernização reflexa que, nos anos seguintes, transmudaria seus modos de vida com a construção de ferrovias, de portos e de serviços telegráficos e a inundação do mercado com toda sorte de manufaturas inglesas. Embora contribuindo decisivamente para o progresso econômico, esta modernização efetuada sob o domínio financeiro inglês apenas tornaria mais eficazes esses países como provedores de matérias-primas, mais endividados e mais dóceis ao saqueio imperialista. Simultaneamente, porém, os sócios nacionais da exploração estrangeira engordavam suas contas bancárias em moedas fortes; aprimoravam seus gostos e sua educação, mandando os filhos ilustrarem-se na Europa. E mais se alienavam, por seus interesses, suas atitudes e suas lealdades, identificadas com o estrangeiro. Acabaram por constituir um estrato patronal-patricial alienado, por suas posturas europeias, pelo desgosto para com seus próprios caracteres raciais como testemunhos de sua ancestralidade americana e africana; e por seus gostos bizarros em relação aos hábitos e costumes nacionais. Vale dizer, tão divorciados do seu povo como aqueles nobres Chibcha das liteiras douradas, sôfregos por conseguir a aliança do espanhol para suas pequenas guerras de expansão contra os nobres de outras parcialidades indígenas.

As reformas liberais da Colômbia completam-se em meados do século XIX com a emancipação dos escravos, a extinção dos *dízimos* e do *mayorazgo*, com a distribuição aos índios das terras comunais que ainda detinham, na forma de propriedades individuais, com a liquidação do *estanco* e a suspensão das tarifas protecionistas. Seguem-se anos de agitação social provocada pelos reajustamentos econômicos e sociais impostos pela reforma. Os latifúndios se expandem sobre as terras indígenas e reorganizam seu sistema produtivo, substituindo o trabalho escravo pelo trabalho livre na forma de parceria. Toda a revolução legal, implícita nessa transformação, se resume ao simples expediente de tornar o negro escravo um arrendatário, cujo trabalho é pago com o direito de residência na fazenda e de explorar um trato de terra previamente designado para sua lavoura de subsistência e para a criação de uns poucos porcos e galinhas. De escravo, o negro assoma à condição em que antes se encontrava o índio desgarrado e o mestiço livre. Torna-se responsável por sua própria manutenção e livre para vender sua força de trabalho a um patrão ou a outro patrão igual.

O povo colombiano alcança o século XX diferenciado em estratos sociais e em contingentes funcionais de acordo com os tipos de subordinação ao processo produtivo, ou de adaptação ecológica à região e à natureza da produção de que se ocupa. A maior parcela humana continuaria vegetando sob o domínio do sistema de fazendas, na condição de "agregados" jungidos ao latifúndio, de que um viajante francês de 1897 deixou um retrato expressivo:

> Acabo de presenciar a recepção que os peões fazem ao dono: os vi satisfeitos, com as mãos torpes segurando o rebordo da aba do chapéu, oferecer ao amo — ausente desde há um ano e meio — seu modesto regalo, humildemente obsequiado: uma galinha, uns ovos bem envoltos, tudo acompanhado de emocionadas bendições para "meu amo". Vi — me creem? — velhas, avós, ajoelhadas, juntar suas pobres mãos gretadas, estendidas para ele, que é o intermediário entre o Céu e os deserdados deste mundo. E vi também o fazendeiro voltar a vista ante o temor de ceder a uma imperceptível emoção, como para recomendar ao Céu toda esta gente, pobre gente, tão amorosa, tão submissa, tão filial... (D. M. Cuellar, 1963: 27)

Em certas regiões, mais ermas, muitos camponeses puderam abrir pequenos cultivos de tabaco, e mais tarde de café, em tratos de terra conquistados à floresta tropical. Multiplicaram-se, assim, como pequenos granjeiros, gozando de certa tranquilidade até que a valorização da área, por seu trabalho, suscitaria ambições. Vinham, então, os donos legais das terras a desalojá-los com o aparato judiciário ou a repressão policial.

Nos *llanos*, formados pelas planícies baixas da costa — onde o gado trazido pelo espanhol se multiplicara extraordinariamente —, surge o gaúcho colombiano, o *llanero*. Vivendo sobre o cavalo, usado como meio de transporte, de trabalho e de guerra, desenvolveu o mesmo espírito de independência, assentado no caráter especializado de sua lida, que exige maestria e bravura, e na liberdade de que gozava, trabalhando rebanhos selvagens, em terras sem dono. Todavia, também eles seriam colhidos pelas redes da ordenação social, quando o gado de ninguém passa a ser apropriado pelos novos donos legais das terras onde se criara selvagem. O *llanero* torna-se, então, um recolhedor do gado de seu amo.

Com as cidades crescera uma população mestiça, paupérrima, de artesãos e de biscateiros que viviam como serviçais dos citadinos ricos. Estamentava-se em duas camadas, cada qual com sua vida própria: o povo, atado a tradições e costumes nacionais que performava sob o olhar complacente da gente bem; e esta, cultivando hábitos europeus, estudando latim e francês, fazendo versos, tocando piano e aspirando, como ideal excelso, ao bacharelado e, talvez até, alcançar um cargo na magistratura. Opunham-se, assim, de um lado, os proprietários rurais, os letrados, os comerciantes, os funcionários e, do outro, o populacho, integrando distintos estratos no mundo urbano, vivendo em esferas culturais diversas: uma, espúria, feita de mimetismos dos valores europeus; outra, inautêntica, porque plasmada como o modo de ser das camadas servis numa sociedade profundamente desigualitária.

Sobre essa sociedade de estilo arcaico, rigidamente estamentada, é que se exerceriam as pressões reflexas do processo de industrialização que se desenvolvia em outras plagas. Seus impulsos a alcançariam não apenas através das mercadorias de consumo, mas também na implantação de portos, serviços urbanos, telégrafos, ferrovias que, além de modificar toda a vida econômica do país, alargariam as oportunidades de trabalho, criando camadas médias e operárias mais independentes, fomentando a urbanização e, sobretudo, exigindo crescentes esforços produtivos para pagar essas modernidades importadas a peso de ouro.

Os governos republicanos da Colômbia do fim do século eram integrados predominantemente pelo patriciado de Bogotá, assentado na propriedade latifundiária, no controle do comércio e na exploração do erário, mas orgulhoso principalmente de suas habilidades como latinistas, gramáticos e versejadores. Esses patrícios citadinos, ideologicamente alienados do seu povo e do seu tempo, concebiam a si mesmos como cônsules desterrados na América, junto ao populacho por ele chamado a integrar-se na modernidade, a amadurecer para a liberdade e a preparar-se para uma remotíssima igualdade.

Estes letrados viram-se, de abrupto, lançados em meio à intriga diplomática da Europa imperialista pós-vitoriana, com o surgimento do projeto de um canal interoceânico que deveria ser rasgado em território colombiano — o istmo de Panamá. Foram anos de negociações e intrigas em que a Colômbia, confiante na vigência dos princípios do direito internacional, procurava amparar-se nas contradições de interesses da França, da Inglaterra e da América do Norte, certa de que assim poderia assegurar-se o financiamento das obras a fim de abrir, manter e administrar um canal igualmente acessível a todos os povos.

Theodore Roosevelt responde às aspirações de equidade dos colombianos com o *big stick*. Entende-se com os ingleses sobre a custódia do canal e compra aos franceses por 40 milhões de dólares os direitos da empresa concessionária da construção. Armado desses trunfos, manda à aprovação do parlamento colombiano um tratado de transferência aos ianques dos direitos, privilégios, propriedades e concessões antes assegurados à Companhia Nova do Canal e a sua ampliação com outras regalias. Adverte, desde logo, que tem urgência na aprovação e que não admite alterações nas condições: prazo de um século, subordinação total da área à soberania norte-americana e pagamento de 10 milhões de dólares, ou seja, uma quarta parte do que pagara aos concessionários franceses pela simples desistência.

A Colômbia não tinha como aprovar aquelas condições. À sua recusa se segue, como fora previsto, um movimento separatista da população panamenha, adredemente preparado e imediatamente reconhecido pelo governo norte-americano. Surge, assim, um novo Estado no mapa do continente (1903) com o qual os norte-americanos passariam a tratar os assuntos do canal. Aos colombianos, qualificados por Theodore Roosevelt como "inimigos do gênero humano e da civilização por sua oposição à abertura do canal", só restou apresentar os mais veementes protestos verbais. Seu exército, como todos os latino-americanos, organizado exclusivamente para a repressão aos movimentos populares, era incapaz de opor qualquer resistência ao esbulho.

Sobrevêm anos amargos de frustração nacional. Mas nenhum amargor impediria o reconhecimento da necessidade e da conveniência de restabelecer relações com o colosso do norte, pelas vantagens que seus ricos capitais, seus empresários progressistas, seu estilo de vida democrático poderiam trazer à Colômbia. Todavia, só em 1921 o comércio se restabelece, através de um tratado que consigna o "sincero pesar" dos ianques e promete ressarcir aos colombianos com uma indenização de 25 milhões de dólares. O pagamento desta indenização custaria à Colômbia outro "panamá", já que foi condicionado à concessão às empresas norte-americanas do direito de exploração das imensas jazidas de petróleo do país. Uma vez que a lei colombiana definia as riquezas do subsolo como bens nacionais inalienáveis, impossibilitando o acesso norte-americano, atrasou-se o pagamento da indenização até que os juristas nativos encontraram modos de afastar o obstáculo.

Daí por diante, a Colômbia transformou-se na maior reserva norte-americana de petróleo. Suas empresas detêm, hoje, o controle de todas as grandes bacias petrolíferas do país, das quais exploram menos de 10%, deixando o restante como reserva no solo cativo por força das concessões. Mesmo assim, o negócio em curso não é desprezível, uma vez que de 1921 a 1957 as empresas norte-americanas investiram 127 milhões de dólares na exploração do petróleo colombiano que produziram, no mesmo período, lucros no montante de 1.137 milhões de dólares. Esse é o segundo "panamá" colombiano.

O terceiro é a United Fruit, que, como a outros países, também "bananiza" a república colombiana como o maior latifúndio do país. Os outros panamás ianques na Colômbia situam-se no setor empresarial, onde controlam, além dos 89% dos negócios de petróleo, 80% da exportação de bananas, 89% da mineração do ouro, prata e platina, 98% da produção e distribuição da eletricidade e gás e 68% da siderurgia. Os setores que ficaram abertos à iniciativa colombiana são a fabricação de biscoitos, pães, macarrão, cerveja, gorduras, a indústria têxtil, a construção civil e a produção cafeeira.

O balanço do decênio que vai de 1952 a 1961 revelou que o total das remessas de recursos para o exterior excedeu de 500 milhões de dólares à renda obtida com as exportações. Esse déficit teve de ser compensado por empréstimos que hipotecaram ainda mais a economia nacional e já excedem a 2 bilhões de dólares. As inversões norte-americanas nos citados setores e também em bancos e empresas comerciais ligadas à importação e exportação, bem como os empréstimos de suas empresas, estrutura-se como um gigantesco sistema de drenagem da economia nacional. Por esse mecanismo os norte-americanos se apropriam da parcela maior da produção colombiana de exportação. Seus efeitos podem ser medidos macroscopicamente pelo fato de que o incremento anual da população colombiana (2,9%), crescendo mais rapidamente do que a renda nacional (2,1%), condena o povo a uma miséria cada vez maior.

Essa situação nada tem de inconveniente para a oligarquia nacional, cujos níveis de renda, quando não se mantêm estáveis, aumentam ainda mais através de mecanismos de confisco de salários por efeito da inflação. A concentração da riqueza em mãos desta oligarquia pode ser apreciada por alguns índices. Assim, 70% dos proprietários rurais possuem 7% das terras (1,9 milhão de hectares), enquanto 0,9% dos proprietários possuem 40,9% das terras (ou 11,2 milhões de hectares). No mundo dos negócios, verifica-se que, em 1961, uma minoria de 6,1% dos acionistas das sociedades anônimas eram donos de 54% do capital, enquanto 68% dos detentores de ações possuíam, tão somente, 2,5% do capital. Na distribuição da renda nacional observa-se que 5,6% dos colombianos absorviam naquele mesmo ano 40% do produto do trabalho nacional, deixando o restante para todos os demais.

O desenvolvimento industrial, através da implantação de fábricas pelos grandes monopólios, não apenas permitia anular os efeitos das barreiras alfandegárias, mas inverter o sinal do protecionismo, fazendo-o servir às grandes empresas estrangeiras. À falta de qualquer controle da movimentação de capitais e de lucros, esse mecanismo transforma até mesmo o progresso natural da nação em simples adição de eficácia ao dreno espoliativo.

Assim se vê como uma economia nacional periférica pode ser, a um tempo, altamente lucrativa para os investidores estrangeiros e seus associados locais e visivelmente desequilibrada, espoliativa e deficitária para sua própria população. E, ademais, que a penúria popular e o atraso nacional, enquanto condições necessárias à espoliação oligárquica e imperialista, são altamente lucrativas. Essa

As Américas e a civilização

situação, aparentemente inviável pela estreiteza numérica da camada privilegiada, em face da amplitude maciça dos espoliados, se implantou e se mantém mediante a imposição ao país e a seu povo de uma ordenação social que o constringe como uma camisa de força, só lhe permitindo crescer deformado e monstruoso, à custa de sacrifícios muito maiores que a penúria e o atraso por si mesmos.

3. O estado-caserna

Na Venezuela, como na Colômbia, o povo fez e ganhou a guerra de emancipação nacional, mas a paz e a liberdade foram reguladas pela oligarquia na forma de uma ordenação social, econômica e política que tudo submeteu a seus interesses. Permanecendo latifundiária e escravocrata, a camada dominante apropria-se de tudo a que aspirava e mais das propriedades prometidas aos combatentes, delas escamoteados pelos seus próprios chefes, que assim ingressam também na oligarquia.

Bolívar, afastado do comando político efetivo, morre vendo frustrados seus planos de implantação da Pátria-Grande de todos os latino-americanos e assistindo ao fracionamento até mesmo da sonhada Confederação da Grã-Colômbia (1821-30) que deveria unir num só Estado nacional o Equador, a Colômbia e a Venezuela. Através de toda a América espanhola, em cada região economicamente configurada, quase em cada porto e sua área comercial vizinha, implanta-se uma nação inviável, dominada pelos *criollos* ricos tornados heróis da independência e seus donos, agora mais ricos e poderosos e ainda mais vorazes na exploração da massa negra e mestiça. Em lugar da nação única com que sonhara o Libertador, conforma-se uma constelação de nacionalidades precárias, incapazes de enfrentar a crescente exploração imperialista e ainda de conduzir a tarefa gigantesca da liquidação do atraso e da pobreza.

Com a Independência, somaram numa mesma estrutura de poder o mando político em mãos de caudilhos e o poderio econômico da oligarquia de comerciantes exportadores e importadores, dos plantadores de café da zona andina, dos fazendeiros de cacau, tabaco, algodão e açúcar da costa e dos criadores de gado dos *llanos*. Ao contrário do que ocorrera na Colômbia, na Venezuela não surge um patriciado diferenciado dos caudilhos e do patronato e capacitado para organizar o novo Estado. Na Colômbia este se estrutura como um regime republicano, mas antipopular; "democrático", mas oligárquico; "livre", mas escravocrata e regido por um sistema de eleições indiretas, com o direito de voto condicionado à posse de bens de raiz, com pena de morte por delitos políticos, mas com liberdade plena para comprar e vender.

Na Venezuela se implantam governos autocráticos que regem a vida nacional ao longo de 150 anos. Distintos bandos caudilhescos, aglutinados por áreas, como os andinos, os litorâneos e os *llaneros*, disputam o poder, cada qual contando com suas próprias tropas para a manutenção da ordem oligárquica contra os descontentes das respectivas regiões. Assim se impõe, primeiro, um caudilho dos *llanos*, José Antonio Páez, companheiro de lutas de Bolívar (1830) que, pessoalmente ou através de intermediários, detém o mando até meados do século XIX (1863). Seguem-se diversas ditaduras militares que convertem o exército nacional em guardião policial terrorista de imposição do poder central, cuja fidelidade era assegurada através de toda sorte de subornos à oficialidade. Com base nesse aparelho militar é que os governos podiam manter-se apesar do estado de guerra civil intermitente que faz espocar 38 revoluções na Venezuela no decorrer do século XIX.

Nessas circunstâncias, o projeto de Estado que se implanta efetivamente na Venezuela tinha o exército como instituição política única e fazia do erário público uma espécie de fazenda gigante, mais lucrativa que as lavouras, o pastoreio e o comércio, cujo domínio passara a ser a aspiração natural dos caudilhos mais poderosos. Governada *manu militari* por esses agentes da oligarquia, a Venezuela cresce enferma, com uma camada rica cada vez mais poderosa, envergonhada de sua cor, cobiçando importar maridos claros para suas filhas, oposta às amplas massas de pardos e pretos, oprimidos e explorados.

Periodicamente, se permite alguma liberalidade, como a abolição da escravatura, quando já restavam uns poucos escravos e sua importação se tornara impraticável; ou uma regulamentação mais liberal do direito de voto para eleições sempre postergadas.

No fim do século, assume a presidência outro caudilho, Castro (1899-1908). Sob seu domínio a deterioração chegaria a um ponto extremo, ocasionada pelos empréstimos escorchantes de banqueiros europeus, pelas concessões mais lesivas, pela corrupção generalizada. Os ingleses se apoderaram, então, de 200 mil quilômetros quadrados do território guianense da Venezuela. As empresas norte-americanas disputavam concessões e financiavam revoltas. Navios britânicos, holandeses, alemães, franceses e italianos bloquearam a Venezuela e bombardearam seus portos e fortalezas em 1903 e 1908, exigindo o pagamento de atrasados. Os norte-americanos, então ocupados com a apropriação do Panamá, consentiram no ataque, ponderando que a Doutrina Monroe não podia acobertar devedores relapsos. Ademais, tinham queixas contra o tratamento dado às suas companhias.

Em 1908, assalta a presidência o caudilho Juan Vicente Gómez, também montanhês de Tachira, que se notabilizaria com o mais sinistro dos ditadores latino-americanos. Permaneceria no poder até 1935, com o apoio constante dos aliados norte-americanos, que garantiram sua posse com os canhões de um cruzador e dois encouraçados.

Gómez inaugura um novo estilo de entendimento com as potências imperialistas, atendendo a todos os seus reclamos. Seus negócios não eram o petróleo ou a importação, mas a compra de latifúndios e a multiplicação de rebanhos, setores em que só tinha a competição de nacionais, eventualmente encarceráveis. Para garantir-se no poder reorganiza o exército, entregando os comandos a coestaduanos de confiança, e reestrutura a polícia para evitar possíveis rebeldias, criando, assim, um sistema repressivo que se revelaria capaz de desmontar qualquer tentativa de sedição.

As empresas petrolíferas estrangeiras, com o recuo que tomavam seus negócios num México revolucionário e cada vez mais altivo e nacionalista, acercam-se da Venezuela, atraídas pelas incomensuráveis reservas de suas jazidas. Gómez lhes abre a casa, incumbindo aos advogados dos próprios trastes não só a elaboração dos contratos de concessão, mas também de redigir a própria legislação regulamentadora da exploração. Cria-se, desse modo, a terra da promissão da Standard Oil e da Royal Dutch Shell, que, em poucos anos, fazem saltar a Venezuela de uma posição insignificante ao segundo produtor mundial de petróleo, em 1928. Já então as vendas de concessões para a exploração petrolífera perfaziam metade do orçamento venezuelano.

Com esses recursos, Gómez paga a dívida externa, estabelece uma moeda forte, junta uma fortuna pessoal superior a 200 milhões de dólares, principalmente em terras, gado e cafezais, e enriquece toda sua família e centena de filhos bastardos, bem como a oficialidade das suas forças de repressão. Simultaneamente, porém, a economia venezuelana, deformada pelo impacto da exploração petrolífera, entra em colapso. A "prosperidade" importara numa elevação de salários e de custos que levou a agricultura e a pecuária a uma crise permanente, sobretudo a produção de alimentos, tornando a Venezuela cada vez mais dependente de importações e marginalizando sua população rural. Para manter o regime de exploração nas condições ditadas pelas empresas norte-americanas, tornou-se necessária uma repressão ainda maior, primeiro contra estudantes e intelectuais nacionalistas; depois, e cada vez mais, contra as massas de desempregados que aspiravam a oportunidades de trabalho para viver.

Os cárceres se enchem, alguns se tornam famosos, como La Rotunda. Os carcereiros se fazem célebres torturadores e assassinos. O melhor da intelectualidade do país é encarcerada, submetida a trabalhos forçados ou obrigada a exilar-se.

Outro fruto da ditadura de Gómez foi o surgimento de uma vasta clientela de aventureiros e aduladores, cevados pelo governo e pelas empresas petrolíferas. Chegam ao atropelo, no seu afã de adular para fazer jus às propinas em ações de empresas estrangeiras e em letras de câmbio, que Gómez sempre trazia nos bolsos para distribuir aos mais solícitos. Um deles se notabilizou por seu esforço de dar fundamentação ideológica à ditadura, apelidando-a de *cesarismo democrático* e procurando caracterizá-la como o regime a um tempo necessário e ideal para uma raça mestiça, primitiva e atrasada, cuja indisciplina inata exigia pulso forte e cuja infantilidade clamava por um pai enérgico e castigador, mas benévolo e generoso. A esse ponto chegou a deterioração da Venezuela sob a ditadura de Gómez, que enfermizou toda a nação, a tudo degradou e apodreceu.

No mesmo período, porém, o sucesso financeiro das empresas petrolíferas alcançava o auge de seu contentamento, não tinha limites, mesmo porque Gómez era a contraface da política do presidente Cárdenas, que, naqueles mesmos anos, lhes retirara o domínio dos campos de petróleo mexicanos. Em consequência, o governo norte-americano cumulava Gómez de condecorações e punha a seu serviço os policiais ianques de todas as áreas do mundo, para vigiar e perseguir os exilados venezuelanos que conspirassem contra a ditadura.

Do ponto de vista norte-americano, essa economia dominada por suas corporações petrolíferas representava o padrão ideal de relações empresariais com o Estado. Nada tinham a opor-lhe, igualmente, nem a oficialidade do exército, cada vez mais enriquecida, nem a oligarquia gomezista, alimentada com as sobras. O único defeito do sistema era o povo venezuelano mesmo, que, para desgosto de uns e outros, continuava, apesar de tudo, multiplicando-se prodigiosamente e pedindo empregos que não existiam e escasseavam cada vez mais. O ideal seria, talvez, erradicar os venezuelanos da Venezuela, deixando apenas uma centena de milhares de residentes bem subvencionados que poderiam ter uma vida regalada. Sendo isso, todavia, impraticável, só restava a alternativa da chibata, do cárcere e do terror para manter sobre a miséria venezuelana a riqueza das *corporations* mais lucrativas do mundo.

Nesse período de euforia econômica e de superlucros para as empresas norte-americanas e para a oligarquia nacional em opulência, o povo venezuelano atinge as taxas mais terríveis de fome, com toda a corte de enfermidades carenciais resultantes, de morbidade, de mortalidade infantil e de analfabetismo. Lançadas às cidades, pelo abandono da exploração agrícola — a terra transformara-se em objeto de especulação, pouco importando que produzisse ou não —, as massas camponesas se amontoavam em aglomerados contrastantes com as áreas residenciais

As Américas e a civilização

antigas, como feridas cancerosas. Sem água encanada, sem luz elétrica, sem esgotos, nem alimentos, nem escolas, nem hospitais, vivia e morria, sob a vigilância policial, o "povo soberano", em cujo nome se exercia o poder, reelaborando-se leis e formalizando-se novos contratos de concessões. As estatísticas econômicas editadas então em papel brilhante mostravam, porém, que este povo tinha um dos mais altos padrões de vida do mundo, se medido pela renda nacional *per capita*.

Como Gómez era mortal, um dia, aos 77 anos, depois de mais de um quarto de século de ditadura, morre em seu palácio. Os acólitos acobertaram quanto possível o falecimento do feiticeiro, temerosos das consequências de sua divulgação. Apesar das precauções para conter o povo, quando a notícia se difunde, explode a rebelião, espraiando-se e tudo invadindo como as águas de uma represa arrebentada. A multidão ganhou as ruas possuída de um sentimento incontido de libertação. Depois de anos de silêncio e de terror, enfrentava desarmada as tropas repressivas, pondo-as em fuga; improvisava comícios; atacava residências de colaboradores da ditadura, matando os que encontrava; incendiava edifícios de companhias petrolíferas; assaltava prisões, libertando os condenados políticos que nelas tinham sobrevivido; destruía clubes e casas de negócios de estrangeiros. Os empregados norte-americanos dos campos petrolíferos e seus familiares tiveram de ser arrebanhados às pressas e levados para os navios-tanques ancorados na costa. Caíra o seu ditador, e o povo venezuelano, afinal liberto, queria vingar-se neles dos anos de opressão, de miséria e de tortura.

Enquanto o povo nas ruas dava vazão anárquica a seu sentimento de libertação, a oligarquia conspirava eficazmente. Antes de que amainassem os ânimos populares, já se instalava no poder, como presidente, o próprio ministro da Guerra de Gómez, seu coestaduano, com controle de toda a máquina de repressão. Aos poucos a onda renovadora foi sendo contida pelas tropas em todas as regiões. Os movimentos populares tornavam-se mais disciplinados e a oligarquia faz concessões na forma de garantias constitucionais, um novo regime eleitoral e liberdade de organização sindical. Como penhor das intenções democratizantes, são chamados a participar do governo alguns líderes exilados.

Através de todas essas manobras, ao chegarem as anunciadas eleições ascende à presidência um outro oficial gomezista, também ministro da Guerra, e também tachinense, o general Medina. Apesar desses antecedentes, apercebendo-se de que já não era possível barrar a onda das aspirações populares de liberdade e progresso com a simples repressão policial, o novo presidente afasta-se da direita, assume atitudes democráticas e anuncia um ambicioso plano de desenvolvimento. Afrouxa-se progressivamente o guante governamental, sendo permitida a organização de partidos de esquerda. Estes se polarizaram logo em dois grupos hostis: os comunistas, que apoiavam o governo por fidelidade à orientação de tudo sacrificar ao esforço de guerra antinazista, e os partidários da Ação Democrática, liderados por Rómulo Betancourt, que alcança um apoiamento de massas cada vez maior.

O governo militar se transforma, assumindo uma atitude mais responsável. Medina consegue a revisão dos contratos com as empresas petrolíferas, iniciando negociações que mais tarde permitiriam estabelecer um regime de *fifty-fifty* dos lucros líquidos e exigindo das companhias a instalação de refinarias em território venezuelano, pelo menos para acabar com a vergonha de um dos maiores produtores mundiais de petróleo ser importador dos refinados, produzidos na vizinha ilha de Curaçao. A solução foi aceita, recebendo as companhias, como compensação, o dilatamento de suas concessões por mais quarenta anos e a outorga de novas áreas que elevaram seu domínio de 4,4 milhões de hectares para 9,9 milhões. Todavia, o fato é memorável, mesmo porque, durante décadas, a Venezuela alcançara um máximo de 17% dos lucros, e os novos contratos permitiam elevar as rendas provenientes do petróleo de 78 a 254 milhões de bolívares (1944). Mas para as companhias o novo arranjo representava a consolidação da legislação reguladora da exploração petrolífera e a garantia expressa de que o governo desistia de qualquer ação judicial futura contra abusos cometidos anteriormente.

Medina preparava-se para a execução do ambicioso programa de obras quando foi derrubado por um golpe militar. Dessa vez, entraram na arena política jovens oficiais de mentalidade profissional, liderados por Pérez Jiménez e C. D. Chalbaud, que desfecharam o golpe em associação com os políticos reformistas.

Sobe ao poder uma junta de governo presidida por Rómulo Betancourt e integrada por mais quatro civis e dois militares. Betancourt preparara-se, desde a juventude, como líder estudantil e depois no exílio e na conspiração, para a luta contra a ditadura gomezista e para o exercício do poder. Começando sua carreira como militante comunista, logo discrepa desse partido para constituir uma outra facção da esquerda, "nacional e independente". Esta é que emerge como a Ação Democrática, estruturada no período de liberdade política propiciado pelo governo Medina. Polariza rapidamente a opinião pública — especialmente as classes médias e o operariado sindicalizado das grandes empresas — com seu programa de austeridade administrativa, de governo representativo, de reforma eleitoral e de bem-estar público. Simultaneamente, alcança a boa vontade de Washington, como um partido democrático capaz de disputar aos comunistas o apoiamento das massas e de orientar as reformas sociais num sentido liberal e conciliador. A Ação Democrática alcança a vitória mais prematuramente do que esperava pela mão de jovens oficiais que a convocam ao governo depois de deporem Medina, mas permanecem como tutores do novo poder.

Armada com os vultosos recursos do acordo *fifty-fifty*, a junta governamental pôde lançar-se a um amplo programa de renovação nacional que credencia altamente a Ação Democrática diante da opinião pública. Começa por sanear o meio político, congelando os bens de 150 colaboradores dos antigos governos, para verificar o que haviam roubado, e por reduzir os salários dos altos funcionários. Aumenta a arrecadação de impostos, cria órgãos de planificação econômica e de fomento da produção. Institui o Ministério do Trabalho e reorganiza democraticamente os sindicatos. Passa em seguida às obras, edificando habitações populares na capital e no interior, abrindo rodovias, construindo sistemas de irrigação, fomentando a mecanização da lavoura, melhorando serviços urbanos, promovendo campanhas de erradicação da malária, organizando uma frota mercante nacional. Devota-se, sobretudo, à ampliação e aprimoramento do sistema educacional primário, médio e superior.

Visando sua consolidação política, a Ação Democrática hostiliza francamente os comunistas, caracterizando-os como inaptos para a democracia e como agentes do poder soviético. Simultaneamente, cumula de atenções a oficialidade das Forças Armadas, aumentando os soldos e assegurando-lhes diversas regalias. Com todas essas credenciais, a Ação Democrática concorre às primeiras eleições diretas realizadas no país com voto de todos os maiores de dezoito anos (1948), apresentando como candidato presidencial a Rómulo Gallegos, que era o mais prestigioso intelectual venezuelano e veterano combatente democrático. O povo consagra o candidato da Ação Democrática dando 85% dos votos a Gallegos. Exprimiria, desse modo, seu desejo de ver mantida e ampliada a política progressista e a orientação popular de governo e de ver executada a reforma agrária que constituíra o principal tema da campanha eleitoral.

Sobrevém, poucos meses depois, outro golpe militar, desencadeado pelo mesmo grupo de jovens oficiais que instituíra a junta, apesar da corte que lhe faziam Betancourt e Gallegos. Planejado em Washington, inquieta com a agitação democrática venezuelana, o golpe consumou-se em poucas horas, sem suscitar resistência alguma. Não houve a greve geral operária nem a revolta de 1 milhão de camponeses armados de facões com que os líderes do governo reformista ameaçavam a oligarquia. Comportando-se como "salvadores" que se propunham, como um ato de outorga, conduzir a nação à fartura e à liberdade, os líderes da Ação Democrática viram-se apeados do governo populista, sem que o povo manifestasse qualquer reação à "perda" do poder exercido em seu nome.

Pérez Jiménez acaba por impor-se como ditador, implantando um regime terrorista, sob a alegação de que o governo era incapaz de impedir a infiltração extremista que ameaçava as instituições. Os Estados Unidos reconhecem, incontinenti, o novo regime, cujo titular seria condecorado, um ano mais tarde, pelo próprio Eisenhower com a mais honrosa medalha ianque.

Vencem, mais uma vez, as companhias petrolíferas, livrando-se da preocupação que representava um regime democrático que assegurara ao povo uma participação cada vez mais ativa na vida política, inclusive a seus próprios operários, organizados e reivindicativos. Cumprindo sua função de instrumento da dominação estrangeira, o novo regime militar derroga a livre organização sindical, substituindo-a por um sindicalismo oficioso. E entrega aos grupos Rockefeller e Morgan, praticamente de graça, as jazidas de minério de ferro da Venezuela que passariam a abastecer as grandes aciarias norte-americanas.

Volta, desse modo, a Venezuela à política de Gómez. Além das concessões de jazidas sem nenhuma contraparte, assegura-se às empresas estrangeiras a exploração da mão de obra nacional, através de contratos de trabalho fixados pelo próprio governo. Ademais, lhes são garantidas, através da repressão policial, o aspirado ambiente de "tranquilidade social indispensável ao trabalho produtivo".

A ditadura de Pérez Jiménez se manteria por dez anos, restaurando em tudo o estilo de Gómez: a censura à imprensa; a perseguição ao movimento estudantil; o terrorismo policial contra o operariado, contra as esquerdas, contra as manifestações de desespero dos famintos e desocupados. Segundo suas próprias expressões, tinha em vista preparar o povo para governar-se, "despolitizando" a nação e livrando-a do domínio dos demagogos e dos comunistas.

Outra característica do governo Pérez Jiménez era seu faraonismo, expresso na exageração caricaturesca do gosto por obras suntuárias. Em sua década de poder, Caracas transfigura-se pela quantidade de edificações que vão desde os hotéis luxuosos a luxuosíssimos clubes militares, escolas e hospitais. Tudo construído na capital onde se concentrava mais da metade dos gastos públicos e para atender a uma minoria privilegiada. Trotando nas pegadas de Gómez, Pérez Jiménez junta uma fortuna superior a 250 milhões de dólares, com a qual foge do país quando de sua deposição, em 1958.

Os desmandos de Pérez Jiménez acabam por unificar contra ele todos os setores políticos da Venezuela, inclusive a própria Igreja, geralmente pouco disposta a mover-se contra as ditaduras. Ao final, até a oficialidade das Forças Armadas — não comprometida nas atividades repressivas — se engaja na luta contra a ditadura. Pérez Jiménez é derrubado pela união dessas forças sob a liderança de uma

Junta Patriótica integrada por civis, que desencadeia a greve geral simultaneamente com pronunciamentos de grupos militares. Sobe à presidência, em janeiro de 1959, o almirante Larrazábal, que procurou organizar o governo e fazer face aos problemas nacionais, apelando para todos os setores e restaurando o clima de liberdade.

Nessa nova conjuntura em que, depois de uma década de ditadura, o regime é reaberto ao debate, o povo venezuelano teria ocasião de manifestar-se contra a espoliação ianque, quando da visita de Richard Nixon. Sua comitiva é recebida por uma multidão indignada que, desde o aeroporto de Maiquetía até Caracas, o apedreja, cospe e vaia. Outra multidão o aguarda, mais tarde, junto à tumba de Bolívar, onde devia colocar a tradicional coroa de flores, impedindo-o de descer do carro. Eisenhower, revoltado com o tratamento que recebia o vice, mobiliza tropas de paraquedistas e de fuzileiros navais das bases de Porto Rico e Trinidad. A atitude firme do almirante Larrazábal dissuade, porém, norte-americanos de qualquer tentativa de desembarque. Nixon prossegue viagem para outras vaias, menos enérgicas, porque em nenhuma outra nação latino-americana é tão profunda e ostensiva a dominação ianque.

Nas eleições realizadas em 1960, assume a presidência Rómulo Betancourt. Regressava ao poder, dez anos depois da primeira investidura, não apenas envelhecido, mas transfigurado. Conseguira, afinal, convencer os norte-americanos de que ele e seu grupo representavam seus aliados ideais na Venezuela. Retorna conduzido pelo voto popular, confiante no programa reformista da Ação Democrática, mas comprometido, precisamente, com os grupos empresariais e com a oligarquia que o depusera antes e que ele agora corteja, solícito, como ao verdadeiro poder a que não podia estar desatento. De reformista, a Ação Democrática se convertera em patricial.

Amargamente marcado pela experiência da deposição e dos dez anos de exílio, tudo faria, doravante, para permanecer no poder e esgotar seu mandato. Começa propondo-se a competir com o prestígio de Fidel Castro, cuja figura revolucionária entusiasmava as multidões latino-americanas. Passa a apresentar-se e ser figurado externamente como o "Fidel democrático", como o campeão da Aliança de Kennedy, como o reformador liberal.

A Ação Democrática, surgindo após século e meio de despotismo caudilhesco, encara o perfil de um movimento nacional-reformador, devotado à luta pelo desenvolvimento. Uma vez consolidada no poder, revelou sua verdadeira face de um patriciado tardio, unicamente capaz de atuar como agente da dominação oligárquica e imperialista. O novo Betancourt alçado à presidência abandona rapidamente todos os disfarces para afogar em sangue, calar com a censura, deter com o cárcere e as torturas os movimentos de emancipação nacional que ele próprio ajudara a amadurecer e a desencadear.[26]

Em todas essas décadas de pronunciamentos militares, golpes e revoluções, prevaleceu sempre na Venezuela uma ordenação antipopular. Primeiro caudilhesca, mas nacional, que se apropriou do poder político ao promulgar a república; depois caudilhesca-cosmopolita, quando, para enriquecer-se e se manter no mando, se faz instrumento de contenção do seu povo para impor a exploração imperialista. E, afinal, patrícia e cosmopolita, iniciada com os dois períodos de governo de Rómulo Betancourt, prosseguindo no governo de Leoni e, por último, no democrata cristão liderado por Rafael Caldera e que prossegue até agora.

Desde a independência implantou-se, com essa conjura, uma natural divisão de trabalho entre a oligarquia latifundiária — que queria cuidar de suas terras e do gado vacum e humano que nelas vivia — e os militares e seus associados patriciais, que aspiravam ao poder político, movidos pelos ideais de se fazerem também cafeicultores e pecuaristas ou, pela mesma via, desfrutar o privilégio de explorar a outra "fazenda" que era o erário público. Então como agora, o objetivo dos governos caudilhescos e patriciais tem sido a perpetuação da velha ordem oligárquica e submissa aos interesses estrangeiros, que lhes garante sua precedência social oriunda da riqueza e do poder político, contra qualquer alçamento que a possa pôr em risco.

A República, nascida da oposição essencial de interesses entre os reinóis e o patriciado crioulo que disputam as oportunidades econômicas, os postos e as honrarias, se estrutura como mecanismo de perpetuação de privilégios. Os poucos milhares de grandes proprietários, não podendo, obviamente, dirigir a nação no enquadramento de uma ordem democrática que admitisse o debate das bases do regime, exigiam a presença dominadora do poder militar para impor a vontade oligárquica e manter sua dominação sobre o povo. Esta se fez tanto mais necessária nas primeiras décadas que seguiram à independência, em que os movimentos de rebelião popular desencadeados pelos próprios grupos oligárquicos em disputa pelo espólio colonial punham em risco iminente o sistema. E tornou-se ainda mais imperativa quando surgiram no quadro econômico outras "fazendas": a associação com negócios petrolíferos estrangeiros e o erário público.

Os militares cumpriram seu papel sujigador, mas fizeram-se pagar por ele ingressando, com suas famílias, no grupo dominante. Esta podia ir-se ampliando, até certo limite, pelo alargamento da área de exploração agrícola e pastoril e o crescimento simultâneo da mão de obra aliciável para as tarefas produtivas. A princípio, o sistema tinha o conveniente de permitir também a utilização do povo que se ia gerando, mediante a multiplicação das unidades de exploração agropastoril, nas novas fronteiras econômicas que se abriam em terras virgens. Quando a abolição da escravatura alterou as relações de trabalho, pequenas inovações possibilitaram integrar o negro liberto na massa de gente livre, disciplinando-o na condição de arrendatário, pela imperatividade de trabalhar para um patrão como condição de sobrevivência.

Que fazer, porém, depois de esgotadas essas possibilidades de alargamento da estrutura social pela ampliação da área de exploração? E, sobretudo, quando a implantação de um enclave econômico de alto poder dinâmico, como a produção de petróleo, conduziria todo o sistema agrário à crise? Conservar o monopólio da terra nas mãos da oligarquia e a regulação da exploração petrolífera por empresas estrangeiras passa a ser cada vez mais difícil, em face do surgimento de lideranças populares reformistas e revolucionárias conscientes das causas do atraso nacional e deliberadas a enfrentá-las.

Reabre-se, assim, o dilema colocado desde os primeiros anos de vida nacional, pela oposição entre o projeto reordenador e radical das lutas populares irredentistas e o objetivo de emancipação política como projeto próprio da oligarquia e do patriciado nativos. As lutas se reacendem da forma mais crua para o povo venezuelano. Nessas circunstâncias, a única alternativa de sobrevivência para a oligarquia e o patriciado político e militar passa a ser, ainda mais nitidamente, a manutenção do *status quo* através da repressão e do terror, pela convicção profunda de que qualquer liberalidade com o povo representará, fatalmente, a sua erradicação do quadro político nacional.

4. A vitrina ianque

A indústria extrativa do petróleo surgiu na Venezuela como um negócio novo que geraria rendas aduaneiras e propinas capazes de permitir ao sistema continuar operando depois de alcançados os limites de expansão da camada oligárquica através da abertura de áreas novas. Exigindo uma solicitude ainda maior do poder público para amparar os interesses estrangeiros e para manter a disciplina e a paz social indispensáveis ao seu trabalho, esse novo setor fez-se corruptor desde os primeiros passos. Revela-se, afinal, como o negócio mais rendoso da nação, demasiado complexo, porém, para que os nativos se ocupassem dele. Acaba por figurar-se aos militares e à oligarquia como a galinha dos ovos de ouro à qual cabia alimentar e zelar para que continuasse botando.

Os grã-colombianos

A exploração petrolífera, além de impostos e propinas, geraria outros produtos que, aos poucos, alteram a estrutura social arcaica. Acrescenta-lhe camadas novas, integradas umas no seu próprio sistema produtivo, como o seu operariado e sua massa de empregados; adiciona outras à coorte de servidores urbanos requeridos para as funções do Estado, do comércio e dos serviços enormemente ampliados, além de uma vasta massa urbana marginalizada.

Simultaneamente, se amplia a pauta de importações, graças à franquia de recursos em moedas fortes que permite generalizar o uso de manufaturas industriais. Assim é liquidada a produção artesanal de consumo popular, deslocando outras massas do sistema produtivo. A economia petrolífera contribui, ainda, para a estagnação do sistema de exploração agrícola, limitado em sua capacidade de renovação tecnológica e congelado estruturalmente pelo regime de propriedade que alcança o ponto de saturação da mão de obra que poderia absorver. Esses processos importaram em tanger para as cidades massas crescentes de gente deslocada do campo por ter se tornado desnecessária ao sistema produtivo.

Todo o sistema se torna incapaz de integrar na economia e na sociedade a gente que se multiplica, a qual, não podendo ser levada ao açougue como o gado, nem exportada como o óleo, marginaliza-se, lançada na penúria e no desengano. O crescimento desses contingentes importaria em novas exigências ao aparelho de repressão, único recurso disponível para fazer calar sua fome e desespero, valorizando ainda mais as Forças Armadas que se incumbiriam dessa tarefa.

A classe dominante venezuelana atual é constituída por dois corpos mutuamente complementares: o patronato de latifundiários e grandes proprietários urbanos, e o patriciado integrado pelas altas patentes militares, os líderes políticos e a alta hierarquia da Igreja. Juntamente com essas camadas, compõe o quadro dominante um estrato novo, impropriamente designado como burguesia nacional. Tal é o patronato burocrático surgido da industrialização substitutiva financiada pelo Estado, mediante os programas de "semear indústrias" pelo país e enriquecido como empreiteiro de obras públicas. Sua própria origem artificial e, sobretudo, ambivalente, porque criada pela doação de recursos públicos e motivada por uma ideologia privatista falsamente livre-empresista, não lhe permite uma postura independente na vida política nacional. Por isso mesmo, praticamente se confunde com o *estrato gerencial*, integrado principalmente por estrangeiros e que administra os grandes interesses empresariais do petróleo e do ferro. Os primeiros são uma clientela de apaniguados do patriciado; os últimos são administradores escrupulosamente selecionados, adestrados e controlados por seus patrões para que zelem por seu rico dinheiro, cuja característica essencial é a fidelidade ao sistema que

AS AMÉRICAS E A CIVILIZAÇÃO

lhes permite ascender socialmente e, em consequência, a adesão irrestrita ao livre-empresismo e à dependência econômica externa.

O privatismo do patronato burocrático é a melhor expressão da alienação ideológica do subdesenvolvimento venezuelano, que, em nome da excelência da gestão privada em comparação com a estatal, se permite doar bens públicos a privilegiados escolhidos por seu servilismo ou por suas vinculações políticas, enriquecendo-os com o que é da nação. Uma vez implantada essa ideologia burocrática, mesmo quando o Estado se vê na contingência de organizar empresas públicas naqueles setores em que é impossível atrair qualquer participação privada, o faz como medida provisória, declarando sua disposição de alienar o investimento na primeira oportunidade. Assim, o *patronato burocrático* se identifica com o *estrato gerencial* e ambos com o *patriciado político* dos poderosos diretores de serviços públicos e de órgãos financeiros e produtores do Estado, num complô antinacional de apoiamento da espoliação estrangeira e de manutenção da oligarquia latifundiária.

A essa camada, juntam-se, ainda, compondo o quadro da classe dominante venezuelana, outras categorias diferenciadas por suas funções, mas unificadas em sua atitude antinacional. Tais são a coorte de advogados administrativos, tecnocratas, que operam como intermediários entre as empresas privadas e os órgãos do poder público; os políticos populistas que colocam suas aspirações de poder e de enriquecimento na esperança de se alçarem na crista dos movimentos populares. E, ainda, a classe média de burocratas, profissionais liberais, médios e pequenos proprietários, funcionários e empregados, também beneficiários do sistema de exploração. Todos eles, enquanto cursam a universidade, se permitem uma atividade política livre, induzida pelo inconformismo com o atraso e a pobreza a que o sistema condena a maioria dos venezuelanos. Uma vez graduados, porém, a maior parte se enquadra nas suas funções sociais e nos papéis correspondentes de mantenedores do regime.

O povo dicotomiza-se, na cidade e no campo, em dois estratos profundamente diferenciados. Um deles integrado no sistema produtivo; o outro, dele marginalizado. O primeiro é formado pela parcela irrisória dos que conseguem empregar-se nas grandes empresas, onde obtêm salários elevados e gozam de certas regalias. É o proletariado que já fez sua própria "revolução" pelo seu distanciamento enorme das condições de vida das massas deserdadas. Caracteriza-se pelo temor de se ver lançado à vala comum da massa marginal. A este estrato privilegiado se opõe um outro contingente urbano, mais pobre e muito mais numeroso: o dos trabalhadores eventuais ou subempregados de empresas médias e pequenas.

Corresponde a este primeiro estrato, na economia agrícola, a massa de trabalhadores rurais, tanto os estáveis, jugulados ao latifúndio, quanto os eventuais, que só trabalham estacionalmente nas colheitas de café e de cacau, no corte de cana, na criação de gado e outras tarefas da mesma natureza.

O segundo estrato é formado pelos tangidos nas fazendas que não conseguem instalar-se como *conuqueros* (arrendatários ou posseiros de parcelas ínfimas dos latifúndios) e se concentram nos baldios rurais de onde se vão deslocando para os arredores das cidades, sobretudo para Caracas. Aí se encurralam nas mais miseráveis condições de vida, trabalhando eventualmente em biscates, sobrevivendo quase por milagre. Esse contingente marginal à economia e à sociedade, porque analfabeto, subnutrido, despreparado para a vida urbana, subempregado, é o produto principal de um sistema econômico exógeno, incapaz de assegurar ocupação para essa massa porque não se ordena para servir ao povo venezuelano, mas a uma estreita camada privilegiada que se associou à exploração estrangeira.

Toda a indústria petrolífera que produz 15% do consumo mundial emprega, tão somente, 35 mil operários. Ocorre que esse número vem diminuindo cada vez mais, apesar do aumento da produção, devido à tecnificação do processo extrativo e dos serviços auxiliares. Os salários, embora altos em relação aos locais, estratificam-se nitidamente segundo a nacionalidade, sendo muito maiores os dos estrangeiros. Assim é que, de 1.629 trabalhadores que recebem mais de 4 mil bolívares, apenas 314 são venezuelanos. Tal se dá não apenas porque algumas funções exigem maior qualificação, mas em virtude da orientação empresarial de vetar aos venezuelanos o domínio das técnicas de processamento, a fim de que o país não possa, por falta de pessoal técnico, apossar-se jamais das empresas.

A exploração petrolífera produz 60% das rendas do Estado venezuelano, sustentando, praticamente sozinha, o custeio das importações nacionais. Afeta negativamente a economia, porém, pelo vulto das importações que exige e, sobretudo, pela introdução de uma pauta de consumo conspícuo que absorve já todas as rendas, conduzindo o país a um déficit de divisas que tem de ser coberto com empréstimos estrangeiros.

Assim, a Venezuela exporta anualmente 1,5 bilhão de dólares de petróleo, principalmente para o mercado norte-americano, mas importa, anualmente também, 1 bilhão de dólares de automóveis, geladeiras, máquinas, materiais para a indústria, materiais de construção, alimentos, constituindo, por isso, a melhor cliente da América do Norte. Paga, ainda, 500 milhões de dólares anuais de amortização de empréstimos, subvenções de transportes, seguro, *royalties* e assistência técnica. Resulta, portanto, uma economia altamente rendosa para o investidor estrangeiro, mas extorsiva para o povo venezuelano, cujo governo se vê obrigado

As Américas e a civilização

a comparecer frequentemente diante dos banqueiros internacionais como cliente impontual, a solicitar novos empréstimos para pagar os vencidos. Nos últimos anos o desequilíbrio da balança de pagamentos se veio cobrindo, principalmente, através da venda de novas concessões às mesmas empresas, apesar das reservas existentes serem apenas suficientes para dezoito anos de produção, ao ritmo de 1959 incrementado posteriormente.

Um especialista norte-americano dá o seguinte balanço da economia venezuelana nesse setor: "No ano de 1957 as vendas do governo provenientes do petróleo somaram 1.230 milhões de dólares, grande parte dos quais foi produto da venda de novas concessões, enquanto os lucros líquidos das empresas foram de 829 milhões nesse mesmo ano. A inversão líquida dessas empresas até fins de 1957 chegaria a 2.578 milhões de dólares, de maneira que o rendimento sobre o capital investido era de 32,5%" (E. Lieuwen, 1964: 143).

Os economistas venezuelanos acrescentam uma terça parte àquela avaliação dos lucros que sai do país na forma de pagamentos de transporte, seguros e direitos, e da manipulação contábil das empresas petroleiras. O Banco Central da Venezuela demonstrou, por exemplo, que com os lucros líquidos alcançados somente em 1954 essas empresas amortizaram todas as inversões realizadas até aquele ano.

Mais escandalosa ainda é a situação das explorações de minério de ferro por empresas norte-americanas. Nesse caso, como ocorre com o petróleo, os ianques preferem deixar suas próprias jazidas como reservas, para explorar os recursos naturais venezuelanos, por duas ordens de razões: primeiro, quanto ao petróleo, porque cada poço da Venezuela provê um rendimento quinze vezes maior e, quanto ao ferro, pela sua graduação metálica muito superior. Segundo, porque previdentemente consideram que é melhor conservar suas riquezas naturais para utilização futura, ao menos enquanto houver povos espoliáveis pelo mundo afora. Para possibilitar a exploração do minério de ferro o governo venezuelano não só concedeu, quase gratuitamente, jazidas avaliadas depois em mais de 10 bilhões de dólares, como instalou novas centrais elétricas mais custosas que todo o investimento estrangeiro.

A exploração dessas enormes jazidas data de poucos anos, mas cresceu vertiginosamente, saltando de 199 mil toneladas, em 1950, a 17 milhões, em 1959. Todo esse minério é retirado a céu aberto, pelas técnicas mais modernas, ocupando, tão somente, 4 mil trabalhadores nacionais. É transportado em ferrovias e navios próprios diretamente para as aciarias da Bethlehem Steel (Rockfeller) e da United States Steel (Morgan). De 1950 a 1962 foram exportados, por essa via, 126 milhões de toneladas métricas de minério de ferro, cujo valor se aproximava

Os GRÃ-COLOMBIANOS

de 1 bilhão de dólares, mais da metade dos quais ficaram na América do Norte, retendo-se o restante para custeio de inversões, salários e impostos. Estes últimos chegam a ser ridículos, pois apenas alcançam anualmente cerca de 85 milhões de bolívares, vale dizer, menos da metade do rendimento dos impostos sobre o tabaco. O subfaturamento dessa exportação — cotizada a 8,17 dólares por tonelada, quando os preços internacionais são de 19,53 dólares — tornou-se evidente quando se viu que os norte-americanos cobravam mais por tonelada de minério de ferro aos navios japoneses pelo pedágio através do Canal do Panamá do que registravam como valor de exportação para o governo venezuelano. Nessas circunstâncias, avalia-se que o lucro alcançado nesse setor pelas empresas monopolísticas ianques cobre, anualmente, a partir de 1957, metade do investimento.

As duas indústrias extrativas, absorvendo 90% das inversões estrangeiras — 5,4 bilhões de dólares — ocupavam menos de 40 mil trabalhadores venezuelanos, ou seja, 1,8% da população ativa, perfazendo, todavia, 96,7% do valor das exportações nacionais. A indústria substitutiva local de tecelagem, alimentos, bebidas, cimento, aço, tabaco, borracha e outros produtos emprega 300 mil operários, ou 17% da população ativa.

Essa indústria é quase exclusivamente produto de inversões estatais, embora privatizadas pela alienação dos recursos públicos nelas aplicados a grupos particulares, principalmente estrangeiros, através de financiamentos de favor e outras regalias. Aos setores manufatureiros destinados a produzir artigos de consumo geral, acrescentaram-se, nos últimos anos, sistemas de produção de energia hidrelétrica, de transporte, armazenamento, frigoríficos, moinhos, uma planta siderúrgica e um começo de petroquímica que poderia lançar as bases de um desenvolvimento industrial venezuelano autônomo. Entretanto, a mentalidade livre-empresista, que impregnara todos os órgãos do Estado, ameaça alienar também esses empreendimentos, embora a sua entrega a empresas estrangeiras importe na perda das possibilidades que elas ensejam de reter dentro do país alguns centros de decisão sobre o desenvolvimento nacional.

A agricultura de produtos tropicais (café, cacau), apesar de contribuir com apenas 3,3% do valor da exportação, ocupa dezenas de vezes mais mão de obra que a extração mineral. Somente as doze principais usinas de açúcar dão mais numerosas oportunidades de trabalho que toda a grande indústria extrativa. A característica essencial da indústria venezuelana é seu alto custo operativo, que importa para o povo numa carestia crescente e, para a economia, em altos custos de produção, só praticáveis mediante subsídios contínuos e uma proteção alfandegária cada vez mais onerosa. Esse é o resultado do caráter ancilar que assume toda

As Américas e a Civilização

a produção nacional de subsistência em relação à economia de exportação.

Tal é a economia exógena da Venezuela e a sociedade que ela gerou, marcadas pela ordenação social mais discriminatória e antipopular, ditada originalmente pelos interesses da velha oligarquia e só modificada para comportar e facilitar a exploração estrangeira. Nela, obviamente, lucram o empresário estrangeiro e seus associados locais, mas não tem papel nem função o povo venezuelano que teima em crescer inutilmente, causando desgostos e dissabores aos donos do país, compelidos a inventar artificiosamente mecanismos distributivos que o ocupem de algum modo, assim como perigosos sistemas repressivos que, um dia, podem acarretar sua própria ruína.

A Venezuela, que nunca foi país de imigração, depois da guerra passou a receber ponderáveis contingentes, avaliados em meio milhão, integrados principalmente por refugiados europeus. Foram atraídos por sucessivos governos preocupados em "melhorar a raça" e em implantar uma sociedade nova. Para um país em que o que mais sobra é gente, essa política imigratória, além de onerosíssima, representa a mais odiosa discriminação contra o povo venezuelano, que vê escapar as melhores oportunidades de trabalho para concorrentes estrangeiros, artificialmente atraídos à custa da nação, por motivos principalmente racistas.

O sistema todo só não tem futuro porque os venezuelanos excedem já 9 milhões e, apesar da miséria ou em consequência dela, crescem à taxa de 3,66% ao ano, concentrando-se principalmente nas cidades cuja população dobra a cada dez anos. Apesar de marginalizados, não estão cegos para o fato de que sua miséria é altamente lucrativa para o grande mundo dos ricos. E fatalmente amadurecerão para, um dia, impor uma reformulação da ordem social que lhes dê também um lugar ao sol.

A reforma agrária, debatida como grande tema nacional na última década, já conscientizou o camponês sobre seu direito à terra em que trabalha e, em consequência, sobre o caráter espoliativo do regime a que é submetido e, ainda, sobre a iniquidade que representa o abuso de se possuir a terra para não usá-la, nem deixar que outros a utilizem. Assim, à atual especulação imobiliária que chamam "reforma agrária" — pagando preços tão compensatórios pelas terras "expropriadas" que os latifundiários acorrem sôfregos aos órgãos governamentais disputando a vez de serem desapropriados — se seguirá, um dia, uma verdadeira reforma agrária, capaz de garantir a terra a quem a trabalha e de erradicar a oligarquia latifundiária da paisagem social venezuelana.

Uma reversão das Forças Armadas a uma posição nacionalista autônoma com respeito à oligarquia e em face da espoliação imperialista, que pareceu anunciar-se na ação do governo Medina e dos jovens oficiais que o sucederam no poder motivados pelos ideais democráticos dos últimos anos da guerra mundial, abortou lamentavelmente. Já então a conjuntura internacional de potências imperialistas em disputa, que permitira a algumas autocracias militares exercer o papel de forças emancipadoras, fora substituída pela hegemonia dos Estados Unidos como super-potência imperialista. Na frustração dessa tentativa teve, assim, papel decisivo a ianquização do Exército, através de missões militares de doutrinação da guerra fria, com o fim de orientar as Forças Armadas venezuelanas para o papel de mante-nedoras da ordem mundial, segundo os desígnios e os interesses norte-americanos.

A implantação, em 1958, de um regime democrático (a partir de eleições li-vres das quais participou toda a população adulta e que elegeu para postos governa-mentais líderes da oposição que haviam sofrido anos de cárcere e de exílio) foi sau-dada pelos venezuelanos como a conquista, afinal alcançada, do requisito essencial para superar as deformações acumuladas em décadas de despotismo e para vencer o subdesenvolvimento. Entretanto, pouco duraram as esperanças suscitadas. Logo se verificou que os novos líderes não eram mais do que um neopatriciado de políti-cos profissionais. Como tal, incapaz de promover as reformas estruturais que antes proclamava indispensáveis por não ter condições de enfrentar o patronato rural e urbano. Inepto para pôr cobro à espoliação estrangeira por se haver comprometido a salvaguardar os interesses norte-americanos como condição de acesso ao poder. E desinteressado em frear a corrupção e o favoritismo que, ao contrário, exacerbaria, porque os recursos públicos seriam a principal fonte de suborno e enriquecimento de suas clientelas, tal como fora antes para as ditaduras militares.

A decepção espraiou-se rapidamente, minando as bases de sustentação ideológica do novo regime entre a intelectualidade, o estudantado e, mais tar-de, entre o operariado sindicalizado. Esse refluxo ocorre justamente quando a Revolução Cubana, ao fixar um novo caminho de superação do atraso para os latino-americanos, desafia tanto a esquerda como a direita venezuelana a novas opções. A esquerda, a abandonar a política reformista de conciliação e entregar--se à luta insurrecional pela conquista do poder. A direita, a demonstrar que po-dia lograr o desenvolvimento através de um esforço de autossustentação realiza-do dentro dos quadros institucionais. Os Estados Unidos, por sua vez, estavam vivamente interessados na emulação entre os modelos venezuelano e cubano de desenvolvimento. Estimulando Rómulo Betancourt a fazer-se o porta-bandeira da Aliança para o Progresso e o anti-Fidel latino-americano, fixariam o caminho apropriado de desenvolvimento para a área em que concentram seus maiores investimentos.

As Américas e a civilização

Em meio a esse prélio internacional, as diversas correntes ideológicas congregadas na Ação Democrática, agora no poder, entraram em conflito. A facção mais nacionalista acabou saindo do partido governamental para constituir um novo partido: o Movimento de Esquerda Revolucionária (MIR). O grosso da AD foi assumindo posições cada vez mais direitistas até confundir-se com seus antigos opositores, que passaram a encará-la como uma nova elite política, mais eficaz e digna de confiança do que as ditaduras que a antecederam.

Em 1961 estala um movimento insurrecional, primeiro através de sedições militares, depois de guerrilhas rurais, que conflagrou o país até 1964. Foram as lutas mais cruentas e mais generalizadas registradas na década de 1960 em toda a América Latina. E também as únicas que unificaram todas as facções de esquerda numa Frente Nacional de Libertação e que contaram com amplo apoio dos setores intermédios e das camadas populares. O intento fracassou, porém, em razão da dificuldade de reproduzir o modelo cubano de desencadeamento da revolução social a partir de focos guerrilheiros; da riqueza do Estado venezuelano, que pôde suportar anos de guerra sem entrar em crise; da ajuda norte-americana tanto material como técnica na organização e adestramento de corpos antiguerrilheiros nas Forças Armadas e de órgãos policiais de repressão antissubversiva; e da sagacidade das elites patriciais. Estas, preservando um simulacro de regime representativo conjugado com um mecanismo de repressão feroz, contiveram as guerrilhas ao mesmo tempo que despertaram na maioria da população um anseio de paz a qualquer custo. Isolados de suas bases populares de apoio, os focos combatentes foram derrotados seguidas vezes, tendo finalmente que retroceder.

Nesse passo se rompe a unidade das esquerdas e tem início na Venezuela a principal polêmica latino-americana sobre os caminhos da revolução. De um lado se situam principalmente os comunistas, reclamando a necessidade de uma pacificação para reorganizar as forças revolucionárias e o imperativo de retomar o contato com a população mediante mecanismos institucionais, tanto políticos como sindicais. Do lado oposto, os grupos radicais, polarizados em torno de alguns comandantes guerrilheiros que sobreviviam, reclamavam o prosseguimento da guerra, embora já não alimentassem qualquer esperança de conquistar o poder. A guerrilha se convertera, de fato, numa forma de protesto em que a esquerda mais extremada afirmava suas convicções enquanto esperava que se definisse uma nova estratégia revolucionária.

A Revolução Venezuelana entra, assim, em colapso. Ao mesmo tempo prossegue aceleradamente a modernização reflexa da economia e da sociedade venezuelana através dos mecanismos da industrialização recolonizadora. As filiais das grandes empresas multinacionais, principalmente norte-americanas, passam a produzir no país toda sorte de artigos de consumo; as cidades crescem, multiplicando as edificações suntuosas que dão a impressão de um extraordinário surto de progresso. Entretanto, o caráter irredutivelmente dependente da nova economia desnatura a própria industrialização e a tecnificação dos demais setores produtivos, transformando-os em outros tantos mecanismos de aprofundamento dos vínculos externos e da espoliação neocolonial.

Nessa conjuntura, volta a colocar-se, de forma ainda mais aguda, a velha problemática de uma economia prodigiosamente lucrativa para os investidores estrangeiros e seus associados locais, mas de uma prosperidade não generalizável à totalidade da população. Os altos índices de incremento demográfico — mais elevados que o ritmo de crescimento econômico — fazem com que, para além das zonas suntuariamente urbanizadas, as cidades cresçam intensamente graças à multiplicação de manchas de casebres e favelas; e que o contingente marginalizado — porque não chega a integrar-se na força de trabalho regular — aumente mais aceleradamente do que as camadas incorporadas à nova economia modernizada reflexamente.

Para a maioria privilegiada, os marginalizados são uma "superpopulação", um excedente de mão de obra que ela procura eliminar progressivamente através de programas de contenção da natalidade subsidiados pelo governo norte-americano. Entretanto, como essa periferia de marginalizados (agora concentrada nas cidades e propensa a aspirar a níveis de consumo dos setores integrados) cresce cada vez mais,[27] a tendência é que passe a ser vista não apenas como uma gente miserável que só aspira a empregos regulares, mas como uma ameaça ao próprio sistema, porque este não é capaz de absorvê-la na força de trabalho nacional. Dessa forma, um incremento demográfico que, em relação ao tamanho e às potencialidades da Venezuela e ao seu baixo índice de ocupação do próprio território, seria altamente bem-vindo passa a ser concebido como catastrófico porque é incompatível com a manutenção da ordenação socioeconômica vigente.

Em consequência, as elites venezuelanas se veem ante o dilema de optar entre duas alternativas. Primeiro, salvaguardar a ordem vigente, passando da prática de uma programação familiar consentida ao controle compulsório da natalidade, vale dizer, chegando ao extremo do genocídio. Segundo, romper as constrições inerentes ao sistema para deixar que o povo venezuelano cresça normalmente e realize suas imensas potencialidades. Cada grupo de interesses, cada corrente ideológica com capacidade de exercer alguma influência na vida nacional já fez sua opção. Os ideólogos dos privilegiados do sistema que buscam preservá-lo a qualquer custo veem no aprofundamento da dependência e na autocontenção do incremento demográfico a solução que lhes convém. Esta solução conduzirá, no limite extremo de suas virtualidades, à "porto-riquezação" da Venezuela. Os setores mais lúcidos e sensíveis à sua identificação nacional vão se compenetrando de que a preservação da Venezuela para si própria e a realização das potencialidades do seu povo, não podendo efetivar-se dentro do sistema vigente e sob as constrições da dependência, só se concretizará através de uma ruptura de caráter revolucionário e socialista.

5. Sociologia da violência

A manutenção da ordem social oligárquica em conluio com associados estrangeiros só se alcança, na Colômbia, mediante o desencadeamento da violência mais selvagem e sanguinária. Mesmo numa área convulsionada como a América Latina, onde a miséria e o atraso das grandes massas e a alienação das elites determinam uma permanente instabilidade institucional e crises periódicas de repressão, a violência colombiana se destaca como uma "disfunção" social aterradora. Segundo Diego Montaña Cuellar (1963: 27), de 1830 a 1903 ocorreram na Colômbia 29 alterações constitucionais, nove *grandes* guerras civis nacionais e catorze locais, duas guerras com o Equador, três quarteladas e uma conspiração fracassada. Em cada uma dessas convulsões, os vencidos ficavam à mercê dos vencedores, sofrendo o confisco de seus bens, sendo obrigados a transladarem-se com suas famílias à busca de refúgio. Essas violências, gerando uma herança de ódio e ressentimento, um espírito de revanche e de vindita que passa de geração a geração, agravam cada vez mais um ambiente já tenso pelas oposições de interesses, pela espoliação e pela revolta.

Todos esses conflitos, porém, foram meros preâmbulos ao desencadeamento da violência mais desenfreada que se seguiria. A primeira dessas explosões estalou em 1903, nominalmente entre os aliados dos dois grandes partidos políticos patriciais, os liberais e os conservadores, estendendo-se por mil dias de pavor que custaram a vida de 100 mil colombianos. Estes dois partidos são essencialmente idênticos no plano programático porque ambos defenderam, em momentos distintos, as mesmas posições quanto a quase todas as questões postas em tela na política nacional. Sempre estiveram solidamente acordes quanto à manutenção dos privilégios oligárquicos em torno dos quais se unificaram, sistematicamente, cada vez que surgiu uma ameaça real de reforma. São, todavia, as mais diferenciadas, as mais importantes e também as mais sinistras instituições nacionais. Um colombiano, seja ele rico ou pobre, nasce liberal ou conservador. Um número espantosamente grande de colombianos morre efetiva, real e sangrentamente por sua filiação partidária ou, ao menos, em razão dela, é espoliado de seus bens, desterrado, espancado e humilhado. E isso não ocorre com os donos dessas organizações, que nelas põem mais seu afã de fazer carreira que seu partidarismo, mas com a gente mais humilde da Colômbia, maciçamente mobilizada para identificações político-partidárias que polarizam todas as suas lealdades e a orientam para os descaminhos da violência. Essas lutas cumprem, por isso, a função social de desviar as atenções do povo, de seus verdadeiros verdugos e exploradores, para fantasmagorias. Mobilizando a herança de ódio e ressentimento que vibra em cada um, pelos parentes e amigos decapitados, trucidados, violentados, destripados, escalpelados, estropiados, por um ou por outro bando, as ondas de violência se sucedem, agravando cada vez mais o problema.

Essa situação já alcançou tamanha gravidade que afeta a própria solidariedade nacional, tornando a identificação com uma parcela mais forte do que a lealdade ao todo; minando profundamente os vínculos mais elementares de convivência humana; embrutecendo o caráter pela familiarização com a violência e pela introjeção maciça do espírito de vindita.

O mais sinistro da violência colombiana é que não se trata de um fenômeno de transição entre um corpo de valores tradicionais que desaparece e um novo que emerge, ainda indefinido, incapaz de motivar e disciplinar a conduta social. Trata-se de um mecanismo regular, por assim dizer, normal, de uma função social exercida pelas instituições políticas que, em lugar de contribuir para a superação das formas estruturais que lhe dão origem, só contribui para perpetuá-las.

Tradições histórico-sociais profundas, como aquelas experimentadas por tantos povos entre a condição colonial e a nacional, entre a sociedade feudal e a burguesa, entre o regime capitalista e o socialista, jamais assumiram o caráter de irrupção crônica de violência que encontramos na Colômbia. Todos aqueles casos eram nitidamente dissociativos, mas também autocorretivos, porque contribuíam para erradicar uma ordem e implantar outra. Aqui, ao contrário, as instituições militares e políticas mergulham na violência como mecanismo de perpetuação da ordem social global.

Parece representar um papel decisivo nesse processo a natureza mesma da classe dominante colombiana, fruto de sua formação histórica. Ela surge da conquista em que o espanhol se assanha sobre os povos indígenas como um flagelo, jamais se identificando com a massa vassala ou escrava posta a serviço de sua cobiça. Emergindo da pobreza e da opressão colonial, ela alicia o povo para as lutas de emancipação para depois mantê-lo sob o mesmo regime de exploração. Mais tarde, enriquecida, alça-se sobre o povo, alienando-se tanto ideologicamente quanto por seus interesses econômicos, para fazer-se agente nativo dos exploradores estrangeiros. Em face da espoliação da província do Panamá, não consegue reagir, entrando num complexo culposo. É sintomático, nesse contexto, a manifesta animosidade da classe dominante colombiana a examinar o próprio problema da violência. Essa evitação é reveladora do seu temor de colocar a nu o seu próprio papel condutor na implantação da violência e o caráter desta como despolarizador das lutas sociais.

De todas as formas seculares de espoliação e deformação com que o povo colombiano foi flagelado, desde a conquista, por todos os que cresceram e enriqueceram com sua miséria, a violência é a mais daninha. Instalou-se em cada colombiano como uma enfermidade. Contamina cada lar, integrando a todos numa herança de ódio e a todos induzindo à glorificação dos criminosos do próprio bando. Essa herança que fustiga os colombianos é, todavia, uma das peças fundamentais do mecanismo de manutenção do domínio oligárquico. Seguramente não poderá ser erradicada senão com uma renovação estrutural profunda que suprima toda a camada dominante, fazendo emergir uma outra liderança nacional. Essa reestruturação social, porém, tem como pré-requisito básico a capacidade de polarizar o próprio elã combativo e o clamor por justiça que hoje biparte os colombianos em lutas de bandos fratricidas, para unificá-los em torno de objetivos revolucionários comuns de superação das causas do atraso e da penúria que são também as causas da violência.[28]

A década de 1946 a 1956 ilustra e exemplifica como um período de euforia econômica para as camadas dominantes, em que elas mais enriquecem, pode coincidir com a eclosão da mais terrível onda de violência sobre o povo. Em todo esse período, através da inflação, dos lucros extraordinários, do confisco dos salários pela carestia e da absorção pelo erário público dos prejuízos da balança de pagamentos provocados pela especulação, os ricos se tornaram mais ricos, as corporações financeiras e industriais cresceram e se concentraram, o latifúndio se expandiu e o imperialismo mais consolidou sua dominação na Colômbia. No mesmo período, as greves por aumentos de salários e os movimentos reivindicatórios dos camponeses sem terra, as tentativas de quebrar o quadro bipartidário de dominação política foram reprimidos com maior violência e selvageria. Avalia-se que no decorrer dessa década, de altos lucros empresariais e de rios de sangue e terror, mais de 300 mil colombianos perderam a vida.

Uma primeira fase, por assim dizer preparatória, começou com a ascensão do líder *conservador* Ospina Pérez à presidência, desencadeando-se uma onda de terror contra o povo, especialmente contra os camponeses, sob o pretexto de retaliação pelas violências cometidas pelos *liberais* em 1930, quando uma rebelião armada dos *conservadores* fora violentamente reprimida. Na verdade, o que se visava era dar aos régulos do partido do governo uma oportunidade para imporem a ferro e fogo o domínio sobre seu distrito, pagando seu devotamento com as terras de camponeses desalojados de suas granjas e com os bens de pequenos negociantes esbulhados.

Para executar esse programa de "homogeneização política" foram criadas, em 1947, as confrarias terroristas dos *pagaros*, bandos organizados por líderes conservadores e treinados por falangistas para atuarem como uma sinistra Ku Klux Klan cabocla. Atuando sempre junto com a polícia, acorriam aos municípios a chamado de chefetes locais para aterrorizar os camponeses do Partido Liberal, a fim de mudarem a composição política local, mediante a imposição do êxodo em massa. Além dos objetivos políticos dos seus amos, os bandos de *pagaros* e policiais alcançam os seus próprios desígnios através do exercício sádico da violência e do saque. Provocaram, assim, verdadeiros genocídios, trucidando em mais de uma ocasião, numa só noite, mais de uma centena de pessoas. O terror se alastrou pelo país, açulado pelo banditismo oficial e oficioso. No campo, contra os camponeses pobres; nas cidades, contra os operários que ousavam ir à greve, contra os estudantes que protestavam e contra os intelectuais que desmascaravam os interesses motivadores da violência.

Surge, então, Jorge Eliécer Gaitán, líder populista de extraordinária capacidade de comunicação com a massa. Era um novo Galán, letrado e citadino, advogado brilhante que se fizera orador popular e líder político. Seu prestígio cresce dia a dia e com ele a ameaça de pôr em xeque o estatuto de dominação patrícia, porque ele se negava a identificar-se com os *liberais* ou com os *conservadores*. Convocava o povo para um *gaitanismo* desatrelado dos quadros políticos tradicionais, esforçando-se para engajá-lo na luta independente por sua própria causa. Esse foi o pecado capital de Gaitán, que passaria a ser hostilizado pelas lideranças dos dois partidos, à medida que ganhava prestígio com as camadas populares, tanto *liberais* quanto *conservadoras*.

A 9 de abril de 1948, Gaitán é assassinado. Sobrevém, naquele dia e nos dias seguintes, a rebelião tumultuária do povo, que a opinião pública de todo o mundo acompanhou, principalmente porque, então, se realizava, em Bogotá, sob a presidência do general Marshall, a Nova Conferência Pan-Americana. A hecatombe ficou conhecida como o *bogotazo*. Em uma noite e dois dias o centro da cidade ficou reduzido a escombros fumegantes; igrejas, repartições, bancos, empresas, residências, tudo foi triturado e incendiado. O exército, entrincheirado em defesa do governo que se açoitara no palácio, assediado pela multidão ululante, dizimou milhares de pessoas. Por todo o interior do país, os *gaitanistas* ou os liberais, que ainda detinham força e unidade para fazê-lo, assumem os governos locais e desencadeiam também a violência, cometendo tropelias e vinganças sangrentas contra seus opressores de ontem.

Passados os primeiros dias de confusão, o governo recupera o controle da máquina de repressão e desencadeia o terror sobre o país, doravante a cargo do exército em lugar da polícia. Os *liberais*, que começaram colaborando na esperança de uma reviravolta política, foram logo lançados à oposição diante da deliberação dos *conservadores* de reprimir ou suscitar a violência, segundo ela servisse ou desservisse à candidatura de Laureano Gómez. Praticamente, os dois partidos se lançam à guerra aberta, com a circunstância de que aos líderes *liberais* cumpria, conforme o caso, incitar ou condenar moralmente as violências, enquanto aos *liberais* pobres, sobretudo aos camponeses, cumpria, tão somente, sofrê-la na própria carne.

Laureano Gómez acaba sendo eleito presidente "por unanimidade", tal o pânico a que o povo fora levado e a disposição dos conservadores e seus agentes de antes matar um liberal que deixá-lo acercar-se de uma urna. A violência só recrudesceu com o novo governo, ganhando o alento que não lhe podia faltar, dada a formação nazista de Laureano, sua posição falangista, estimulada pelo apoio norte-americano através de empréstimos e honrarias com que o ressarciam por sua fidelidade aos interesses de suas empresas e por ter sido o único governo latino-americano que enviou tropas para a guerra da Coreia.

Começaram, então, a espocar as guerrilhas colombianas. Não resultaram de nenhum plano político, mas surgiram como frutos naturais e inevitáveis da violência desencadeada sobre os camponeses, juntando os mais desesperados em busca de refúgio ou de vingança pelas ofensas sofridas. Integram-nas, principalmente, camponeses *liberais* despreparados militar e ideologicamente para a luta, mas empurrados para a guerrilha por não terem mais onde ficar, nem como defender seus familiares sobreviventes contra os *pagaros* e contra a polícia.

A princípio, as guerrilhas procuraram acercar-se do exército solicitando seu amparo, confiantes nos líderes *liberais* que sonhavam com um golpe militar. Explicitando, porém, por sua própria forma de ação, a oposição irredutível de interesses entre a massa camponesa e os latifundiários, entre os deserdados e a oligarquia, as guerrilhas começam a postular reivindicações sociais: melhores condições de vida para os *llaneros*; o retorno às suas terras para os camponeses desalojados; garantias contra o terror policial; justiça. Como era de esperar, perderam, incontinenti, o apoio dos fazendeiros *liberais*, que se somaram ao coro dos *conservadores*, caracterizando as guerrilhas como grupos de bandoleiros comunistas que precisavam ser erradicados a ferro e fogo das matas e serranias.

Os amos de um e outro bando político passam, então, a subornar oficiais e soldados para mais estimulá-los à luta e à violência. Nesse processo, as guerrilhas encurraladas e perseguidas são obrigadas a organizar-se melhor, aprendendo a lutar e a municiar-se com as armas tomadas em combate. Aos poucos, conseguem vincular-se às populações camponesas, assegurando-lhes o amparo contra os assaltos policiais. Nas regiões mais atingidas pela violência, alguns grupos guerrilheiros impõem uma nova ordem sobre o caos, estabelecendo organizações populares de autodefesa das massas; estruturando um poder local; promulgando *leis do llano* para proteger a vida e os bens da população e para castigar os criminosos.

Simultaneamente, porém, multiplicam-se grupos de aventureiros que fazem da guerrilha uma forma de vida, caindo no puro banditismo. A estes grupos se somam inúmeros bandos de adolescentes, rapazinhos e mocinhas, desgarrados e desesperados. Extremamente agressivos, se abatem sobre a população rural, matando, roubando, estropiando, violentando, pelo puro gozo da violência. Essas quadrilhas de delinquentes juvenis alcançam, por vezes, tamanho furor sádico que trucidam dez, vinte, trinta e até quarenta pessoas indefesas, de uma só vez, com requintes inenarráveis de perversidade. As guerrilhas políticas, daí em diante, tiveram de enfrentar, simultaneamente, as forças governamentais antirrevolucionárias, esses subprodutos da opressão e da violência e, ainda, as obrigações de defesa estática das "ilhas" libertadas.

Ao alcançar esses extremos, a violência já se difundira por todas as camadas, degradando tanto quem as cometera originalmente como quem as pretendera combater. Assim é que, no correr da luta, a própria oficialidade do exército vai aprendendo que havia mais a ganhar nessas campanhas do que com os soldos e as propinas oficiais. Passam a negociar com o gado dos *llanos*, a apropriar-se das terras de que desalojam os moradores, a fazerem-se intermediários da comercialização das colheitas de café. Desse modo, a oficialidade do exército entrava também a afazendar-se, acabando por se fixar a expectativa de que a cada patente da hierarquia militar deveria corresponder certo número de hectares... à prussiana. Outra fonte de deterioração das tropas regulares era sua última associação com os bandos terroristas dos *pagaros*, com os policiais deformados como seviciadores e, finalmente, com os condenados retirados dos cárceres para lançar contra os guerrilheiros.

Em 1953, o processo avançara tanto que os militares passaram a achar supérfluos também os políticos patriciais. Em nome da paz social, o general Rojas Pinilla assume diretamente o poder. Sua proclamação tranquilizadora, que conclamava todos os colombianos à harmonia, convenceu a maioria dos guerrilheiros. Confiantes na mão estendida do ditador, depuseram as armas e começaram a retornar aos lares destruídos e a esforçar-se por reiniciar a vida pacífica. A trégua, porém, não durou um ano, reacendendo-se a violência com um massacre de dezenas de estudantes que revelou a irrecuperabilidade daqueles militares para a democracia.

Espocam de novo os conflitos. Antigas guerrilhas se reestabelecem e novos grupos se levantam, passando todos eles a ser combatidos por corpos regulares de tropa, com uso de carros de combate, de artilharia pesada, da aviação, para metralhar multidões e incendiar aldeias com bombas *napalm* sob a orientação técnica de assessores norte-americanos. O insucesso dessa máquina guerreira contra guerrilhas inatingíveis nas grimpas dos morros ou no recesso das matas foi desmoralizando as tropas, que compensavam sua frustração chacinando camponeses indefesos, oprimindo operários urbanos e perseguindo estudantes. Os generais ressuscitam, então, a velha máquina repressiva dos *pagaros* falangistas, dos bandos de condenados libertos condicionalmente para se engajarem na contrarrevolução. Dessa fase são, talvez, os atos mais atrozes de fúria sanguinária e de tara sexual, inclusive o pagamento *"per capita"* dos guerrilheiros ou quaisquer "comunistas" mortos, mediante a exibição das orelhas nos quartéis.

A violência desencadeada pela ditadura militar jamais comoveu suficientemente a oligarquia colombiana para conduzi-la a uma ação pacificadora, até que a crise econômica e financeira passou a inquietá-la. Depois de uma década de euforia inflacionária, de empréstimos de favor, de corrupção da máquina financeira e de negociatas, sobrevinha a crise. Só então o patriciado político se pôs em brios; tanto mais porque Rojas Pinilla passara a proclamar que nem *liberais* nem *conservadores* assegurariam a paz social aspirada pelos colombianos. Juntaram-se, então, para conspirar, os inimigos irredutíveis de ontem, aconselhados pelos financiadores de suas campanhas.

O *liberal* Lleras Camargo, notório como o mais entreguista dos colombianos (ou o mais entusiasta dos líderes latino-americanos da livre-empresa, do cogoverno dos empresários industriais com os políticos patriciais, da integração dos produtores de matérias-primas na economia internacional, das fórmulas norte-americanas de organização sindical), faz-se a pomba da paz. Voa à Espanha, onde acerta com Laureano Gómez, o desencadeador do terrorismo contra seus partidários, uma trégua entre *conservadores* e *liberais*, ou, segundo suas palavras, "um parêntese de concórdia no ardor de suas pugnas". Estabelecida a *entente* patricial-oligárquica, a ditadura foi derrubada por um misto de greve geral e *lockout*.

O pacto firmado na Espanha, e, mais tarde, aprovado num plebiscito, instituiu a Frente Nacional que viria garantir o condomínio dos dois partidos patriciais sobre toda a máquina do Estado, com alternação quadrienal da presidência e rateio de todos os cargos públicos. Ascende Lleras Camargo à presidência, segundo o desejo de Laureano Gómez, que o recomenda à nação como "as mãos mais capazes e a inteligência mais luminosa".

No poder, Lleras Camargo alcançaria o que mais dele esperava a oligarquia: os empréstimos norte-americanos indispensáveis ao reequilíbrio das finanças. A violência prosseguiu, porém, embora com menor intensidade, porque tinha suas raízes em causas estruturais profundas que nenhum acordo de cúpula conseguiria afetar.

Dez anos de violência feroz, centenas de milhares de vítimas que haviam custado ao povo colombiano o ônus de uma guerra civil, resultaram neste fruto espúrio: uma *entente* entre as duas instituições patriciais sinistras, para prosseguirem regendo a dominação oligárquica e a exploração estrangeira sobre o país.

Tal como alguns enfermos exemplificam clinicamente um processo patológico, pondo à mostra suas características essenciais, a Colômbia exemplifica uma enfermidade que pode acometer qualquer nação que tenha seu desenvolvimento social constringido por um pacto das oligarquias nacionais com os interesses imperialistas nelas implantado.

Por seus interesses fundamentais, povo e oligarquia se opõem, na Colômbia, com tal crueza, que a análise desta oposição, o estudo das técnicas de sujigação popular, de contenção dos impulsos reformistas, de liquidação das forças renovadoras, lança luz sobre os problemas do desenvolvimento social, tal como os estudos clínicos ajudam a compreender os processos patológicos.

A revolução dos mil dias e as convulsões posteriores, como as de 1930 a 1946, cabem na categoria de guerras civis e conflitos sociais do tipo que experimentaram tantos países. Já o *bogotazo* tristemente célebre de 1948, dado o espontaneísmo de sua irrupção, seguida ao assassinato de Gaitán, dificilmente caberia nessa classificação. Ele já revela um estado de frustração de imensas multidões que só se explica por especiais condições de compressão social e de espoliação. Os acontecimentos da chamada "homogeneização" de 1950-3, quando cada déspota local se sentiu estimulado para dizimar as minorias *liberais* do seu distrito, excedeu também o padrão, por sua iniciativa local, por sua difusão por todo o país, pelo amparo que teve do governo central.

As violências que se sucederam de forma ainda mais grave, no período ditatorial de 1955-8, alcançaram um clímax só caracterizável como um processo generalizado de dissociação e de anomia. Mas não se encerraram aí, porque a violência prosseguiu depois de 1959, já agora em atos aparentemente isolados, embora reveladores da insanidade alcançada. Cálculos fundados nas estatísticas dos últimos anos revelam que a Colômbia alcançou, em 1960, uma média de mortalidade por homicídio de 33,8 sobre cada 100 mil habitantes, quando a dos Estados Unidos, nação nada tranquila, é de 4,5 e a do Peru, 2,2. Com base nesses estudos, o monsenhor Guzmán avalia que, de 150 mil delinquentes, em 1960, a Colômbia corre o risco de saltar para 250 mil, em 1965, quando 1,3% da população estaria incriminada e deveria ser recolhida aos presídios (G. G. Campos, O. Fals Borda e E. U. Luna, 1964, vol. II: 407-10).

Esses fatos só são explicáveis por especiais condições de obstrução do desenvolvimento histórico conducentes a uma crise estrutural que se exprime das formas mais anômicas. A defasagem no desenvolvimento das instituições sociais, que se processa, normalmente, a velocidades distintas, gerando desarmonias, conduziu na Colômbia não apenas aos descompassos usuais, mas a um verdadeiro trauma social. Este trauma exprime contradições estruturais mantidas à força de feroz repressão ao longo de décadas, a fim de perpetrar a estratificação social arcaica e o sistema de privilégios da camada dominante. Reprimindo as tendências à mudança da estrutura social até um limite extremo, a oligarquia colombiana vedou todos os canais de escape das tensões sociais e todos os caminhos alternativos que permitiriam uma transformação progressiva, exceto o das disputas político-partidárias formais. Nessas circunstâncias, as tensões acumuladas, em lugar de conduzirem a movimentos autenticamente renovadores, explodem em atos anárquicos e desencadeiam processos patológicos como expressão indireta das contradições estruturais e como mecanismos de perpetuação da ordem oligárquica.

A irrupção da violência em massa — com seus 300 mil assassinatos admitidos oficialmente e com um número seguramente superior a 1 milhão de feridos, desterrados, roubados, aleijados, em uma década — ocorre quando a ordenação global representada pelas instituições reguladoras de âmbito nacional (governo, Igreja, justiça, exército, polícia, partidos, imprensa) confunde-se, na exacerbação dos ódios partidários, com a ordenação local, tudo fundindo e afundando na mesma disfunção generalizada. Nessas circunstâncias, a violência dos régulos municipais, geralmente mais discriminatória e mais odiosa, é movida e capitalizada pelas altas oligarquias nacionais, em seu propósito insano de imposição do mando e do controle do poder político, a qualquer custo. E toda a estrutura social passa a operar como geratriz de formas anômicas de conduta no plano individual ou familiar que constituem, todavia, os modos regulares de manter o regime global, ou seja, a função mesma das instituições.

A violência penetra, assim, todas as camadas sociais como uma enfermidade endêmica que ataca a nação: exprimindo-se em alguns setores através de atos concretos de terrorismo; em outros, no acumpliciamento com o crime ou em formas mais sutis de acobertamento e justificação. Esse é o caso da atitude de evitação de qualquer polêmica sobre a matéria, como um assunto vergonhoso e sujo que não deve ser mencionado; ou, ainda, da atitude de cinismo aparentemente isento que com frequência preenche o lugar da autocrítica recuperadora das culpas que são de todos, mas essencialmente da estrutura social e dos interessados em sua manutenção. Por todas essas formas de participação se conjuram os diversos setores da sociedade colombiana para assegurar a impunidade e estimular a perpetuação da violência.

O fenômeno é extremamente grave porque afeta uma sociedade inteira, contrastando com disfunções do mesmo caráter, como o terrorismo tipo Ku Klux Klan dos norte-americanos, ou os assassinatos em massa dos nazistas, sempre a cargo de uns poucos e sempre voltados contra minorias definidas etnicamente como "o outro". É grave, sobretudo, porque exemplifica uma consequência do enrijecimento social que pode explodir, amanhã, em qualquer das tantas nações latino-americanas deformadas pelas mesmas constrições, isto é, por ordenações econômico-sociais que cerceiam o seu desenvolvimento para atender aos interesses de minorias privilegiadas. Trata-se, pois, não apenas de lamentar o que ocorre aos colombianos, mas de precaver-se a fim de evitar que se reproduza o desencadeamento da violência em outras áreas, motivado por provocações ingênuas das forças que lutam pela renovação social, ou propositadamente ateada pelas oligarquias no seu desespero pela manutenção de seus interesses e em sua indiferença pela sorte do povo.

Entre os fatores senão causais, mas pelo menos concomitantes com a violência na Colômbia, os estudos do monsenhor Guzmán assinalam uma série de traços que poderíamos identificar na maioria das sociedades latino-americanas: a desmoralização dos poderes públicos aos olhos do povo, o caráter cruamente repressivo e de manutenção do regime impresso às suas Forças Armadas, o partidarismo extremado, a degradação da Justiça manobrada politicamente, o clientelismo e a corrupção da burocracia, a deterioração do sistema eleitoral pela fraude e pela coação, a virulência verbal e a irresponsabilidade dos órgãos de divulgação, a desmoralização das lideranças religiosas engajadas na politicagem, o preconceito racial e social, a discriminação contra mestiços e negros, a miséria generalizada das populações recém-urbanizadas.

Qualquer país onde exista um regime oligárquico equivalente e onde se constate a presença dos mesmos concomitantes (e qual dos *povos novos* poderia ser excluído disso?) está sujeito ao desencadeamento de um processo idêntico, à medida que os interesses dominantes tendam a ser substancialmente afetados. Quando o ódio exacerbado se torna contagioso; quando se quebra a coesão social e a fraternidade nacional; quando cada família e grupo passa a armar-se contra seu vizinho e a justiçar pelas próprias mãos; quando os valores fundamentais da solidariedade humana e do respeito recíproco já não movem muitos, nem comovem ninguém diante do desafeto trucidado; então, se preenchem as condições para instalar-se um clima de terror e de vindita, que é o mais terrível flagelo que pode recair sobre um povo. É uma enfermidade mais mortífera, mais deformante e mais grave do que qualquer epidemia. Pior, até mesmo, do que a guerra entre nações, porque é a guerra aberta e bárbara dentro da própria nação, que se abate contra mulheres, contra velhos, contra crianças e a tudo apodrece e a tudo degrada. A recuperação dos valores humanos, depois de desencadear-se essa hecatombe, é mais difícil do que a cicatrização das feridas de guerra, porque exige a restauração de delicadíssimos mecanismos de estímulo ou de contenção moral sobre os quais se sabe muito pouco e que escapam de qualquer possibilidade de restauração racional e planejada.

Tal foi o que ocorreu à Colômbia, "contagiada de conspiração", engajada numa guerra civil sem programa, que difere de uma revolução social tanto quanto uma operação cirúrgica difere de uma carnificina. O povo colombiano, sangrado por sua oligarquia, invadido pelo ódio político, bipartido em bandos trucidadores, foi, assim, conduzido à sua própria dizimação. E o mais grave é que por esse descaminho só contribuiu para consolidar a ordem patricial-oligárquica e antipopular e a espoliação imperialista, atrasando no povo a tomada de consciência de seus problemas, impossibilitando a formulação de seu projeto próprio de desenvolvimento autônomo e tornando, por todos esses modos, mais difícil a arregimentação das camadas populares para a luta por suas próprias causas.

Mesmo os grupos armados resultantes das lutas entre liberais e conservadores, e que depois se estruturaram como "repúblicas camponesas", dominando, por vezes, extensas áreas do país, acabaram sendo, muitos deles, dizimados. Sobre as experiências de seus fracassos é que se organizaram, mais tarde, novos focos guerrilheiros, descomprometidos com a responsabilidade de defender as populações locais das investidas do exército e de governá-las precariamente. Através de sua luta, as vanguardas revolucionárias colombianas se polarizam para desencadear movimentos insurgentes generalizados que aspiram erradicar a estrutura de poder vigente e tornar possível a reordenação da sociedade segundo os interesses da maioria dela.

VII. Os antilhanos

As Antilhas configuram um enorme arco de milhares de ilhas que se estende das Guianas até a Flórida. Compreendem as Antilhas holandesas (Suriname, Curaçao, Aruba etc.), as Antilhas britânicas (Guiana, Trinidad, Barbados, Bermuda, Bahamas etc.), as Antilhas francesas (Guiana, Martinica, Guadalupe etc.) e as Antilhas norte-americanas (Porto Rico, Virgines etc.). Dentro do arco formado pelas Antilhas exteriores ficam as três grandes Antilhas independentes: Jamaica, a ilha Espaniola, que se biparte em dois países — a República Dominicana e o Haiti —, e, finalmente, Cuba, a maior das três.

As designações Antilhas, Índias Ocidentais e Caribe são nomes genéricos empregados, respectivamente, pelos franceses, ingleses e norte-americanos para designar a miríade de ilhas do grande arquipélago. O termo Antilhas estende-se, frequentemente, às Guianas, e o termo Caribe, à área formada pelas ilhas e as áreas continentais circunvizinhas, que receberam grandes contingentes negros: sul dos Estados Unidos, América Central, Colômbia, Venezuela e Guianas.

Essas Antilhas foram a América que Colombo viu, pois, além das ilhas, suas naus apenas tocaram na costa venezuelana e em terra firme centro-americana. A elas, portanto, se deve atribuir seu deslumbramento com o mundo tropical, descrito, por vezes, nos seus diários como uma visão do paraíso perdido.

Ainda hoje muitos pensam nas Antilhas como um reino dourado de sol e de palmeiras, de praias de límpidas areias, de águas cristalinas e de afrodites mulatas. Assim será, talvez, para algum turista que salte no aeroporto ao hotel de ar condicionado, com sua praia privativa e seu cassino próprio. Na realidade, nenhuma amenidade de clima pode esconder o cheiro azedo da miséria, e a visão dos farrapos e das enfermidades carenciais, estampadas em povos famélicos como os antilhanos. Só em alguns bairros privilegiados, umas pouquíssimas famílias brancas e uma elite mestiça também muito rala vivem num mundo segregado de conforto moderno. O grosso do povo, cujos casebres se alastram pela orla das cidades, sobem pelos morros ou descem os vales acompanhando as plantações, vegeta nas mais precárias condições de pobreza.

A população antilhana excedia, em 1960, a 22 milhões de habitantes, correspondendo-lhe, por isso, a posição de um dos principais blocos demográficos americanos. É também a que alcança maiores densidades por área, nas Américas e

AS AMÉRICAS E A CIVILIZAÇÃO

até no mundo, se se consideram suas enormes proporções de terras montanhosas e vulcânicas, não cultiváveis. É, ainda, a mais dilacerada pela dominação colonialista, ali exercida, ainda hoje, por quatro imperialismos: o norte-americano, o britânico, o francês e o holandês. É, por último, a menos amadurecida em suas conformações étnico-nacionais e a mais segmentada pela discriminação racial e social. Em muitas áreas se contrapõem negros, mulatos, indianos e brancos pobres divididos por maiores hostilidades entre si mesmos do que com respeito aos seus dominadores estrangeiros.

Surgidos como subprodutos de empreendimentos mercantis escravistas, produtores de açúcar e outros artigos tropicais, os povos antilhanos só agora começam a definir-se a si próprios como nações americanas, aspirantes à autonomia e tão dignas como quaisquer outras. Sobre eles, mais talvez do que sobre quaisquer outros povos americanos, se imprimiram as marcas psicológicas, sociais e culturais do pacto colonial, que a todos empobreceu culturalmente e em todos infundiu e generalizou uma denigrinte imagem de si próprios.

1. As plantações milionárias

O estudo das Antilhas oferece um interesse particular porque elas configuram, em estado puro e ampliado, os efeitos da colonização europeia através do sistema de *plantations*, qualquer que seja o povo que haja empreendido a exploração. Elas exemplificam, também, copiosamente, o pouco que representa a independência política desacompanhada da autonomia econômica, só conducente à substituição do domínio colonial por novas formas de subjugação. Elas testemunham, ainda, como com essas mesmas massas humanas se podem plasmar povos progressistas e orgulhosos de si mesmos, como os cubanos modernos.

Seu estudo oferece, também, um especial interesse para a compreensão do processo de formação dos povos americanos, porque, em sua pobreza, as Antilhas foram as matrizes da riquíssima e orgulhosa república ianque, cujo sucesso se deve, principalmente, à viabilidade econômica que as ilhas açucareiras lhe deram como mercado de sua produção. Sem tantos escravos a alimentar, enquanto produziam, seria economicamente inviável o empreendimento de uma colonização de povoamento, fundada na pequena propriedade e na economia familiar, voltada principalmente para a produção de artigos de subsistência. As Antilhas são, por isso, a contraparte, negra e escrava, pobre e miserável, da América do Norte, branca, rica e livre.

OS ANTILHANOS

A economia monocultora de produção de açúcar, no seu passado áureo, provia uma rentabilidade enormemente maior do que as colônias de povoamento dos ingleses, holandeses e franceses. Eram economias mais prósperas e mais avançadas, tecnologicamente, e por seu alto grau de especialização desafiavam paralelos com outras formas de produção agrícola. Conduziam, também, a uma alta concentração de renda que permitia remunerar copiosamente os capitais investidos. Geravam, porém, comunidades humanas das mais miseráveis de que se tem notícia, caracterizadas pelo contraste entre a riqueza dos donos-residentes que conseguiam reproduzir em suas plantações, a peso de ouro, condições europeias de conforto e até superá-las, e a indigência da massa humana engajada no processo produtivo.

A economia antilhana, fundada na *plantation*, e a norte-americana branca, baseada num sistema granjeiro e artesanal, se opõem historicamente como concretização de diferentes modelos ordenadores da vida social, para efeitos produtivos. Economicamente falando, nos séculos XVII e XVIII o progresso e a prosperidade não se encontravam nas colônias norte-americanas de povoamento, mas nas plantações escravocratas das Antilhas. Sua economia era tão próspera que se podia dar ao luxo de importar escravos africanos, mais eficientes e mais caros que os trabalhadores brancos engajados como servos temporários no sistema estadunidense. O modelo ordenador, porém, no caso das Antilhas, drenava todo o lucro da exploração para fora, apenas investindo o indispensável para repor a escravaria gasta no trabalho ou abatida pelo trato inumano e para alargar as plantações e multiplicar os engenhos. As colônias de povoamento, operando como um sistema econômico autônomo, obtinham, através do comércio de sua produção agrícola com a área antilhana, os recursos necessários para custear suas importações de manufaturas europeias e, sobretudo, para investir numa economia multiforme que se faria cada vez mais autárquica e mais fecunda.

As duas economias complementares cresceram juntas, cada qual atualizando suas próprias potencialidades. No continente, uma sociedade autônoma, produtora de cereais, que cresceria livremente, gerando uma série de modelos empresariais de produção agrícola, artesanal e de comércio, e um autogoverno em que os interesses populares se faziam ouvir e que permitiam incorporar massas crescentes de imigrantes numa terra de extensão quase infinita. Nas ilhas, surgiam sociedades cativas onde, ao lado de um punhado de ricos plantadores, se multiplicava o povo escravo, explorado como besta de carga, submetido a condições de opressão, que apenas garantiriam a destribalização e a deculturação dos descendentes de negros africanos, para integrá-los num complexo cultural espúrio e extremamente rudimentar.

Mas em território norte-americano também se implanta — convenientemente segregado da sociedade livre do *povo transplantado* das colônias de povoamento — um conteúdo "antilhano". É o mundo sulino das *plantations* escravocratas, com características comuns aos *povos novos*, fundado na escravidão negra, na miscigenação e na deculturação compulsória. A vitória dos contingentes *yankees* nortistas sobre os sulinos, decisiva na conformação final da nação, daria a supremacia ao Leste, que lucrara com a complementaridade econômica com as duas prósperas economias escravocratas, a interna e a externa, enriquecendo a precária economia granjeira da costa atlântica, possibilitando a implantação cerealista e pastoril do Oeste e criando as bases para a industrialização norte-americana.

Nas *plantations* norte-americanas, como nas *plantations* antilhanas, as línguas europeias se alteram e se estropiam, não tanto pelo enriquecimento com expressões africanas ou pela invenção de novas palavras, mas pela rusticidade do trato e pelas conformações decorrentes da fala por novas bocas afeiçoadas a outros idiomas. No esforço de dominar um instrumento de comunicação entre pessoas desgarradas de suas matrizes e de todas elas com o mundo dos brancos, surge esse linguajar alterado, sobretudo, pela contingência de aprendê-lo através da rispidez das ordens de trabalho, das instruções técnicas mais elementares e de um sistema de castigos e prêmios, principalmente castigos, destinados a fazer cada "besta falante" produzir o máximo.

Simultaneamente ao surgimento desses dialetos, os diversos núcleos afro-americanos recriam um folclore, uma música e novos corpos de crenças, uma nova visão do mundo, que colore o substrato cultural de origem europeia com nacos tomados das culturas tribais de toda a África, e, sobretudo, como produtos de sua própria criatividade. Essa protocultura é que passaria a instrumentar a explicação das coisas e da própria experiência; a servir como fonte de motivação para a luta de cada dia e como filosofia de vida desses povos escravos, formados pelo ajuntamento ou separação arbitrária de gentes de todas as origens tribais e sua amalgamação numa nova etnia.

Os conteúdos, principalmente espirituais, da herança africana dessa protocultura surgida em todas as áreas e populações que cresceram sobre matrizes escravas não indicam, provavelmente, um pendor especial das raças negras para a música, o ritmo ou a religiosidade espetacular. Revelam, antes, o peso da opressão a que estavam submetidos como escravos, que lhes impedia exprimir sua criatividade em qualquer outro campo que não as atividades lúdicas ou intelectuais consentidas nas poucas horas de lazer. Tendo de aprender a viver num estranho mundo novo, cuja terra, flora e fauna lhes eram desconhecidas; obrigados a adaptar-se à ração alimentar que lhes era distribuída; adestrados na realização das técnicas de trabalho indispensáveis para produzir açúcar ou algodão e outros produtos de exportação, viam-se despojados de quase tudo que seu patrimônio cultural os capacitara a fazer e a criar no campo da produção, da institucionalização e da arte. Não eram comunidades humanas vivendo no esforço de criar e recriar seu modo de ser, sua cultura, mas conglomerados de *peças* pertencentes a feitorias, condenadas a produzir as condições de vida e de produção mercantil de uma sociedade escravocrata, em que estavam inseridos como força de trabalho. Nessas circunstâncias, sua criatividade comprimida era sopitada pelos únicos escapes possíveis, que eram a expressão ideológica, artística e religiosa de seu drama de homens transformados em bestas.

O empreendimento anglo-saxônico na América do Norte revelou-se, desde os primeiros anos, deficitário e malsucedido para seus financiadores, bem como competitivo com a economia da metrópole. Pôde prosseguir, não obstante, como forma de ocupação das terras americanas e como uma saída para a sobra de gente das ilhas britânicas e, mais tarde, de todo o continente europeu. Assim, contribuiu para abrandar as pressões demográficas que poderiam ter levado à reforma da estrutura agrária e, por seu intermédio, à explosão de todo o sistema social europeu.

Sobreviveu e cresceu, todavia, em virtude de sua associação com as Antilhas e com as *plantations* sulinas, como provedores permanentes de alimentos para as ilhas inglesas e como fornecedores eventuais, mas muito frequentes, das demais. Esse abastecimento se fazia, seja através do contrabando, seja legalmente, por força das constantes interrupções do comércio provocadas pelas guerras intermitentes entre potências europeias que impossibilitavam um monopólio estrito do comércio colonial.

As Antilhas surgem, originalmente, como um esforço espanhol e, depois, também francês de promover um povoamento europeu estratégico para garantir a riquíssima exploração colonial da América hispânica ou para disputá-la. Implantam-se, assim, como uma medíocre sociedade granjeira, produtora de alguns artigos tropicais menores, a Hispaniola, Cuba, Porto Rico e Jamaica. Conformam-se, mais tarde, por iniciativa dos holandeses expulsos das regiões açucareiras do Nordeste brasileiro (1654), como uma nova área de canaviais e engenhos. Como tal é que crescem, se povoam com multidões de negros escravos, passando em menos de uma década a pesar nos mercados europeus de açúcar que terminam por dominar.

Nas Antilhas, em lugar da conquista que haviam tentado contra Portugal, os holandeses preferem negociar, interessando os colonos franceses e ingleses aí residentes na produção açucareira. Tendo já o controle do mercado europeu do açúcar, como intermediários da venda da produção brasileira, se fazem, assim, os financiadores do novo empreendimento, facilitando a assistência técnica, os escravos e a maquinaria.

O primeiro efeito da nova forma de colonização foi o desencadeamento de uma sucessão ecológica dos granjeiros brancos e seus mestiços com as índias por escravos negros. Os pequenos cultivadores, tanto espanhóis como franceses, instalados nas ilhas, em face do alude africano, transferiram-se, em massa, para as colônias do continente, mediante a venda de suas terras valorizadas pela nova exploração. Substituem-se, assim, os cultivos de anil, cacau, gengibre, algodão e as lavouras de subsistência por um mar de cana-de-açúcar.

A mestiçagem processou-se em todas as Antilhas com grande intensidade. Começou pelos cruzamentos dos europeus com as índias Karib e Aruak que ali encontraram. Operou-se, sobretudo, com espanhóis concentrados nas ilhas, primeiro, para o assalto ao México, depois, como núcleo de forças leais, que a metrópole procurou manter ali para acudir contra qualquer alçamento dos povos dominados. Segundo os depoimentos da época, a sofreguidão dos espanhóis por tomar as índias como amásias chegou a tornar impraticável a um índio encontrar mulher, contribuindo para o extermínio das etnias tribais.

Aos espanhóis seguiram-se, como agentes da miscigenação, os bucaneiros e corsários franceses e ingleses que enxameavam as ilhas não ocupadas pelos espanhóis. Quando esses novos contingentes europeus se instalaram como povoações permanentes, já em meados do século XVII, sendo ainda raras as mulheres europeias, prosseguiu o caldeamento com índias sobreviventes e com mestiças dos primeiros cruzamentos. Assim se formou uma camada mestiça básica, sobre a qual operariam os contingentes africanos, morenizando-a cada vez mais.

Desde o princípio foi franca a miscigenação entre europeus e negras e entre os descendentes destes caldeamentos e mais negros importados. Assim se constituiu uma camada mulata, só por isso, geralmente, liberta da condição escrava, mas sobrante na economia monocultora e marginal ao mundo servil e ao mundo dos verdadeiramente livres. As mulheres, dando concubinas mais atrativas ao apetite dos brancos, serviriam nas casas dos capatazes e multiplicariam novos mestiços mais claros. Os homens faziam-se capatazes ou serviçais mais qualificados e retornavam às negras, valorizados aos olhos delas pelo tom pálido-senhorial da epiderme, ampliando também a mestiçagem.

Nas ilhas colonizadas pelos espanhóis, que continuaram recebendo povoadores brancos porque nelas foi menor a dominação da monocultura, a população tem um fenótipo menos nitidamente negroide. Nas ilhas francesas e inglesas, cuja população original branca e mestiça transladou-se para mais longe, fugindo ao avanço da economia açucareira escravocrata, predomina o negro e o mulato. Nas Antilhas britânicas predomina o negro, alcançando os brancos um máximo de 4% da população. O Haiti constitui o caso extremo de homogeneidade negra alcançada por essa sucessão original e pelo extermínio dos brancos locais nas guerras de independência; tem apenas 10% de mulatos. Cuba, que tem uma população mais clara, conta com um contingente negro de 33%.

Essa alteração dos projetos originais de colonização das Antilhas teria profundas consequências no processo de formação de suas populações. Daria lugar a duas variantes flagrantemente contrapostas: a hispânico-antilhana e a negro-antilhana. Nas Antilhas espanholas formou-se, desde as primeiras décadas, uma camada mestiça, herdeira do patrimônio genético de suas mães Aruak e Karib e de seus pais ibéricos. Já não eram americanos, tampouco europeus, mas atuariam como agentes colonizadores, primeiro, sobre os índios, depois, sobre os estrangeiros. Essas células iniciais de uma cultura neoamericana é que integrariam os novos contingentes negros na língua, no saber, nos hábitos da terra. Assim é que se soldaram, pela participação num corpo de compreensões comuns que definiam seu modo de ser e seu estilo de vida, tanto os descendentes dos escravos como os dos colonizadores, todos incorporados a um complexo cultural novo, ainda espúrio por seu caráter de implantação exógena, que o vinculava ao mundo exterior, mas crescentemente capacitada a ir formulando seus próprios projetos étnico-nacionais, como futuras entidades culturais autônomas.

Nas outras Antilhas, de onde estas células mestiças originais foram erradicadas, ou onde jamais chegaram a plasmar-se, o negro escravo, conscrito para a produção mercantil, via-se desgarrado de sua gente e postado diante de meros capatazes. Nessas circunstâncias, nas Antilhas não espanholas, como no sul dos Estados Unidos, os negros escravos se viram desafiados a recriar, sob as mais desfavoráveis condições, uma protocultura que garantisse suas carências elementares de comunicação humana e de exercício de seu papel de instrumentos falantes. Ainda que os ingleses, holandeses e franceses, enquanto desgarrados de suas famílias, entrassem em intercurso com as negras, gerando também multidões de mestiços, a estes faltava a herança haurida da mãe indígena, como depositária do saber adaptativo milenar de sua tribo, do gosto de criar e do sentimento de dignidade humana que as sociedades não estratificadas podem prover em tão alto grau. Às suas relações com os próprios pais faltaria sempre a fluidez que presidia o convívio humano nas comunidades simbióticas, pré-capitalistas, híbridas de imigrantes europeus e de índios, assentadas na terra como sociedades mais homogêneas e culturas mais autênticas.

A contraposição dos dois perfis antilhanos — o hispânico-católico, de um lado, e o francês, o saxão e o holandês, do outro — reflete, essencialmente, a presença ou a ausência daquelas células geradoras da protocultura ocidentalizada. Mas reflete, também, em certa medida, a diferença do *ethos* ou da postura moral do ibérico em face do humano — mestiços eles próprios de caldeamentos milenares com negros e mouros — e dos norte-europeus principalmente protestantes, com sua estreiteza farisaica, que se permitiam a confluência sexual, mas não se perdoavam por ela e se predispunham à segregação e ao preconceito para com tudo que lhes parecesse estranho, inclusive seus filhos mestiços.

Nas áreas cuja colonização foi presidida por estes últimos contingentes, os brancos, os mulatos e os negros se contrapõem, em cada ilha, não apenas como estratos sociais diferentes e superpostos por suas rendas e privilégios, mas se conflitam como blocos raciais separados pela maior odiosidade entre uns e outros. Tudo, porém, de forma muito conveniente para a maioria branca e mulata, cuja dominância econômica e ideológica é avassaladora, a não ser nos momentos de grande tensão, quando as revoltas sociais se transmudam em guerras raciais.

O comportamento inter-racial nessas zonas antilhanas tem, por isso, certo colorido arcaico. Parece configurar contraposições pós-abolicionistas, superadas de há muito em todos os *povos novos*. De um lado, existe de comum a fluidez das relações no plano sexual, o gosto das mulheres negras por filhos mais claros, refletindo um ideal preconceituoso de branquização, que só admite o negro como um futuro mulato ou branco; mas realista, pela evidente predominância social dos morenos sobre os negros. De outro lado, o papel do mulato, sempre a capitalizar sua palidez e seu falar metropolitano, sua escolaridade e sua urbanidade, como instrumentos de ascensão social, tudo fazendo para situar-se junto ao quadro do branco dominador e contra as massas negras enormemente majoritárias de seus próprios povos. Nesse esforço, o mulato se faz *snob* e arrogante, introjetando uma negrofobia maior e mais odiosa que a do branco, que se exprime no temor a qualquer atitude ou expressão reveladora de suas matrizes raciais ou culturais africanas, ou que o identifique como negro. E a revolta do negro-massa contra o opressor, cuja homogeneidade em branquitude o faz identificar como inimigo, antes ao mulato e ao branco do que ao sistema de exploração. A estratificação social se justapõe tão precisamente à linha de cor que esta identificação se torna inevitável, envolvendo o mulato tanto pelos privilégios de que desfruta quanto pela arrogância que desenvolve a serviço do opressor e como fruto do próprio trauma advindo de sua marginalidade.

O aspecto mais penoso do problema é, provavelmente, a introjeção no negro e no mulato dos valores discriminatórios do branco e do culto de sua superioridade. A evidente eficiência destes no mundo econômico, sua notória dominação no campo social, político e educacional, confere-lhes uma superioridade efetiva que, fatalmente, passa a ser percebida como natural e necessária. É remarcada, ainda, por ideias, crenças e valores que impregnaram das formas mais brutais e mais sutis toda a população, configurando os negros, a seus próprios olhos, como gente de segunda categoria, como uma subumanidade menos nobre, não conformada à imagem da divindade branca, nem por ela dotada dos mesmos recursos de engenhosidade e de esperteza ou da mesma "beleza". Vendo-se, assim, a si próprios com repulsa fundada num ideal estético branco, falando um idioma que se considera um *patois* em face da linguagem metropolitana, cultuando divindades sincréticas de uma religião perseguida, o negro-massa só pode mover-se entre a rebelião e a resignação, sem encontrar uma autodefinição dignificadora, nem um caminho de emancipação.

Essa é a herança da colonização que, além de desgastar milhões de negros no trabalho, conduziu seus descendentes livres a um trauma psicológico paralisador de sua criatividade. Segregados como castas, os antilhanos claros e escuros de todas as ilhas coexistem sem conviver, divididos em esferas culturais distintas e socialmente imiscíveis. Os claros, vivendo em suas casas senhoriais, reunindo-se em clubes privatistas, convivendo em suas igrejas de diversas denominações, segundo os gostos dos colonizadores da área; esforçando-se persistentemente por performar, com perfeição, cada rito ou cada gesto de etiqueta, ou por dizer uma *boutade*, como o faria um europeu no continente. Os escuros, vergados sob a carga de trabalho, só tendo oportunidade de convívio social nos cultos secretos. Sua conversão secreta e superficial ao cristianismo apenas agregara valores novos às tradições que conseguiram preservar. O *vodou*, xangô afro-antilhano, com seus patronos sincréticos de santos católicos com divindades africanas, com seus ritmos candentes, sua alternação de cerimônias sagradas com festivais lúdicos, constituíam o único refúgio do negro-massa. Só ali podia esquecer as provações de uma vida de miséria e de humilhações. E, sobretudo, gozar de um convívio igualitário, em comunhão com uma coletividade, que o fazia sentir-se mais humano e mais digno, como expressões de uma cultura própria, marcadamente antibranca e intrinsecamente subversiva, porque ao menos na linguagem do culto se opunha a toda a ordem vigente, apesar de pejada de valores europeus. Por isso mesmo, os cultos foram sempre perseguidos, não só pela piedade de religiosos, que queriam livrar os negros dessa heresia, mas sobretudo pelo poder dominante, colonial ou nacional, inquieto com seu caráter irredentista.

Contra a imagem autoflageladora, que o negro acabara fazendo de si mesmo e que operava como um mecanismo de reforçamento da dominação econômica e política do branco, levantou-se, nos últimos anos, na intelectualidade de todas as Antilhas, um movimento irredentista que passou a exprimir-se na literatura e na militância política com crescente vigor. É o chamado "renascimento antilhano",[29] que se exprime nas três línguas, movido pela mesma paixão por criar uma cultura autenticamente antilhana, motivadora e integracionista. Combate em todas as frentes: desde o esforço por plasmar novos cânones estéticos que libertem o negro da preocupação de alisar os cabelos e clarear a pele à reabilitação do *créole* como língua de expressão literária, à reforma do sistema escolar para deseuropeizá-lo. Desde a dignificação do *vodou*, até a reavaliação apreciativa do papel histórico do negro no novo mundo, de sua contribuição decisiva para fazer quase tudo que aqui existe e da dignidade com que suportou séculos de escravidão sem resignar-se. Por todos esses caminhos procuram recolocar o negro de pé, restaurar seu orgulho de si mesmo como criatura humana e como civilizador. No elã com que combatem por sua nova estética e por criar sua própria visão do mundo, muitos desses líderes arriscam-se a cair em um novo racismo. Tal é a *negritude*, reação não só explicável mas até necessária para restabelecer o equilíbrio numa balança cujos pratos, por tantos séculos, estiveram retidos por uma tara de *branquitude*.

2. Arquipélago de quatro impérios

Uma distinção fundamental que se impõe para a compreensão do mundo antilhano de nossos dias decorre do estatuto político que o divide em colônias e países independentes, apesar do caráter formal e precário da autonomia destes últimos e das contrafrações que procuram disfarçar a dependência dos primeiros. Entre os dependentes, contam-se as Antilhas britânicas,[30] as francesas,[31] as holandesas[32] e o "Estado associado" de Porto Rico,[33] que perfazem 7,3 dos 22,2 milhões de habitantes da área (1960). Em todas elas predomina a economia açucareira de *plantation*, que, em alguns casos (Trinidad e Aruba) se combinam com explorações de petróleo e minérios.

É o mundo da *canocracia* com as estruturas sociais e políticas desigualitárias e rígidas, características das áreas de monocultura, resultantes da miséria de economias deformadas pela unilateralidade da lavoura comercial, que não dá lugar a culturas de subsistência e organiza toda a vida social em função de vontades e necessidades externas. As Antilhas francesas são as mais pobres e atrasadas com sua combinação incrível de latifúndio e minifúndio e o ônus do subemprego crônico. As inglesas são um pouco mais prósperas e também mais combativas, provavel-

Os antilhanos

mente pela presença e atuação de negros que regressam da América do Norte, depois de temporadas de trabalho eventual, com mais alto nível de aspirações.

Contribuiu decisivamente para a libertação das energias nacionais antilhanas a emancipação das novas nações africanas. As notícias de uma África rebelde e altiva, que emerge do jugo colonial, eclodiram sobre os antilhanos com um efeito de catarse, reacendendo o orgulho de sua humanidade negra, secularmente humilhada, e o elã combativo contra os velhos amos.

Nas Antilhas britânicas, depois de explosões de simples revolta indisciplinada, a luta libertária assumiu a forma de arregimentação sindical dentro das tradições *trade-unionistas* dos ingleses. Nas francesas, tomou uma forma política mais radical, sob lideranças de esquerda. As inglesas, através da criação de simulacros das instituições parlamentares (uma Câmara Baixa cujo presidente enverga toga e usa peruca), admitem certo grau de autogoverno, mas mantêm a dependência para com a metrópole. As francesas, através de uma "departamentalização" que só atende à aspiração dos antilhanos mais alienados, suspiram por uma autoidentificação com os cidadãos metropolitanos e com a etnia nacional francesa. Tudo isso resultou em transformar as colônias em "departamentos de ultramar" da República Francesa, de caráter bastardo, sem nenhuma perspectiva de igualização com o cidadão francês metropolitano, nos direitos políticos e, sobretudo, nos sociais.

Nas Antilhas holandesas existe também um esforço de simulação de independência, que embora representando uma contrafação, é melhor do que a histriônica elevação de Porto Rico à categoria de "Estado associado" da União norte--americana — com direito a um deputado, sem voto, no Congresso estadunidense — ao arrepio do sentimento nacional porto-riquenho, imposto sob a pressão da campanha de chantagem de Muñoz Marín sob a legenda de "associação ou ruína". Contra esse arranjo rebelam-se tanto os violentos partidários de Albizu Campos, recentemente falecido, que levam seu terrorismo até o território norte-americano, quanto as correntes moderadas da ilha.[34]

Das quatro formas de transição para a independência, a britânica tem a vantagem de criar oportunidades de amadurecer uma liderança política nacional e, sobretudo, traz implícito o conveniente de uma linha evolutiva de autarquização crescente. Todavia, as pressões dos últimos anos por enquadrar a Guiana Britânica, que buscava caminhos próprios de desenvolvimento e integração na América Latina, desacreditou o esforço, indicando que os limites ingleses à autonomia antilhana se confundem com o veto ianque a qualquer ordenação progressista. A independência afinal concedida traz todas as garantias de manutenção do máximo de vinculação e dependência praticáveis no ambiente

As Américas e a Civilização

de irredentismo que se criara.

Tanto na área francesa quanto na inglesa e porto-riquenha, entretanto, a situação social é explosiva pela inviabilidade evidente do sistema produtivo para manter a população e assegurar-lhe um padrão de vida mais digno. Em algumas ilhas, a concentração demográfica atinge extremos e ainda é aumentada constantemente por uma alta taxa de incremento.[35] Nessas circunstâncias, a aspiração de cada jovem que alcança uma educação elementar é emigrar. As metrópoles, porém, opõem barreiras a essa invasão, e o mercado de trabalho norte-americano lhes está vedado pela legislação de cotas destinada a impedir o ingresso de novos contingentes "de cor" no país.

Tudo isso importa num aumento crescente da tensão social que explodirá, fatalmente, em busca de uma reordenação estrutural que possibilite uma melhor utilização social dos recursos disponíveis. Tal é o modelo criado, ali mesmo, pelos vizinhos cubanos. Sua revolução foi para os antilhanos uma revelação só comparável à catarse provocada pela emancipação das nações africanas. E veio somar, à conscientização étnico-nacional que aquela lhes dera, uma dimensão política, que se volta cada vez mais para o socialismo como solução de seus problemas. Essa maré montante de sentimento revolucionário, diagnosticada pelos norte-americanos como "perigosa infecção castro-comunista", é, hoje, sua maior preocupação no Caribe.

A história das Antilhas independentes é, essencialmente, a crônica de suas relações com a América do Norte e da rebelião contra esse jugo. O grupo compreende o Haiti, a República Dominicana e Cuba, perfazendo cerca de 15 dos 22,2 milhões de antilhanos.[36]

Como vimos, a conjugação da economia açucareira das Antilhas com a economia das colônias produtoras de alimentos da América do Norte operava, presidida pela primeira, como centro dinâmico do sistema simbiótico. Esta simbiose (C. Furtado, 1959: 41-2), operando com a separação dos dois centros produtores complementares, permitiria desviar parte da renda da economia açucareira para subsidiar a economia norte-americana provedora de alimentos, elevando-a a uma etapa superior. Assim é que surge na América uma economia similar à da Europa contemporânea, isto é, dirigida de dentro para fora, produzindo principalmente para o mercado interno, sem uma separação fundamental entre as atividades produtivas destinadas à exportação e aquelas ligadas ao mercado interno.

Essa conjunção, de importância capital para a economia dos povoadores da América do Norte, opunha-se, porém, frontalmente aos interesses das metrópoles empenhadas em forçar o monopólio do comércio em suas colônias, sobretudo com respeito a fornecimentos competitivos com sua própria produção interna.

338

Assim, as primeiras tensões sérias da Inglaterra com seus núcleos coloniais norte-americanos decorrem de suas reiteradas tentativas de impedi-las de comerciar com as Antilhas francesas e as suas próprias.

Com a independência norte-americana, as Antilhas espanholas e francesas passaram a ser disputadas pelos ianques e ingleses, competindo já não apenas pelo mercado, mas pelo domínio econômico. A primeira ação de envergadura da América do Norte independente é a guerra à Espanha, em que o objeto de disputa eram os canaviais de Cuba e Porto Rico. Os líderes da independência norte-americana exprimiam clara e reiteradamente a aspiração nacional de incorporar a grande ilha à União. Não conseguem fazê-lo tal como se propunham, inscrevendo outras estrelas no estandarte nacional, pelo vigor do nacionalismo das Antilhas hispânicas, mas alcançam os mesmos resultados por outras técnicas de dominação: os investimentos e as intervenções.

Ao tempo da independência (1791), o Haiti contava com uma população escrava de meio milhão, talvez com mais 10% de mulatos livres, os *affranchis*, que desfrutavam de uma posição social privilegiada como intermediários do domínio da camada ínfima de brancos. Era a mais rica das colônias francesas e, provavelmente, naqueles anos, uma das mais rendosas possessões europeias no mundo. A revolta latente contra a opressão colonial, ganhando expressão com a linguagem libertária dos líderes da Revolução Francesa, unificou todos os haitianos num irresistível movimento emancipador, permitindo-lhes alcançar a independência antes que qualquer outra nação latino-americana.

Seguiram-se, porém, anos de luta intestina dos negros e *affranchis* contra os brancos, que procuravam dividi-los, para conformar a independência a seus próprios interesses. Depois da expulsão dos brancos, com o extermínio dos que resistiram, desencadeou-se a luta entre mulatos e negros que prossegue até nossos dias, com a sucessão de episódios sangrentos e de períodos de acomodação, sempre sob forte tensão.

Estas lutas impossibilitaram o surgimento de uma elite capaz de formular um projeto nacional integrador e de ordenar o novo Estado, em virtude da divisão irredutível entre os negros recém-emersos da escravidão e os *affranchis* mais letrados, que poderiam exercer esse papel. O Haiti foi conduzido, assim, por décadas, a um estado de convulsão em que se sucediam governos duplos e em disputa, as ditaduras mais ferozes e os retrocessos sociais, como as temporárias reimplantações da escravidão.

Contribuiu, também, para essa situação de anarquia a própria profundidade da Revolução Haitiana, que, ao destruir as bases mesmas da exploração colonial, afetara mortalmente o próprio sistema econômico, sem ser capaz de restaurá-lo ou de lhe implantar uma ordenação nova. Só um século depois, já agora dentro do modelo socialista, se tornaria viável a uma vanguarda revolucionária a empresa de conduzir uma insurreição popular vitoriosa à criação de um novo regime socioeconômico.

Diante do estado generalizado de conflito e da agressividade do haitiano ao branco, as potências coloniais foram mantidas à distância, não podendo abocanhar aquele espólio. Estabeleceram, porém, um cordão sanitário em torno do Haiti, por elas declarado fora da lei. Agravava ainda mais a situação o peso dos direitos de evicção cobrados pela França, que absorviam as rendas que os governos haitianos conseguiam produzir através da exploração.

Dilacerado pelos conflitos raciais internos, paralisado pelo trauma antibranco produzido por uma das formas mais iníquas de escravidão que o mundo conheceu, o Haiti conseguiu sobreviver independente por mais de um século. Nesse período, os financistas internacionais encontraram meios de vencer sua repulsa contra a república negra, acercando-se para negociar, ali também, seus empréstimos. Assim foram financiadas obras ferroviárias, o equipamento dos portos e simples empréstimos ao governo para fazer face à crise. Os banqueiros da América do Norte acabaram por se converter no grande credor, tanto por emprestar mais como por adquirir as dívidas contraídas com banqueiros europeus.

Preparado, assim, o caminho pela *diplomacia do dólar*, entra em cena a *diplomacia da Marinha*, no exercício do papel que os norte-americanos se propuseram de cruzados "monroístas" autoincumbidos de compelir os latino-americanos ao cumprimento dos compromissos financeiros assumidos. Sobrevém, então, com o assalto da infantaria da Marinha, a intervenção norte-americana. Um parlamentar haitiano, exprimindo sua revolta pela dignidade nacional ferida, assim se expressou:

> Em nome da humanidade, o governo dos Estados Unidos [...] levou a cabo uma intervenção armada em nosso país. E nos apresentou, na ponta da baioneta e com o apoio dos canhões de seus cruzadores, um tratado que com altivo imperialismo nos convida a assinar. Que tratado é esse? É um protetorado imposto por M. Wilson ao Haiti, o mesmo Wilson que, referindo-se às repúblicas irmãs da América Latina, num discurso em Mobile, disse: "Não podemos ser seus amigos íntimos a não ser que as tratemos como iguais". E agora aspira colocar o Haiti sob o protetorado dos Estados Unidos! Por quanto tempo? Só Deus o sabe, se se consideram as condições exigidas para a retirada das tropas de ocupação e para a revogação desse instrumento da vergonha.
>
> Não sou partidário de uma república fechada. Não penso que o

> isolacionismo seja um instrumento de progresso para uma nação. Não creio que os princípios do patriotismo residam no ódio aos estrangeiros e no rechaço da ajuda forânea inclusive quando é oferecida sinceramente. Tampouco acho que possa ser honroso sacrificar a dignidade do próprio país, sob compulsão ou não. Sacrificá-la para quê? Ordem ao preço da vergonha? Prosperidade com cadeias de outro? Prosperidade pode ser que obtenhamos [...] as cadeias as teremos certamente.[37]

A intervenção direta duraria de 1915 a 1934 e prosseguiria, depois, até nossos dias através da implantação de um regime tácito de tutela, exercido pelos embaixadores, pela CIA, pelo patrulhamento da Marinha norte-americana, sempre de alcateia para acercar-se dos portos e ocupá-los diante de qualquer possibilidade de instalação de um governo independente.

A justificação da intervenção norte-americana no Haiti, dada por um de seus mais credenciados historiadores oficiais,[38] se fez em termos da "incapacidade do governo titular e da oligarquia para trabalhar em harmonia", do "estado de anarquia" prevalecente, da "decadência e degeneração" e, ainda, da mediocridade dos estadistas haitianos, "torpes e incompetentes". Mesmo esse historiador, que se faz juiz em causa própria, admite o "paralelo" interesse econômico, não apenas para cobrar os empréstimos em atraso, mas também para dominar a economia açucareira da ilha. E, por fim, revela como outro fator decisivo, o racismo ianque, motor do elã combativo de sua infantaria branca:

> O fato que interessa, neste caso, é que a presença da infantaria da Marinha — branca — norte-americana no Haiti, durante as duas décadas seguintes, teve efeito definido sobre a vida social do país.
>
> Um dos resultados observáveis de maneira mais imediata foi o término do prolongado predomínio político dos negros e o restabelecimento da elite de cor no controle do governo. Os quatro presidentes a partir de 1915, Dartiguenave (1915-22), Borno (1922-30), Roy (1930) e Vincent (1930-41), foram todos de pele clara. As forças dos Estados Unidos participaram ativamente na eleição dos dois primeiros desses homens. A preocupação norte-americana não era, certamente, a de não devolver o governo ao grupo negro, mas sim manter como titulares do governo homens que fossem educados, de mentalidade moderada, de bons modos — e, claro está, que fossem bastante flexíveis mentalmente —, como para desenvolver políticas gratas ao Departamento de Estado de Washington.

As Américas e a Civilização

Aqui se combinam a discriminação racial norte-americana com a docilidade dos *affranchis* plasmados, desde os tempos coloniais, para suas funções de intermediários da exploração branca. A animosidade dos haitianos à intervenção, fazendo com que ela só se pudesse manter ao preço das repressões mais cruéis, acabou por escandalizar a opinião pública mundial. O presidente Roosevelt a suspende em 1934 para substituí-la por uma tutela mais disfarçada.

O saldo dessas intervenções é expressivo. Com efeito, o Haiti exibe uma das penúrias mais desastrosas do mundo, expressa através de uma renda *per capita* avaliada em vinte a 35 dólares. A grande ilha, que fora a mais rica das Antilhas, vive, hoje, sob uma economia natural, só polarizada pela intrusão de empresas imperialistas, que tornam mais gritante o contraste entre o modo de vida do povo e alguns oásis de prosperidade. Nesses séculos, porém, o Haiti acabou por gerar uma intelectualidade nacionalista, hoje mais negra do que mulata, que caminha a passos largos para o preenchimento dos requisitos de integração nacional indispensáveis para empreender o desenvolvimento social da nação.

A República Dominicana, que comparte com o Haiti a ilha Hispaniola, foi dominada pelos norte-americanos antes mesmo do Haiti. Começou com uma intervenção em 1903, a que se seguiu a imposição de um tratado (1907), que lhe dava o estatuto de protetorado. Aqui também a justificativa do intervencionismo foi o não cumprimento de contratos bancários que criariam um risco de intervenção europeia no continente. Essas razões foram expressas pelo presidente Theodore Roosevelt nestes termos: "A adesão à Doutrina Monroe pode forçar-nos, ainda que contra a vontade, em casos de má conduta e impotência, a exercer o papel de política internacional".

E por um secretário de Estado, de forma ainda mais contundente: "A Doutrina Monroe não deve interpretar-se como uma autorização aos débeis para se fazerem insolentes com os fortes" (*apud* G. Selser, 1962: 29 e 43).

O papel de tutores das Américas se define, porém, ainda mais lapidarmente neste arrazoado do mesmo Theodore Roosevelt:

> Se uma nação demonstra que sabe proceder com decência em questões políticas e industriais, se mantém a ordem e se paga suas dívidas, não deve temer nenhuma interferência por parte dos Estados Unidos. Os maus atos, a brutalização ou toda e qualquer impotência, que conduz ao relaxamento geral dos vínculos de uma sociedade civilizada, requererão, em última instância, a intervenção de alguma nação civilizada, e, no Hemisfério Ocidental, os Estados Unidos não podem esquecer esse dever. (*apud* G. Selser, 1962: 260-1)

Os ANTILHANOS

É, como se vê, vetusto, ainda que nada venerável, o pendor norte-americano pelo exercício da tutela sobre os antilhanos; ontem, movido pela associação do zelo pelo cumprimento dos contratos financeiros internacionais e o caráter lucrativo das suas intervenções; hoje, justificado por todas essas razões e, ainda, pelo empenho de salvá-los e, se possível, a todos os povos do mundo, queiram ou não, da "infecção castro-comunista".

A intervenção na República Dominicana durou, também, até 1934, seguindo-se, como no caso do Haiti, formas menos diretas, mas igualmente efetivas de dominação. A penúltima delas foi o assassinato por agentes da CIA do ditador Trujillo, criatura gerada pelos mesmos *ianques*, mas que acabara pesando em demasia a eles próprios, quando a opinião pública mundial se alertou para o caráter sinistro de sua ditadura genocida, que levava já seus trucidadores a assassinar cidadãos dominicanos na cidade de Nova York.

Para dar uma medida do que representou essa ditadura, que, com mão de ferro, governou o país durante 32 anos, selecionamos alguns fatos. Trujillo assalta o poder em 1930. Era, até então, o chefe da máquina de repressão policial treinada pelos norte-americanos durante a intervenção, para assegurar estabilidade ao governo dominicano. Uma jornalista norte-americana, Laura Bergquist, redatora de *Look*, depois de visitar a ilha e testemunhar ali a ferocidade da polícia de Trujillo, exemplifica para seus leitores o terror que lhe suscitara o regime trujillista, com o relato de um episódio: conhecera no cárcere um anão, Bola de Neve, cuja função na polícia era arrancar, a dentadas, os órgãos genitais dos inimigos de Trujillo.

Em 1956, reúne-se em Ciudad Trujillo, sob os auspícios do ditador e de Sua Santidade, o papa Pio XII, representado pessoalmente pelo cardeal Spellman, o Congresso Internacional de Cultura Católica pela Paz no Mundo. O generalíssimo e doutor Rafael Leónidas Trujillo, em seu discurso de abertura, declara:

> Nestes anos de incerteza em que vive a humanidade combatida pelos mais duros sistemas materialistas [...] é nosso imperativo dever mobilizar as forças do espírito, reforçar as defesas imponderáveis que nossa religião nos oferece, ratificar bravamente nossos princípios tradicionais e converter em lição viva, tanto na ordem doméstica como na internacional, a Divina Palavra de Jesus [...]. O próprio Jesus Cristo, que falou para todos os tempos e não apenas para os fariseus da época, nos assinalou o caminho em uma de suas frases que conserva, apesar de todas as transformações experimentadas pelo homem e pela sociedade através de vinte séculos, sua vigência milenária: "Quem não está comigo, está contra mim". (*apud* G. Arciniegas, 1958: 402-3)

As Américas e a civilização

Ainda um fato: tratando de desalojar os haitianos emigrados para território dominicano como trabalhadores braçais, Trujillo ordenou ao seu exército e aos fazendeiros dominicanos uma matança que durou uma noite inteira (2 de outubro) e que custou a vida a cerca de 15 mil haitianos. Pouco depois a Congregação da Faculdade de Direito de São Domingos apresentava a candidatura do generalíssimo, como *El Benefactor* da nação, ao prêmio Nobel da Paz, correspondente a 1956.

Até que os norte-americanos se decidissem a liquidar Trujillo pela mão dos assassinos contratados pela CIA, ele não só recebera toda ajuda e apoiamento de Washington, como foi frequentemente elogiado por sua capacidade de manter a ordem interna e, sobretudo, por sua fidelidade aos ideais da civilização cristã. Morto Trujillo, verifica-se que, nas décadas de sua ditadura, operara uma tal concentração de recursos, que a simples transferência dos bens imóveis — terras, usinas, fábricas, serviços — pertencentes a ele e a seus familiares para o Estado o fazia detentor de mais de 71% da terra cultivável e de 90% da indústria de toda a república.

Assume o governo, depois de um período de rebelião, um conselho que presidiu a elaboração de uma nova Constituição e levou a efeito as primeiras eleições democráticas no país, elegendo Juan Bosch para a presidência, em fevereiro de 1963. Sete meses depois, um golpe o derruba, reimplantando uma ditadura com os mesmos militares e policiais da Era de Trujillo.

O último episódio da política intervencionista ianque encontra-se nos jornais. É o desembarque da infantaria da Marinha, em maio de 1965, para jugular um movimento insurrecional contra a ditadura. Do ponto de vista norte-americano, porém, o movimento ameaçava reconduzir ao poder Juan Bosch ou um presidente qualquer, não apoiado previamente pelo Departamento de Estado. O próprio Bosch, em entrevista publicada no semanário italiano *Il Expresso*, de 13 de maio de 1965, ajuíza com estas palavras a ação governamental norte-americana: "Ao querer afogar pela força a revolução democrática de um povo, os Estados Unidos mostraram que só permitem duas atitudes: ou ser seus escravos ou ser comunistas". Acrescentando: "Já sou velho e nem o próprio Lyndon Johnson conseguiria me fazer comunista. Mas depois dos acontecimentos dos últimos dias não posso mais pedir a meu povo que tenha fé na democracia".

3. A América socialista

Cuba é a maior das Antilhas em área e população. É também a mais rica e combativa. Até que sua revolução subvertesse o quadro, era, igualmente, uma das mais rendosas áreas de exploração neocolonial da América do Norte. Por sua extraordinária prosperidade, como empreendimento capitalista neocolonial e pela penúria correlata do seu povo, constituía, ainda, um dos melhores retratos das potencialidades do modelo ianque de desenvolvimento. E era um dos países que menos resistência opusera — até o triunfo da revolução — à sua integração como satélite na economia norte-americana. Ao contrário, uma sucessão de ditaduras e de falsos regimes democráticos tudo fizera, através de décadas, para facilitar a penetração do capital norte-americano nos canaviais, na produção e no comércio do tabaco, na indústria e nos serviços, propugnando esses investimentos como o mecanismo básico do desenvolvimento nacional e, também, naturalmente, lucrando com ele, como sócio e serviçal menor.

Ao fim do processo integracionista, que durara quase um século, Cuba tinha investimentos norte-americanos da ordem de 1 bilhão de dólares. E se encontrava inteiramente atada à economia ianque, de quem recebia 79% de suas importações e para onde exportava 75% de sua produção, esta última em condições especialmente "privilegiadas". A toda essa vinculação acrescia, ainda, sua dívida a banqueiros americanos, oficiais e privados, cujo montante importava em duas vezes o valor da exportação anual.

Cuba inteira, mas principalmente sua capital, transmudara-se em área de recreio para turistas americanos, preparada para oferecer, nas condições mais ostentatórias, o ideal de férias ao norte-americano disciplinado que, depois de um ano de conduta virtuosa, aspirava a um recreio tropical. A ilha configurava, assim, o panorama de um prostíbulo de luxo complementar ao sistema econômico e social prevalecente nos países latino-americanos mais penetrados pelas corporações ianques. Uma economia voltada para o exterior, próspera para os investimentos estrangeiros, mas terrivelmente espoliativa para seu próprio povo.

Da população em idade ativa, apenas metade — cerca de 2 milhões — estava engajada no sistema produtivo. Destes, 650 mil eram empregados estacionais que trabalhavam, no máximo, oito meses por ano; 100 mil outros, ligados à indústria açucareira e à de tabaco, trabalhavam menos ainda. Estimava-se em 500 mil o número de desempregados.

A miséria decorrente dessas condições de subemprego e de desemprego contrastava, naturalmente, com a riqueza do pequeno grupo nativo que lucrava

AS AMÉRICAS E A CIVILIZAÇÃO

com o sistema, como proprietários, como gerentes de bens alheios ou pela corrupção mais deslavada de todos os órgãos do poder. Contrapunha-se, assim, a uma minoria de super-ricos, totalmente alienada, um povo torturado por enfermidades carenciais, pela falta de moradia e lançado ao desemprego e à marginalidade. Tudo isso regido pela estagnação econômica gerada pela crise permanente da balança de pagamentos e pelas deformações impostas pela monocultura.

O projeto ordenador da sociedade cubana era o sistema de manutenção desses interesses antipopulares e dessa dependência total a uma economia exógena. Para cumprir essa função armara-se de um aparato legal e jurídico, de uma máquina de suborno e de degradação das instituições políticas e de um corpo de tropa repressiva, só devotada a manter o *status quo*. O longo período de domínio de Batista, ex-sargento baderneiro, feito multimilionário e braço armado das camadas dominantes cubanas, era a melhor expressão de como o Estado se tornara um mecanismo de repressão a serviço de interesses, não só estranhos, mas também opostos aos da nação e do povo. Sobre todos esses males sobressaía a desmoralização do povo cubano, a quem se provava todos os dias, de mil maneiras, sua inferioridade em face do ianque dominador; explicando as diferenças abismais de progresso e prosperidade norte-americana e de ignorância e penúria sul-americanas, em termos de preguiça latina, da apatia mestiça e do atraso espanhol.

O vulto dos interesses norte-americanos e o poder da trama integrativa, que ia das cotas de açúcar ao turismo, pareciam tornar impossível a emancipação do povo cubano por força da oposição do governo de Washington a tamanho prejuízo para seus investidores, a inviabilidade de uma economia açucareira não subsidiada, do perigo para a política exterior ianque no continente, que representaria um exemplo de rebeldia e emancipação no Caribe. Todavia, exatamente ali onde tudo parecia mais adverso, onde maior era a penetração imperialista, onde mais alta era a rentabilidade dos seus inversionistas, onde estes pareciam mais satisfeitos, e, ainda, onde mais servil era a oligarquia local, exatamente ali rompeu-se, primeiro, a cadeia da dominação. E rompeu-se, precisamente, porque o movimento revolucionário cubano se estruturou, desde os primeiros passos, como uma luta pela conquista do poder político, entregando-se, simultaneamente, ao combate aberto contra a ditadura e contra a ordenação total da sociedade. Embora aceitando diversas formas de cooperação com forças interessadas em lutas paralelas, jamais admitiu qualquer aliança espúria que comprometesse o novo poder com o velho regime.

Nenhum episódio das duas guerras mundiais, nenhum acontecimento internacional alcançou, por isso, tão grande impacto sobre a América do Norte do que a Revolução Cubana. Primeiro, foi a surpresa diante da rebelião dos simpáticos jovens barbados, aparentemente românticos; depois, a perplexidade diante da determinação irredutível destes mesmos jovens na fixação dos critérios populares da reordenação da economia e da sociedade cubana. Finalmente, o rancor insuflado pelos grandes empresários prejudicados pela nacionalização de seus lucros e pelos estrategistas políticos advertidos para o risco que representava o precedente da Revolução Cubana para o domínio ianque de toda a América Latina.

Os próprios líderes da revolução pareciam, nos primeiros meses, à procura de um modelo ordenador. Descomprometidos com qualquer posição doutrinária e apoiados por todo o povo, iam diretamente aos problemas procurando resolvê-los nos termos em que se apresentavam, de acordo com os interesses nacionais e populares, à luz do bom senso, mais do que de uma teoria revolucionária.

Assim é que progrediram, passo a passo, sob o acicate cada vez mais intenso de um processo revolucionário, para uma ordenação socialista, fatalmente atraídos pelo único modelo ordenador compatível com os fatos que manipulavam e com os interesses que representavam; mas também empurrados para ele pela posição assumida pelo governo norte-americano na defesa da manutenção dos privilégios de que desfrutavam na antiga ordenação da sociedade cubana.

A vitória de Fidel Castro não apenas derrubara a ditadura batistiana, mas abrira ao debate e à reformulação do próprio regime. A velha ordenação oligárquica prevalecente desde sempre em Cuba, como em toda a América Latina, fora posta em xeque. Não por parlamentares eleitos para mais uma reforminha constitucional, mas pelo povo inteiro chamado a ingressar no processo através de iniciativas concretas. Sua ação não se fez esperar. Tanto os assalariados rurais das usinas de açúcar quanto os operários passaram a assumir o controle das respectivas empresas, improvisando novas formas de gestão. Uma nova ordenação antioligárquica e anti-imperialista se foi implantando, assim, pela ação simultânea das iniciativas populares e dos atos governamentais.

O caminho socialista se impôs, desse modo, aos revolucionários cubanos como o leito natural para onde fatalmente deveriam correr as águas da barragem rompida, se se mantivessem fiéis aos seus desígnios de reestruturar a sociedade nos termos do interesse nacional e popular e sob as condições da crescente pressão exercida pela América do Norte. Mais tarde, alguns norte-americanos, advertidos para os fatos, procuraram formular o modelo que faltara. Já não para Cuba, que avançara demasiado no caminho socialista e que eles próprios desejavam destruir, mas para evitar o espocamento de revoluções sociais em outras áreas do continente.

Tal foi o esforço aliancista da equipe de Kennedy. Apesar de sua tibieza, o projeto defrontou-se com tamanhos obstáculos oriundos dos interesses investidos na exploração continental que teve de ser abandonado poucos meses depois. Desde então, se fixou a política de manter o sistema vigente, a qualquer custo, consciente já a administração ianque de sua incapacidade de conciliar os interesses de seus empresários com as aspirações de progresso dos latino-americanos. Mas convencida, também, de que o sistema de relações com a América Latina é suficientemente lucrativo e seguro para eles próprios para justificar sua perpetuação a ferro e fogo.

A antiga equipe aliancista foi ganha para a nova ideologia ou marginalizada, dando lugar a um novo quadro político-militar, empenhado na utilização de todos os recursos armados, políticos, econômicos e psicológicos para deter a história com uma barreira de dólares, de intrigas e conspirações, de intervenções armadas, de campanhas publicitárias tão avassaladoras quanto o permitam os recursos da maior potência capitalista da Terra.

Deve-se, assim, a Cuba as duas orientações marcantes da política norte--americana para com os demais países do continente. A primeira foi a Doutrina Monroe, nascida do esforço de fundamentação jurídica da dominação da ilha. A segunda é a Aliança para o Progresso, formulada como uma resposta ao desafio representado pela Revolução Cubana, tanto em sua feição inicial, reformista, quanto em sua formulação definitiva, de simples financiadora da manutenção do *status quo*, pelo retorno ao pacto com os aliados tradicionais dos norte-americanos, que são as velhas oligarquias latino-americanas para as quais o sistema vigente é também altamente lucrativo.

Em toda a história da América independente se contrapõem o gigante do continente e a pequena ilha rebelde. Nascidos juntos e até associados pela viabilidade econômica, que a próspera exploração açucareira das Antilhas deu às pobres colônias inglesas, continuam polarizadas, até hoje, como dois personagens históricos, em tudo dissociados, mas complementares.

A América do Norte nascente tinha, segundo o depoimento de seus líderes mais representativos, os olhos postos na ilha cubana como a maçã mais cobiçada. Para isso fizeram a guerra à Espanha, em 1898. Impossibilitados de tragá-la diretamente — como fizeram com Porto Rico —, acabaram por integrá-la em seu sistema econômico como uma "colônia" mais rica. Dada a combatividade do povo cubano, o vínculo só pôde ser mantido através de sucessivas intervenções, de emendas constitucionais[39] desmoralizantes, principalmente para quem as impunha, de trucidamentos e, sobretudo, da manutenção de ditaduras ferozes.

Essa opressão, devido às formas cruéis e humilhantes que assumiu, representou um papel decisivo no despertar da consciência revolucionária cubana. Os líderes mais lúcidos do país mantiveram sempre o julgamento mais severo sobre a cupidez e a pusilanimidade dos governantes norte-americanos e colocaram sempre em pauta, como a questão nacional mais candente, a emancipação do jugo ianque. A revolução, opondo-se por seu caráter popular e nacional, natural e necessariamente, às forças mantenedoras do regime arcaico que infelicitava o país e cuja cúpula era predominantemente norte-americana, furaria o velho tumor da dominação. A partir de então, polarizam-se novamente Cuba e a América do Norte, já não como o naco desejado em face da mandíbula, mas como um novo projeto de ordenação sociopolítica para as nações latino-americanas, diante do guardião do velho sistema, tornado obsoleto.

Precisamente o altíssimo grau de espoliação do povo cubano pelos norte--americanos é que constitui o fator dinâmico da revolução. A ele se conjugaria um coautor decisivo, a aliança da oligarquia local com a dominação imperialista, ou seja, o fato de que as camadas privilegiadas — mesmo aquelas não vinculadas às empresas estrangeiras —, temendo por sua própria sorte diante do crescente descontentamento do povo, colocavam no poderio estrangeiro de manutenção do sistema suas mais caras esperanças de preservação do *status quo*. Nessas circunstâncias, a revolução nacional anti-imperialista transformou-se, naturalmente, numa revolução social contra o próprio regime capitalista, incapaz de oferecer uma perspectiva de desenvolvimento autônomo à nação. Desse modo, o aliado estrangeiro todo-poderoso transmudou-se no coveiro da burguesia cubana, que caiu com ele, vitimada por sua própria alienação com respeito ao seu povo e aos interesses nacionais.

O pacto oligárquico-imperialista teve também um papel de aglutinador das classes médias, indignadas pelas humilhações nacionais impostas pelos norte-americanos a Cuba, particularmente as camadas profissionais, da intelectualidade e da juventude universitária, cujas lutas contra a tirania de Batista esbarravam sempre no apoiamento extremo que lhe era dado pelos norte-americanos e no respaldo interno que lhe garantia a oligarquia nativa. Nessa conjuntura, as classes médias radicalizavam-se, saltando do engajamento original na revolução política contra a ditadura para uma revolução nacional anti-imperialista e, daí, à admissão ativa ou passiva da revolução social reordenadora do regime. A inviabilidade do velho sistema para canalizar a nação ao progresso social era demasiado notória, bem como a severidade do julgamento popular sobre a incapacidade, a venalidade e o entreguismo da velha classe dirigente. Ganhas para a revolução ou neutralizadas como forças da reação, as classes médias representaram um papel da maior relevância, tanto na fase conspiratória quanto nas lutas urbanas que criaram condições para a vitória rápida e completa dos camponeses levantados por Fidel Castro.

O fator decisivo, porém, foi a capacidade da liderança revolucionária de formular, com independência e originalidade, o problema nacional cubano e, sobretudo, de devotar-se à luta guerrilheira junto dos camponeses, conduzindo seus combatentes a vitórias sucessivas, aparentemente minúsculas, mas de efeito catastrófico sobre o moral das tropas governamentais. É de assinalar, porém, que o Fidel Castro que subiu a serra já era um líder nacionalmente respeitado por suas lutas anteriores e, sobretudo, pela defesa que produzira na prisão de Moncada. Este documento — *A história me absolverá* —, provavelmente a mais vigorosa conclamação revolucionária latino-americana, divulgada por todos os modos pelos combatentes democráticos das cidades, sobretudo pelos estudantes, permitiria, mais tarde, identificar o pequeno grupo de guerrilheiros da Sierra Maestra como uma liderança revolucionária responsável, que procurava colocar-se à frente do povo cubano para a luta de emancipação nacional.

Depois da vitória, Fidel Castro revelaria uma capacidade crescente de comunicar-se com a massa e de transmitir-lhe sua paixão nacional emancipadora. Mas também um talento extraordinário no equacionamento dos problemas revolucionários com que se defrontaria, em sua trajetória de líder de uma insurreição armada a condutor de uma revolução social.

O traço marcante da Revolução Cubana é sua fidelidade às camadas marginais da população. Não apenas a revolução foi buscar no contingente assalariado rural dessas massas sua primeira área de sustentação política, e com ela ascendeu ao poder, mas também fez do exercício deste poder um esforço constante por integrá-la na vida nacional. Como todos os *povos novos*, Cuba, além da estratificação tradicional tripartida das nações desenvolvidas, tinha um quarto estrato, marginalizado da vida econômica como produtor e consumidor, e da vida social, política e cultural da nação. Esse bolsão de miseráveis e analfabetos constitui uma espécie de subproduto humano do processo produtivo fundado na *plantation*, que, além do açúcar, do algodão, do café ou do cacau, produz gente que não é capaz de ocupar nem de integrar-se ao corpo da nação. Quando a economia nacional se diversifica, uma parcela desses contingentes é aliciada para o trabalho fabril e para os serviços, escapando, assim, da condição de marginalidade estrutural. O contingente maior permanece, porém, sempre sobrante; procurando trabalho nas atividades agrícolas estacionais, ou se acumulando na orla das cidades, em busca de qualquer serviço que lhe permita, tão somente, sobreviver.

Desde sempre, as chamadas "revoluções" latino-americanas foram rearranjos de grupos no poder, com as únicas exceções da Revolução Mexicana, que, em certo período, se fez também um processo de integração das massas marginalizadas na vida social e, mais recentemente, da boliviana, igualmente frustrada. A Revolução Cubana nasce como uma revolução social. Desde os primeiros passos, sua preocupação fundamental foi criar condições para a ascensão social e para a integração política precisamente deste quarto contingente humano, o subpovo dos miseráveis dos campos e dos desempregados das cidades.

Em função das exigências desse processo integrador é que se orientou a reordenação da sociedade e da economia nacional. Em lugar de assumir em face dessas massas marginalizadas a atitude paternalista tradicional de outorgar-lhes um amparo assistencial, o que fez a Revolução Cubana foi procurar alçá-las sobre seus próprios pés, incorporá-las à vida nacional, infundir-lhes orgulho de si mesmas. Em função dessas massas, mais do que da produtividade agrícola, é que se fez a reforma agrária. Também em função delas é que se empreendeu o miraculoso esforço educacional cubano.

A Revolução Cubana encontra o seu próprio caminho tanto movida por sua dinâmica interna quanto por força da internacionalização que a América do Norte lhe impôs. Passo a passo, as etapas decisivas da implantação revolucionária operam-se dentro de um sistema de forças em que um dos determinantes era a conduta norte-americana. Assim é que se encaminha cada vez mais congruentemente às soluções socialistas como saídas naturais e necessárias, em face da fidelidade aos interesses nacionais e populares e do veto norte-americano à reordenação social e econômica na qualidade de representante da maior massa de interesses investidos na antiga ordem.

Assim se escalonaram cronologicamente os passos revolucionários:

- Fidel Castro anuncia grandes reformas econômico-sociais que afetariam o regime de propriedade (3 de fevereiro de 1959).
- Os Estados Unidos ameaçam com a suspensão da cota de açúcar (20 de fevereiro).
- Cuba reduz as tarifas telefônicas e baixa em 50% os aluguéis (3 e 6 de março). É promulgada a lei de reforma agrária (17 de maio) e criado o Instituto Nacional de Reforma Agrária (3 de junho). As Forças Armadas iniciam a ocupação dos latifúndios (24 de maio).
- Os Estados Unidos protestam contra a lei como prejudicial aos interesses norte-americanos na ilha (27 de junho).
- O chanceler Raúl Roa, de Cuba, em conversa com o chanceler Herter, dos Estados Unidos, anuncia a disposição cubana de estabelecer conversações sobre o montante das compensações cabíveis pela expropriação de terras de propriedade de americanos do norte (10 de dezembro).

- O embaixador norte-americano, Bonsal, apresenta o protesto do seu governo contra ações atentatórias ao direito de propriedade (11 de janeiro de 1960).
- O governo cubano rejeita a nota, declarando que não outorgará privilégios aos norte-americanos, pagando indenizações iguais aos latifundiários cubanos e aos norte-americanos. O inra assume o controle das terras da United Fruit.
- O governo cubano intervém nas refinarias estrangeiras para obrigá-las a refinar o petróleo soviético trocado por açúcar (28 de junho). Protesto norte-americano (5 de julho).
- Cuba, em resposta, intervém nas demais indústrias de propriedade de norte-americanos.
- A América do Norte reduz de 700 mil toneladas a cota de açúcar cubano no seu mercado (6 de julho).
- A União Soviética se responsabiliza por absorver a cota (6 de julho).
- Eisenhower anuncia um generoso programa de ajuda aos latino-americanos, declarando que Cuba ficará excluída até que mude de atitude (11 de julho).
- Cuba acusa os Estados Unidos de agressão econômica diante do Conselho de Segurança da ONU. O representante norte-americano responde reafirmando a vigência da Doutrina Monroe (18 de julho).
- Cuba nacionaliza as usinas de açúcar, as refinarias de petróleo e as empresas de eletricidade de propriedade norte-americana, para indenizar a nação dos prejuízos causados à sua economia pelo boicote econômico e para assegurar a consolidação da independência econômica do país (6 e 7 de agosto).
- Protesto do Departamento de Estado pelo "confisco arbitrário de propriedades ianques no valor de 1 bilhão de dólares".
- Cuba nacionaliza as minas de níquel de propriedade norte-americana (14 de agosto).
- Fidel Castro reitera as denúncias de que o governo norte-americano preparava a invasão de Cuba (1º de janeiro de 1961). Cuba exige a redução do pessoal norte-americano em Havana (cerca de cem membros) à mesma proporção do cubano em Washington (dezesseis pessoas) por se haver convertido em foco de contrarrevolucionários (2 de janeiro).
- O governo norte-americano rompe relações com Cuba, declarando que esse ato não tem efeito algum sobre o estatuto legal da base naval de Guantánamo (3 e 4 de janeiro).

OS ANTILHANOS

- Kennedy assume a presidência da América do Norte (20 de janeiro). O governo cubano anuncia que há possibilidades de reconciliação com o novo governo (23 de janeiro).
- Kennedy declara que não será alterada a política norte-americana para com Cuba (25 de janeiro). Cuba admite a mediação latino-americana, proposta pela Argentina, para melhorar as relações com a América do Norte (26 de fevereiro).
- O governo cubano declara estar disposto a ressarcir os bens norte--americanos nacionalizados se for restabelecida a compra do açúcar (7 de março).
- O governo norte-americano intensifica a pressão sobre as nações latino-americanas para o rompimento de relações diplomáticas com Cuba (abril e maio).
- Kennedy reitera declaração de que não invadiria Cuba sob nenhuma circunstância (12 de abril).
- Aviões norte-americanos atacam Cuba (15 de abril). Tropas preparadas pelos norte-americanos e por eles concentradas sob a direção da CIA invadem Playa Girón, sofrendo fragorosa derrota (16 de abril).

Respondendo altivamente aos reptos norte-americanos com o mais entusiástico apoiamento de massas, gerado pela animosidade que a América do Norte cultivara através de décadas, é que o governo cubano se encaminhou para soluções socialistas. Mais do que uma opção para com esse regime, o povo cubano dava todo o apoio a medidas concretas como passos fatais da emancipação nacional com respeito a uma opressão e a uma espoliação tornadas odiosas. Desse modo, em seu desabamento, o regime imperialista conduziu incidentalmente à ruína também o capitalismo nacional, demasiado dependente do norte-americano, subalterno e confiante no poderio ianque para duvidar dele e para admitir outra atitude que não fosse a oposição ao que lhe parecia extrema ousadia da juventude revolucionária.

Nos meses seguintes à vitória de Fidel Castro, a quase totalidade da classe proprietária e gerencial transladou-se para a América do Norte. Seguiu suas pegadas o círculo a ela associado de profissionais liberais, administradores, técnicos, que, exercendo funções de comando que exigiam lealdade ao patrão, acabara por confundir seus próprios interesses com os dos proprietários. Graças ao estímulo norte-americano, esta transladação abrangeu cerca de 100 mil pessoas que os revolucionários não quiseram ou, provavelmente, não conseguiram conter.

Esse êxodo representou um dos maiores desafios à economia nascente. Despojada dos quadros técnicos e administrativos, dos profissionais de nível universitário — em cuja formação a nação investira através de décadas, tanto no sistema educacional quanto no treinamento em serviço e na atribuição de toda sorte de privilégios —, parecia impossível dirigir a produção. Todavia, o êxodo teve também seu lado positivo. Livrou Cuba de um contingente contrarrevolucionário que poderia ter um papel retardador e talvez até fatal ao desenvolvimento do Estado socialista até a sua consolidação.

Foram enormes os percalços decorrentes dessa expropriação consentida de recursos humanos, subsidiada pelos norte-americanos. Ela só é comparável às perdas que eles próprios sofreram com a desapropriação de seus investimentos. Improvisando novos quadros técnico-administrativos, Cuba conseguiu fazer face ao êxodo, não só recolocando o sistema produtivo em marcha, mas, simultaneamente, recondicionando-o para servir a novos interesses e disciplinando-o pelo planejamento.

As grandes obras da Revolução Cubana são, precisamente, essa reordenação da economia em linhas socialistas e a revolução educacional em curso, que alcançou o recorde mundial de liquidar o analfabetismo em um ano apenas, de escolarizar todas as crianças, de conduzir às escolas técnicas a juventude inteira, de matricular em cursos de recuperação cultural e de qualificação para o trabalho cerca de 1 milhão de cubanos adultos. Esse esforço gigantesco, ao lado da vitalização e ampliação de uma universidade reformada e modernizada, está preparando uma nova camada técnico--profissional, científica e intelectual, enormemente mais ampla e mais capaz do que a antiga, além de identificada com os interesses do povo cubano.

Transformando a hostilidade norte-americana em munição para as lutas de consolidação do projeto revolucionário, Cuba pôde ir sempre à frente. Contou, inclusive, com a vantagem da identificação popular da contrarrevolução com o intervencionismo ianque, que não dava lugar a uma reação interna ativa. Por outro lado, a preparação dos grupos antirrevolucionários no exterior, em território norte-americano ou nas repúblicas mesoamericanas por eles dominadas, lhes deram um caráter de invasão estrangeira que acendeu o ânimo patriótico dos cubanos em defesa da pátria e da revolução. Assim, as sucessivas tentativas de invasão através de guerrilhas, de sabotagem e, finalmente, de desembarque encontraram sempre unido todo o povo, como jamais estivera, para enfrentar um inimigo externo cada vez mais odiado.

As duras etapas de uma implantação revolucionária agravadas pelas carências decorrentes do bloqueio que sofreu Cuba, importando nas maiores dificuldades e provações para todo o povo, puderam ser, desse modo, enfrentadas com um elã nacional que, de outra forma, dificilmente se desenvolveria.

Essa é a contraface da conjura das oligarquias nacionais latino-americanas com as empresas norte-americanas, que, se dá a ambas uma recíproca segurança na manutenção do *status quo*, enquanto dominante, dificilmente permite a uma sobreviver sem o amparo da outra, em condições revolucionárias.

A ilha idílica de Colombo, com seu clima tropical, a prodigiosa fertilidade de suas terras e a extraordinária criatividade de seu povo, se encaminhou, assim, para o socialismo, utilizando como motivadores do elã revolucionário os próprios percalços e tratando, como a um inimigo único, as camadas dominantes internas e os interesses estrangeiros.

De acordo com a expectativa dos cubanos, dentro de alguns anos Cuba será o jardim antilhano e, nesse caso, dirá a todos os povos da América Latina, na linguagem dos fatos observáveis e mensuráveis, que regime é capaz de prover fartura, de ensejar o desenvolvimento cultural e de fundamentar uma verdadeira democracia. As enormes possibilidades de concretizar-se essa aspiração é que provocam tantas preocupações e suscitam tamanho ódio anticubano.

VIII. Os chilenos

A história do povo chileno traz à memória as ideias de Toynbee sobre os fatores estimulantes ou impeditivos do desabrochar das civilizações. O fator fundamental seria, a seus olhos, o desafio das dificuldades que um povo tem de enfrentar, que não deve ser nem demasiado aplastante, para dissuadir, nem muito fraco, para amolecer, mas suficientemente estimulante para apicaçar o ânimo criativo e manter o esforço de autoafirmação.

Pendurados numa tripa de terras pedregosas, de clima áspero, batidos pelos vagalhões do Pacífico, castigados por terremotos, hostilizados pelos *araucanos*, os chilenos, apesar de todos esses percalços — ou graças a eles —, conseguiram fundar uma etnia peculiar, mais madura e mais vigorosa que outras assentadas em terras mais ricas e menos castigadas por tantos flagelos.

Santiago, sua cidade-capital, vetusta e gris, solidamente edificada para resistir aos terremotos, contrasta curiosamente com a alegria cordial e colorida da gente que anda pelas ruas. Maior, porém, é o contraste entre esta gente que passeia e olha vitrinas e aqueles homens e mulheres que se veem nas feiras populares, ou através dos tapumes, nas construções. Uns e outros contrastam pela altura e a esbeltez, pela postura e pelos trajes como gente de dois países diferentes e distantes.

Jorge Ahumada, exprimindo uma autoimagem nacional típica da intelectualidade chilena mais alienada, assevera: "A maioria dos chilenos rechaçará com energia o paralelo com muitos povos asiáticos e africanos e também com povos indo-americanos. Gostamos de pensar que somos os ingleses da América morena".[40] Por mais que isso o entristeça, a verdade é que os chilenos constituem um *povo novo*, fruto da mestiçagem do espanhol com o indígena. Sua matriz é a índia araucana, apresada e prenhada pelo espanhol. Os mestiços originados desses cruzamentos, absorvendo, por sua vez, mais sangue indígena pelo casamento mestiço-índia, é que plasmaram o patrimônio genético fundamental do povo chileno. Essa enorme massa mestiça, no esforço por sobreviver biologicamente e por ser etnicamente, conformou a nação chilena que começa, agora, a tomar consciência de si própria e a forjar uma autoimagem autêntica, correspondente à sua experiência e às suas características.

O Chile jamais recebeu contingentes europeus em proporção tão ponderável que permitisse absorver tamanho teor genético indígena ou soterrá-lo socialmente, na condição de casta inferior, sob um alude imigratório. A mestiçagem operou-se continuamente durante todo o período colonial entre a massa índia e a minoria hispânica, simultaneamente com um sistema de integração sociocultural que, liberando o mestiço da escravidão ou da servidão que pesava sobre o índio, lhe permitia ascender pela espanholização linguística e religiosa. Não se tratava, naturalmente, de uma assimilação completa que fundisse todos os mestiços em um amálgama indiferenciado. Vários fatores de diferenciação, atuando conjugadamente, plasmaram uma camada dominante fenotipicamente mais europeia. Dentre estes fatores destacam-se os privilégios que o estatuto colonial conferia ao *reinol* que lhe ensejava meios de impor-se ao *crioulo* e o gosto pelo casamento com espanholas como mecanismo de "branquização" por parte dos mestiços enriquecidos. Esta última tendência persiste, ainda hoje, como se pode ver em atitudes como a exemplificada com Ahumada e pela absorção, por parte da camada dominante crioula, de algumas dezenas de milhares de europeus emigrados para o Chile depois da independência.

A autoimagem nacional chilena tendente a assumir a característica branco-europeia como um valor importa não apenas num erro, mas também numa rejeição do perfil nacional real. É certo que a literatura chilena, sobretudo sua poesia, tem na figura do araucano o principal símbolo integrador. Do araucano afinal aceito tão somente como mão de obra servil e como ventre étnico, já que a história chilena é quase sempre o relato de séculos de esforços para dizimá-lo. A situação é curiosamente semelhante à dos *mamelucos* paulistas, também orgulhosos de seus quatrocentos anos de paulistanidade, também mestiços e igualmente alienados. Ambos cultuam, com igual respeito, o índio que dizimaram com a mesma eficácia.

Seria esse um traço típico do mameluco? Marginalizado entre duas culturas contrapostas, parcialmente integrado em ambas, o mameluco foi chamado a identificar-se com o pai europeu contra a mãe indígena e sua gente, como condição de reconhecimento de sua assimilação e como pré-requisito de ascensão social. Seus netos, distanciados gerações do conflito índio-europeu, ainda exprimem essa ambivalência fundamental, na extravagância da identificação brancófila e no culto ao ancestral indígena sujigado, em contextos que o apontam como sua própria matriz étnica.

AS AMÉRICAS E A CIVILIZAÇÃO

1. Os neoaraucanos

Os territórios do Chile e do Noroeste argentino eram ocupados, originalmente, por três grandes grupos indígenas profundamente influenciados pelos povos de alta cultura do Altiplano andino: os *diaguitas*, os *atacamenhos* e os *araucanos*.

Os dois primeiros viviam na orla do deserto de Atacama, concentrando-se, principalmente, em aldeias-oásis ou em comunidades de pescadores da costa. São mais conhecidos pela pesquisa arqueológica do que pela documentação histórica porque entraram prontamente em colapso diante da invasão espanhola. Reduzidos à escravidão, vitimados por enfermidades contagiosas e abatidos nos combates com os governos coloniais que dominaram o Altiplano, desapareceram quase totalmente sem deixar vestígios. Os grupos que escaparam a essas compulsões, refugiando-se nos pampas argentinos, tornaram-se índios cavaleiros, sendo atingidos mais tarde, e também dizimados, quando entraram em competição, primeiro, com o gaúcho na disputa dos rebanhos e dos campos de pastoreio, e depois com as etnias nacionais em formação, após a independência.

Os *araucanos* constituíam um grupo maior e muito mais poderoso, instalado nos Andes Centrais em terras de clima mais ameno, excelentes para a agricultura e o pastoreio. Sua população, que ao tempo da conquista provavelmente excedia a 1,5 milhão de habitantes, está hoje reduzida a cerca de 322 mil indígenas que sobrevivem como grupo étnico disperso em centenas de pequenas comunidades ao sul do rio Bio-Bio. Esses araucanos contemporâneos são quase todos sobreviventes do subgrupo Mapuche, que, vivendo mais ao sul e enfrentando mais vigorosamente os espanhóis, escapou do destino dos dois outros — Picunche e Huilliche —, dominados e sujigados, apenas sobrevivendo nos genes com que contribuíram para a formação do povo chileno.

Além da unidade linguística, os três grupos araucanos apresentavam grande homogeneidade cultural. Encontravam-se todos num nível de evolução intermédio entre os "Estados rural-artesanais", tipo Chibcha, e os povos em estágio de "aldeias agrícolas indiferenciadas", como os Guarani. Viviam em aldeias permanentes, próximas umas das outras, formando blocos de grande densidade demográfica (sete pessoas por milha quadrada), com base numa agricultura avançada que já utilizava incipientemente o regadio e a rotação de terras para o cultivo da batata-branca (provavelmente domesticada por eles), do milho e de diversas outras plantas.

Encontravam-se, pois, no limiar da estratificação social e da unificação política, prestes a constituir um Estado rural-artesanal. Já haviam preenchido a condição preliminar de produtores de excedentes alimentares suficientes para

358

diferenciar uma camada social liberada das tarefas produtivas, devotada à guerra, ao artesanato, ao sacerdócio e à burocracia. Não haviam dado, entretanto, esse passo no sentido da estratificação social e da aglutinação da população em núcleos citadinos com seus correspondentes contornos rurais.

No plano da organização política, cada uma das parcialidades araucanas se dividia em comunidades locais independentes, estruturadas internamente com base no parentesco, segundo um sistema de linhagens clânicas. Os líderes locais destas comunidades exerciam, em tempo de paz, as poucas funções de chefia de um grupo não estratificado. Para a guerra associavam-se em confederações que podiam aglutinar todas as aldeias de uma região ou a tribo inteira, mas que se desfaziam depois, voltando a segmentar-se em miríades de núcleos autárquicos, em lugar de estruturar-se como Estados.

Dado o seu nível de desenvolvimento cultural e as condições favoráveis do meio, os araucanos acumularam as vantagens de uma sociedade tribal não estamentada — sem senhores poderosos e sem párias miseráveis — como uma farta economia de subsistência que proporcionava muito tempo de lazer. Nessas condições, desfrutavam, à época da conquista, de um ambiente social rico, fundado na igualdade, na fartura e no gosto de viver, decorrente do convívio em grandes comunidades homogêneas, unificadas pelas mesmas tradições e pela mesma visão do mundo.

Aos primeiros embates com a cavalaria espanhola e com as armas de fogo, o araucano reagiu com a perplexidade que tais novidades provocaram em todos os índios. Logo, porém, aprendeu que esses invasores eram também humanos, quando desmontavam, e que eles e suas cavalariças eram igualmente vulneráveis e mortais. Os grupos que se mantiveram independentes passaram, então, a um longo período de lutas intermitentes seguido de intervalos em que prevalecia um *modus vivendi* que lhes assegurava a sobrevivência, mas permitia também aos espanhóis fortificarem-se. É a fase das aparatosas cerimônias de parlamentação, que se repetiam, anualmente, entre o governador espanhol e seu séquito e os caciques araucanos, para firmar ou ratificar acordos de coexistência pacífica.

Rompida a paz, seguiram-se séculos de luta renhida em que os araucanos opuseram aos espanhóis uma resistência muito maior que a dos povos de alta cultura. Essa combatividade se explica, provavelmente, pela própria etapa de desenvolvimento cultural em que se encontravam. Não estando unificados em unidades políticas nem estratificados em estamentos opostos de senhores e subalternos, inexistia uma nobreza como a incaica, mexicana, ou mesmo como a Chibcha, que conciliasse com o inimigo no intuito de preservar sua dominação e seus privilégios,

As Américas e a civilização

nem uma camada servil afeita à exploração e indiferente à substituição dos amos antigos por novos amos.

As duas parcialidades araucanas, os Picunche e os Huilliche, que primeiro entraram em conflito com o espanhol, acabaram por sucumbir. Sua sujigação, porém, custou mais sangue e esforço do que todas as outras conquistas da América. Cada núcleo dominado a partir do século XVI foi sendo destribalizado mediante o recrutamento dos índios como *mitayos*, para o trabalho nas lavras de ouro de aluvião, e como criados de todo serviço. A mineração, quando mais ativa, chegou a concentrar mais de 20 mil índios divididos em grupos para a extração do ouro. Estes grupos alcançavam, por vezes, centenas de homens e mulheres, de quinze a 25 anos, compelidos por força da escravidão a se transformar no proletariado da sociedade nascente. Tanto esses *mitayos* como os índios aldeados, entregues com suas terras à exploração dos *encomenderos*, não tinham qualquer possibilidade de preservar seu modo de vida e suas instituições sociais, tampouco integrar-se nas europeias e cristãs. Eram pura energia muscular, para desgastar-se no trabalho, e ventre para reproduzir mais gente. Em consequência, a população indígena reduziu-se a menos da metade (A. Lipschutz, 1963 e 1956). Nas novas gerações indígenas e mestiças que cresciam imersas nesse submundo, desconhecendo as tradições tribais e tendo uma percepção muito deformada da cultura espanhola, começava a plasmar-se essa protocultura, necessariamente espúria. Mais do que um povo, seria, por séculos, um contingente posto a serviço do dominador estrangeiro, a cujos hábitos, crenças e ojerizas foram obrigados a se ajustar.

Esgotado o ouro de aluvião, os espanhóis passaram a explorar, exclusivamente, a única "mina" que lhes restava: a força de trabalho da massa de índios escravizáveis para toda sorte de atividades produtivas capaz de gerar lucros. Grandes contingentes de índios apresados continuaram ingressando assim na sociedade nascente, tornando-se a guerra um negócio em si. Ao lado da massa indígena escravizada, crescia a camada mestiça, atuando como camada intersticial de intermediários especializados nas tarefas de engajamento de mais índios para a formação da força de trabalho e a criação de uma cultura híbrida em que predominaria a herança hispânica. Alguns desses mestiços, reconhecidos e amparados pelo pai branco, por vezes até declarados brancos — por disposição legal da Coroa para efeito de sucessão e do gozo de privilégios —, se integraram na camada dominante.

A grande massa de mestiços e de índios destribalizados, porém, integraria a sociedade nacional para formar o principal contingente rural chileno, o *huaso*. Devotado ao pastoreio e à lavoura, destro e apegado ao cavalo como instrumento de trabalho e de guerra, o *huaso* é o gaúcho chileno. Com os *huasos* é que se

Os chilenos

expandiram as fazendas por toda a zona liberada de índios hostis, conformando uma sociedade patriarcal de economia natural, dominada por latifundiários, suas enormes parentelas e seus agregados. Nessas fazendas, além da agricultura e do pastoreio, o *huaso* trabalhava a lã, o couro e a madeira, na produção de toda sorte de manufaturas para uso local. Monopolizando a terra, o latifundiário adquiria o domínio dos rebanhos e dos *huasos*, como mão de obra capaz de tornar produtivas as terras, de construir as casas e benfeitorias, de ser, afinal, a fonte de energia e de riqueza da sociedade nascente. Já então o mercado peruano absorvia o excedente da produção agrícola, e alguma exportação de cobre contribuía para as despesas de importação, dando viabilidade econômica à colônia.

A redução drástica da população indígena operava, também, como limpeza dos campos que passavam aqui, como no Altiplano, às mãos dos *encomenderos*. Eram entregues à lavoura comercial, que sustentava a mineração local e permitia alguma exportação de alimentos, bem como para a criação de gado, de cavalos e de ovelhas.

Os Mapuche, assentados mais ao sul, endurecidos em sua deliberação de resistir pela constatação do destino que tiveram os povos irmãos, depois de subjugados, continuaram lutando quase até nossos dias na defesa de sua autonomia. Apesar de verem destruído o seu mundo tribal, inviabilizada sua cultura e de serem confinados às piores faixas de terra, permaneceram eles próprios, aferrando-se à sua identificação étnica. Por força da profunda aculturação que sofreram, todavia, tanto através dos séculos de luta aberta como ao longo das últimas décadas de coexistência competitiva, quase nada conservam do perfil original araucano.

A resistência Mapuche à dominação espanhola foi, provavelmente, a mais continuada e a mais violenta de quantas se tratavam na América, explodindo em atos de barbaridade cometidos tanto pelos espanhóis quanto pelos índios. Cinco velhos caciques araucanos testemunharam a visão indígena dessa guerra cruenta segundo o registro de um caudilho espanhol que viveu cativo entre eles, em 1629.[41] O relato de Bascuñán descreve o ânimo compreensivo dos índios, seu apego à terra e a generosidade do trato que lhe dispensam, ao mesmo tempo que faz desfilar os lamentos dos velhos índios, sua estupefação com a barbaridade com que os espanhóis os escravizavam, marcando-lhes o rosto a ferro candente e tratando--os como a cães danados. Seu espanto diante do sadismo das damas espanholas que se compraziam em torturar as escravas araucanas. Finalmente, explica como esse tratamento provocou a revolta dos índios, expresso no suplício imposto ao conquistador espanhol Pedro de Valdivia quando ele caiu prisioneiro em suas mãos: para saciar sua fome de ouro, empanturram-no, simbolicamente, de ouro, vertendo-lhe terra pela boca adentro até matá-lo.

361

As Américas e a civilização

Na primeira metade do século XVIII, como fruto desse processo de sujiga-ção e miscigenação, já se havia formado a matriz fundamental do povo chileno. Era integrada por mestiços de várias qualificações sociais que iam desde os filhos legitimados de espanhóis enriquecidos até os *huasos* mais pobres liberados da *mita* e da *encomienda* por sua condição de "não índios". A eles se somavam, formando a camada mais baixa da sociedade nascente, grandes contingentes de índios decultu-rados e marginalizados dos seus grupos, pela identificação com o dominador, que conseguiam progressivamente fazer-se passar, também, por não índios.

Sobre esses mestiços verdadeiros e simulados pesavam não só as tarefas mais duras, mas também toda a carga da discriminação colonial. Preteridos diante do reinol, rechaçados dos ofícios mais nobres e da carreira militar como comba-tentes regulares e, sobretudo, da posse da terra que era a forma principal de ascen-são social, viviam uma existência de casta subalterna.

Enquanto crescia a mestiçagem, a deculturação e o abandono da etnia tribal por esses contingentes integrados na nova sociedade, os índios mesmos, que se mantinham isolados mais ao sul, instrumentavam-se melhor para a guerra e para a resistência. Acabaram por adotar o cavalo de montaria, devotando-se ao pastoreio do gado que se multiplicara pelos campos, e adaptaram pontas de metal às suas lanças e flechas. Assim, as lutas prosseguiram, motivadas por essa resistência e pela necessidade premente de apresar mais escravos índios, a fim de substituir os que se gastavam no trabalho e os que escapavam ao domínio do *encomendero* através da mestiçagem biológica ou do mimetismo cultural.

Outro motor da guerra aos Mapuche era a necessidade de alargar as oportu-nidades de ascensão da própria massa mestiça, em constante crescimento, median-te a apropriação de novas faixas de terras indígenas. Até o fim do século XIX, ainda prevalecia esse procedimento, estabelecido pelo costume de distribuir as terras conquistadas aos índios bravios, entre os combatentes que mais se destacassem, proporcionalmente, à sua hierarquia militar.

Com a independência do Chile, de início, a situação só se altera para pior. Em nome dos ideais de "liberdade, igualdade e fraternidade", toda uma legislação igualitarista foi promulgada, visando destruir as bases da vida tribal, assentada na propriedade comunal das terras. Nominalmente, se igualara o araucano a todos os demais chilenos, mas, efetivamente, se liquidava com a condição fundamental de sobrevivência autônoma. Desencadeia-se, desse modo, um processo de com-petição entre os índios, de um lado, e, do outro, os latifundiários, que tinham nas terras comunitárias vizinhas sua fronteira mais flexível, e todos os que queriam fazer-se proprietários. É a época das compras fantasiosas, das sucessões e cessões "livres" de territórios tribais que permitiram arrebatar aos araucanos a quase totalidade de seus antigos territórios e engajar mais índios despojados na camada mais miserável da população rural.

Um episódio só explicável na conjuntura de opressão a que eram submetidos os araucanos — a aventura de um francês, Antoine I, que se declarou rei de uma Nova França e mobilizou os índios para a defesa de sua coroa — coloca dramaticamente diante das autoridades chilenas a necessidade de integrar os araucanos à sociedade nacional. Como não havia outro instrumento de integração no arsenal ideológico chileno, além das práticas de sujigação a ferro e fogo, é declarada novamente a guerra. Mais uma vez, agora em 1859, recrutam-se aventureiros sob a promessa de pagar em terras indígenas suas façanhas militares. Sucedem-se novas pilhagens de terras e novas dizimações que se prolongam por mais de vinte anos, reduzindo-se mais ainda a área araucana e sua população. No mesmo período, os grupos araucanos que se haviam instalado no pampa argentino, multiplicando-se com o gado selvagem e mediante a araucanização de outras tribos, lançam-se também à luta emancipadora. Estes alcançam mais alto nível de organização através de comandos políticos e militares unificados e da confederação de tribos que lhes permite resistir longamente à campanha movida contra eles pelo exército argentino. São, por fim, exterminados.

Os dois episódios são altamente significativos como expressão da vontade de autonomia dos povos araucanos que formaram, então, um bloco étnico aspirante a constituir-se em uma nacionalidade. Este, que teria sido o único *povo emergente* das Américas, alçando-se, precocemente, numa conjuntura regional e mundial desfavorável, foi literalmente esmagado.

Os araucanos de hoje estão integrados na economia das regiões onde sobrevivem como seu contingente mais miserável e se distinguem dos chilenos rurais, principalmente pela conservação da língua materna, falada, via de regra, apenas no âmbito doméstico, e pela autoidentificação étnica como indígenas. Vale dizer, como gente que não apenas se julga mas que é tida e tratada como diferente e inferior pelo chileno comum. Através de séculos de opressão, regrediram a uma cultura da pobreza, retrocedendo do grau de desenvolvimento que haviam alcançado e perdendo o orgulho étnico que antes ostentavam, por terem se tornado incompatíveis com seu lugar e seu papel de estrato mais pobre dentre as camadas mais deserdadas do campesinato chileno. Os que preservam um trato de terra comunal têm, porém, sobre o *inquilino* e o *roto* comuns, o privilégio de poder escapar periodicamente à exploração latifundiária, recolhendo-se à comunidade tribal. Esse refúgio, entretanto, apenas atrasa seu destino final, que é o mergulho no submundo dos *rotos*, como parcela indiferenciada, para dele emergir com uma revolução social que torne a condição de vida de todos os camponeses chilenos desejável de ser vivida.

Como vimos, os araucanos, por seu montante populacional e por seu grau de desenvolvimento cultural ao tempo da conquista, deveriam estar amadurecendo, em nossos dias, para a condição de *povos emergentes*, tal como as tribos africanas e asiáticas que se transformam, agora, em jovens nacionalidades. Isso não ocorreu porque foram trucidados quando amadureceram para esse alçamento e, sobretudo, porque experimentaram uma sujigação mais feroz, mais continuada e mais eficaz do que aquela que se abateu sobre os africanos. A comparação poderá parecer exagerada em face do que se sabe sobre a dureza do trato que o branco escravocrata exerceu sobre os negros. Os dois casos são, na verdade, dramas humanos de profundidade insondável. Os araucanos chilenos e argentinos e tantos outros povos americanos nos estão a demonstrar, porém, o quanto foram mais duras as condições que enfrentaram. Na verdade, o processo de formação dos muitos povos americanos se assenta sobre o genocídio de populações que alcançavam e superavam centenas de milhares levadas ao extermínio e destruídas enquanto etnias, só podendo sobreviver como matriz genética das populações mestiças a que deram lugar.

Em todos esses casos, o que se observou nas Américas foi a contraposição entre índios e mestiços, desde o primeiro momento, como proto-etnias distintas. As velhas etnias aborígines minguaram continuamente até extinguir-se com o último índio que se identificasse como tal, qualquer que fosse seu grau de aculturação. E as novas etnias mestiças cresceriam, através dos séculos, como força de trabalho de uma empresa exógena. A esta caberia minar, internamente, o edifício de dominação europeia, à medida que adquiria consciência de si própria e a capacidade de impor-se como novo ente nacional. Tal se dá quando o mestiço, além do espaço físico, consegue dominar, primeiro, o espaço político e o cultural, assumindo sua própria imagem, orgulhoso dela. E, depois, formulando e executando um projeto próprio de ordenação nacional.

Longe está ainda, para muitos países mestiços da América, o cumprimento da primeira etapa, da aceitação tranquila de sua própria imagem, de autoidentificação como etnia nova, racialmente mais heterogênea que os três troncos básicos, mas nem pior nem melhor que eles; culturalmente plasmada pela integração da herança europeia com um patrimônio forjado a duras penas sob a compressão do regime escravocrata e ao calor do esforço secular por sobreviver nas terras americanas e aqui criar formas próprias de ser e de pensar.

Uma das derradeiras formas de dominação europeia, subsistente depois da independência, é a introjeção em milhões de americanos mestiços de ideais estético-humanos e de outros valores assentados na superapreciação das características do branco-europeu como marcas de superioridade. Essa assunção de autoimagem "do outro" manifesta-se de mil modos. Na aristocracia chilena, por exemplo, denuncia-se pela vaidade da identificação brancoide, manifestada com a maior naturalidade e até com autenticidade por gente que se concebe como diversa e como melhor no corpo da nação, atribuindo sua precedência social à sua tez mais clara. O exercício secular de uma superioridade social incontestada, fundada na propriedade monopolística da terra e em outras formas de riqueza; o hábito de dirigir dependentes servis, ordinariamente morenos, acabou por fazer mesmo os aristocratas de fenótipo mais nitidamente indígena se verem como "brancos" e explicar por essa característica a sua condição social superior.

Em grande parte da intelectualidade chilena e na classe média mais alienada de seu povo, a mesma introjeção revela-se no esforço por identificar-se com a aristocracia branca, ou branca por autodefinição, e no empenho por desfigurar verbal e ideologicamente a imagem nacional real, criando instrumentos sutis de sujigação das camadas populares mais fortemente mestiçadas. Assim é que as marcas raciais denunciadoras da ancestralidade indígena, em lugar de operarem como fator de orgulho, continuam funcionando como estigmas, suscitando atitudes discriminatórias que vão do preconceito aberto à autocensura.

Esses fatos têm importância não apenas descritiva, enquanto episódios da formação dos chilenos como *povo novo*, mas têm também um valor de atualidade, porque uma das trincheiras de luta da oligarquia pela perpetuação de seus privilégios se assenta nas barreiras socioculturais e psicológicas que se opõem ao reconhecimento das massas mestiças como o povo chileno real. Enquanto prevalecerem, esses valores constituirão um obstáculo à formulação de um projeto nacional reordenador que tenha como pressuposto elementar e prioritário a integração de todos os chilenos, mas, principalmente, de suas massas marginalizadas, numa mesma sociedade igualitária como o corpo da nação.

O mais curioso no caso da autoimagem chilena é a combinação de uma série de traços contraditórios. A extrema exaltação literária das qualidades viris do araucano, transformado em heróico ancestral mítico, não após o seu desaparecimento, mas ainda durante os combates de seu extermínio. O desgosto pelo caráter mestiço da população, contraposto a certo orgulho pela beleza da mulher chilena, explicada em termos da mestiçagem do índio com o espanhol. A anglofilia de atitudes, de ideologia, de etiqueta, como índice de ilustração e de branquitude. E até mesmo certa animosidade anti-hispânica enquanto etnia morena, revelada no esforço por figurar o conquistador ibérico que foi ao Chile como brancarrão de tipo germânico.

Todos esses traços conduzem o chileno — como o brasileiro, aliás — a ideais de branquização que têm consequências peculiares. Entre elas a facilidade com que ascenderam ao estrato dominante os poucos contingentes europeus imigrados para o Chile depois da Independência. Nas camadas dominantes do país, observa-se uma alta proporção de nomes de família norte-europeus e alta porcentagem de pessoas de tez clara que se explica, ao menos parcialmente, pelo gosto com que a oligarquia morena casou seus filhos e filhas com o imigrante ou seus descendentes, num esforço tão comovente quanto ingênuo e alienado de branquizar-se e desamericanizar-se.[42]

2. Chile do cobre e do salitre

O Chile que emergiu para a independência política já contava com uma população de cerca de 1 milhão de habitantes implantada em sua quase totalidade nas áreas agropastoris vizinhas de Santiago, Valparaíso e Concepción. A independência, como toda a vida pátria, decide-se em termos de problema da classe dominante de latifundiários, comerciantes e clérigos que se quer livrar de uma tutela custosa, humilhante e desnecessária, sem nenhuma participação assinalável do povo. Depois da vitória das tropas de San Martín sobre as forças espanholas (1818) que quebrou o último bastião do poder colonial, O'Higgins assume o governo lançando-se à destruição de uns poucos bolsões ainda resistentes e devotando-se à organização do país para a vida autônoma.

A nova república, proclamada em nome do povo, mas organizada pelas camadas dominantes, institucionalizou-se na forma de uma ordenação oligárquica que preservava todos os privilégios da velha aristocracia colonial e os ampliava pela apropriação dos postos civis, eclesiásticos e militares detidos, até então, pelos espanhóis. Para isso foi mantido o *mayorazgo*, que, assegurando a sucessão do primogênito na posse do latifúndio, perpetuava o sistema patriarcal. Os códigos foram reformados para se ajustarem aos ventos liberais que sopravam sobre o mundo, substituindo-se as instituições coercitivas coloniais por novas instituições, igualmente antipopulares, em nome do povo, da igualdade e da liberdade.

Alcançando, porém, certo grau de integração nacional e de unidade no comando político, mais cedo do que as outras repúblicas hispano-americanas, o Chile pôde lançar-se à expansão sobre as áreas vizinhas, exigindo uma parcela maior do espólio colonial espanhol do que aquele que lhe correspondera. Ocupa-se, primeiro, da exploração e apropriação do estreito de Magalhães, que marcaria sua fronteira sul. Avança, depois, para o norte, sobre o deserto de Atacama, com vistas à apropriação das minas de cobre. E, mais tarde, cairá em suas mãos toda a região costeira da Bolívia e do Peru, onde empresas europeias e chilenas iniciavam a exploração de imensas jazidas de salitre e de guano.

A guerra e o triunfo militar aviventam nos chilenos o sentimento de soberbia — tão eloquentemente expresso no lema nacional: *pela razão ou pela força* —, garantem sua supremacia no Pacífico e lhes asseguram uma grande fonte de riqueza. Apesar da associação espoliativa com empresas estrangeiras, o cobre e, depois, o salitre situariam os chilenos no mercado mundial como produtores de materiais de decisiva importância bélica e de fundamental relevância econômica para a Europa, que se esforçava por recuperar com fertilizantes suas terras cansadas. A posição dominante dos chilenos em relação ao oceano Pacífico assegura a Valparaíso a condição de escala obrigatória de toda a navegação que se fazia através do estreito de Magalhães.

Em meados do século XIX, os chilenos somavam já 1,5 milhão e Santiago acercava-se dos 100 mil habitantes, números muito ponderáveis para a época em face das outras populações nacionais latino-americanas. Essa disponibilidade de mão de obra e de recursos nacionais permitiria compensar a sua posição marginal com respeito às grandes vias mundiais de comércio que não torna o Chile atrativo para a aplicação de capitais em empresas agrícolas ou para a onda migratória que saía da Europa para o Novo Mundo. No período de trinta anos posteriores à independência, em que a Argentina recebe cerca de 3 milhões de europeus, o Chile apenas acolhe 50 mil imigrantes. Eram principalmente latinos, mas incluíam, também, pequenos contingentes norte-europeus que se instalariam no sul do país, como agricultores. A maior parte dos imigrantes se fixaria nas cidades para dedicar-se ao comércio em que muitos conseguem enriquecer e, por essa via e através do casamento, ingressar na camada dominante.

Essa ascensão seria facilitada, como vimos, pela rígida estratificação étnica que bipartia os chilenos em um pequeno estrato de grandes proprietários e a massa de paupérrimos trabalhadores urbanos e rurais, apenas separados por uma rala camada intermediária, na qual o imigrante se integrava de imediato e da qual ascendia facilmente em virtude da atitude colonialística de superapreciação do branco em face do mestiço nacional. Assim, o que se branqueia ou europeíza no Chile não é o povo — como ocorreria no Uruguai e na Argentina, tornados *povos transplantados* —, mas a "fronda aristocrática". Daí a presença de tantos nomes estrangeiros, não espanhóis, nas listas de homens públicos, de empresários e de diplomatas chilenos.[43]

As Américas e a civilização

A exploração dos novos territórios conquistados ao norte e das funções portuárias de Valparaíso permitiria diversificar a economia, pelo crescimento das empresas mineradoras e do patronato portuário, que tornariam o Chile menos dependente dos latifundiários, possibilitando uma reordenação institucional. Tal foi o período de reformas da segunda metade do século XIX, em que se implantou um regime mais liberal, derrogou-se o instituto do *mayorazgo*, integrando as propriedades latifundiárias na economia nacional, e se impôs limites à influência clerical sobre o Estado.

O novo motor econômico e político da sociedade chilena passa a ser representado, desde então, pelos grupos estrangeiros ligados à exploração e exportação de minérios. Contrariados em seus interesses pelo presidente Balmaceda, que exigia maior participação estatal nos lucros do negócio, desencadeia-se um período de lutas intestinas que custaram quase tantas vidas quanto as guerras chilenas. Os assalariados das regiões mineiras tomaram posição nessas lutas ao lado dos interesses das empresas mineradoras, confundidos por sua linguagem liberal. O resultado desses conflitos foi a implantação, em nome da regeneração política e da liberdade eleitoral, de um poder mais dócil em face das exigências imperialistas. O novo poder alcançaria estabilidade mediante um pacto oligárquico que unificaria os poderosos interesses ligados à mineração com os do latifúndio e os das altas hierarquias militares, para o controle da máquina do Estado. Este pacto encontrou sua expressão política mais típica no regime parlamentarista que se seguiu, dominando o país por mais de trinta anos, em nome da democracia e do bem comum, mas efetivamente a serviço da oligarquia agrária e da grande mineração.

Ao contrário das outras nações latino-americanas que, explorando suas riquezas minerais no período colonial, viram carrear-se para a metrópole quase todo o fruto de seu trabalho, as minas chilenas foram exploradas principalmente depois da independência. Nessas circunstâncias, apesar da espoliação imperialista a que esteve sujeita a sua economia, o Estado chileno conseguiu absorver parcelas muito maiores das riquezas criadas. Pôde contar, assim, com grandes disponibilidades para o custeio de obras e serviços públicos com três ordens de consequências. Primeiro, a metropolização prematura de Santiago, desacompanhada de uma industrialização que lhe servisse de sustentáculo. Segundo, a constituição de uma vasta classe média parasitária de funcionários, comerciantes, militares, profissionais liberais, que passou a pesar cada vez mais sobre o erário público. Terceiro, o ensejo de implantar um amplo sistema de educação popular.

O Chile conseguiu, desse modo, avantajar-se sobre outras nações latino-americanas, que, afundadas em sua pobreza, tiveram ou ainda têm que enfrentar

OS CHILENOS

o custeio da educação e dos serviços de assistência social, justamente quando o Estado é onerado pelo reclamo de grandes investimentos infraestruturais. A oligarquia chilena beneficiou-se também dessas circunstâncias, utilizando os recursos públicos para atenuar as tensões de classe através de uma política clientelística junto aos setores civis ou militares.

Assim, à sombra do patriciado parlamentar que, além do congresso, controlava todos os ministérios, implantou-se um regime de corrupção e clientelismo que presidiu e incentivou o surgimento, no cenário político nacional, das classes médias de empregados, profissionais liberais, burocratas e da oficialidade média das Forças Armadas. Essa camada urbana, mobilizada por novos quadros políticos que preconizavam a austeridade e as reformas sociais para socorrer as massas populares lançadas ao pauperismo, é que conduziria a uma nova e profunda alteração na estrutura do poder. Em 1920, quando o movimento alcançou o apoio do operariado, o seu líder, Arturo Alessandri Palma, foi eleito presidente. Ingressam, assim, no poder, como contrapeso do domínio até então hegemônico da oligarquia, quadros políticos das classes médias urbanas que passariam a integrar os ministérios e a impor sua voz nas decisões.

Essa mudança no conteúdo do poder político é expressiva da renovação estrutural que o Chile vinha experimentando há décadas. Ao expandir-se a economia de mineração, não só se criara um novo ramo da oligarquia e um proletariado, mas também se ensejava um enorme alargamento das camadas médias. Com o crescimento das cidades e da máquina estatal, os novos estratos médios de empregados encontraram condições para expandir-se ainda mais e para forçar sua presença e sua representação no poder. Crescera, porém, simultaneamente, o operariado, que, através dos grandes movimentos de massa, de atividades reivindicativas e das novas organizações políticas, começa a exigir também a melhoria de suas condições de vida. Com isso, pressionam as decisões governamentais no sentido de atender antes aos reclamos do consumo que aos de investimento.

A promulgação de um novo estatuto político e social para os assalariados só seria alcançada, porém, ao preço da queda de Alessandri e da imposição de um regime militar. Essa nova legislação, assegurando liberdade de organização sindical e garantias democráticas à massa assalariada, conduz as lutas sociais no Chile a um nível mais alto, colocando em causa o próprio domínio oligárquico. Posta a questão nesses termos, os líderes das classes médias, que atuavam como os naturais intermediários entre as classes trabalhadoras e o governo, passam a reivindicar sua própria precedência social, fazendo promulgar uma vasta legislação paternalista de amparo aos empregados — ou seja, a si próprios —, que os transformaria numa nova camada privilegiada diante da massa de trabalhadores braçais. O custo dos salários e benefícios dessa camada parasitária, bem como dos serviços assistenciais e educacionais a que só ela tinha acesso, passam a pesar cada vez mais sobre a economia, impossibilitando a melhoria do nível de vida do operariado e do campesinato.

A crise mundial de 1930 repercute estrepitosamente na economia chilena, cuja debilidade básica estava em sua completa dependência do mercado internacional de minérios. Entrando este em colapso, por vários anos, os chilenos experimentam um surto de desemprego em massa e de grandes convulsões populares. O regime militar que derrubara o governo classe-medista do presidente Alessandri, mas executara uma política nacionalista de industrialização e de amparo ao trabalhador, cai, engolfado no turbilhão da crise.

Seguem-se anos de agitação em que os problemas de pré-guerra repercutem fortemente na vida política chilena e em que os trabalhadores alcançam uma maior capacidade de organização e uma influência crescente sobre o poder político. A guerra mundial, valorizando a produção mineral chilena e, sobretudo, restringindo as possibilidades de importação de manufaturas, conduz a uma política de desenvolvimento autárquico que favorece a industrialização, permitindo ao Chile recuperar o ritmo de progresso espontâneo perdido desde a grande crise.

A reintegração no mercado mundial, após o conflito, trouxe de volta os velhos problemas, mostrando, também nesse caso, a inviabilidade da edificação de uma sociedade industrial autônoma e progressista, dentro do contexto econômico internacional. Naturalmente, a dificuldade não era intrínseca à sociedade chilena, nem se devia à natureza dos seus produtos de exportação, mas à apropriação estrangeira das empresas mineradoras chilenas e ao papel deformante que esse núcleo exógeno de interesses exercia sobre toda a economia do país. Somando aos efeitos de constrição exercidos pela ordenação oligárquica interna, fundada no latifúndio, essa constrição externa colocava todo o povo chileno a serviço de desígnios, não só estranhos, mas opostos aos seus próprios.

3. A radicalização política

Os traços mais característicos do Chile moderno são, provavelmente, seu alto grau de urbanização, sua incipiente industrialização, o domínio estrangeiro sobre as riquezas minerais do país e sua radicalização política. A urbanização precoce e profunda se expressa no fato de que a população urbana passa de 46% a

65% de 1920 a 1960, e de que entre 1952 e 1962 a população das três maiores cidades aumentou em 65%, enquanto a de todo o restante do país, em apenas 35%. O setor terciário, que englobava, em 1952, 37% da população ativa em serviços não produtivos, ampliou-se, em 1960, para 46%. Nesse último ano a parcela da população ativa ocupada na mineração e na agricultura alcançava apenas 30%, e a mão de obra das indústrias manufatureiras, 24%. Todos esses números são indicativos de uma superurbanização e de um amadurecimento estrutural que fazem da sociedade chilena um exemplo de desenvolvimento socioeconômico contraditório, porque regido desde fora pelas grandes empresas mineradoras que se apropriaram, primeiro, das reservas minerais do país e, depois, promoveram uma industrialização substitutiva, através de sucursais das corporações internacionais, ambos absorvendo a massa principal dos excedentes produzidos pelo povo chileno para carreá-los para fora do país.

Nessas circunstâncias, a urbanização — porque precoce —, a industrialização — porque reflexa — e a modernização estrutural — porque incompleta e incapaz de absorver a população inteira nos estilos de vida do mundo moderno — não darão os resultados desenvolvimentistas que uma industrialização efetiva e auto-comandada produziu em outros países. Para essa situação contribuíram, também, três fatores internos: primeiro, a expansão demográfica de cerca de 2,5% ao ano na última década; segundo, a repulsão do campo, dominado pelo latifúndio (75% da terra cultivável em mãos de 5% dos proprietários rurais) e em que prevalecem condições miseráveis de vida e de trabalho, flagrantemente contrastantes com as dos trabalhadores urbanos. Terceiro, a atração da vida citadina, mais democrática e igualitária e que oferece oportunidades de trabalho na indústria em expansão, na construção civil e nos amplos setores terciários que vão desde os serviços domésticos até a burocracia.

A atuação dessas três ordens de fatores provocou uma transladação maciça de populações do campo para a cidade, criando problemas de marginalidade, mas ensejando uma integração nacional que de outro modo não seria alcançada. Esta integração foi facilitada pelo esforço educacional, que, alfabetizando o *huaso*, lhe ampliou o nível de informação e de participação na vida nacional, abrindo-lhe, além de melhores perspectivas de emprego, oportunidades de ascensão a uma condição de dignidade humana que a opressão rural sempre lhe negara. Assim é que, correlativamente com a urbanização, se observa a estruturação da família nos meios populares, caindo, por exemplo, os registros de ilegitimidade de nascimento de 40%, em 1917, para 17%, em 1959. Nas cidades, o *huaso* irá também ingressar na vida política, independentemente das instituições patronais e do caudilhismo rural.

As Américas e a civilização

A principal força deformadora do desenvolvimento chileno é, como vimos, a apropriação estrangeira das riquezas minerais do país, primeiro pelos ingleses e alemães, e, mais recentemente, pelas empresas norte-americanas. Essa dominação estrangeira sobre o setor que produz duas terças partes das divisas e provê grande parcela dos recursos públicos retira à nação o poder de decidir sobre as questões de maior relevância para seu destino e transfere ao estrangeiro uma soma ponderável dos lucros auferidos com a exploração e a exportação mineira. Seu efeito mais danoso, porém, é a interferência na política externa do país, dado o caráter estratégico dos produtos de exportação, e na vida política interna, através do pacto desses interesses com a oligarquia latifundiária e com o patronato, da indústria e do comércio, para manter o sistema de exploração que condena o Chile ao subdesenvolvimento.

Outra característica fundamental do Chile, decorrente do seu precoce amadurecimento estrutural, é a radicalização política que opõe as poucas centenas de famílias da "fronda aristocrática" e o patriciado urbano de políticos profissionais e de empresários à massa inteira da população, desde as camadas médias até as classes populares já integradas no processo político. As eleições chilenas de 1964 foram travadas já não entre bandos da oligarquia, nem entre estes e lideranças das forças populares, mas entre democratas cristãos que se apresentavam com um programa esquerdista reformista e uma aliança dos socialistas com os comunistas. Travaram-se, em um ambiente da mais alta tensão, sob a vigilância interessada de todos os latino-americanos que viam decidir-se, ali, uma batalha do continente. E, ainda, com a participação ativa e não dissimulada do governo norte-americano e de outras forças internacionais que encaravam a luta pela vitória de Frei como uma batalha internacional que pertencia tanto a eles próprios quanto aos chilenos.

A democracia cristã venceu duplamente, não só pelos votos, mas também pela realização das próprias eleições. Efetivamente, as grandes possibilidades de vitória das esquerdas provocaram o maior pânico nos setores mais retrógrados, criando um risco iminente de golpe militar. Poucos ou talvez nenhum país latino--americano suportaria uma prova dessas sem a ruptura "preventiva" das instituições democráticas.

As questões colocadas diante do governo democrata cristão chileno, em face de uma opinião pública vigilante, eram profundas e complexas. Estava em pauta, em primeiro lugar, o domínio estrangeiro sobre os minérios que os chilenos queriam ver nacionalizados e acessíveis a todos os mercados do mundo e que os norte-americanos desejavam manter sob seu controle, embora admitissem que este devesse ser disfarçado porque constituía o ponto nevrálgico das campanhas políticas anti-imperialistas. A importância dos minérios no balanço de pagamentos, a dependência de mercados externos tradicionais não facilmente substituíveis e até mesmo do sistema de beneficiamento dos mesmos que se encontra no exterior, bem como a carência de recursos internos para investimento neste campo e a própria natureza estratégica destes produtos, tornam a questão do cobre o desafio mais complexo com que se defrontam os chilenos. A solução dada por Frei foi adquirir 51% das empresas de mineração, solução que só satisfez aos norte--americanos.

Estava igualmente pendente o problema do controle do Estado sobre o comércio exterior e sobre o mercado de câmbio, a regulamentação das remessas de lucros e a revisão do sistema financeiro como única forma de assegurar aos chilenos o controle da acumulação de recursos internos e a orientação dos investimentos aplicados à industrialização. Com uma indústria desnacionalizada — posto que havia sido implantada pelas grandes corporações internacionais —, os chilenos viam deformar-se o próprio processo de industrialização, o qual, ao operar sob essas condições, embora conseguisse expandir-se, não poderia gerar os efeitos de renovação estrutural e de reordenação institucional que alcançou em outros lugares. Tampouco esse problema foi resolvido pelo governo democrata cristão.

Estava em causa, finalmente, a estrutura agrária fundada no latifúndio, incapaz de elevar o padrão de vida das populações rurais e cujo arcaísmo era incompatível com a introdução de uma tecnologia moderna na agricultura. Sendo este o setor mais vulnerável a uma reordenação, dada a "modernidade" do Chile, cuja economia fundamentalmente mineradora provocou uma estratificação social atípica na América Latina, o governo pôde nesse campo enfrentar os interesses latifundiários com uma reforma agrária que contou com bastante compressão das massas rurais e com suficiente apoiamento de setores extra-agrários para enfrentar a velha oligarquia latifundiária.

A democracia cristã foi chamada a dar solução a essas três ordens de problemas, o que importou no desencadeamento de um processo de renovação que afetou a sociedade inteira desde as suas bases. O desafio era grave, mesmo porque poucos governos latino-americanos alcançaram o poder tão comprometidos a tentar acertar ou foram chamados tão claramente a enfrentar a reestruturação social da nação diante de uma opinião pública tão lúcida e desperta. Em face desses desafios estruturais, nada podiam as tecnicalidades desenvolvimentistas de que o próprio Chile se tornou o principal centro exportador para a América Latina. Cumpria enfrentar e refutar as forças de constrição internas e externas, pactuadas para manter o *status quo*.

As Américas e a civilização

O problema é tanto mais complexo porque a maré montante das aspirações populares de progresso e desenvolvimento que percorre toda a América Latina tem no Chile um de seus pontos mais altos. Ali se defrontavam, sem disfarces, o corpo de soluções socialistas que, com base em muitos precedentes, alegava poder conduzir o Chile ao desenvolvimento pleno em uma geração; e a alternativa democrata cristã que declarava poder fazê-lo também, com morosidade, mas com a salvaguarda de valores políticos e espirituais importantes para o povo chileno. Os socialistas e comunistas, estando na oposição, podiam prosseguir seu proselitismo com base no mesmo discurso. Mas os democratas cristãos, com as brasas do poder queimando-lhes as mãos, tinham de demonstrar, por atos concretos, sua capacidade de atender à vontade de reforma e de progresso do povo chileno dentro do enquadramento representado por seu compromisso de manter o regime capitalista e de impedir a revolução socialista. Do impasse resultou um governo reformista que, não podendo dar solução às três ordens de problemas, aplainou o caminho para reformas mais radicais de reestruturação social.

4. A via chilena

A vitória de Salvador Allende nas eleições presidenciais colocou o Chile em uma nova via de transição ao socialismo. Nova não só para os chilenos, mas para todos. De certa forma, como dizia o presidente Allende, o Chile reviveu em 1971 o pioneirismo da Rússia do ano 1917 — que implantou o primeiro regime socialista revolucionário — ao inaugurar a segunda rota ao socialismo: a evolução pacífica. Isto é, a via prevista pelos clássicos para o caso "dos países onde a representação popular concentra em si todo o poder; onde, de acordo com a Constituição, se pode fazer o que se deseja, desde o momento em que se tem de trás de si a maioria da nação" (F. Engels, 2004).

O paralelismo vai mais longe ainda porque, tal como na Rússia, tampouco no Chile o socialismo surgiu da maturação do capitalismo e de sua superação, mas em virtude do seu malogro para promover um progresso generalizável a toda a população e implantar um regime de participação popular no poder.

Uma vez mais a história atuou ao contrário das expectativas. Assim como a revolução da ditadura do proletariado prevista para a Alemanha industrializada se desencadeou na Rússia atrasada, também o socialismo evolutivo — que se poderia esperar que surgisse em países industrializados como a Itália ou a França, como coroação de seu desenvolvimento econômico e social prévio e da maturidade política do proletariado — ocorreu no Chile.

As consequências foram também semelhantes: a contingência de fazer do socialismo um instrumento de edificação econômica e de industrialização intensiva ali onde o capitalismo fracassou em lográ-lo; e ademais o desafio de refazer as instituições políticas, mercê da inventiva e criatividade própria, pela falta de uma experiência prévia na qual se inspirar ou de modelos que se pudessem copiar.

Lênin e sua equipe enfrentaram com êxito esses dois desafios. Allende e seus companheiros não o lograram. O projeto era tão amplo e generoso que comoveu as esquerdas de todo o mundo. Contudo, disso não resultou um apoio efetivo a esse experimento sem paralelo. Uns, achando a meta demasiado alta para seus atores, a desmereceram. Outros, imaginando que se tratava de uma armadilha da história, indagavam sobre os artifícios que permitiriam converter essa via novidadeira na rota trilhada pela ditadura do proletariado.

Não cabe dúvida de que a situação política chilena era a mais complexa e singular. Para compreendê-la em suas características peculiares é preciso remontar às condições que levaram a Unidade Popular à vitória. Na base desta se encontra toda a história política anterior do Chile que logrou institucionalizar uma democracia parlamentar na qual a influência dos partidos marxistas e das organizações operárias tinha, desde décadas, um grande peso no eleitorado. Como causa mais próxima, não se pode ignorar o efeito da pregação reformista de Frei — levada muito mais adiante por Tomic — e seu afã por atender às aspirações populares, sob o assédio de uma esquerda combativa que lhe disputava o poder.

Com efeito, o reformismo democrata cristão fixou seu eleitorado de classe média e de setores modernizados do proletariado em uma posição centrista que impossibilitou um pacto com a direita. Por outro lado, a reforma agrária, iniciada por Frei, despolarizando o conservadorismo dos camponeses, levou certos setores rurais a votar pela esquerda com a esperança de que ela intensificaria a distribuição da terra. Representou também seu papel o sectarismo da esquerda radical, cujo rechaço, a envolver-se nas eleições presidenciais, teve o efeito de configurá-la como uma ultraesquerda, diante da qual a Unidade Popular ganhava, para amplos setores, a imagem de uma esquerda moderada.

As eleições se travaram, por isso, entre três forças de magnitude equivalente, cada uma das quais tinha amplas possibilidades de vitória, o que dissuadiu a direita de tentar um golpe preventivo. O resultado foi a vitória da Unidade Popular por uma pequena margem de votos, o que exigiu sua ratificação posterior pelo Congresso, ratificação conseguida graças aos votos democratas cristãos.

Nesse campo de forças opostas mas independentes, as tentativas da direita de detonar um golpe militar através de ações terroristas, assassinatos e chantagens econômicas coordenadas desde Washington tiveram o efeito contrário, fortalecendo a disciplina, coesão e apoio das Forças Armadas ao presidente eleito e compelindo a democracia cristã a respeitar o referendo popular.

Ao assumir o governo, a Unidade Popular começou a pôr em marcha um processo revolucionário com a legitimidade de quem representava no poder uma opção livremente tomada pelo eleitorado de conduzir o país a um regime de transição ao socialismo, através da utilização do aparelho governamental e da institucionalidade constitucional para iniciar o desmonte das bases do capitalismo.

A primeira inovação política do governo de Allende foi reatar as relações diplomáticas com Cuba e outros países socialistas, ao mesmo tempo que estreitava os vínculos com os países vizinhos — Argentina, Peru, Equador, Colômbia —, o que levou ao fracasso as intenções de isolar o Chile da América Latina através da política de "fronteiras ideológicas". A segunda vitória, mais importante ainda, foi obter do Congresso uma reforma constitucional, votada por unanimidade, nacionalizando, sem indenização, as empresas cupríferas que produziam mais da metade da renda nacional de divisas. Simultaneamente, o governo reorganizou os órgãos de planificação que elaboraram o programa econômico de curto prazo e o plano sexenal que oferecia uma primeira visão global em linguagem técnico-econômica do que a Unidade Popular propunha ao Chile. A essa altura já havia sido posta em marcha a nova política econômica e salarial que assegurou, de imediato, um substancial aumento no poder de compra das camadas assalariadas mais pobres, absorveu a grande massa de trabalhadores desempregados, pôs em atividade a capacidade ociosa das indústrias já instaladas, fixou os preços de bens fundamentais e, graças a todas essas medidas, reduziu o ritmo da inflação por procedimentos opostos aos da política econômica tradicional. A seguir, se acelera e aprofunda a reforma agrária dentro da regulamentação herdada do governo anterior, mas se procura mudar o critério da multiplicação de granjas pelo de grandes complexos cooperativos e estatais de produção agropecuária. O decisivo, no campo econômico, foi, sem dúvida, a estatização do sistema bancário e do comércio exterior através de medidas administrativas e a incorporação ao setor social, pelos mesmos procedimentos, da maior parte das grandes empresas nacionais privadas, especialmente a indústria têxtil.

A direita, sentindo-se ameaçada de morte pelos efeitos dessa nova política econômica, se mobiliza e põe em funcionamento todos os recursos de que dispõe para provocar uma crise paralisadora. Alguns setores desesperados voltam a conspirar e a fomentar atentados através do estímulo e subsídio de grupos parafascistas. Outros buscam a aliança com os democratas cristãos para uma campanha de oposição levada a cabo mediante ações conjugadas em várias frentes. Tais são, na arena propriamente política, a apresentação de candidatos comuns nas eleições complementares, que obrigam a Unidade Popular a tratar de conseguir a maioria absoluta de votos a fim de conquistar a vitória; a constante fustigação parlamentar mediante a não aprovação do orçamento de serviços assistenciais do governo; as tentativas de destituição de ministros de Estado; a aprovação de reformas constitucionais destinadas a diminuir a autoridade do presidente da República e a obstar a utilização de regulamentos e leis anteriores para levar a cabo a transferência das grandes empresas privadas à área social.

No terreno mais amplo das ações de massas, sobressaem duas ordens de medidas. O estímulo sindical de reivindicações salariais — não obstante o amplo programa redistributivo do governo —, com o objetivo de anular a política anti-inflacionária. E a mobilização da imprensa oral e escrita e de todos os meios publicitários disponíveis para atemorizar as camadas médias. Surgem, assim, massas manobráveis pela reação, utilizadas em marchas de protesto contra o desabastecimento e em confrontações com a esquerda nas universidades. Com isso, a direita procura construir uma base social para a contrarrevolução, explorando a insegurança típica dessas camadas e as dificuldades de abastecimento que elas enfrentam, provocadas pelas próprias reformas econômicas em curso, pelo extraordinário aumento do consumo popular, pelo boicote empresarial e pela hostilidade dos pequenos comerciantes a um governo de orientação socialista.

As táticas mais perigosas da oposição foram, entretanto, por um lado, as campanhas jornalísticas e parlamentares em tom sensacionalista sobre ocupações ilegais de fazendas e de empresas por seus trabalhadores; atos subversivos da ultraesquerda; pretensas medidas ilegais do governo, ou a exploração mais exaltada de conflitos virtuais entre os três poderes. E, por outro lado, a tentativa de provocar enfrentamentos armados por parte de grupos parafascistas a fim de induzir as esquerdas ou as próprias forças de manutenção da ordem a atos de violência que comovessem a opinião pública. Tudo isso para persuadir as Forças Armadas de que se estava atentando contra a legalidade ou de que existia uma ameaça iminente de subversão da ordem institucional que só poderia ser detida mediante um golpe militar.

De fato, o golpe era a única esperança de sobrevivência da direita, que só em um retrocesso do processo de socialização via perspectivas de recuperar seus privilégios econômicos e a regência da estrutura de poder. Alguns políticos de

AS AMÉRICAS E A CIVILIZAÇÃO

oposição centrista resistiram a esse chamamento ao desespero, argumentando que eram crescentes suas oportunidades de vitória eleitoral em uma confrontação com a Unidade Popular. Essa atitude conciliatória se inspirava também na convicção de que um golpe militar no Chile, além de implicar o risco de uma guerra civil, resultaria na proscrição dos políticos da estrutura de poder, como tem ocorrido em toda a América Latina. Só a direita, sentindo-se sangrada pela perda progressiva das bases econômicas de seu poderio, preferia qualquer tipo de regime ao vigente. Essa foi também a disposição de certos grupos da classe média, em processo de fascistização, que as elites direitistas procuraram fanatizar a qualquer custo.

A eventualidade de um golpe militar no Chile, embora não pudesse ser descartada, era, a princípio, relativamente pequena, dado o vigor da institucionalidade política chilena e o caráter revolucionário da liderança de Allende. Em face de governos reformistas que buscavam mudar algo nas velhas estruturas, principalmente para conservar o essencial da ordem privatista, a simples ameaça de um golpe de Estado havia sido fatal, como ficou demonstrado nos casos do Brasil (Vargas em 1954, Goulart em 1964) e da Argentina (Perón em 1955).

A situação parecia diferente no caso do governo de Allende em virtude de sua postura revolucionária. Quando menos, os militares golpistas temiam que a Allende não derrubariam apenas com movimentos de tropas e ameaças, sem luta. Mas se a ameaça de um golpe militar direitista no Chile não era tão iminente nem inevitável como foi em outras partes, tampouco era seguro que o governo da Unidade Popular pudesse enfrentá-lo com a revolução social, se chegasse a desencadear-se. Para isso necessitaria, ademais de sua predisposição revolucionária, alcançar um poder de mobilização popular e de unificação política que excedia a capacidade dos partidos da Unidade Popular.

Sem embargo, só adquirindo essa capacidade o governo de Allende poderia fazer frente ao golpe militar, e ao mesmo tempo aos óbices que se opunham à tarefa política de concretizar a via chilena. O principal destes óbices residia, provavelmente, na inaptidão da Unidade Popular para explicitar a seus próprios quadros em que consistia essa via, quais seriam os requisitos indispensáveis a seu êxito e qual o alcance das reformas institucionais que ela demandava. O problema era tanto mais grave porque a esquerda chamada a colocar em marcha esta via havia sido formada ideologicamente segundo as doutrinas do socialismo revolucionário e da ditadura do proletariado, cuja estratégia e táticas são em certos casos opostas ao que deveria corresponder ao caminho evolutivo.

Nessas circunstâncias, atender às exigências mínimas de exploração das potencialidades da via chilena era, às vezes, extremamente difícil, em razão do repto ao governo por parte de grande número de quadros políticos dos mais capazes da esquerda. Estando convencidos de que a via chilena era, em essência, uma manobra eleitoral, não admitiam que sua tarefa fosse a mobilização e organização política das massas, ou a batalha ideológica para neutralizar a fascistização das classes médias. Acreditavam que seu dever era preparar-se para a luta armada para a tomada do poder, luta que, a seu juízo, teriam de enfrentar, seja contestando ataques da direita, seja utilizando, por iniciativa própria, oportunidades que se oferecessem para levar adiante o processo revolucionário, tal como o concebiam.

Este múltiplo repto ideológico que desafiava o governo — elaborar a teoria de si mesmo e contestar, em nome de um socialismo evolutivo, o universalismo das doutrinas revolucionárias ortodoxas e o catastrofismo da esquerda radical — devia ser enfrentado justamente quando mais se necessitava de unidade de ação e de comando para afrontar a nova conjuntura política.

Para essa gigantesca tarefa político-ideológica, Allende estava só. Para uns, os comunistas ortodoxos, a via chilena era uma espécie de armadilha da história que colocava em risco conquistas duramente logradas em décadas de luta. Apesar disso, foram os que melhor compreenderam o processo em sua especificidade e os que mais ajudaram a realizar suas potencialidades, como a reconhecer suas limitações. Mas, na realidade, os comunistas chilenos deram a Allende o único apoio sólido e seguro com que contou nos seus três anos de governo.

Para outros, os esquerdistas desvairados, não existia nenhuma via chilena. Tinham os olhos tapados por esquemas formalistas e sectarizados por sua disposição voluntarista, heroica mas ineficaz. Com isso, só admitiam converter o Chile em Cuba, concebendo o modelo cubano como o único possível de ação revolucionária. Além de visivelmente inaplicável às circunstâncias chilenas, o modelo que tinham em mente nada mais era que uma má leitura teórica da experiência cubana. E, nesse sentido, inaplicável em qualquer outra parte, uma vez que só viam nele a ação armada, sem perceber toda a complexa conjuntura política em que ela teve lugar e êxito.

Alienados por essa visão paranoica, negaram de fato seu concurso ao processo que Salvador Allende comandava, criando-lhe os primeiros graves problemas internos. A certa altura, querendo *aprofundar* a qualquer custo o processo, se converteram em provocadores. Tendo uma linha de ação mais etnológica que política, tornaram-se porta-vozes eficazes das reivindicações seculares dos índios Mapuche. Assim, adiantando-se à reforma agrária em curso, alentavam invasões de terras. Mais tarde, com a mesma postura, passaram a agitar os favelados, criando áreas de atrito com a legalidade constitucional, cuja defesa era a condição sem a qual não se podia levar a cabo, com êxito, o processo chileno, numa conjuntura de dualidade de poder.

Sua alucinação, comum a tantos grupos ultristas em todas as partes e em todos os tempos, só é comparável à alienação religiosa de que falam os clássicos. Do mesmo modo como esta impede de ver o mundo real — porque só enxerga demônios e santos manipulando os homens —, o desvario ultrista também impossibilita ver a realidade porque interpõe entre ela e o observador dogmas e esquemas ditos "marxistas", mas que desesperariam a Marx se deles tomasse conhecimento...

Os socialistas, membros de um partido eleitoreiro, viviam do antigo, renovado e crescente prestígio popular de Allende. Carentes, porém, de uma ideologia própria, passaram a funcionar, por um lado, como uma caixa de ressonância da esquerda desvairada, criando os maiores obstáculos ao presidente com seu radicalismo verbal e sua inflexibilidade. Na verdade, a maioria de suas muitas facções atuou antes como um entrave à condução política de Allende (por suas propostas provocadoras, denúncias descabidas e exigências infantis), do que contra o inimigo comum, por jamais reconhecer e ajustar-se ao caráter gradualista do processo chileno e a suas características específicas.

Ultristas e socialistas pareciam mancomunados em disputas estéreis com os comunistas e em negar a Allende, por sectarismos e cegueira, qualquer ajuda à sua flexibilidade tática que teria aberto os horizontes de ação política indispensáveis para fazer frente à contrarrevolução. Nessas circunstâncias, sua atuação, ao invés de frear a escalada que só servia ao inimigo desesperado, a intensificou, facilitando a atividade sediciosa que brotava por toda parte e a subversão militar que o presidente procurava frustrar, apoiando-se nos oficiais fiéis à ordem constitucional.

Era então enorme a solidão de Allende. Onde estavam, entre os muitos *teóricos*, aqueles efetivamente capazes de definir os requisitos necessários à viabilização da via chilena? Onde se encontravam, entre tantos marxólogos e politicólogos, os capacitados a diagnosticar os problemas concretos e a formular soluções adequadas? Onde estavam, entre tantos esquerdistas facciosos, os quadros indispensáveis para levar à prática, nas bases, as palavras de ordem de Allende? Na verdade, não chegaram a entender o processo revolucionário que se desenrolava diante de seus olhos, rotulado muitas vezes como reformismo. Uns e outros exorcizavam mais que combatiam, em atos mais simbólicos do que concretos, e se alimentavam com palavras, suspirando por uma revolução quimérica que algum dia cairia sobre suas cabeças.

Houve muitas exceções, é certo. Aqueles que, transcendendo de sua experiência livresca, se entregavam à luta unitária, realizando tarefas que a história concreta colocava à sua frente. A estes, à sua capacidade política, se deve o extraordinário vigor que o processo chileno chegou a alcançar. Por um lado, o de um gigantesco movimento de massas que, durante longo tempo, enfrentou e paralisou as manobras fascistas. Pelo outro, na forma de lutas de classe levadas a um nível sem precedentes que, sob condições adversas, ganharam para a Unidade Popular o apoio da maioria da população, opondo o povo às camadas privilegiadas e impedindo que as greves políticas paralisassem a indústria.

Entretanto, Allende teve que enfrentar, ao mesmo tempo, a hostilidade das esquerdas alienadas e a direita desesperada. Esta, sentindo-se ferida de morte ao perceber que não sobreviveria a dois anos mais de governo da Unidade Popular, se dispôs a derrotar esse governo a qualquer preço. As esquerdas desvairadas jamais se deram conta dessa situação. Por isso, devemos reconhecer que seu radicalismo não se baseou sequer nos esquemas inspirados nos textos referentes aos momentos mais álgidos da luta revolucionária. Nenhum revolucionário consciente provocaria a direita para radicalizar um processo político sem preparar, previamente, os trabalhadores e o povo para esse enfrentamento. Isto é, sem estar certo da vitória de uma convulsão social generalizada.

Na realidade, a radicalização ultrista da esquerda somada ao terrorismo da direita confluíram em benefício da contrarrevolução. Esta foi orquestrada por um comando unitário, do ponto de vista político e militar, e levada a cabo por agentes provocadores financiados e assessorados do exterior.

Desde o primeiro momento, Allende percebeu com toda a lucidez que eram falsos ou não se aplicavam à via chilena alguns dos célebres dogmas das esquerdas desvairadas. Entre outros, o de que se avança ao socialismo exclusivamente pela luta armada; de que o socialismo se constrói sobre o caos econômico; de que cumpre derrotar previamente toda a legalidade burguesa para abrir o caminho ao socialismo.

O primeiro destes dogmas pressupunha que entre o *status quo* e o socialismo estaria o cadáver das Forças Armadas. Allende sabia que não podia enfrentá-las diretamente e as via de forma mais objetiva. Primeiro, como uma burocracia tão hierarquizada que poderia, talvez, ser submetida aos seus superiores do comando civil institucional. Segundo, como uma instituição eminentemente política, propensa ao fascismo por lealdades classistas, por sua constituição e doutrinação, mas suscetível de ser dividida e anulada politicamente pela ação disciplinada do povo organizado.

Dentro dessa concepção, o presidente Allende supunha que, conduzido com acerto o processo chileno, o braço armado do velho regime ou parcelas ponderáveis

As Américas e a civilização

dele poderiam converter-se em custódios de uma ordem solidária. Isso se não se sentissem ameaçados em sua sobrevivência institucional nem prejudicados em seus privilégios. "Sofreriam crises histéricas na transição", dizia Allende, e as concebia como intentonas e golpes. Confiava, entretanto, que poderia controlar esses levantes contanto que alguns componentes das Forças Armadas se mantivessem fiéis à legalidade institucional. E de que os militares incorporados às tarefas do desenvolvimento nacional lhe dessem apoio político. E, acima de tudo, demonstrando--lhes da forma mais inequívoca que no Chile não se repetiria o suicídio de Vargas de 1954, ou a queda de Perón, em 1955, e a de Goulart, em 1964. Isso porque, diante da alternativa de uma convulsão generalizada e de uma guerra civil, Vargas, Perón e Goulart preferiram cair a lutar.

Allende atuou sempre e até o fim dentro dessa perspectiva. Manteve o poder por três anos, obrigando as Forças Armadas a exercer suas funções de garantidoras da segurança do Estado na repressão ao terrorismo de direita. Ao mesmo tempo chamava o povo à defesa das conquistas do governo da Unidade Popular. Embora contrapostas, essas duas diretivas dadas simultaneamente puderam ser muitas vezes levadas à prática.

Assim, por longo tempo, Allende dissuadiu os militares golpistas da conspiração por ter-lhes infundido a certeza de que, se desencadeassem um golpe, submergiriam o país na guerra civil, e tudo o que eram e possuíam seria colocado em jogo. Dessa forma pôde convocar generais a integrar ministérios, não porque tivessem afinidades com a orientação política do governo, mas em cumprimento a ordens taxativas ditadas em nome da segurança nacional. Pelo mesmo motivo, pôde contar com o beneplácito de muitos oficiais das Forças Armadas, uma minoria, é certo, mas que tenderia a crescer, fosse outro o rumo tomado pelo processo chileno.

O momento mais alto talvez dessa interação entre o governo da Unidade Popular e os militares foi quando Allende conseguiu, em sua viagem à Argentina, que Lanusse, em vez de dirigir-se ao Brasil, fosse ao Chile. Isso significou não somente uma derrota da política de fronteiras ideológicas, mas uma vitória do direito dos latino-americanos ao pluralismo ideológico e uma enorme façanha militar. Com essa distensão, o presidente chileno demonstrou aos generais que por sua ação política, mais que por qualquer corrida armamentista, conseguiria esfriar os ânimos nas fronteiras com a Argentina. E que um poder socialista de nenhum modo debilitaria a segurança nacional.

Contudo, para manter o controle institucional das Forças Armadas era necessário preencher um requisito essencial: que o presidente Allende assumisse efetivamente o comando das esquerdas, as unificasse e as pusesse em ação a serviço do processo em curso. Jamais o conseguiu. Os atos desesperados da esquerda desvairada e a inação palavrosa dos confusos líderes socialistas contribuíram para torpedear essa tarefa, facilitando assim a atuação da direita entregue abertamente à contrarrevolução.

Nessas condições, os líderes democratas cristãos aliados à extrema direita transformaram o Parlamento num órgão de provocação, chantagem e obstrução ao Poder Executivo. Simultaneamente, as altas hierarquias do Poder Judiciário questionavam a legalidade das ações do governo. Tudo isso levou as classes médias ao desespero pelo temor de perder, não o que tinham — que era pouco —, mas as esperanças vãs de enriquecimento e prestígio que, lhes diziam, num regime socialista jamais alcançariam. Por outro lado, provocadores especialmente adestrados atiçavam a *lumpemburguesia* constituída por 100 mil microempresários (donos de caminhões, feirantes etc.) e a enorme massa sob seu controle para toda sorte de ações subversivas e de sabotagem ao governo.

Tratava-se, aparentemente, de setores desorganizados e impotentes em face do forte apoio operário com que contava a Unidade Popular. Mas, incitados por grupos sediciosos, preparados para qualquer tipo de terrorismo, e subornados pelos açambarcadores que sabotavam o abastecimento e propiciavam o mercado negro, conseguiram paralisar praticamente o país em duas ocasiões. Na primeira vez, puderam ser contidos pelas Forças Armadas e pelas organizações populares. Na segunda, prepararam o desastre final porque a conspiração militar já havia desarticulado o aparelho repressivo do Estado, e as organizações populares, confundidas pelos comandos radicais, não tiveram condições de agir.

Outra convicção das esquerdas desvairadas — negada por Salvador Allende — era a de que o socialismo se constrói sobre o caos econômico, partindo de um "comunismo de guerra" para uma posterior reorganização institucional da sociedade em novas bases. Também essa estratégia era inaplicável ao Chile e não era necessária. A política econômica de Pedro Vuscovich — baseada antes na utilização das alavancas administrativas disponíveis do que na conquista prévia de uma legalidade socialista impraticável — revelou-se muito mais eficaz do que seria de prever. Essas conquistas vinham da institucionalidade anterior, mas, aplicadas em sentido oposto, puderam conter o privatismo, utilizando os próprios instrumentos legais de dominação classista, e possibilitaram o avanço, passo a passo, da construção das bases de uma nova economia coletivista.

Entretanto, a certa altura, a coligação parlamentar centro-direitista e o poder judicial, utilizando o mito da legalidade para debilitar a autoridade de Salvador

As Américas e a civilização

Allende como comandante em chefe das Forças Armadas, bem como a ação combinada de políticos e empresários para provocar o colapso econômico, criaram condições para a sedição. Muitos outros fatores — além das acusações de *legalismo ou reformismo* por parte da esquerda — se conjugaram para isso. Entre eles, a indisciplina das próprias esquerdas, que contribuiu para enfraquecer o poder de comando do governo, a moral das organizações populares, a força dos sindicatos e a ação da oficialidade ao regime constitucional.

Muito há a aprender dessa experiência única de repensar com originalidade os princípios da política econômica a fim de oferecer uma via de transição ao socialismo. Entre suas conquistas se conta a de acabar com o desemprego, a de elevar substancialmente o padrão de vida das camadas mais pobres, a de aumentar ponderavelmente a produtividade industrial, intensificar a reforma agrária, impor o controle estatal sobre os bancos privados e o comércio exterior, a de socializar as empresas-chave, e, sobretudo, a de recuperar para os chilenos as riquezas nacionais, a começar pelo cobre, sujeito desde sempre a mãos estrangeiras.

O presidente Salvador Allende logrou provavelmente mais em três anos, por essa via, do que qualquer revolução socialista em igual período. Por isso ganhou eleições, enquanto estava no governo, o que jamais ocorreu antes no Chile. Mas desesperou a todos os privilegiados, desafiando-os a promover a contrarrevolução como único modo de garantir sua sobrevivência como classe.

Aqui convém recordar que Allende — embora desajudado também nessa tarefa — fez o possível para dissuadir as camadas médias de profissionais liberais a entregar-se à sedição. Entretanto, o caráter do processo, sua marcha gradativa mas inflexível ao socialismo, radicalizou sua posição. Uma a uma de suas instituições representativas — sindicatos de pequenos empresários, associações de profissionais liberais, federações de grêmios estudantis de nível médio e superior — foram se entregando à direita e à contrarrevolução.

Diante dessa radicalização teria sido indispensável contar com os meios adequados para vencer a sedição em marcha. Dada a dualidade efetiva de poder, isso foi se tornando impossível. Como tratar com mão dura os açambarcadores e especuladores? Como reprimir severamente o terrorismo dos grupos fascistas? Como limpar os meios financeiros do capital aventureiro que fora da rede bancária especulava abertamente? Combater politicamente em todas essas frentes tornou-se impossível quando a Democracia Cristã, jogando com a inflação, o colapso econômico e o golpe, negava tudo ao governo no Parlamento e se fazia surda aos chamados e denúncias de Allende sobre a marcha do golpe contra a democracia e as instituições que ela pretendia defender. Teria sido necessário também impor o racionamento sob o controle das Forças Armadas. Essa medida encontrava oposição até nas esquerdas radicais que utilizavam o desabastecimento como técnica de influência sobre os favelados. Teria sido indispensável, igualmente, encontrar mais ajuda do que teve Salvador Allende para fazer face ao cerco econômico externo. Este, boicotando as exportações chilenas e atuando sobre a rede bancária internacional para pressionar o Chile a pagar sua vultosa dívida externa, criou as maiores dificuldades econômicas ao governo da Unidade Popular.

Ninguém pode esquecer a flagrante contradição entre a valorização do processo chileno por parte do imperialismo e sua não valorização pelas potências socialistas. Exceto os cubanos, que fizeram todo o possível para compreender e ajudar o Chile de Allende — reduzindo inclusive suas rações alimentícias para doar açúcar e outros artigos aos chilenos —, o apoio socialista no setor econômico, que era o único requerido, foi simplesmente medíocre.

Sob essas pressões adversas e as greves desastrosas na grande mineração do cobre, a política econômica de Allende, que alcançou inicialmente enormes vitórias no desmonte das bases da ordem privatista, terminou por sucumbir desbaratada por uma inflação galopante. Isto é, a economia fez o possível para sustentar a política da Unidade Popular. Mas, quando esta necessitou de medidas políticas para levar o processo adiante, elas lhe foram negadas.

Salvador Allende soube sempre que lutava sobre o fio da navalha, que seu esforço por encontrar o caminho adequado para a transição evolutiva ao socialismo envolvia uma grande margem de risco que ele devia aceitar. Em dezembro de 1971, ele já advertia:

> Digo-o com calma, com absoluta tranquilidade: não tenho vocação de apóstolo nem de Messias. Não tenho vocação de mártir. Sou um lutador social que cumpre uma tarefa, a tarefa que o povo me confiou. Mas que o entendam aqueles que querem fazer retroagir a história e desconhecer a vontade majoritária do Chile: sem possuir carne de mártir, não darei um passo atrás. Que o saibam: deixarei o Palácio de La Moneda quando cumprir o mandato que o povo me deu.
>
> Que o saibam, que o ouçam, que se lhes grave profundamente: defenderei esta revolução chilena e defenderei o Governo Popular, porque este é o mandato que o povo me outorgou. Não tenho outra alternativa. Só crivando-me de balas poderão impedir minha vontade, que é fazer cumprir o programa do povo.

Assim o fez com uma grandeza sem paralelo. Fê-lo sabendo que recusar esses riscos seria cair em conchavos parlamentares que desnaturalizariam o processo chileno como via ao socialismo, ou cair em aventureirismos voluntaristas que o teriam derrubado muito antes. A dura verdade é que só chega a acertar em tentativas grandiosas como a de Allende quem aceita o repto, sempre possível, de um erro fatal. O resultado no Chile foi o desastre e o retrocesso que lamentamos. Sem embargo, poderia haver sido outro: a vitória. A evidência dessa possibilidade é que unificou todo o centro e a direita na sedição.

QUARTA PARTE
OS POVOS TRANSPLANTADOS

Os Estados Unidos parecem destinados pela Providência a infestar a América de miséria, em nome da liberdade.

S. Bolívar

Os *povos transplantados* das Américas são os resultantes contemporâneos das migrações para os amplos espaços do Novo Mundo de contingentes europeus que para cá vieram com suas famílias, aspirando reconstituir a vida social de suas matrizes, com maior liberdade e com melhores chances de prosperidade.

Alguns, como os colonizadores da América do Norte, se instalaram em territórios ermos ou ralamente ocupados por grupos tribais de cultura agrícola incipiente, que hostilizaram e desalojaram sem com eles conviver ou caldear-se, tal como sempre fez o colonizador europeu — tanto o inglês ou o holandês como o português e o espanhol — onde quer que operou, integrado em grupos familiais e acompanhado de mulheres brancas. Outros, como os argentinos e uruguaios, resultaram de correntes migratórias europeias que, atraídas para a região rio-platense, entraram em competição com grupos mestiços espanholizados, formados anteriormente, aos quais também desalojaram ou submeteram com violência pouco menor.

Os *povos transplantados* contrastam com as demais configurações socioculturais das Américas por seu perfil caracteristicamente europeu, expresso na paisagem que plasmaram, no tipo racial predominantemente caucasoide, na configuração cultural e, ainda, no caráter mais maduramente capitalista de sua economia, fundada principalmente na tecnologia industrial moderna e na capacidade integradora de sua estrutura social, que incorporou quase toda a sua população no sistema produtivo e a maioria dela na vida social, política e cultural da nação. Por isso mesmo, eles se defrontam com problemas nacionais e sociais diferentes e têm uma visão do mundo também distinta da dos povos americanos das outras configurações.

Entre os *povos transplantados*, sobretudo os do norte e os do sul do continente, medeiam profundas diferenças, decorrentes não só de matrizes culturais, predominantemente latina e católica num caso, anglo-saxônica e protestante, no outro, mas também de grau de desenvolvimento. Essas discrepâncias aproximam e identificam mais os argentinos e uruguaios com os demais povos latino-americanos, também neoibéricos, também católicos e também pobres e atrasados. Pela maioria de suas outras características, porém, eles são *povos transplantados* e, como tal, apresentam muitos traços comuns com os colonizadores do Norte.

Naturalmente, não é por coincidência que estes *povos transplantados* se encontram todos em zonas temperadas. Condicionado milenarmente aos rigores do

AS AMÉRICAS E A CIVILIZAÇÃO

inverno e ao ritmo marcado das estações, o imigrante europeu encontra-se mais à vontade em climas correspondentes, fugindo o quanto possível das áreas tropicais. O inverso ocorre, hoje, com os povos adaptados ao trópico, que também se sentem pouco à vontade nas áreas frígidas, onde são compelidos a viver em ambientes artificiais, que avassalam e deprimem a natureza, inclusive o homem.

Alguns autores procuram explicar as diferenças de grau de desenvolvimento econômico entre os *povos transplantados* e os outros blocos em termos da oposição desses fatores de diferenciação. Atribuem, assim, um valor causal no processo histórico, como acelerador ou retardador do progresso, à condição racial predominantemente branca, em contraste com a maior mestiçagem com povos de cor das populações latino-americanas; à homogeneidade cultural europeia, em oposição à heterogeneidade resultante da incorporação de tradições indígenas, como ocorreu com os *povos-testemunho*; à posição geográfica e suas consequências climáticas; e afinal à identificação religiosa, enquanto protestantes, uns, e católicos, outros.

A maioria dessas asserções não resiste, porém, à crítica. Civilizações desenvolveram-se em diferentes contextos raciais, culturais e climáticos. Faces distintas da própria civilização ocidental europeia se exprimiram altamente em combinação com cultos católicos e protestantes que são, afinal, variantes de uma mesma tradição religiosa. Somente o registro da homogeneidade cultural tem alguma significação causal. Seu papel como motor do desenvolvimento não está, todavia, na homogeneidade cultural em si, mas nas possibilidades que ela ensejou circunstancialmente a emigrantes saídos da Europa em certo período histórico, de acesso e de domínio do novo saber e da nova tecnologia em que se fundava a Revolução Industrial em marcha.

Na verdade, só historicamente e pelo exame acurado do processo civilizatório global no qual todos esses povos se viram envolvidos e dos vários fatores intervenientes na formação de cada um deles é que poderemos explicar sua forma e sua performance. Isso é o que nos propomos a fazer com respeito aos *povos transplantados*, pelo exame tanto da composição racial e cultural dos seus contingentes formadores quanto do seu modo de aliciamento, de associação e de fusão em novas entidades étnico-nacionais.

Antes, porém, devemos assinalar outros fatores gerais de diferenciação ou aproximação dos *povos transplantados* em relação às demais configurações histórico-culturais das Américas, provavelmente mais explicativos dos respectivos modos de ser do que os tão alegados diferenciadores climáticos, raciais e religiosos. Dentre eles sobressaem, no caso dos *povos transplantados* do Norte, o fato de serem resultantes de projetos de autocolonização de novas áreas, em oposição ao caráter

QUARTA PARTE — OS POVOS TRANSPLANTADOS

exógeno dos empreendimentos que deram lugar às outras configurações: a subjugação e o avassalamento de sociedades culturalmente muito avançadas, sobre as quais o conquistador se implantou como uma nova classe dominante, no caso dos *povos-testemunho;* e o povoamento através da escravização de índios e negros aliciados para a exploração agrícola ou mineira, no caso dos *povos novos*.

A esses se somam outros fatores explicativos. Tais são, principalmente, a preponderância de um mero processo de assimilação dos novos contingentes por parte dos primeiros núcleos coloniais, no caso dos *povos transplantados;* em oposição ao processo de deculturação que presidiu a integração dos contingentes indígenas e negros escravizados nos *povos novos;* e do processo de desintegração cultural e de transfiguração étnica no caso dos *povos-testemunho*.

Os três processos apresentam tanto semelhanças como diferenças de um em relação aos outros, mas as características específicas de cada um deles imprimiram diferenças assináveis nas configurações resultantes. No primeiro caso, tratava-se de anglicanizar linguisticamente europeus de várias origens ou de uniformizar normas de vida social e costumes que só diferiam como variantes de uma mesma tradição cultural. No segundo caso, tratava-se de uma erradicação de culturas originais, altamente diferenciadas entre si e com respeito à europeia para a imposição de formas simplificadas de coexistência e de trabalho, sob a pressão da compulsão escravocrata e só com o interesse de explorar ao máximo a mão de obra aliciada. No terceiro caso, a jugulação do processo de desenvolvimento autônomo de altas culturas originais deu lugar à implantação de um complexo espúrio e alienado em que se perderam os conteúdos eruditos e a qualificação ocupacional da população. É visível que os povos resultantes dos dois últimos processos de formação cultural se defrontariam com dificuldades enormemente maiores para a sua reconstituição étnico-nacional e para a integração em seu patrimônio cultural da tecnologia da civilização industrial.

Outros fatores explicativos das diferenças das três configurações decorrem do caráter mais maduramente capitalista mercantil da formação que presidiu à criação dos *povos transplantados* em oposição às outras duas. Dentre estes, se destaca o caráter mais igualitário da sociedade que se implantou no Norte, contrastando com o perfil mais autoritário das demais configurações. Essa oposição se exprimiu no predomínio do sistema de fazendas, fundado no monopólio da terra, em toda a América Latina, em contraste com o predomínio da propriedade granjeiro-familiar na América do Norte. A primeira deu lugar a um tipo de república oligárquica que foi a condutora dos destinos nacionais após a Independência; a segunda gerou uma república democrática assentada numa vasta classe média, participante da vida política e defensora das instituições de autogoverno.

391

As Américas e a civilização

Como cofatores da mesma natureza se deve considerar ainda o predomínio do salariado — embora em suas formas mais elementares — como modo de aliciamento da mão de obra nas colônias do Norte, em oposição ao escravismo e à vassalagem dominantes nas outras áreas. Essas duas formas de recrutamento da força de trabalho deixaram marcas profundas nas sociedades delas resultantes. Por um lado, dera lugar a uma dignificação do trabalho manual, oposta a uma concepção do trabalho como atividade "denigrante", própria das camadas servis.

Há um certo paralelismo entre essas atitudes em face do trabalho e certas posturas protestantes e católicas sobre a matéria. Isso não significa, porém, que as respectivas religiões tenham representado um papel causal na implantação dos respectivos comportamentos, e sim que cada qual sustentava o sistema vigente nas sociedades em que predominava: mais maduramente capitalistas, no caso dos protestantes; e mais atrasados e aristocráticos, no caso das católicas. Não é de desprezar, porém, a importância desse apoio, bem como de outras decorrências das duas posturas religiosas, como o estímulo à alfabetização para ler a Bíblia, no caso dos protestantes, e o conservadorismo expresso no empenho de infundir atitudes de resignação com a ignorância, o atraso e a pobreza, na ideologia católica tradicional.

Mais do que o fator religioso em si mesmo, representou um papel moderador dos povos americanos e um motor de profunda diferenciação o caráter institucional das Igrejas que catequizaram o Novo Mundo. A católica, conduzida às Américas no enquadramento de impérios mercantis salvacionistas em que se haviam transformado Espanha e Portugal pós-muçulmanos, e as protestantes, como cultos comunitários livres, desembaraçados da hierarquia romana e do peso dos bispados locais dentro do enquadramento de formações socioculturais capitalistas mercantis.

A primeira conformou-se, por isso, como parte essencial da máquina do Estado, motivadora da conquista e promotora de sua ação salvacionista. Tal como a expansão muçulmana, a católica estava armada de um poder coercitivo muito maior sobre a população que dominava e exigia também parcelas maiores dos excedentes produtivos para exprimir sua glória em templos, manter um clero muito mais numeroso e para dar brilho às dignidades episcopais. Basta comparar o número e a qualidade arquitetônica, o vulto e a riqueza dos templos da América católica com os da América protestante para aperceber-se da desproporção de recursos econômicos apropriados para fins religiosos nas duas áreas. E isso se fez, obviamente, em prejuízo de outros gastos comunitários, como estradas, escolas, empresas, operando, assim, como um cofator de atraso.

QUARTA PARTE — OS POVOS TRANSPLANTADOS

A associação da Igreja com o poder temporal dava à ação religiosa tudo que o Estado lhe podia prover, mas também cobrava dela uma fidelidade aos objetivos de perpetuação do domínio colonial e de manutenção da ordem oligárquica, bem como uma aristocratização de suas altas hierarquias que a colocava, frequentemente, em oposição aos interesses e às aspirações dos contingentes mais humildes de seu rebanho. Por isso, na América católica, o alto clero se viu tantas vezes envolvido em graves crises políticas, ensejando um laicismo militante típico; enquanto o da América protestante, vendo-se excluído da estrutura de poder político, sempre se pôde resguardar melhor e exercer um controle que, conquanto mais informal, era mais eficaz.

A pregação religiosa, fazendo-se num caso conjugadamente com o braço secular e, no outro, pelo estímulo à ação comunitária, fez recair sobre a Igreja Católica a acusação de terrorismo e fanatismo que, embora igualmente presentes e graves no mundo puritano, ali se dissolveram como responsabilidades coletivas. A própria obra missionária, sendo empreendida na América católica com o fervor de uma religião de conquista, conduziria a conflitos constantes com os interesses dos colonizadores; o que não se observava na América protestante, exprimindo também aqui o caráter salvacionista da estrutura imperial em que estava inserida.

Uma outra expressão dessa oposição foi o vigor fanático do zelo catequético católico. Procurando configurar o mundo e os homens segundo uma idealização da cristandade, criou as repúblicas jesuíticas, tão admiráveis como generosas concretizações da utopia platônica quanto lamentáveis por seu caráter artificioso que só desarmava os ânimos dos índios nelas conscritos por serem ainda mais duramente subjugados que os demais. O paradoxal é que na América protestante a religião se faz efetivamente mais ortodoxa do que o catolicismo latino-americano, generalizando-se como uma religiosidade popular mais ativa e menos impregnada de sincretismos, mas também mais intolerante.

Outros cofatores de diferenciação consequentes do processo de formação étnico-nacional dos *povos transplantados* são a discriminação e o segregacionismo em oposição ao integracionismo e à expectativa de assimilação de todos os contingentes formadores da etnia, através da mestiçagem, nas duas outras configurações histórico-culturais. Essas diferenças se manifestam hoje nitidamente nos dois tipos de preconceito racial prevalecentes nas duas áreas. O preconceito de *origem*, que recai sobre o indivíduo de ancestrais negros conhecidos qualquer que seja o seu fenótipo, como ocorre nos Estados Unidos da América do Norte. E o preconceito de *marca*, que discrimina o indivíduo de acordo com a intensidade de seus traços negroides, incluindo os mulatos claros no grupo socialmente branco (O. Nogueira, 1955), como ocorre nos *povos novos*. Uma outra diferença está na proporção dos contingentes marginais à vida econômica, social e política da nação. Estes vêm a ser de caráter cultural e principalmente neoindígena ou mestiços, no caso dos *povos-testemunho;* de caráter social e neoafricanos ou mulatos, nos *povos novos,* mas estão presentes em cada etnia nacional, às vezes como a parcela majoritária da população; enquanto são minorias raciais bem definidas nos *povos transplantados.* Aqui também, antes que de um fator causal, trata-se das resultantes do processo de formação, concomitantes mas diferenciados, que fizeram dos *povos transplantados* do Norte sociedades mais igualitárias no plano social; mais progressistas, no econômico; e mais democráticas, no político. Mas as fizeram, também, discriminatórias e segregacionistas no plano racial. Este derradeiro fator não apenas frustrou as bases de instauração de um sistema sociopolítico efetivamente democrático na América do Norte, mas também desencadeou, nas últimas décadas, uma torrente de tensões dissociativas que está alcançando o nível de uma guerra racial interna.

Esses fatores de desenvolvimento e de atraso não são, porém, conquistas ou condenações consolidadas, mas componentes dinâmicos que, por sua atuação, modelaram os povos de cada configuração histórico-cultural e os fazem defrontar-se com uma problemática específica e diversa das demais. Deles resultou um novo fator de diferenciação, que é a polarização do continente em um núcleo de alto desenvolvimento e um contexto de povos subdesenvolvidos. A interação dentro da área passou, por isso, a realizar-se como relações entre sociedades historicamente defasadas: umas situadas no nível de formação imperialista-industrial, outras submetidas à condição de sujeição neocolonial. Tais relações, sendo intrinsecamente espoliativas para as nações atrasadas, conduzem a conflitos de interesses e a tensões. A América do Norte é levada, assim, a um papel de mantenedora do sistema que é lucrativo para suas empresas instaladas na região e que é conveniente à sua política de potência no continente e no mundo. O estudo dessa polarização é tanto mais importante porque, quaisquer que sejam os caminhos do desenvolvimento dos povos latino-americanos, ela terá consequências decisivas dado o poderio de intervenção dos norte-americanos, a natureza imperativa de seus compromissos de potência mundial e o peso dos seus interesses investidos na região.

Além dos citados blocos étnico-nacionais do Norte e do Sul, que se configuram como *povos transplantados,* encontramos através do continente vários bolsões com características de *povos transplantados* presentes nas demais configurações histórico-culturais. Entre outros, as amplas manchas de colonização europeia que

QUARTA PARTE — OS POVOS TRANSPLANTADOS

plasmaram certas paisagens sociais do sul do Brasil e da Costa Rica e uma pequena área de antiga colonização alemã no Chile. Cada uma delas, sendo formada predominantemente por populações europeias transplantadas, compõe uma variante das respectivas etnias nacionais e operou como um agente dinâmico, de importância por vezes decisiva, no desenvolvimento dos respectivos povos.

IX. Os anglo-americanos

1. Os colonos do Norte

Sobre cerca de 60 milhões de europeus que emigraram depois de 1800, perto de 60% dirigiram-se à América do Norte. Seus filhos e netos, ali nascidos e americanizados, constituem o grosso da população norte-americana e emprestam à nação seu perfil peculiar, fazendo dela o maior dos *povos transplantados*. Tamanho foi o vulto desse transplante de europeus, que outra seria, seguramente, a história do mundo se essas massas permanecessem em seus países de origem ou se se tivessem dirigido a outras terras. O caráter de *povo transplantado* da América do Norte deriva, essencialmente, de sua formação como resultante dessa imigração maciça de europeus, da composição social desse contingente, integrado não por indivíduos desgarrados em busca de riqueza e aventura, mas por grupos familiares que desejavam reconstituir as formas de vida europeia em melhores condições. Decorre, também, de sua constituição como um agregado cosmopolita submetido a um processo de anglicanização linguística e cultural pela dominância do contingente inglês.

As colônias do Norte, implantadas a partir de 1607, receberam, desde o início, imigrantes ingleses, holandeses, espanhóis e suecos, segregados originalmente em distintos núcleos, mas depois aglutinados pelo intercasamento e pela fusão cultural e integrados pelo comércio. Era gente pobre, aliciada, em sua maioria, entre trabalhadores rurais, artesãos e pequenos comerciantes. Cada contingente refletia, em seu nível cultural e técnico, o grau de desenvolvimento de sua comunidade de origem, à época da partida. A maioria era engajada mediante contratos de trabalho, que os mantinham submetidos por vários anos a quem lhes custeara a viagem em condições de servidão temporária. Essa colonização por povoamento processou-se gradativamente pela multiplicação de pequenos núcleos europeus sobre imensidões ermas. Depois de dois séculos, as treze colônias ainda arranhavam a costa, desconhecendo o interior.

Em face do índio, o colonizador do Norte comportava-se, via de regra, com a atitude anglo-saxônica de evitação e repulsa. Enquanto não se desencadeia

Os anglo-americanos

a competição ecológica pelo domínio do território e pela europeização da paisagem, deixa-o viver sua existência tribal, traficando peles de caça por instrumentos de metal. Sobretudo o evita. Os poucos brancos que se internam no país e convivem com os indígenas prontamente se transculturam em índios, porque não havia espaço social para formas mistas, repelidas com a maior repulsa pelos núcleos de povoadores litorâneos. Quando a competição se estabelece, defrontam-se como duas entidades étnicas autônomas e opostas. O índio bom passa a ser índio morto. A atitude evitativa e o nenhum esforço por coexistir, por assimilar e por mesclar-se correspondia menos a um padrão de tolerância generosa para com as diferenças culturais do que ao espírito do apartheid e da segregação. Assim, quando os núcleos peregrinos ganham força, lançam-se sobre os redutos indígenas para erradicá-los, como meros obstáculos, e limpar o caminho de sua expansão. Ao fim do processo, apenas puderam sobreviver alguns núcleos, confinados em *reservations*, inassimilados embora profundamente aculturados, tão somente com a perspectiva de crescerem como quistos encravados no corpo da nação, sem nela jamais integrar-se.

Os negros ingressaram na América do Norte em condições muito diversas das do contingente branco, apesar da relativa proximidade do seu estatuto escravo, em face do estatuto de servidão temporária da maioria dos brancos imigrados. Uns e outros foram engajados por dois empreendimentos, não só distintos, senão opostos por sua própria natureza. Os brancos foram aliciados principalmente por companhias colonizadoras entre as massas pauperizadas que a Revolução Mercantil e, depois, a Revolução Industrial marginalizaram ao romper a estrutura agrária da Europa feudal. Dirigiram-se, maciçamente, para os núcleos rurais fundados do outro lado do Atlântico, com base na pequena propriedade familiar e no artesanato. Os negros foram apresados na África, como escravos, e encaminhados para as fazendas do Sul, destinadas a lavouras comerciais produtoras de algodão e outros artigos de exportação para mercados europeus.

Ao lado de uma colonização de povoamento, criou-se, assim, um empreendimento colonial escravista, fundado numa economia de *plantation*, do mesmo tipo que o antilhano, o brasileiro e outros da América Latina. Quando, mais tarde, as duas estruturas socioculturais foram unidas numa só sociedade, emprestaram a esta uma dualidade de faces sociais que passaria a constituir a oposição dinamizadora do processo histórico norte-americano.

O branco é chamado a viver no Novo Mundo uma existência próxima da que sempre vivera, que apenas lhe exigia o aprendizado de uma nova língua, se não era inglês, e a acomodação a um ambiente cultural novo, mais motivador, mais livre e mais otimista do que aquele que abandonara. Nas cidades e nos campos

As Américas e a civilização

estava sujeito, nos primeiros anos, a condições de vida ainda piores do que as que prevaleciam na Europa, só diferenciáveis pela vívida esperança de que, libertando--se da sujeição patronal, iniciaria carreira própria. Uma vez livre, passava a competir com as camadas de povoadores mais antigos, tanto no plano econômico como pelo direito de representação política e pela igualdade de tratamento.

Essa transladação de povos alcançaria mais tarde proporções de avalancha. A população total salta de 3,9 milhões, em 1790, para 5,3 milhões, em 1800, e para 23,2 milhões, em 1850, ascendendo para 76,3 milhões, em 1900, e para 179,6 milhões, em 1960. Esse incremento exponencial se explica pelo alude imigratório. Somente no período de cinquenta anos que se seguiu à independência entraram nos Estados Unidos cerca de 25 milhões de imigrantes, contingente que representava mais que o dobro da população original. Ao fim do século as entradas anuais aproximavam-se de 1 milhão e, nos primeiros anos do século XX, excederam, frequentemente, esse montante. Já então, além das matrizes originais — ingleses, escoceses, irlandeses, alemães e franceses —, começavam a entrar também imigrantes judeus, poloneses, tchecos e de outras etnias europeias atingidas pelos efeitos reflexos da Revolução Industrial ou por perseguições raciais e religiosas. Mais tarde, vieram grandes massas de imigrantes latinos, sobretudo de italianos. Muitos destes imigrantes aspiravam permanecer alguns anos na América para juntar certo pecúlio que lhes permitisse voltar à terra de origem para estabelecer--se em condições mais favoráveis. Duas terças partes deles, porém, acabaram por fixar-se permanentemente.

Esse alude imigratório soterrou as populações de cor que, representando 1 milhão contra 4,3 milhões de brancos, em 1820, viram reduzida sua proporção, em 1900, a 8,8 milhões contra 67 milhões de brancos, dos quais, 10,3 milhões eram imigrantes. Em 1940 a população de cor era de cerca de 13 milhões contra 118 milhões de brancos, 11,5 milhões dos quais haviam nascido no estrangeiro. Estes últimos, porém, não se fundiram na sociedade americana como partes indiferenciadas, mas se estratificariam segundo escalas de prestígio étnico.

Aos italianos e aos eslavos, que já causavam desgosto aos americanos de origem anglo-germânica, acrescentou-se, por algum tempo, um contingente de chineses. Mais tarde, vieram os mestiços latino-americanos, sobretudo mexicanos e porto-riquenhos, a juntar-se a essas camadas mais discriminadas. Ainda hoje prevalece na sociedade norte-americana uma estamentação étnica de prestígio e aceitabilidade social, que coloca no estrato inferior os negros e mulatos. Pouco acima destes vem a faixa dos latino-americanos, a que se seguem os japoneses e chineses. Sobrenadando essa "não gente" se assenta um estrato de "quase não gente" integrado por eslavos, italianos e judeus. No alto da pirâmide de prestígio étnico fica a "gente" propriamente dita, que, mesmo quando mais pobre e menos educada, é tida e se comporta como se fosse melhor.

O negro trazido à América foi compelido à destribalização e à deculturação pelo convívio com companheiros de escravidão arrebanhados de qualquer parte da África, tão estranhos culturalmente a ele como os senhores brancos. Devia aprender os signos básicos de comunicação de uma língua totalmente estranha e ajustar-se a um modo de vida completamente diferente, numa condição de gado humano destinado exclusivamente ao trabalho de eito ou aos currais de reprodução de novos escravos para venda. Um só caminho de ascensão se lhe abria, que era o de aprender mais rapidamente a língua do patrão, acostumar-se ao novo regime de trabalho e à nova dieta, para tornar-se um escravo melhor, com mais valor venal no mercado negreiro.

As duas matrizes básicas da América do Norte constituíram-se em pontos distintos do território: a branca granjeiro-artesanal, nas colônias do Nordeste, e a negro-escravocrata, nas *plantations* do Sul, como dois mundos humanos diferentes e opostos. As colônias de povoamento eram um subproduto da evolução econômica e social europeia que, explodindo a estrutura agrário-feudal, se tornara mais produtiva de gente inútil e desnecessária do que de mercadorias. Nasceram como um negócio, que nunca resultou muito lucrativo, mas também como uma solução para o problema social representado pelas massas famintas concentradas em cidades e vilas europeias, cujo sistema econômico não as absorvia, deslocadas pela utilização dos antigos campos agrícolas para o pastoreio e pela substituição da produção artesanal dos núcleos domésticos, pela produção fabril. Vinham à América construir as bases de mais uma sociedade do tipo granjeiro-artesanal europeu que, nos seus primeiros tempos de implantação, podia ocupar enormes massas humanas no desbravamento da terra e na construção das bases físicas de uma nova economia nacional, como casas, caminhos e campos de cultivo.

A empresa escravocrata caracterizou-se por seu hibridismo histórico-social. Combinava em si um capitalismo mercantil, capaz de reunir os recursos financeiros que o empreendimento exigia, e a reimplantação da escravidão sob a forma que assumira nos antigos Estados mercantis escravistas, após as primeiras revoluções urbanas, sobrevivendo até o Império Romano e dando lugar, com sua queda, a uma nova ordenação social, a servidão feudal. No povoamento da América do Norte se combinaram, portanto, elementos de etapas históricas distintas e sucessivas, algumas superadas na Europa havia séculos, outras, apenas emergentes. Dentre elas se destacam a escravidão do negro para as lavouras comerciais do tipo

AS AMÉRICAS E A CIVILIZAÇÃO

romano; a servidão temporária do europeu aliciado pelas companhias de coloniza-ção; a pequena propriedade agrícola familiar, em grande parte autossuficiente, mas produzindo certos artigos para o mercado; e o capitalismo financeiro nascente que custeava as empresas americanas com capital reunido pela venda de ações.

Todo esse complexo histórico-social, que está na base do processo formati-vo da sociedade norte-americana, não podia operar como uma unidade integrada, pelos interesses irreconciliáveis de seus componentes. Isso foi o que se verificou quando a independência se fez como um projeto dos brancos do Norte, bipartin-do a nação em dois blocos, nas lutas pela abolição da escravatura. Aglutinaram-se, então, de um lado os interesses da grande lavoura de exportação, baseada no braço escravo; e, de outro, a sociedade resultante daquela colonização de povoamento e que já se encontrava numa etapa avançada para o estabelecimento de uma eco-nomia industrial. A Guerra de Secessão, travada entre estas duas sociedades fun-damentalmente distintas, vencida pelo grupo mais progressista, apenas colocou sobre novos trilhos o velho problema da oposição entre as duas faces da América do Norte.

A ascensão do negro norte-americano da condição de escravo à de traba-lhador livre e de cidadão ainda se processa e está longe de atingir seus objetivos mínimos. Depois da abolição, os negros tiveram de reconhecer que a liberdade representava principalmente a irresponsabilidade do patrão com respeito a seu magro sustento. A maioria deles continuou a mesma vida de trabalhadores bra-çais, apenas mudando a fazenda onde foram escravos para um algodoal vizinho. E, quando quiseram fazer valer seus direitos mais elementares, não como negros, senão como trabalhadores e como homens, surgiam os Ku Klux Klan e dezenas de organizações terroristas locais para indicar-lhes, através dos linchamentos, o seu lugar na sociedade norte-americana.

Só nos princípios do século XX, a mecanização da lavoura, atingindo tam-bém o Sul, expulsaria massas rurais negras para as cidades. Desde então, gran-des contingentes deslocaram-se para o Norte, para acumular-se nos *guetos negros* e trabalhar como biscateiros nos serviços mais subalternos dos quais o imigrante branco conseguia escapar. Segregados nos seus bairros, com suas escolas próprias de nível inferior, discriminados nas fábricas, nos restaurantes, nos transportes, nas praias, nas ruas, nos cinemas, nas praças e jardins públicos, jamais reconhecidos como cidadãos, integram-se na sociedade norte-americana como um resíduo his-tórico indesejado e só suportado com o maior desgosto. O gueto negro contrasta-va, porém, tão flagrantemente com o despotismo sulista, que por algumas décadas imigrar ao Norte representou um ideal para o negro rural.

Os anglo-americanos

A Primeira Guerra Mundial, mobilizando toda a economia e toda a força de trabalho nacionais, lhes deu as primeiras oportunidades de ascensão à condição de operários e de cidadãos, não ainda na qualidade de eleitores, mas de soldados. Findo o conflito, perderam quase todas as posições conquistadas, mas haviam aprendido muito sobre a sociedade em que viviam, assumindo uma atitude mais agressiva que provocou novas ondas de terrorismo. Depois da Depressão de 1929, com a política do *New Deal* e a criação do CIO (Congress of Industrial Organizations), abriram-se algumas perspectivas de integração socioeconômica ao negro norte-americano, fortalecendo sua autoconfiança pelas oportunidades que o regime competitivo das fábricas lhe daria de demonstrar a si próprio e a todos sua eficácia como trabalhador qualificado.

A segunda conflagração mundial, mobilizando todas as energias do povo norte-americano, daria ao negro uma nova chance, um pouco mais igualitária, de participação na luta e no trabalho. A juventude negra, lançada na anomia, no vício e no desespero pela marginalidade social em que crescera, encontra no exército a oportunidade de restaurar sua dignidade degradada. Homens e mulheres maduros, que jamais haviam tido um emprego regular, ingressam nas fábricas de armamentos e nos serviços em condições a que antes não poderiam aspirar. Segue-se, nos anos de pós-guerra, o recrudescimento das violências contra o negro altivo vindo do exército ou da grande indústria. Sua luta assume feição política quando o governo se empenha, eleitoreiramente, numa campanha pelo reconhecimento dos direitos civis dos negros. Esta atinge o clímax com a decisão da Suprema Corte determinando a dessegregação progressiva nas escolas.

Surge, a partir de então, um negro novo, hostil às antigas lideranças conciliadoras que pregavam a não violência do negro contra a violência do branco, e apregoavam que nada ocorria ao negro que se mantinha no seu lugar. Agressivamente reivindicativo, o novo negro passa a constituir a vanguarda do movimento revolucionário mais ativo dos Estados Unidos de nossos dias. Toma, desde então, em suas mãos a luta pelos seus próprios direitos, impulsionado tanto pela animosidade ao mundo dos brancos como pela percepção aguda de que o gueto, a heroína, a caridade o condenavam à liquidação. E motivado pelo estímulo que representou para os "povos de cor" de todo o mundo a independência das nações africanas.

O que corresponde, nos Estados Unidos, às populações socialmente marginalizadas dos *povos novos* da América Latina é esse contingente negro e mulato. Uns e outros são o produto de processos violentos de destribalização, de deculturação e de miscigenação, que os construíram como um cimento moldável, desvinculado de tradições tribais africanas e europeias, capacitando-os a se fazerem herdeiros

As Américas e a Civilização

do patrimônio humano, para transformá-lo no corpo de uma nova civilização. Sua herança principal, provinda de uma experiência secular de miséria e exploração, é a consciência de que o amanhã poderá ser melhor que o hoje e que o ontem, com a condição de que se crie uma ordem social nova. A herança histórica de sofrimento e de perseguições e esta consciência nova armam o negro norte-americano para a luta, não mais para uma acomodação melhor na sociedade em que vivem, mas para reordenar revolucionariamente o regime social. À medida que estas lutas se acirrem, o novo negro já não combaterá a discriminação racial, mas a própria ordem capitalista em que ela se assenta.

O novo negro norte-americano é, por isso, não apenas a vanguarda da gente de cor,[1] mas também um dos primeiros corpos de combate de todos os marginalizados e oprimidos das Américas. A principal resultante moderna do processo formativo do povo norte-americano é a presença do contingente negro (como intrusão de *povo novo* dentro de uma configuração de *povo transplantado*), tão americanizado quanto qualquer das outras matrizes nacionais, tão mestiçado quanto os demais descendentes de escravos de todas as Américas, mas indigerido e discriminado como se fora um corpo estranho. Suas expressões mais gritantes são os guetos do Norte que operam para acomodar e corromper o negro e as comunidades fósseis do velho mundo escravocrata, como Little Rock, Dallas, Jackson, Selma, ambos cristalizações de uma sociedade multirracial em conflito.

Nos últimos anos, as relações entre negros e brancos transcenderam de um *modus vivendi* odioso mas viável para um conflito aberto. Incorporados compulsoriamente à sociedade nacional como um contingente subalterno, os negros e mestiços por fim se rebelam e se lançam contra o sistema global como único modo de forçar sua integração, o que implica uma profunda revolução social.

As tensões resultantes da dualidade étnica, que ontem explodiram na Guerra de Secessão de sulinos contra ianques, explodem, agora, numa guerra revolucionária em que se defrontam negros e brancos como componentes igualmente assimilados de uma mesma etnia nacional bipartida, cujo destino é a fusão no curso de um processo longo e cruento. O desafio que se coloca aos norte-americanos é o de aglutinar na nação a sua população "de cor", avaliada em 20 milhões de pessoas, como parcela socialmente indistinguível das demais. Esse escopo inarredável, embora indesejado, deverá operar, nos próximos anos, como um dos mais potentes motores de transformação sociopolítica da América do Norte. O processo jogará fatalmente negros contra brancos, brancos contra brancos e negros contra negros, até que se complete pela única via possível, que é a integração e a fusão progressiva num só corpo dos dois contingentes díspares e opostos.

2. Os "pais fundadores"

Dentre as figuras que a humanidade cultua, algumas podem ser chamadas de "heróis civilizadores", nome com que os antropólogos designam os personagens mitológicos a que os povos tribais atribuem a introdução de instituições inovadoras, das plantas cultivadas, das técnicas e das artes. A civilização ecumênica de que falamos — como uma promessa que já começa a configurar-se com a dispersão dos centros de criatividade humana pela Terra inteira, com a difusão da tecnologia moderna e dos novos ideais de progresso, de liberdade e de felicidade — se fundará, como todas as civilizações anteriores, no culto de alguns destes "heróis civilizadores" como personificação de valores morais que a definam e sejam capazes de motivar a conduta do homem novo.

Um pré-requisito fundamental para o amadurecimento desta civilização humana é a capacidade de retirar do caos de crenças e aspirações contraditórias do mundo moderno uma imagem-objetivo que se formule como uma destinação, a um tempo congruente e apaixonada, capaz de motivar o homem para novos esforços de autossuperação, já não contra outros homens definidos racial, social, cultural ou nacionalmente, mas em favor de todos os homens.

Essa imagem-objetivo será definida, necessariamente, com apelo a figuras de "heróis civilizadores", de patronos cultuados pela contribuição que deram à humanização do homem. Eles serão cientistas e sábios em lugar de guerreiros e santos; mas serão também estadistas e dentre estes estarão incluídos, seguramente, algumas daquelas figuras que os norte-americanos cultuam como seus pais fundadores: George Washington, Thomas Jefferson. Também estarão entre eles Abraham Lincoln, Franklin Delano Roosevelt, não como heróis norte-americanos, mas da humanidade inteira, mesmo porque já hoje eles são muito mais os ancestrais políticos e inspiradores de outros povos do que dos norte-americanos, moralmente desgarrados e politicamente renegados de suas próprias tradições.

Os *pais fundadores* dos norte-americanos vieram quase todos do patriciado nacional. Eram homens ricos por herança e exprimiam a criatividade de uma burguesia nascente, mas madura como poucas, para enfrentar suas tarefas de autoenriquecimento e de reordenação social. O que os destaca, dentre os norte-americanos e em todo o mundo, é a antevisão do destino do seu próprio povo projetado sobre o futuro como "um desígnio da Providência" que lhes confiara a consecução de um experimento humano fundamental. Em todos os seus pronunciamentos, é patente sua atitude progressista, seu otimismo, seu engajamento na luta pelos direitos humanos e pela promoção das liberdades e, sobretudo, sua coragem de reformadores do mundo do seu tempo.

As Américas e a civilização

George Washington, com seu perfil austero e aristocrático, assumiu a direção do povo norte-americano na guerra de libertação contra a Inglaterra e instaurou a primeira república moderna, promulgando a Constituição dos Estados Unidos, que passa a representar o papel de um novo modelo de ordenação das relações humanas.

Thomas Jefferson deu a mais eloquente e precisa formulação às grandes aspirações humanas de liberdade e de igualdade, em alguns dos documentos fundamentais da vida norte-americana, como a Declaração da Independência, em cujo anteprojeto se lê:

> Sustentamos como verdades evidentes que todos os homens nascem iguais, que são dotados por seu Criador de certos direitos inalienáveis, entre os quais se contam o direito à vida, à liberdade e a alcançar a felicidade. Que, para assegurar esses direitos, os homens instituem governos, derivando seus justos poderes do consentimento dos governados. Que, quando uma forma de governo chega a ser destrutora desses fins, se torna direito do povo mudá-la ou aboli-la e instituir um novo governo, baseado nesses princípios e organizando sua autoridade na forma como o povo estime ser a mais conveniente para obter sua segurança e felicidade.

A Jefferson, como presidente, se atribui ainda a comprovação empírica de que era viável, no mundo das coisas e das relações humanas, o modelo teórico de Estado republicano que os ideólogos liberais haviam proposto. Sua obra mais importante, porém, foi o estabelecimento das condições institucionais necessárias ao florescimento do capitalismo industrial norte-americano, até então estrangulado pelo sistema manufatureiro inglês. A Jefferson se deve, também, a compra do imenso território de Louisiana e a regulamentação do seu povoamento, não por latifundiários, mas por famílias de granjeiros livres, que assegurariam ao povo estadunidense algumas décadas mais de pioneirismo. E, ainda, a incorporação de milhões de europeus à população norte-americana é a constituição das bases de um mercado interno que submeteria o *povo novo* do Sul dentro da república ianque.

Abraham Lincoln — outro herói civilizador norte-americano —, presidindo a nação quando da Guerra de Secessão, soube incandescer o povo norte-americano pela causa da unidade nacional e da abolição da escravatura. Regulamentou a marcha para o Oeste, promulgando os instrumentos legais que asseguraram às famílias pioneiras a posse da gleba de terras virgens que ocupassem. Promoveu a industrialização do país, tanto em função das necessidades da guerra como porque se fizera líder do Norte progressista, contra o escravismo e o atraso do Sul. Ao consagrar o cemitério de Gettysburg (1863) a milhares de soldados mortos na

Guerra Civil, Lincoln pronunciou palavras que ainda hoje comovem os homens lúcidos do mundo inteiro:

> Há 87 anos nossos pais deram nascimento, neste continente, a uma nova nação, concebida na liberdade e consagrada ao princípio de que todos os homens nasceram iguais [...]. Agora estamos empenhados em uma grande guerra civil que provará se esta nação, ou qualquer outra assim criada e consagrada, pode perdurar por muito tempo [...] por isso, sustentamos a crença suprema de que nossos mortos não morreram em vão, que esta nação, com a ajuda de Deus, renascerá de novo para a liberdade e que o governo do povo, para o povo e pelo povo não desaparecerá da face da terra.

A ousadia do pensamento político dos heróis civilizadores norte-americanos se explica, em larga medida, pelo papel libertário de três de suas heranças: a tradição parlamentar e de autogoverno das comunidades — ambas tão arraigadas nos ingleses — e a valorização das liberdades individuais expressas na Carta Magna de 1212. Em nome desses valores e dessas tradições burguesas e antifeudais é que as colônias rompem com a monarquia britânica e dão o passo lógico, mas extremamente ousado em seu tempo, da implantação de um regime republicano. Mais do que essa fonte de inspiração, porém, o que permitiu implantar uma ordem democrática autêntica, ao menos para a população branca, foi o caráter mesmo da sociedade resultante das colônias de povoamento do Norte, assentada numa população de granjeiros, comerciantes e artesãos livres e alfabetizados.

Essas circunstâncias históricas contrastam fortemente os americanos anglo-saxônicos com as repúblicas latino-americanas, vinculadas à península Ibérica, onde prevalecia a tradição oposta do absolutismo e da intolerância porque não haviam completado suas próprias revoluções liberais burguesas, e onde as lideranças e a massa, degradadas ambas pelo escravismo e segmentadas em classes opostas de oligarcas e de miseráveis, não chegavam a constituir povos.

Os líderes norte-americanos, chamados a ordenar e a pôr em funcionamento as instituições democráticas, tratavam com matéria que lhes era familiar e com valores já consagrados pelo próprio povo, contando com um poderoso consenso para suas iniciativas renovadoras que não apenas eram passos adiante, mas o decurso necessário de uma tradição coerente. Na América Latina, ao contrário, estes valores e princípios, de que se armaram ideologicamente os libertadores, eram novidades para as elites e para o povo. Representavam transplantações substitutivas da própria tradição de poder autocrático dos delegados da Coroa e da intolerância dos bispos, formados no espírito da contrarreforma. Daí sua falta de ressonância

As Américas e a Civilização

no povo que via nas renovações institucionais implantadas em seu nome modas novas e complicadas de gente sofisticada e rica das cidades, que se substituía aos antigos senhores. Esses líderes se comportavam, por isso, como conquistadores, dispostos a impor as novas liberdades, valorizando exageradamente as formulações mais eloquentemente igualitárias, extravagantes naquelas latitudes culturais e sociais, e desatendendo, por cegueira de classe, os problemas reais com que se defrontavam os povos que governavam. Assim é que nenhum deles se inspira na legislação norte-americana que regulava a distribuição das terras virgens, poucos se opõem à escravidão, mas todos se preocupam com eleições e regalias que, ao serem regulamentadas, se tornam, no melhor dos casos, formas de reger a sucessão de grupos patriciais no poder, a fim de manter intocada a ordem social e econômica, de cerne oligárquico.

Um outro herói civilizador da América do Norte foi Franklin Delano Roosevelt, que, com seu ar sofisticado, sua cadeira de rodas, sua eloquência, voltou a encarnar, no século XX, os "pais fundadores" do Norte. Ao enfrentar a crise mundial de 1929 com o *New Deal*, impondo a intervenção do Estado na economia, não só contrariava a cupidez e a irresponsabilidade dos banqueiros e industriais, mas estabelecia o precedente de uma política social nova, cuja restauração passou a ser a aspiração fundamental dos operários norte-americanos mais lúcidos e progressistas e também o pavor dos mais reacionários. As relações com a América Latina, sob sua presidência, mudaram substancialmente, pela reformulação da Doutrina Monroe e pela consecução da política de "boa vizinhança", de estímulo à democratização, de freios à espoliação da área pelos grandes monopólios ianques e de ajuda efetiva à industrialização. É certo que sua ação se exerceu em um mundo dividido entre várias grandes potências, cuja competição ensejava aos latino-americanos melhores condições de negociação, exigindo dos norte-americanos maior desvelo para dissuadir alianças com o Eixo. A verdade é que a fase rooseveltiana ficaria como um padrão de relações interamericanas jamais restaurado depois.

Durante a Segunda Guerra Mundial, Roosevelt se fez o líder de todos os povos aliados contra o hitlerismo, ao prover armas e homens para batalhas decisivas, e ao assegurar o entendimento indispensável entre os aliados divididos por antagonismos e suspeitas. E, sobretudo, ao esforçar-se por salvaguardar a dignidade da vitória e garantir a preservação da paz. Sua formulação das quatro liberdades fundamentais será sempre recordada como um documento que exprime as aspirações de todos os homens:

> Aspiramos a um mundo baseado nas quatro liberdades essenciais: a primeira é a liberdade de palavra, e expressão, em qualquer parte do mun-

do; a segunda é a liberdade de cada um adorar a Deus, à sua maneira, em qualquer parte do mundo; a terceira é a libertação da necessidade, o que significa, em termos correntes, acordos econômicos que assegurem a cada nação uma vida saudável e pacífica, em qualquer parte do mundo; a quarta é a libertação do temor, o que significa a redução dos armamentos, a tal ponto e de modo tão cabal, que nenhuma nação tenha condições de cometer atos de agressão física contra seu vizinho, em qualquer parte do mundo.

Essa não é a visão de um milênio longínquo; é uma base definida para uma nova forma de vida alcançável em nosso tempo e por nossa geração.[2]

Cada um desses homens se fez líder de sua geração e imprimiu seu pensamento libertário com um vigor poucas vezes igualado pelos ideólogos de todos os povos do mundo. Não houve revolução liberal ou social posterior que não se inspirasse no seu incitamento, que não apelasse para seu exemplo e que não se justificasse invocando essas formulações.

Na verdade, só para os norte-americanos esses princípios morreram ou foram mumificados como história morta e enterrada com toda sorte de honras fúnebres. O mais desastroso, porém, é que a ideologia que inspirava essas atitudes foi proscrita exatamente no momento em que se tornava mais necessária e mais vívida, quando o mundo era sacudido por uma nova onda revolucionária impulsionada pelas renovações tecnológicas que puseram, afinal, a fartura e a liberdade ao alcance de todos os homens, e que ensejava à maioria das nacionalidades se estruturarem como repúblicas democráticas, tal como a América do Norte fizera há um século e meio. Em face da nova onda libertadora, são os descendentes modernos daqueles ancestrais que saem, mundo afora, a conspirar, a subornar, a corromper, para que a velha ordem oligárquica subsista e, com ela, o atraso, a opressão e a penúria.

Desse modo o mundo que conseguiu escapar do apocalipse hitleriano, que teria destruído todo seu patrimônio humanístico, se vê, hoje, ameaçado de ter jugulada a liberdade política, fechadas as perspectivas de progresso na luta contra a ignorância e a pobreza, por uma superpotência degradada por uma minoria de potentados e estruturada para lucrar com a miséria do mundo. Sucedendo-se aos nazistas como herdeiros da missão anti-histórica de impedir, a qualquer custo, a reordenação do mundo segundo os interesses dos deserdados da Terra, os ianques se agarram aos ponteiros do tempo num esforço histérico por deter a evolução do mundo, por obstar o aprimoramento das instituições e por frustrar a revolução social.

Nessa lista de heróis norte-americanos talvez devesse figurar o último grande presidente estadunidense, John Kennedy. Ele foi, todavia, um desvio tão evi-

AS AMÉRICAS E A CIVILIZAÇÃO

dente no trotar histórico ianque de nossos dias, tão fugaz foi seu mandato (interrompido pela mão possessa do Estado militarista, que tudo faz para não elucidar
seu assassinato), tão pusilânime sua atitude diante da CIA no episódio vergonhoso da
invasão de Cuba, e sua própria "Aliança" tanto se opunha aos verdadeiros aliados do
povo norte-americano no mundo latino-americano, que ficará na história como aquele
que poderia ter sido se houvesse assumido efetivamente a presidência que seu povo
lhe conferira, a fim de liderar o mundo para os novos caminhos que parecia antever.

Os heróis civilizadores norte-americanos, dando expressão às aspirações
de liberdade das colônias do Norte que constituíram o núcleo humano mais progressista do seu tempo, fundaram uma nova forma de Estado, formulando um ideal
de comunidade política aberta e coparticipada, livre e autônoma, que passou a
constituir, através dos tempos, o modelo principal de Estado federal, republicano e
democrático. A revolução política inglesa que os antecedeu e inspirou, bem como
a Revolução Francesa, que lhes sucedeu, configuram, em conjunto com a norte-
-americana, uma etapa da emancipação humana: a revolução liberal burguesa.

O Estado americano fundava-se, porém, numa ordem econômica cuja dinâmica própria lhe imporia duas limitações fundamentais: as tensões internas das
classes sociais em disputa e o expansionismo externo sobre outros povos. Vejamos,
inicialmente, como se configurou este expansionismo. Os "pais fundadores" dos
norte-americanos foram tanto a expressão de aspirações humanas fundamentais
quanto lúcidos formuladores do projeto nacional da América do Norte como potência. Não apenas empreenderam a guerra de libertação nacional contra o domínio inglês mas, simultaneamente, se contrapuseram a todos os interesses coloniais
de outras nações nas proximidades de seu território, embora o fizessem quase sempre para monopolizar eles próprios a exploração neocolonial das Américas.

Conscientes da oposição essencial entre as duas componentes étnico-nacionais em que a nação se dividia, foram à guerra para amarrar o Sul à federação,
impedindo que se constituísse numa potência competitiva. Igualmente conscientes do papel que poderiam representar os imensos espaços vazios ou conquistáveis que se estendiam para o Oeste, programaram e executaram uma expansão
progressiva que os integraria à nação. Em contraste flagrante com a dificuldade
com que se defrontavam as demais nações americanas para se unificarem, para
capitalizar politicamente tensões externas e para definir seu projeto nacional, nele
comprometendo seus povos, a América do Norte surge como que madura para a
destinação que se propõe.

Desde os primeiros anos, demandam objetivos nacionais claramente expressos, que passam a ser persistentemente perseguidos. Assim é que os treze es-

408

OS ANGLO-AMERICANOS

tados originais, emancipados em 1776, já em 1783 dobravam sua área territorial, levando suas fronteiras até o Mississippi, por um tratado imposto à Inglaterra. Em 1803, dobram outra vez sua base física, negociando com Napoleão antigas terras da Espanha, o território de Louisiana. Conseguem, depois, o território de Oregon, no Noroeste, que correspondia a uma quarta parte de sua área total, sob a promessa de nada reivindicar em relação às colônias canadenses. Finalmente, arrancam ao México, pela guerra e pela chicana, outra faixa que equivalia ao triplo do território original das treze colônias, correspondente à metade da superfície territorial mexicana. Apropriam-se, desse modo, de todas as áreas contíguas do Atlântico ao Pacífico, passando de menos de 1 a mais de 8 milhões de quilômetros quadrados, com dois vizinhos apenas: o espoliado Estado mexicano, ao sul, e o Canadá semi-colonizado, ao norte. Suas aspirações expansionistas não parariam aí.

Jefferson, no seu papel de formulador do projeto nacional norte-americano, deixou registrado em dois documentos o plano de apropriação de Cuba, que não puderam concretizar, ao contrário do que sucedeu com Porto Rico. Em carta ao presidente Monroe, Jefferson escreve, em 1823:

> Eu confesso, com toda a sinceridade, que sempre considerei Cuba como a adição mais interessante que pudera jamais fazer-se ao nosso sistema de estados. O controle que, com a Flórida, nos daria essa ilha sobre o golfo do México, bem como sobre os países e o istmo contíguos, assim como as terras cujas águas desembocam no golfo garantiriam completamente nossa segurança. (*apud* Selser, 1962: 27)

Em outra carta dirigida ao presidente Madison, em 1807, já ponderava Jefferson:

> Ainda que com alguma dificuldade, consentirá (a Espanha) em que se agregue Cuba à nossa União a fim de que não ajudemos o México e as demais províncias. Isso seria um bom preço. Então eu faria levantar, na parte mais remota ao sul da ilha, uma coluna que levasse a inscrição nec plus ultra, como a indicar que ali estaria o limite de onde não se poderia passar de nossas aquisições nesse rumo.[3]

E acrescenta, agora se referindo ao Canadá: "O único que, nesse caso, nos faltaria para trazer à liberdade o império mais vasto que já se viu no mundo, desde a Criação, seria incluir em nossa Confederação o país que temos ao norte [...]" (*ibid.*: 21).

A expansão para o Oeste, pela ocupação das áreas contíguas por autocolonização, atrasou o surgimento dos pendores imperialistas norte-americanos. Enquanto os ingleses, na segunda metade do século XIX, impõem seu domínio a imensas regiões em todo o mundo, lançando-se em guerras como a do ópio e a dos *boers*, e a França e a Alemanha seguem o mesmo caminho, a América do Norte defende e deglute o território de que se apropriara. Acaba, porém, entrando no clube imperialista com o ataque à Espanha, que, devido à prostração em que caíra após a independência da América Latina, vinha sendo espoliada por todos. Após essa guerra de puro saqueio, em 1898, os Estados Unidos anexam as colônias de Porto Rico, as Filipinas e Guam, a que se somam Havaí e Samoa e vários protetorados impostos ao Caribe. O golpe principal seria dado no Panamá, decepando uma parte do território da Colômbia para afastar os franceses que estavam construindo o canal. Assim se apropriam desse empreendimento, decisivo na conjuntura política do continente, e criam uma fantasia de nação para justificar seu expansionismo.

Com o objetivo de dar cobertura ideológica ao novo expansionismo, é formulada a célebre Doutrina Monroe, antítese das concepções de Bolívar, que postulava a unificação de todos os povos latinos num único Estado federado. Fracassado o desígnio bolivariano, concertado no fracionamento da América hispânica em uma multiplicidade de Estados nacionais, oferece-se aos norte-americanos um contexto continental inerme, sobre o qual passaram a reger, com poderio crescente, em nome da defesa dos povos do hemisfério contra a cupidez europeia que campeava pelo mundo afora. A Doutrina Monroe tem sido comparada, por isso, ao estatuto de *proteção* que Roma pactuava com povos fracos para ampará-los contra outras ambições. Esses tratados generosos resultavam sempre na implantação de fortalezas romanas e na concessão de privilégios que acabavam por incorporar ao Império os povos protegidos, a um preço mais baixo que as guerras de conquista.

A Doutrina Monroe teve a mesma função justificatória de encobrir, com um manto de generosidade verbal, atos de violência e espoliação. Se acaso defendeu alguma nação latino-americana contra a opressão europeia, na verdade impôs a todas elas um estatuto neocolonial que possibilitou a penetração dos empresários ianques com vantagens sobre os competidores ingleses, alemães e franceses. Desse modo foram efetivamente colonizadas as Antilhas, a América Central e a Venezuela, e vêm sendo espoliadas as demais repúblicas do continente.

O expansionismo ianque foi tornado possível pelo alto grau de desenvolvimento econômico que, já no período colonial, havia alcançado a parcela dominante da América do Norte. E, também, por seu caráter de nação social e tecnologicamente mais evoluída, unificada pela língua, integrada pela educação elementar difundida a todas as camadas da população, como em nenhum outro país daquele tempo. O fundamento econômico desse expansionismo teve por base a produção agrícola comunal, primeiro para o comércio com as Antilhas e, mais tarde, para a exportação de cereais, algodão, tabaco e outros produtos para a Europa. E, como base social, a enorme camada de granjeiros, proprietários de suas glebas, que se constituiu num mercado interno de manufaturas industriais, em condições de expandir-se fantasticamente.

Após a independência, os norte-americanos passaram, em poucos anos, de uma economia agrário-mercantil à etapa pré-industrial que ainda não amanhecera para a maior parte dos povos europeus e para nenhum outro povo do continente. Contavam, para isso, com a vantagem extraordinária que representava sua vastíssima fronteira móvel para onde puderam deslocar os contingentes de mão de obra liberados pela industrialização. Podiam, assim, não só ocupar os seus excedentes humanos, mas ainda absorver os enormes contingentes europeus que vinham alargar suas bases sociais, expandindo o mercado interno à medida que as comunidades mais velhas experimentavam as renovações estruturais decorrentes da industrialização. Não conhecem, por isso, senão em grau muito mais atenuado, as tensões sociais decorrentes do incremento demográfico e do êxodo rural que, em todo o mundo, acompanharam o processo de industrialização, gerando graves crises sociais que conduziram ao subdesenvolvimento nas áreas de modernização reflexa e à migração e à guerra nas áreas de industrialização direta.

3. A façanha capitalista

A primeira fase da industrialização estadunidense opera-se com a instalação, no Norte, de fábricas de calçados, de vidro, de cerâmica, de lampiões a querosene, de relógios e, depois, de facões, machados, máquinas agrícolas, moinhos, de tecidos, estas últimas movidas à roda-d'água. Sua produção substituiu as manufaturas inglesas e permitiu integrar economicamente, num só sistema, o Norte e o Sul, especializado nas lavouras de exportação.

Simultaneamente se processava a autocolonização dos vazios interiores que desencadearia ondas sucessivas de pioneiros, os quais, em poucos anos, atingiam o Pacífico, povoando todo o país num movimento espontâneo e libérrimo, mediante o qual se esperava que todos fossem capazes de enriquecer, porque ninguém era melhor do que ninguém. Foi o tempo do caubói e do índio escorraçado ou morto; o mundo do revólver de seis tiros a que se acrescentariam a escola e o jornalzinho da vila. Com a extensão das ferrovias e dos telégrafos, a transformação dos campos naturais em pastagens e a abertura das primeiras manchas para o cultivo de gêneros, chegam ao Oeste o banqueiro e o advogado, iniciando-se uma reordenação profunda dos antigos modos de vida.

Antes do fim do século, aquelas regiões ermas estavam povoadas por 6 a 7 milhões de pessoas, a maioria atraída pelas oportunidades que lhes ensejava a Lei de Lincoln, que, em 1862, assegurara às famílias pioneiras lotes de 65 hectares. Assim, mais de 25 milhões de hectares foram distribuídos. A América do Norte, que ao fazer a independência contava com 2,5 milhões de habitantes; que começara o século XIX com menos de 7, alcança, em meados do século XX, mais de 20 milhões, distribuídos entre as terras novas e as áreas das antigas colônias. Estas se industrializaram rapidamente e também desenvolveram sua antiga agricultura de alimentos. O Sul enriquecia da mesma forma pela crescente procura internacional de sua produção algodoeira, de tabaco e outros produtos.

O centro reitor da economia nacional estava, porém, solidamente assentado no Norte, que, protegido contra a competição europeia, concretizava as oportunidades de industrialização ensejadas pela autonomia nacional, pela expansão do mercado interno, o protecionismo alfandegário, pelo roubo de inovações tecnológicas estrangeiras e pela atração de mão de obra qualificada europeia. Esta vinha sendo desalojada e marginalizada pela nova economia produtiva de fábrica, que, operando com máquinas-ferramenta, não dependia tanto da qualificação profissional do operário comum. Assim, grande número de artesãos mecânicos, de siderurgistas, de mestres dos ofícios mais diversos eram atraídos para fecundar a intensa industrialização que se processava na América do Norte.

Invenções próprias ou copiadas da Europa por todos os processos, honestos e desonestos — principalmente os últimos —, renovariam, nos anos seguintes, toda a vida norte-americana, lançando as bases de uma sociedade efetivamente industrial. É o tempo do surgimento do telégrafo e do telefone, que unificaram as comunicações de todo o país; do linotipo, da rotativa e da dobradeira, que permitiriam o surgimento de jornais metropolitanos de enorme tiragem, conformadores da opinião e unificadores da visão do mundo de milhões de estadunidenses; das máquinas de escrever, de somar e das registradoras; da lâmpada elétrica e do cinema. É o tempo das máquinas e da disciplina. A ordem vai ganhando terreno sobre a liberdade. O jornal local cede lugar ao metropolitano. As comunidades se vão estruturando na nação. O povo vai se fazendo massa.

Um vasto sistema educacional cobrirá o país inteiro. Com escolas de uma sala para a criança do Oeste longínquo. Grandes escolas urbanas, americanizadoras da massa estrangeira que continuava a chegar em grandes levas. Colégios e universidades devotadas a uma educação de tipo novo, voltada, antes, à habilitação para o trabalho do que para a fruição do lazer, em que a matemática e as ciências, o treinamento mecânico e as disciplinas práticas ocupam as horas antigamente destinadas ao latim, ao grego e à teologia.

Ao fim do século, a América do Norte já contava com uma dezena de cidades aproximando-se e superando o milhão de habitantes; com 39,5% de sua população urbanizada e com uma mão de obra de 16,7 milhões de pessoas trabalhando nas fábricas e nos serviços que se multiplicavam em ritmo acelerado; com um índice de alfabetização de 89,3%, o mais alto do mundo. Esse incremento prodigioso exprimiria o amadurecimento dos Estados Unidos como formação capitalista industrial. De quinta nação do mundo em produção industrial que fora em 1840, passa para o quarto lugar em 1860, para o segundo em 1870, e para o primeiro em 1895. Com o objetivo de realizar essa façanha, multiplicara por sete vezes sua capacidade de produção industrial entre 1860 e 1895.

Expandem-se, desde então, como grandes negócios trustificados, os empreendimentos ferroviários, de comunicação, de energia elétrica, da siderurgia, do petróleo. Surgem os bancos nacionais controladores da grande indústria aglutinada em enormes monopólios. No início do século XX, a América do Norte já possuía a maior indústria manufatureira do mundo, produzindo mais que a Inglaterra e a Alemanha juntas. Surgem, então, grandes grupos de interesse cujo poderio financeiro passa a reordenar toda a sociedade para colocá-la a seu serviço: Morgan, Mellon, Rockefeller, Carnegie, Du Pont, Kuhn-Loeb, Guggenheim e os consórcios de Chicago, Cleveland e Boston, que controlam 60% da indústria, 80% dos ferrocarris, metade dos bancos e dos serviços. Cada um desses grupos concentrava maiores riquezas do que toda a riqueza da América do Norte ao tempo da independência.

O surgimento, tanto na América do Norte como nos demais países capitalistas avançados, desses grandes consórcios que controlam conjuntamente o capital financeiro e a indústria corresponde, na ordem externa, à passagem do colonialismo, baseado na dominação política, para o imperialismo, que já pode prescindir da intervenção direta, substituindo-a por mecanismos mais eficazes e mais sutis de controle e de domínio. Seus objetivos essenciais permanecem os mesmos: monopolizar as fontes mundiais de matérias-primas, principalmente os minérios, o petróleo e os produtos agrícolas de exportação; e assegurar-se em mercados cativos para os produtos manufaturados.

Seus mecanismos de ação consistem em obter concessões para a implantação de grandes empresas de exploração de recursos naturais; a instalação de

As Américas e a civilização

ferrovias, portos e sistemas de comunicações destinados a facilitar o dreno de matérias-primas para o exterior. E, ainda, o estabelecimento de plantas industriais de artigos de consumo, onde a economia nacional chega a tornar-se capaz de absorvê-los. O mecanismo subsidiário é a sujeição dos governos através de empréstimos escorchantes, tornados indispensáveis para fazer face a crises provocadas ou intensificadas pela própria deformação das economias nacionais, orientadas para atender necessidades do mercado internacional, mais do que para assegurar a subsistência e alargar o mercado nacional de trabalho. A tudo isso se acrescenta a imposição da liberdade cambial e alfandegária para garantir-se a remessa de lucros e o controle do mercado interno e para impedir o surgimento de indústrias nacionais.

As relações da América do Norte com a América Latina exemplificam, detalhada e copiosamente, todas essas formas de dominação e demonstram sua extraordinária eficácia na manutenção do atraso das áreas submetidas à exploração imperialista. Esta se funda em fatores econômicos e num fator político fundamental, que é o recrutamento de pequenos grupos nacionais para associá-los às empresas estrangeiras, transformando-os em sipaios incumbidos da defesa interna dos interesses alienígenas.

O surgimento das grandes metrópoles estadunidenses — Nova York, São Francisco, Chicago, Detroit, Los Angeles, Pittsburgh, Cleveland, Boston — é simultâneo com essa expansão imperialista e com a concentração das empresas em enormes monopólios. Entre 1909 e 1939, as empresas com mais de 1 milhão de dólares de produção passam de 1,1% para 5,2%; o contingente de operários que ocupam salta de 30,5% para 55% da população ativa do país; e o valor de sua produção se alça de 43,8% para 67,5% do valor total da produção industrial norte-americana. E esse processo continua operando a ritmo acelerado. Assim é que, de 1940 a 1947, as empresas com mais de 10 milhões de dólares de capital absorveram 58% dos ativos privados e, de 1948 a 1954, abarcaram 66%. Nessa progressão passaram a englobar, em 1960, cerca de 72% dos ativos empresariais. A essa superconcentração econômica corresponde uma reestruturação social profunda, impulsionada, na ordem interna, por quatro modeladores.

Primeiro, a condensação dos grandes proprietários urbanos numa classe dirigente nacional controladora das ferrovias que rasgam o país, e que logo abrangeria 500 mil quilômetros de linhas; do sistema nacional de comunicações telegráficas e, depois, telefônicas, e da rede nacional de indústrias que produzem os artigos de "marca nacional". Comandando, desde Wall Street, o sistema bancário através de agências distribuídas por todo o país, essa minoria de financistas se apossava, mediante a manipulação dos depósitos, do controle de todos os recursos financeiros; e através dos empréstimos, passava a participar lucrativamente da enorme expansão industrial, cujo parque duplicava cada dez anos, bem como de todos os negócios, grandes e pequenos, rurais e urbanos. Desaparece, assim, a *bourgeoisie conquérante* que construíra a economia capitalista norte-americana, substituída por uma plutocracia financeira. Finava o *self-made-man*, dirigente de sua própria empresa, para dar lugar ao administrador profissional da *corporation*.

Em segundo lugar, o surgimento, entre essa classe dirigente e o povo, de uma camada intermédia, cada vez mais numerosa, de funcionários burocráticos e administrativos, de tecnocratas, de profissionais liberais, de agentes diversos, de jornalistas e muitas outras categorias de empregados, comerciantes médios e pequenos produtores autônomos, inteiramente dependente e submissa à camada superior, cujos privilégios aspira alcançar, hostil e preconceituosa para com os estratos mais baixos.

Terceiro, a constituição de um operariado fabril de grandes empresas integrado por ex-agricultores atraídos para as cidades, e também por imigrantes que entravam no país em grandes levas, os quais, organizados em sindicatos, tomam consciência de seus problemas e da oposição dos seus interesses em relação aos patronais, iniciando-se lutas reivindicatórias cada vez mais renhidas.

Quarto, a urbanização do negro forro e de seus descendentes expelidos do campo ou atraídos à cidade em busca de um ambiente mais favorável cuja principal perspectiva de integração na vida nacional é o ingresso na condição de operários. Fracassam, porém, diante da discriminação racial, ao ver as massas de imigrantes brancos, recém-chegados, menos qualificados e muito menos assimilados, ocupando todas as oportunidades de trabalho fabril, preferidos pela cor da pele. Assim comprimidos, transformam-se numa camada marginal e subproletária sem possibilidade de integração no sistema e, por isso mesmo, destinada a amadurecer para o exercício de um papel revolucionário. Concentram-se em *slums*, nas áreas deterioradas das cidades, formando verdadeiros guetos onde só têm convívio com os latino-americanos mais miseráveis, e onde a infância e a juventude negra e mestiça, submetidas a condições desigualitárias de vida e de educação, veem-se mais castigadas pela delinquência, pela toxicomania, e em situação cada vez mais desfavorável para competir com as novas gerações brancas, porém cada vez mais propícia a conscientizar-se politicamente.

A crise de 1929, debilitando a força patronal, permite, pela primeira vez na história norte-americana, a constituição de um sistema sindical livre, combativo e capaz de questionar o próprio regime. O CIO (Central Sindical), criado durante o governo Roosevelt, quando a massa de desempregados superava a cifra de 17 milhões, representou um imenso passo à frente na conscientização da classe trabalhadora quanto à especificidade de seus interesses e ao antagonismo destes com os patronais, demonstrando quanto podem fazer as classes trabalhadoras quando estão organizadas e são combativas e, em decorrência, a importância da atividade política dos trabalhadores. Sob o comando do CIO se realizam as principais lutas norte-americanas pela elevação de salários, mas também por reivindicações não estritamente econômicas, como as lutas pela democratização das condições de trabalho nas fábricas e oficinas, pela implantação de relações mais humanas no trabalho, pela participação dos negros e das mulheres no movimento sindical, pela superação das hostilidades raciais e nacionais no seio do proletariado.

Nos anos seguintes, em consequência da expansão industrial propiciada pela economia de guerra, os negros puderam ingressar, pela primeira vez, nas fábricas, em condições mais igualitárias em relação ao trabalhador branco. Aumentou, também, extraordinariamente, a participação da mulher no trabalho industrial. A própria composição cultural do operariado se modificou pelo ingresso nos estabelecimentos fabris de grandes contingentes de homens e mulheres de educação de nível médio, que aspiravam incorporar-se aos serviços mas foram ter às indústrias atraídos pelos altos salários e as novas condições de trabalho.

Milhões de norte-americanos, brancos e negros, que não haviam conseguido emprego desde a grande crise, voltaram a encorpar o proletariado ativo, em virtude da ampliação do mercado de trabalho, do maior número de anos dedicados à educação e da convocação da juventude para as superexpandidas Forças Armadas. A força de trabalho norte-americana, que alcançara 20 milhões em 1900, salta, nesse período, para 65 milhões. E sua composição se altera substancialmente pelo crescimento constante da proporção de assalariados na população total, que passa de 75% para 82% de 1940 a 1950, mediante a conversão de setores intermédios autônomos de profissionais liberais e pequenos proprietários em empregados. Só os granjeiros, cuja existência tivera tão grande importância na configuração da América do Norte como uma formação capitalista capacitada a empreender a industrialização autônoma, se reduzem, de 1910 a 1956, de 17% para 6% da população ativa, caindo numericamente de 6,1 milhões, em 1910, para 5,3 milhões, em 1940, e para 3,7 milhões, em 1956.

Simultaneamente a essa "proletarização" dos setores intermediários e com a mobilização de mão de obra para a guerra se foram anulando as principais conquistas alcançadas pelo movimento sindical, a começar pela combatividade reivindicatória e as práticas de cogestão do processo produtivo, amortecidas ou anuladas em nome do esforço de guerra. A interpenetração dos comandos sindicais com órgãos governamentais de controle da produção, civis e militares, e com as confederações patronais em entidades destinadas a promover o esforço de guerra, acabou por burocratizar as organizações trabalhistas. O CIO, como todas as outras, foi dominado por uma nova categoria de *pelegos* que, de dirigentes das lutas operárias, se convertem em um novo poder, cada vez mais vinculado aos líderes empresariais e políticos, totalmente comprometido na acomodação com os patrões, no desestímulo às greves, na quebra das resistências operárias contra a automação e na erradicação de todos os elementos radicais do movimento sindical.

Transformara-se, assim, a liderança operária numa burocracia inspirada no oficialismo, que orienta sua ação não mais para acicatear a combatividade dos trabalhadores, mas para utilizá-los como mecanismos de pressão sobre o governo e o Congresso, a fim de conquistar regalias cartoriais na forma de subsídios para os dispensados do emprego, pensões para aposentadoria e outras vantagens. Essas regalias são negociadas em troca da estrita regulamentação do direito de greve e da sindicalização compulsória dos trabalhadores ativos, combinada com a expulsão dos desempregados para outras organizações que se encarregariam de protegê-los.

Findo o conflito, à medida que a política de defesa ativa e de guerra fria mantém as conquistas patronais, o CIO, em nome da unidade sindical, funde-se à velha e retrógrada AFL (American Federation of Labor) para constituir uma central sindical única, destinada a disputar com o movimento sindicalista internacional de esquerda o controle da agência sindical da ONU. Esses *pelegos* é que enxameiam, hoje, as embaixadas norte-americanas do continente, como adidos sindicais devotados a intervir nos movimentos operários nacionais, atrelando-os à nova orientação trabalhista de Washington.

Desde há muito não se identificam com os trabalhadores norte-americanos. Simplesmente se impõem a eles como um novo poder burocrático controlador da máquina sindical. Internamente, são aliados dos patrões e dos agentes civis e militares do governo contra a massa crescente de desempregados e marginais, que enfrentam como uma ameaça permanente de subversão. Internacionalmente, são uma força contrarrevolucionária, oposta a todos os movimentos progressistas, corrupta e corruptora do movimento sindical.

As Américas e a civilização

4. Automação e militarismo

A Segunda Guerra Mundial produziu, porém, efeitos ainda mais profundos sobre a América do Norte, transmudando radicalmente inúmeras esferas da economia, tornada maior que a do restante do mundo, uma vez que se apropriara de 60% dos recursos naturais da terra. Para manter essa riqueza — e o sistema político mundial que permitia fruí-la —, foi necessário montar um vasto sistema militar que controla mais de 3 mil bases dispersas por todos os continentes e armar um exército mais potente que o da última guerra.

Outro efeito fundamental da vitória foi subverter as instituições políticas da América do Norte e redefinir seu papel em face dos povos do mundo, o que se logrou pela fusão da plutocracia industrial com as altas hierarquias militares, criando, assim, uma nova estrutura de poder hegemônico, posta acima do governo e do Congresso. E ao fazer-se o núcleo principal e o comando dos interesses empenhados na manutenção do *status quo* de penúria do mundo subdesenvolvido, porque conseguiria fazer a miséria alheia altamente lucrativa para suas corporações.

O motor dessas transformações foi uma série de inovações tecnológicas que caracterizamos como a *Revolução Termonuclear* (D. Ribeiro, 1968), mas que são geralmente designadas como processo de automação do sistema produtivo. Seus primeiros efeitos justificam supor que ela terá uma potencialidade renovadora provavelmente maior que a de qualquer acelerador histórico até hoje conhecido, inclusive a Revolução Industrial. Desenvolvida, originalmente, para atender à expansão da indústria, tornada imperativa pelo esforço de guerra, a automação estendeu-se a outras atividades. Sobrevindo a paz, coloca os norte-americanos diante do desafio de refazer toda a sua organização social para capacitar-se a utilizar e distribuir o novo caudal de riqueza que se tornaram capazes de produzir.

Já no passado, a América do Norte revelara uma extraordinária capacidade de tecnificação das atividades produtivas, como a sociedade que mais rápida e completamente se industrializou e mecanizou a produção agrícola, transfigurando, simultaneamente, sua própria estrutura social. Foi ali, também, que primeiro se implantaram os novos sistemas de produção racionalizada, independentes do antigo adestramento artesanal, como a fabricação de peças intercambiáveis e, mais tarde, a introdução da linha de montagem, primeiro na indústria automobilística, depois em outros setores produtivos. Essa tendência renovadora encontraria seu clímax no aprimoramento das técnicas de produção em série, nas imensas indústrias bélicas do mais alto padrão técnico-científico, implantadas para a produção de armas nucleares.

Após a guerra, essas inovações — sobretudo a utilização de controladores eletrônicos do processo fabril — foram sendo introduzidas na grande indústria, dispensando já não apenas as antigas formas de qualificação profissional, mas reduzindo drasticamente as necessidades de mão de obra, ou seja, condenando ao desemprego subsidiado pelos novos sistemas de previdência massas crescentes de trabalhadores, enquanto a indústria progredia e se aprimorava. Mesmo os setores não fabris, como os trabalhos de escritório e os serviços em geral, vêm ganhando outra fisionomia pela substituição maciça de escriturários, calculistas, pagadores, por máquinas computadoras, por engenhos eletrônicos e por programadores mecânicos.

As primeiras ondas de desemprego provocadas pela automação atingem, naturalmente, os trabalhadores não qualificados e as camadas marginais aspirantes a empregos dessa categoria. Assim, aos desajustamentos sociais dessas massas, principalmente negras, se somou um fator novo de marginalização que aceleraria a níveis extremos sua combatividade, já aguçada pela discriminação racial. O processo de automação seguirá operando, porém, em intensidade crescente, tendendo a ampliar esses setores desajustados e descontentes e a acrescer-lhes outros contingentes.

Para onde irão os trabalhadores desalojados, ou os que jamais conseguirão empregar-se, se a agricultura tecnificada e a indústria automatizada já não os necessita? Como assegurar à população inteira os benefícios econômicos da nova revolução produtiva, que unicamente dá lugar a uma maior concentração da riqueza, a um enriquecimento dos super-ricos que controlam as corporações? Como substituir a correlação entre os serviços prestados e o salário por uma outra equação que, fazendo independer a sobrevivência do trabalho, deverá profusamente subsidiar a desocupação generalizada e compulsória? Como reordenar a nova sociedade, cujo sistema produtivo já não se assenta numa massa de trabalhadores braçais e semiespecializados, mas tão somente numa tecnocracia de uns poucos engenheiros programadores?

É verdade que viver sem trabalhar produtivamente jamais constituiu problema. Pelo contrário, este foi sempre o apanágio dos rentistas e dos grandes proprietários. A dificuldade está em generalizar essa condição inativa com base no direito de todos os homens ao produto final do progresso do sistema produtivo que, hoje obsoleto ao trabalhador braçal, como ontem arcaizou os animais de tração. Certos setores tendem a continuar se expandindo, como o magistério, os serviços assistenciais e uns poucos outros. Seguramente, porém, com o progresso da automação não se absorverá a maioria dos adultos nas tarefas de educação dos imaturos e no cuidado das crianças, dos velhos e dos enfermos.

As Américas e a civilização

Esses são os problemas presentes da nova sociedade norte-americana e futuros de todas as nações do mundo. A redução da massa de trabalhadores industriais, na América do Norte, já se pode ver, nitidamente, pelo fato de que, num período de pleno emprego, ela alcança, tão somente, 18% da massa de 68 milhões de pessoas ativas, quando alcançava 30,3% em 1900, e tende a reduzir-se, ainda mais, tanto relativa como absolutamente, à medida que avança a automação.

O problema dos trabalhadores ativos afastados da produção se resolve pelos sistemas de previdência. Não constitui um desafio maior porque eles já tiveram suas personalidades conformadas pela disciplina imposta pelo regime de trabalho produtivo a que se submeteram. Mas que fazer das novas gerações que, em grandes proporções, jamais terão oportunidade de trabalho suficientemente continuado para integrá-los social e psicologicamente na categoria de gente responsável? Um exército de marginais, hoje integrado sobretudo por negros, mulatos, porto-riquenhos, mas que crescerá, amanhã, com gente de todos os matizes, ameaça avançar sobre as instituições e sobre o Estado como a maior força transformadora jamais desencadeada.

A pressão social dessas massas marginalizadas pelo processo produtivo se exercerá principalmente no sentido de impor ao governo a distribuição dos benefícios econômicos decorrentes da automação. Por essa razão ela deverá operar como um fator de fortalecimento do papel do Estado como arrecadador e distribuidor dos recursos (para fazer face a encargos sociais crescentes), o que importará num controle oficial, cada vez maior, do sistema financeiro e do sistema produtivo.

Essas eram as tarefas da paz que atemorizavam, como um cataclismo, o mundo empresarial norte-americano, e provocavam pesadelos, também, aos trabalhadores e aos políticos, pelas ameaças que pareciam encerrar. Se chegassem a impor-se, conduziriam, fatalmente, a uma quebra dos padrões e das normas capitalistas, tornados obsoletos. Determinariam a reordenação da economia e da sociedade, com base nas responsabilidades do Estado para com todos os cidadãos. No âmbito internacional, ensejavam uma ação cooperativa com o mundo subdesenvolvido, cujas necessidades de equipamento industrial e de bens permitiriam uma mobilização total do sistema produtivo norte-americano e lhe proporcionariam a fórmula transitória para a sua reordenação social como uma estrutura socialista evolutiva.

A segunda força transformadora da sociedade norte-americana decorre do domínio opressivo que passaram a exercer sobre o povo e sobre a nação — como nova potência ordenadora da vida social e política — as corporações industriais e financeiras, cujos interesses empresariais, fobias e pavores passaram a reger a vida interna e as relações internacionais da América do Norte. Exprimindo a posição rooseveltiana em face dessa ameaça, Henry A. Wallace, vice-presidente dos Estados Unidos, advertiu a nação, em setembro de 1943, dos riscos que representava, para as liberdades públicas e para o progresso, o crescente poderio dos monopólios internacionais:

> Os povos e os governos do mundo, sem sabê-lo, deixaram que os cartéis e os monopólios formassem um supergoverno mediante o qual podem monopolizar e dividir campos inteiros da ciência e repartir-se os mercados do mundo. O povo deve recuperar seu poder para afrontar este supergoverno. Este supergoverno tem abusado dos povos dos Estados Unidos, não só com referência à borracha sintética [...] mas também em outras indústrias críticas. Essas camarilhas possuem seu próprio governo internacional, mediante o qual estabelecem as cotas privadas de produção. Seus emissários podem ser encontrados nos Ministérios de Relações Exteriores de muitas das nações importantes do mundo. Criam seu próprio sistema de tarifas alfandegárias e determinam quem contará com a permissão de produzir, de comprar e de vender [...]. Esse acordo secreto [sobre a borracha sintética] entre um monopólio estadunidense e um cartel alemão não estava submetido a nenhuma autoridade pública. Era muito mais importante que a maioria dos tratados, mas jamais o Senado estadunidense tomou qualquer medida a respeito. (S. Lilley, 1957: 195)

À medida que crescia o novo poder, ia se estancando a fonte de responsabilidade política do cidadão norte-americano comum, bem como a capacidade de atuação das lideranças progressistas, ao mesmo tempo que uma solução alternativa à socialização ia se configurando. Seria uma solução provisória e aventureira como o fora o nazismo para a Alemanha, quando posta numa conjuntura equivalente; mas, ainda assim, passaria a concatenar as ações, a controlar as atitudes, tudo encaminhado para um regime incompatível com as instituições liberais e com a autoimagem que a América do Norte tinha de si própria.

O golpe mortal sobre a democracia estadunidense, enleada nessa trama antiprogressista já no curso da guerra, seria dado pelo conluio dos homens de empresa, superenriquecidos pela guerra, com os generais que aprenderam a politicar e a enriquecer manobrando encomendas bélicas de enorme vulto, e com as lideranças sindicais apavoradas com a perspectiva do desemprego e crise que, fatalmente, se desencadearia com o desarmamento, se ele se fizesse sem profundas transformações estruturais. Era o nascimento de uma nova forma de Estado, fundado na precedência dos comandos militares sobre o poder civil, que liquidaria com todas as bases da ordem democrático-liberal, transformando a sociedade norte-americana numa força de choque para a destruição do comunismo. Nascia o Estado militarista.

Com a morte de Franklin Delano Roosevelt, a América do Norte caíra nas mãos de Truman, símbolo da mediocridade pequeno-burguesa e do negocismo mais voraz, produto, também ele, de uma tradição muito estadunidense que não era a dos "pais fundadores", mas do Tyler, Polk, Buchanan, Theodore Roosevelt, Hoover e tantos outros que representaram na presidência o reacionarismo plutocrático sempre de alcateia para alcançar o poder e para degradá-lo. Sob a presidência de Truman foi abandonada a orientação rooseveltiana, que teria permitido abordar sem temores as tarefas da paz, no que elas importavam em reforma interna para o desarmamento. Nas relações com a América Latina, a administração americana abandona a linha dos empréstimos de governo a governo, do incentivo à industrialização autônoma, para implantar o espírito de Bretton Woods, a política do Fundo Monetário Internacional e, com elas, o livre-empresismo, alçado em forma suprema de promoção do progresso dos povos atrasados. Era a política do bom sócio substituindo a política rooseveltiana de boa vizinhança.

Em face do pavor ao comunismo e de uma espécie de complexo de inferioridade que conduz tantos norte-americanos a duvidar da capacidade renovadora do seu próprio sistema social, os governos estadunidenses enveredaram para a guerra fria. Esta tem início com o ato mais quente da história do mundo, que foram as bombas de Hiroshima e Nagasaki. Terríveis em si mesmas, e mais ainda porque desnecessárias, uma vez que os japoneses já pediam a paz. Mas indispensáveis para a afirmação da América do Norte como a superpotência do mundo.

Em seguida, o novo poder conseguiria impor a toda a nação uma opção crucial em face dos problemas do desarmamento: a deliberação de manter a economia de guerra em lugar da alternativa que se oferecia de uma transição, regida pelo Estado, para uma economia de paz. Esta se faria através de grandes planos nacionais de obras e serviços, que garantissem a manutenção do nível de empregos e a elevação progressiva do padrão de vida.

As imensas solicitações da Segunda Guerra à economia norte-americana, tanto em produção bélica como na manufatura de artigos de consumo para prover ao mundo, conduziram a uma integração, nunca antes alcançada, entre os comandos estritamente militares e a direção das grandes corporações. Induziram, simultaneamente, a formulação de uma nova teoria de segurança nacional que colocava, em primeiro plano, a necessidade de manter a total mobilização da economia empresarial, como em tempo de guerra, e a manutenção dos controles sobre as organizações sindicais para não perturbar o processo de automação do sistema produtivo.

Desse modo, a *entente* industrial-militar alcançava fazer da concepção da segurança para a guerra a teoria ordenadora da sociedade para a paz. Do ponto de vista dos militares e do ponto de vista empresarial, essa fórmula representava a solução para muitos problemas, como a continuidade dos processos produtivos já montados e o impedimento de que ao acordo indústria-guerra se seguisse, com a paz, um acordo indústria-governo civil. Entre as vantagens de ordem privada estava a segurança de continuar contando com o fluxo de recursos governamentais destinados a novas instalações industriais de interesse bélico, na forma de encomendas subsidiadas. Para esses mesmos grupos privados era também decisiva a vitória implícita sobre a tendência do capitalismo do Estado, que ameaçava reviver orientações do estilo *New Deal*, que haviam salvado o sistema capitalista da grande crise à custa da intervenção estatal, do planejamento, das reformas sociais e da regulamentação da atividade empresarial. Assim, uma economia de guerra destinada a impedir a crise evita também as reformas, em nome dos imperativos de defesa nacional, do patriotismo e do anticomunismo.

Uma medida dos efeitos dessa orientação anti-histórica do governo norte-americano nos é dada pelo fato de que, enquanto o governo de Roosevelt chegou a gastar 39 dólares *per capita* em programas sociais e educativos (1939), o governo de Johnson gasta nos mesmos projetos dezesseis dólares *per capita*. Ou, em outros termos: a proporção de gastos com obras civis e bem-estar, que era de 44% em 1939, reduziu-se a 7% em 1963, quando as despesas com a defesa alcançam 75% do orçamento nacional (C. R. de Carlo, *in* E. Ginzberg, 1965).

Implantou-se, dessa forma, na paz do pós-guerra, um novo tipo de máquina guerreira, a cujas exigências específicas, tão impositivas sobre a sociedade americana quanto as de uma guerra real, se acrescentou a derrocada do poder civil e de todos os ideais democráticos de que a América do Norte do século XIX se fizera campeã do mundo. Desatrela-se o carro nacional estadunidense da destinação ao papel histórico que se propusera como foco de renovação institucional emancipadora, para entregar-se ao papel de mantenedor da ordem capitalista e imperialista e, com ela, de todos os remanescentes oligárquicos sobreviventes do mundo.

A primeira advertência contra a ameaça que representava o *Estado militarista* para a América do Norte se deve ao próprio herói ianque da guerra, o presidente Eisenhower, que, em seu discurso de despedida — sabendo como ninguém o que dizia, mas cumprindo o dever de dizê-lo com todas as palavras —, afirmou:

> Até o último dos nossos conflitos mundiais, os Estados Unidos não possuíam a indústria dos armamentos. Os fabricantes americanos de reinas de

As Américas e a civilização

arado podiam, com o tempo e conforme fosse necessário, fazer também espadas.

Mas agora já não nos podemos arriscar a uma improvisação de emergência da defesa nacional. Fomos obrigados a criar uma indústria armamentista de proporções muito vastas. Além disso, 3,5 milhões de homens e mulheres estão ocupados diretamente no estabelecimento da defesa. Gastamos anualmente, só no que diz respeito à segurança militar, mais do que a receita líquida de todas as corporações dos Estados Unidos.

Essa conjunção de um imenso estabelecimento militar e de uma vasta indústria de armas é nova na experiência americana. A sua influência total — econômica, política e mesmo espiritual — é sentida em todas as cidades, todos os organismos do Estado, todos os departamentos do governo federal. Reconhecemos a necessidade imperativa desse desenvolvimento. Mas, apesar disso, não deixamos de compreender as suas graves implicações. O nosso trabalho, os nossos recursos e até a nossa vida estão em causa; bem como a própria estrutura de nossa sociedade.

Nos conselhos de governo temos de nos defender contra a aquisição da influência injustificada, solicitada ou não, do complexo militar-industrial.

O potencial para o crescimento desastroso do poder mal colocado já existe entre nós e tenderá a persistir.

Não devemos permitir que o peso dessa combinação ponha em perigo as nossas liberdades ou processos democráticos. Não deveríamos tomar o que quer que fosse como inevitável. Só os cidadãos vigilantes e bem informados é que poderão forçar uma combinação apropriada da imensa maquinaria industrial e militar de defesa com os nossos métodos e objetivos pacíficos, para que a segurança e a liberdade possam prosperar juntas.[4]

Depois de Eisenhower, esse complexo militar-industrial só fez crescer, invadindo todas as áreas da vida norte-americana, aliciando oficiais como propagandistas de guerra, pressionando o Congresso, moldando a opinião pública através do controle de todos os órgãos de divulgação, inflando a CIA e o Pentágono e atrelando a seu domínio o Departamento de Estado, de modo a levar a ingerência conspirativa, subversiva, de espionagem e de terrorismo e corrupção a todos os cantos da Terra.

Bertrand Russell, escrevendo, em 1966, sua carta de apelo ao povo norte-americano contra o barbarismo da guerra do Vietnã, assinala que:

O orçamento militar dos Estados Unidos é três vezes maior que a soma dos capitais da U. S. Steel, Metropolitan Life Insurance, American Telephone & Telegraph, General Motors e Standard Oil. O Departamento de Defesa emprega três vezes o número de funcionários existentes nessas grandes empresas mundiais. Milhares de milhões de dólares destinados a contratos militares são providos pelo Pentágono e executados pela grande indústria. Em 1960 foram gastos 21 bilhões de dólares em apetrechos militares. Dessa soma fabulosa, 7,5 bilhões foram repartidos entre dez empresas e outras cinco receberam cerca de 1 bilhão de dólares cada uma. Nos escritórios dessas empresas trabalham 1.400 oficiais do exército, incluindo 261 generais e oficiais do exército, em serviço ativo. Na folha de pagamentos da General Dynamics existem 187 oficiais, 27 generais e almirantes e um ex-secretário do exército. Todos eles constituem uma casta dominante que permanece no poder mesmo quando outros sejam os nominalmente eleitos para os cargos públicos e todos os presidentes se veem obrigados a atender aos interesses desse grupo onipotente. Consequentemente, a democracia norte-americana carece de realidade e de sentido porque o povo não pode destituir aos homens que realmente dirigem o país.[5]

Tal é o *Moloch* que se encarniça sobre o mundo. Apropriada pelas grandes corporações e pelos militares por ela cevados, a América do Norte, povo e nação, foi transformada numa máquina de guerra repressiva. Essa engrenagem fantástica, posta nos trilhos, avançou como uma avalancha, fundindo, num só corpo, as altas hierarquias militares com a cúpula das grandes corporações. Assim concebida, devota-se à manutenção do regime de exploração capitalista na América do Norte e em todo o mundo, ao preço dos valores que ela própria, em sua etapa fecunda, gerara e que presidiram ao nascimento da sociedade americana como a primeira democracia do mundo moderno. O custo econômico desse esforço de manutenção do regime capitalista excede muitas vezes, como disse Eisenhower, os capitais das grandes corporações. Quem o paga, porém, é o contribuinte norte-americano, transformado em financiador da perpetuação da engrenagem em que está enjaulado.

Com o *Estado militarista* desencadeia-se a mobilização para a nova guerra, com o mais fantástico desperdício de recursos e a mais opressora dominação da opinião pública. Que se visa com isso? A guerra, naturalmente, que só por esse fato se torna muito mais provável, apesar de seu caráter de batalha de segundos que porá fim à vida na Terra. Mais do que a guerra, porém, visa-se manter o controle estatal sobre a economia, pela única forma em que ele não colide com os interesses empresariais privados, que é a mobilização das plantas industriais para a guerra, mediante astronômicas encomendas militares. Provavelmente essa é, também, a única alternativa que se abre à América do Norte após a superexpansão de sua economia, excluída uma profunda reordenação de caráter socializante.

AS AMÉRICAS E A CIVILIZAÇÃO

O paradoxal desse processo é que os Estados Unidos, pela orientação que tomaram, abrem mão do único caminho que lhes permitiria superar a União Soviética, enfrentar a competição com a China e, ainda, retomar o papel histórico de foco renovador, num momento em que a emergência dos povos coloniais à condição nacional e a rebelião dos povos explorados pelo imperialismo colocam em pauta o problema de generalizar, para a Terra inteira, a revolução tecnológica moderna. A grandeza da infraestrutura de que partiria um socialismo estadunidense lhe daria a possibilidade, inclusive, de efetuar a grande transformação histórica sem grandes desgastes e até restaurando a higidez da vida democrática que perderam.

5. Os guerreiros do Apocalipse

Uma vez implantadas as bases do *Estado militarista* na América do Norte, uma série de acontecimentos comoveu a opinião pública, os governantes, os militares, conduzindo toda a classe dirigente do país a crises sucessivas de apavoramento e histeria. Tais foram a revolução socialista dos chineses; o rompimento, pelos russos, do monopólio da bomba atômica e, depois, da bomba de hidrogênio; o primeiro *Sputnik*, anulando a segurança do isolamento garantido pelos fossos do Atlântico e do Pacífico que antes punham a América do Norte a salvo de qualquer ataque; a desastrosa visita do vice-presidente Nixon à América Latina; a Revolução Cubana, que nacionalizou uma décima parte dos investimentos estadunidenses no continente; a crise de outubro de 1962, provocada pelos projéteis nucleares russos instalados na ilha; e, finalmente, a bomba atômica chinesa.

A resposta a esses impactos por parte do sistema militarista já instituído foi seu fortalecimento e a liquidação de todas as correntes liberais militantes da vida política norte-americana. A nova onda reacionária que se inaugurara com o *macarthismo* assinala os funcionários e os sindicalistas — especialmente os antigos dirigentes dos programas do *New Deal*, transformando essa participação em evidência de traição nacional —; os cientistas, a principiar por Oppenheimer, criador da primeira bomba atômica, proscrito e desonrado internamente quando mais se elevava seu prestígio no mundo; os professores, jornalistas, escritores, tanto notórios quanto modestos, e até modestíssimos, sujeitos todos aos maiores vexames, obrigados a reconstituir diante do sagaz olho policial suas vidas inteiras para explicar uma causal convivência com um radical, ocorrida há uma década ou mais. Alguns foram levados ao suicídio, pelo desespero, muitos perderam o equilíbrio mental, todos ficaram com cicatrizes insanáveis.

Às comissões parlamentares se seguiram investigações policiais exaustivas e cruéis, levada a cabo pela CIA e pelo FBI, transformado, este último, de repartição protetora do povo contra ladrões e assassinos em perseguidor de fantasmas políticos. Graças à habitual proficiência técnica norte-americana, ambas alcançaram cumes de eficácia na vigilância e no controle de todos os possíveis suspeitos, impondo ao país, sobretudo à intelectualidade, o terror de cair na condição de suspeito de atitude liberal. Cresta-se, assim, a criatividade política da intelectualidade norte-americana, para a qual uma posição apenas próxima do radicalismo passa a ser pura temeridade. A classe média apavorada nem ousa aproximar-se de qualquer forma de literatura ou arte questionadora da ordem social ou de valores consagrados.

Aos aparelhos oficiais somam-se, desde logo, os privados, na forma de associações voluntárias que se multiplicam custeadas pelos financistas, para completar a obra de aterrorização e doutrinação. Surgem, assim, a John Birch Society, para quem são comunistas também Eisenhower e Truman, além de Kennedy e Roosevelt; os *china-lobbysts*, os *dixiecratas*, irmanados todos na luta contra a emancipação do negro, na propaganda de guerra e no anticomunismo mais boçal. Atuando sob a coordenação de órgãos militares e policiais, essas associações lançam-se contra os movimentos populares de protesto que se levantam em todo o país, pela proscrição das armas nucleares, pelo respeito aos direitos humanos, contra a guerra do Vietnã.

Dentro desse ambiente é que a América do Norte empreita suas cruzadas contra a Coreia, as fricções de Berlim, os assaltos a Cuba, os levantes da Hungria, as repressões na Grécia, o golpe da CIA contra Mossadegh, no Irã, a guerra de mercenários do Congo, os golpes militares do Laos e da Tailândia, o golpe militar no Brasil, a invasão da República Dominicana, a guerra no Vietnã, a derrubada de Nkrumah, em Gana, e a nova política de compressão da América Latina e de fomento e estímulo de golpes de Estado. Por esse caminho, em todo o mundo, a América do Norte se alia ao que há de mais retrógrado, tomando como seus sócios internacionais Franco, Chiang Kai-Chek, Syngman Rhee, Chombe, Batista, Madame Nhu, Castelo Branco e quanto ditador ou negocista queira fazer-se agente da reação antipopular e antiprogressista contra seu próprio povo.

Morrera a América do Norte dos colonos livres e dos pioneiros, dos "pais fundadores" e das liberdades civis, da iniciativa privada e da competição empresarial. Uma nova forma de Estado, uma atitude nova para com o homem e para com o mundo se foram implantando. Na ordem interna é o capitalismo das grandes corporações, na ordem externa é o imperialismo. E com eles se implanta também um tempo novo de riquezas inimagináveis e de pobrezas ainda maiores, de medo, de insegurança. Sua primeira vítima é o povo norte-americano, deserdado sub-repticiamente de seu patrimônio cívico, encerrado no seu medo de assumir responsabilidade política, proibido de usar sua criatividade para repensar o mundo, exatamente no tempo em que, por sua posição histórica, era chamado a produzir novos reformadores e revolucionários.

Assim é que esse povo engenhoso e cheio de iniciativa, em que o homem melhor exprimiu sua qualidade de *Homo faber*, acabou por inventar a supermáquina, aquela que, pela doutrinação nas escolas, nos jornais, no rádio, na televisão, no cinema, no teatro e nos livros, o entorpece e o convence, a cada dia, de que é o homem mais feliz da terra porque tem a barriga cheia, quando a poderia ter vazia; porque pode comprar e trocar carros e bugigangas que fariam a felicidade de qualquer otário do mundo. Que deve tudo isso ao *American way of life*, à liberdade de expressão, à livre competição, à livre-iniciativa. Mas cuidado com o policial da esquina, porque ele não persegue ladrões, mas ideias subversivas. Cuidado com o operário do lado, porque pode ser agente da CIA ou da polícia da empresa. Cuidado com seus amigos, porque um patriota americano não tem amigos e levará a pessoa suspeita de inquietação ou de dúvida ao comitê senatorial de atividades antiamericanas ou ao delegado do quarteirão. Cuidado com a noite. Ela está tão cheia de negros vadios e perigosos, que um norte-americano decente, depois das dez horas, só estará seguro dentro de sua casa.

Esta supermáquina que protege o cidadão estadunidense contra a revolução mundial, contra a paz que desencadearia a crise econômica, contra a violência racial, não o protege contra o medo. O amparo contra todos esses riscos já o dobra mais do que todos os perigos possíveis, porque mantém anestesiados ou apavorados todos os norte-americanos lúcidos que poderiam contribuir para que "a segurança e a prosperidade progridam juntas". Apavorados estão os seus cientistas e intelectuais, depois do macarthismo, apavorados estão os seus políticos, seus líderes e pastores, seus mestres-escola sob constante vigilância da John Birch Society e das múltiplas polícias ideológicas.

A todo esse sistema de opressão se somam inúmeras associações voluntárias, muitas delas secretas e terroristas como a célebre Ku Klux Klan, operando como mecanismos de compressão psicológica e de intimidação que pressionam, de mil modos, a quem quer que discrepe da norma medíocre do aparente ajustamento. O pendor gregário, tão característico do norte-americano que, por séculos, lhe deu milhares de associações-refúgio, vem sendo cada vez mais mobilizado para voltar-se contra o indivíduo, engajadas também na perseguição

OS ANGLO-AMERICANOS

encarniçada ao cidadão exótico, porque livre e porque ousa repensar o mundo e as relações humanas.

Coroa todo esse sistema de controles a autocensura induzida pelos mecanismos mais sutis de doutrinação, que, implantada na consciência de cada cidadão norte-americano, degrada sua liberdade espiritual e dissolve sua responsabilidade moral, fazendo-o transferir sempre a outro — ao governo, à polícia, ao senador, ao patrão — o julgamento e a crítica da vida política. Nessas circunstâncias é que ressurge, do fundo da cultura vulgar do norte-americano comum, o puritanismo protestante com seus conteúdos místicos e fanáticos para explicar o mundo moderno e justificar o injustificável. Caladas ou desmoralizadas internamente as vozes liberais correspondentes aos Dewey, aos William James do passado, ou Wright Mills e Erich Fromm, em nossos dias, é no Apocalipse que o popular vai buscar a explicação para a "fatalidade" da bomba suspensa sobre sua cabeça, que precisará, finalmente, explodir, a fim de amanhecer sobre este mundo pecador o dia do Juízo Final.

Uma das expressões dessa preocupação obsessiva de controle é o crescimento geométrico, nas últimas décadas, das representações norte-americanas no exterior, transformadas em projeções mundiais dos sistemas internos de doutrinação e de policialismo. Ao pessoal diplomático tradicional se acrescentaram inúmeros adidos militares destacados por cada setor das Forças Armadas. A estes se somaram espiões do FBI, da CIA, às dezenas, centenas e até milhares, conforme o vulto dos seus investimentos na área. Vieram, também, os adidos sindicais, os conselheiros e técnicos, os agregados aos programas de assistência. Por último, chegaram os contingentes de ingênuos ou fogosos missionários da fé, os voluntários da paz (*peace corps*), os funcionários do USIS. Formam, hoje, multidões em todos os países da América. A todos eles se juntaram, ainda, nos últimos anos, outras categorias: os conselheiros científicos e os novos tipos de gerentes de fundações recém-improvisadas, empenhados em engajar os pesquisadores e os laboratórios de todo o mundo ocidental ao programa norte-americano de investigação, ao preço de algum equipamento e de certos suprimentos de salários. E, finalmente, os doutores em eugenia e *birth control* dessa América apavorada com a fecundidade dos povos morenos e pobres que ameaçam atulhar o mundo com mais bocas famintas. Estão incumbidos de promover, com a máxima reserva, campanhas anticoncepcionais, de distribuir pílulas e panfletos que garantam aos norte-americanos o aspirado sossego contra a explosão das populações latino-americanas.

Eles podem ser reconhecidos em qualquer lugar por sua atitude de reserva temerosa, muito expressiva do sentimento de que fazem alguma coisa suja e do

As Américas e a Civilização

temor de serem vistos convivendo com nativos, que acaso não estejam isentos de qualquer suspeita de esquerdismo. Mais do que com respeito aos norte-americanos que ficaram na terra, pesa sobre eles o policiamento. Só se sentem seguros quando reunidos entre si, como um rebanho de ovelhas marcadas, balindo sua nostalgia, seu medo e sua insegurança. E, muitas vezes, seu desgosto pela sordidez da tarefa em que estão atolados.

Nessas novas condições sociais, é o espírito do prato de lentilhas, tão oposto ao espírito dos "pais fundadores" e tão mesquinho diante de figuras como F. D. Roosevelt, que marca, hoje, o perfil moral do norte-americano. É preciso não perder o emprego. É preciso ter uma promoção. É preciso trocar de carro. É preciso odiar aquele negro. É preciso agradar ao patrão, ao gerente, ao subgerente e ao capataz. É preciso ser bom moço. É preciso acabar com os comunistas. Sobretudo é preciso não pensar em política. Não ser político. Porque o bom "norte-americano" nem quer saber se Kennedy foi assassinado. Nem se as guerras e as guerrilhas pelo mundo afora são justas ou injustas. Não é matéria sua. Ainda que seu filho esteja lutando no Vietnã ou conduzindo pelos céus do mundo a bomba que acabará com tudo, com ele e com nós todos.

Essa integração de tudo e de todos no mesmo espírito de disciplina e de hierarquia; essa impregnação do temor e da insegurança não seria uma resultante necessária e inexorável do desenvolvimento norte-americano, tal como se operou? Só esse raciocínio determinista permitiria aceitar a traição a seu próprio ideário pelos norte-americanos, nossos contemporâneos. Mas não é verdade. Aí estão para prová-lo os que lutam contra a maré: a intelectualidade de esquerda, os estudantes universitários. Não são todos, mas são muitos e tendem a aumentar. Esse contingente é que, combatendo, se faz o sal da vida norte-americana. Há também aqueles cujas personalidades desmoronaram sob a pressão do temor e que reagem perplexos diante do que fizeram com sua pátria, caindo na embriaguez e na psicose e negando-se a falar do assunto. Essas formas de protesto, ainda que pusilânimes, provam que nem tudo está perdido. Aí estão, sobretudo, os negros, os *chicanos*, os porto-riquenhos que, em seu combate corpo a corpo de todas as horas, lutam não apenas por um lugar ao sol no "paraíso ianque", mas pela dignidade humana, pela justiça, pela igualdade, pelas liberdades que foram as bandeiras dos melhores líderes da América do Norte heroica da expansão e, hoje, só se mantêm alçadas em suas mãos.

O que mais revolta os humanistas de todo o mundo, que têm olhos e compreensão para o espetáculo da catarse norte-americana, é ver a nação de Lincoln degradada em instrumento dócil das grandes corporações industriais e do militarismo

Os anglo-americanos

mais corrompido para se impor ao mundo como uma força mantenedora do atraso. É ver sua juventude engajada, aos milhões, em exércitos e em contingentes da antiguerrilha, prontos para abater-se sobre qualquer povo que ouse lutar pela fartura e pela liberdade. A guerra do Vietnã aí esteve diante do mundo a ensinar que qualquer povo, até mesmo os descendentes dos peregrinos do *Mayflower*, pode ser conduzido a degradações iguais ou maiores que as das hostes nazistas, quando se coloca contra a história, empenhado na tarefa de fazê-la parar e retroagir.

A semelhança do soldado ianque de hoje com os antigos escravos *mameluc* que os turcos apresavam, criavam, cevavam e adestravam para manter a ferro e fogo seu domínio sobre os povos que oprimiam não é meramente causal. A civilização norte-americana, tão promissora em seus primeiros passos, paralisada pela indigestão materialista e, sobretudo, pela castração que lhe impuseram os interesses hegemônicos dos grandes monopólios, vista nesta década de 70, parece condenada a transformar-se numa daquelas pré-civilizações infecundas e destrutivas, como a otomana. Igualmente cheias de vigor, de iniciativa e de eficácia, mas que se fizeram recordadas na história principalmente por sua ferocidade, cobiça e estreiteza.

Toynbee, falando na Universidade de Pensilvânia da traição norte-americana à sua própria revolução e à missão democratizadora que eles próprios se propuseram no passado, dizia:

> Entretanto, a América do Norte é, hoje, a cabeça de um movimento antirrevolucionário que opera na defesa de interesses criados. A América do Norte advoga, hoje, pelo que advogava Roma antes. Roma, consequentemente, apoiava os ricos diante dos pobres em todas as comunidades estrangeiras que caíam sob seu domínio. Como os pobres, até agora, sempre foram mais numerosos que os ricos, a política de Roma fomentava a desigualdade, a injustiça e a menor felicidade do maior número.
>
> Que ocorreu? Suponho que a explicação mais simples é a de que a América do Norte aderiu à minoria. Em 1775 militava nas fileiras da maioria, e esta é uma das razões pelas quais a revolução norte-americana suscitou uma resposta universal.
>
> Sustento que, a partir de 1917, a América do Norte inverteu o papel que estava desempenhando no mundo. Converteu-se na potência arquiconservadora, em lugar de continuar sendo a potência arquirrevolucionária. Mais estranho ainda é o fato de que a América do Norte cedeu seu glorioso e destacado papel ao país que fora a potência arquiconservadora do século XIX, ao país que, desde 1946, a América do Norte considera seu inimigo número um. A América do Norte cedeu seu papel revolucionário à Rússia. (A. J. Toynbee, 1963: 34-5 e 48-9)

As Américas e a civilização

Assim conclui Toynbee, cheio de amargura por essa América que, apavorada com o fantasma do comunismo, aderiu à minoria, fazendo-se o bastião mundial de defesa dos interesses criados, da riqueza contra a pobreza, da opressão contra a liberdade.

A década de 1970 encontra a América do Norte enredada nos mais graves problemas de sua história. Os traumas sociais e raciais, acumulados em seu processo formativo e intensificados pelo próprio êxito de sua expansão imperialista, começam a eclodir em graves conflitos internos, de repercussão mundial. Seu detonador é o fracasso do superexército da maior das potências do mundo diante do povo indochinês, que, negando-se a vergar-se, resiste e o vence. Mas suas causas mais profundas se encontram na irrupção simultânea de uma crise social, moral e cultural provocada pela Revolução Termonuclear. As forças da nova revolução tecnológica que querem emergir são ainda demasiado débeis para superar a velha ordem; mas já são suficientemente imperativas para convulsionar o sistema norte-americano. Exacerbam as tensões e provocam redefinições de valores que tornam desprezíveis para a juventude ideais de existência que inspiraram os norte--americanos ao longo de gerações. Despertam nas populações negras, *chicanas* e porto-riquenhas a consciência de sua própria dignidade como seres humanos e as ativa para lutar contra velhas formas de opressão e exploração que se tornam, de repente, insuportáveis. São assim milhões que, duvidando, questionando e contestando, lançam as bases do projeto de uma nova América do Norte utópica, internamente integrada pela fusão de seus corpos constituintes.

As forças desatadas pela civilização emergente paulatinamente começam a impor-se: dissuadem a América do Norte do seu papel de gendarme mundial; tornam imperativo seu refluxo do Pacífico e a aceitação da China como potência que os Estados Unidos não podem destruir; impõem respeito a governos latino--americanos que freiam a ação predatória das grandes corporações multinacionais.

Entretanto, cabe perguntar: que efeito terá essa maré vazante para as forças internas que lutam pela reordenação social da América do Norte e as externas, que se batem contra sua hegemonia imperial sobre o mundo? Será um passo atrás, destinado a fortalecer a estrutura de poder vigente para lançá-la com mais força contra os dissidentes internos e os opositores externos?

Ninguém pode prever os caminhos e os resultados dessas tensões em ebulição. Elas tanto podem levar a uma convulsão social coactada por um governo repressivo que traumatize a sociedade estadunidense, como podem impulsionar uma transfiguração que permita aos norte-americanos realizar pioneiramente as potencialidades da civilização emergente. A vitória dos agentes do sistema será sempre provisória porque só pode oferecer uma regressão sociopolítica no âmbito interno e a reafirmação do papel de custódio do atraso, no externo. A vitória das forças do amanhã, quando quer que ela ocorra, abrirá à América do Norte as largas estradas do futuro.

6. Os canadenses

O Canadá, visto pelos latino-americanos, é um país tão escondido detrás dos Estados Unidos, tão recolhido, ainda, nas dobras da bandeira britânica e tão provinciano e hermético em sua vida intelectual que, dificilmente, pode ser apreciado. Chegará a ser uma etnia nacional madura, apesar de bipartido em anglo e franco-canadenses? Tenderá a desdobrar-se em duas nações ou se cimentará como uma mole neobritânica onde uma minoria latina amargará, sempre diferenciada? Terá a energia irlandesa ou a resistência escocesa à mimetização étnica ou se comportará como uma massa maleável? Finalmente, é o Canadá uma nação ou apenas uma feitoria industrial ianque com uma classe dominante marcadamente gerencial e que acabará por fundi-lo, um dia, ao colosso do Norte, como aspiravam os "pais fundadores" norte-americanos?

É curioso que nem mesmo com o conteúdo latino do Norte, nós, os do Sul, nos identificamos. Eles sempre nos recordam aqueles estudantes martinicanos de Paris que, em sua alienação, assumiam a etnia francesa tão sentidamente que quase se exasperavam quando eram tidos como latino-americanos. Os coitados eram "franceses". Nem se sabiam, nem se sentiam americanos. Sua autoimagem era a dos antigos colonos gálicos deportados para as ilhas, sempre saudosos da mãe-pátria.

Situado entre os Estados Unidos e a Europa, até geograficamente mais próximos desta que da América Latina, os canadenses cresceram como um transplante, só incidentalmente americano. Na verdade, sentem-se mais próximos e mais irmãos dos australianos e dos neozelandeses e até mesmo dos rodesianos e *africaneer* que dos povos mestiços do Sul.

X. Os RIO-PLATENSES

O segundo bloco de *povos transplantados* das Américas é integrado pelos argentinos e uruguaios. Tiveram, ambos, o mesmo processo de formação que, a certa altura, se bifurcou, mas prosseguiu operando em linhas paralelas. Exibem diversas características comuns com os demais povos hispânicos, mas singularizam-se dentre eles por uma fisionomia particular, decorrente da absorção de maiores contingentes não ibéricos, do seu assento ecológico em terras temperadas e do grau de desenvolvimento econômico e social mais alto que alcançaram. Comparados com os *povos transplantados* do Norte, ressaltam, como contrastantes, sua formação latina e hispânica, o predomínio da religião católica e o relativo atraso histórico em que se encontram com respeito à incorporação nos modos de vida das civilizações industriais modernas.

Os dois países do rio da Prata formavam um contingente de 24 milhões de habitantes, em 1960, que representava 11,6% da América Latina, constituindo a parcela que gozava de mais alta renda *per capita*, de índices mais favoráveis de educação em todos os níveis, de mais ampla expectativa de vida e de mais alto grau de urbanização. Defrontam-se, todavia, eles também, com graves problemas de desenvolvimento e estão longe de alcançar um nível adequado de exploração de suas possibilidades. Mas atingiram um grau de desenvolvimento muito mais alto que todos os outros povos latino-americanos tomados em conjunto. Somente a Venezuela os excede em alguns índices, como o valor global da produção e a renda *per capita*, mas este é um caso especial de deformação estrutural que não exprime, como vimos, a conquista de níveis mais altos de vida para toda a população, senão a presença de um quisto econômico estrangeiro dentro do sistema produtivo nacional.

1. Os povos novos do Sul

Os *povos transplantados* do Norte se instalaram nas terras americanas como núcleos de aldeões, artesãos e lavradores que procuravam reconstituir ali a paisagem humana europeia. Acamparam no deserto, apenas tendo de competir com

Os RIO-PLATENSES

uma rala população indígena de nível tribal que, via de regra, preferiu antes traficar com o invasor do que expulsá-lo. Chegaram à América um século depois da conquista ibérica e expandiram-se gradativamente em núcleos ao longo da costa atlântica. Só dois séculos mais tarde ganharam forças para se arremeter na empreitada da colonização dos imensos desertos interiores com que se defrontavam.

Os *povos transplantados* do Sul surgem de correntes imigratórias europeias que só vieram ter à América depois da independência. A terra já havia sido desbravada; os últimos índios, encurralados nos terrenos mais ermos, estavam sendo dizimados. A conquista e o domínio dos vales e dos pampas, sua ocupação pelo gado e pelo homem, a construção dos primeiros núcleos urbanos e a própria independência política já estavam se completando igualmente. Fora obra dos mestiços plasmados em dois séculos de interação ativa entre espanhóis desgarrados de suas matrizes e as comunidades indígenas em que se incrustaram. Ou seja, de uma proto-etnia anterior que eles iriam suplantar e suceder.

Aqueles mestiços, fruto do caldeamento de uns poucos pais europeus com uma multiplicidade de mães indígenas, mais identificados com eles do que com elas, falando o guarani melhor que o espanhol, assumiam a forma de *ladino* ou de *gaúcho*. Ladinos os que, vivendo nos vilarejos ou se dedicando principalmente à lavoura e ao artesanato, resultaram relativamente menos mestiçados e mais europeizados pela absorção contínua de um pequeno número de espanhóis, que vinham tentar a América nessa região marginal. Estes eram geralmente credenciados pela Coroa ou meros aventureiros mandados para exercer funções burocráticas ou para enriquecer no comércio e na apropriação dos campos e do gado. Situavam-se, por isso, desde os primeiros passos, na nova terra, acima da população crioula, orgulhosos de sua origem reinol. Apenas em raros casos a Espanha empreendeu colonização de povoamento nessa região, como em toda a América. Esses colonos não ultrapassavam algumas centenas de camponeses situados em áreas em disputa com Portugal para garantir a possessão espanhola. Por isso mesmo acabaram por assimilar-se aos hábitos da terra, fazendo-se seus descendentes praticamente indiferenciados dos ladinos, mas contribuindo, também, provavelmente para a espanholização destes.

Os núcleos ladinos das barrancas do rio da Prata receberam alguns escravos negros, como artigo suntuário para serviços domésticos e outros, a que o gaúcho não se adaptava. Foram, porém, muito poucos, não deixando marcas assinaláveis no tipo racial e na etnia resultantes. Hoje se sente sua presença tão somente nos pequenos grupos afro-ladinos de Montevidéu.

Gaúchos eram os mestiços índia-espanhol criados nos amplos espaços pastoris, junto com o gado que se multiplicara prodigiosamente. Retiveram, por endogamia, suas características biológicas originais e conservaram, pelo isolamento na campanha, as técnicas de subsistência, as formas de organização social, a visão do mundo, os hábitos e a língua plasmada nas primeiras décadas pela amalgamação da dupla herança guarani e espanhola, no que tinham de compatíveis com seu modo de vida peculiar.

A influência dominadora na formação cultural do ladino foi o porto, que o mantinha em contato com o grande mundo externo e o fazia cada vez mais exógeno. E para o *gaúcho*, a campanha, que mais o atrelava ao país, valorizando sua adaptação especializada ao pastoreio. Os ladinos falavam principalmente o espanhol; os gaúchos, até fins do século XVIII, deviam falar principalmente o guarani, tanto no Uruguai quanto na Argentina. Nenhuma outra hipótese é admissível em vista da origem assuncena dos primeiros núcleos buenarenses, e a missioneira ou paulista dos que ocuparam a banda oriental, todos guarani-falantes. Essa hipótese é comprovada indiretamente pela toponímia das antigas áreas gaúchas, quase toda de raízes guaranis.[6]

A ordenação social na região rio-platense se implanta dentro dessa tripartição étnica tendo como estrato dirigente o patriciado ladino que regulamentava a vida e a propriedade, geria o comércio e a aduana e, através dela, se apropriava dos frutos do trabalho comum. Como estrato subordinado, o *gaúcho*, originalmente livre, mas depois submetido a crescentes compulsões que, primeiro, o engajam no sistema global sob o domínio dos donos da terra como peão de seu padrinho, que era seu patrão no trabalho e seu caudilho na guerra, e, depois, o marginalizam e o fazem suceder pelo imigrante, como força de trabalho básica. Nesse processo é que o gaúcho não apenas se desfigura, mas também se espanholiza.

Sobre esse complexo étnico, com todas as características de um *povo novo*, fundado na deculturação de suas matrizes e na criatividade própria que lhe emprestava um perfil peculiar no plano linguístico e no estilo de vida, é que se derramaram as ondas imigratórias. Tão maciças foram que, em lugar de incorporarem-se à etnia em formação, se agauchando ou se ladinizando, conforme se ruralizassem ou se urbanizassem, dão nascimento a uma etnia nacional nova, dominadoramente europeia, com um perfil de *povo transplantado*.

A espanholização linguística desses contingentes imigratórios se deve às novas ondas de imigrantes, apesar de predominantemente italianos, trazendo grande número de espanhóis e, sobretudo, à capacidade assimiladora dos núcleos urbanos e do meio rural originais, e ao poder compulsório do sistema de fazendas em que vinham inserir-se, dirigido pela oligarquia agrária nativa. Nessas circunstâncias, os italianos, como todos os outros europeus, tiveram de aprender a língua

OS RIO-PLATENSES

da terra e integrar-se nos valores e hábitos dominantes, responsáveis pelo que têm hoje de singular os argentinos e os uruguaios, em face dos outros povos.

Não se formaram, assim, quistos étnicos, mas confluíram todos, à medida que se espanholizavam e assimilavam, para formar a gente comum das duas novas nacionalidades em que se integravam. Contribuiu, para essa franca assimilação, o fato de esses contingentes saírem da Europa antes da plena definição de suas nacionalidades modernas, extraídas principalmente de camadas rurais que falavam dialetos muito diferenciados, que ainda não se haviam identificado com as novas entidades nacionais que aglutinavam suas províncias, e se opunham uns aos outros pelas fortes tensões interétnicas características das fases de estruturação étnica nacional. Essas diferenciações internas, inclusive linguísticas, de cada grupo os compeliram à adoção de um idioma comum de comunicação que, nas circunstâncias em que se encontravam, resultou ser o espanhol, antes que as línguas europeias modernas de suas matrizes.

Da proto-etnia original que em suas duas formas básicas, a ladina e a gaúcha, haviam alcançado características culturais singulares — além da população paraguaia —, ficou apenas, no Uruguai e na Argentina, uma nostalgia que desponta, às vezes, na autoimagem nacional, como fonte de inspiração patriótica e de afirmação tradicionalista. É de ver-se o calor nativista com que tanto uruguaios como argentinos, de pura matriz gringa, dizem versos de *Martín Fierro* ou leem páginas de autores gauchescos, numa alienação típica de quem precisa adotar avós alheios para reconhecer-se e aceitar-se. *Martín Fierro* é, obviamente, uma obra literária de méritos extraordinários que pode ser lida com gosto por todos. Muito diferente, porém, é a atitude de culto com que é tratada tanto pela direita oligárquica e vocacional, naturalmente nostálgica e saudosista, quanto pela esquerda, igualmente gaúcho-doutrinada e um tanto gringofóbica.

Essa atitude, aliás, é comum nas populações modernas de muitos povos americanos cultores de falsos ancestrais dignificadores, como os norte-americanos, os chilenos e os paulistas. Ocorre, porém, que os supostos descendentes dos peregrinos do *Mayflower* (pequeno demais para tantos netos) valorizam avós "europeus e puritanos, em busca de liberdade para sua fé e seu negócio", postura apropriada a um *povo transplantado*; enquanto o *gaúcho* literário dos sulinos, assim como o avoengo indígena do paulista de quatrocentos anos e o araucano, do chileno, antes enaltecem a vítima do processo histórico que lhes deu nascimento como povos do que os ancestrais reais.

Essa incongruência ideológica, ainda mais nítida no caso dos *povos transplantados* rio-platenses, é uma indicação de como está incompleto o seu processo de maturação étnico-nacional. Ela pode ser constatada não apenas no plano literário,

As AMÉRICAS E A CIVILIZAÇÃO

mas também em muitos outros, como o educacional, cujos textos, sobretudo da escola primária e média, estão impregnados da noção de uma heroica ancestralidade comum gauchesca, passando por alto e não valorizando como fator de doutrinação e de orgulho nacional os contingentes emigrantes afinal majoritários e decisivos na configuração das duas etnias nacionais rio-platenses.

A assunção de uma postura europeia apenas se sente, no rio da Prata, na valorização, pela classe dominante, do que é francês e inglês; no cultivo de hábitos, modas e atitudes parisienses, britânicas e, ultimamente, ianques, o que é igualmente artificioso em face da composição real da população. E apenas ressalta a incapacidade ainda pravalecente de aceitar sua própria história para dela tirar os motivadores da integração nacional.

Na constituição dos *povos transplantados* do Sul deparamos com várias oposições de alto interesse explicativo em virtude do papel de polarizações dinâmicas que elas desempenharam, sucessiva ou simultaneamente, em todo o processo histórico. A primeira delas contrapunha os mestiços neoamericanos, guarani-falantes, originários de pais europeus com mães indígenas, às populações tribais. No correr do processo de formação étnico-nacional, ela deu lugar tanto a enfrentamentos sangrentos, destinados a varrer os índios hostis das imediações dos estabelecimentos neoamericanos, como a formas compulsivas de competição ecológica e econômica que acabaram por dizimar os núcleos indígenas independentes ou a confiná-los nos territórios mais ermos. Hoje, sobrevivem apenas na Argentina, em áreas marginais, sobretudo chaquenhas, uns poucos índios profundamente aculturados. Todos os demais foram dizimados.

A segunda oposição contrapunha, umas às outras, as três matrizes básicas neoamericanas das populações rio-platenses, das mediterrâneas entre o Paraguai e o Uruguai e da neobrasileira de São Paulo ao Rio Grande do Sul. Tais eram, primeiro, o núcleo de Assunção e seus rebentos implantados na área, inclusive Buenos Aires; segundo, as missões jesuíticas, que se instalaram no Guaíra, desceram, depois, a Tapes e se fixaram, finalmente, nas margens do Uruguai; e em terceiro lugar, os mamelucos, paulistas, principal flagelo dos índios missioneiros e principal fronteira de expansão sobre as pastagens sulinas. Todos os três, guarani-falantes,[7] geneticamente mais indígenas do que europeus, mas embora se configurassem, também, como neoamericanos, exerciam o papel de elementos de choque e de expansão do domínio europeu.[8] Os conflitos entre assuncenos e missioneiros, e entre ambos e os paulistas, e de todos com os ocupantes originais do território uruguaio e argentino espoucaram muitas vezes em assaltos sangrentos, criando em toda a região, por longos períodos, um ambiente de tensão extrema e um clima de

438

guerra. As populações forjadas em tal ambiente desenvolveram atitudes militares, tanto nas camadas gaúchas mais humildes como nas lideranças caudilhescas.

Uma outra oposição desenvolveu-se, progressivamente, entre nativos e reinóis, ou seja, entre os filhos da terra, mestiços e americanizados em seu esforço de adaptação às novas condições de vida, e os espanhóis que vinham, primeiro, ocupar os cargos de comando político-administrativo e, depois, controlar o comércio, por força do monopólio de exportação e importação, ou beneficiar-se de outros privilégios concedidos pela Coroa. As lutas pela redução dessas contradições presidiram a campanha pela independência, afinal conquistada pelos ladinos e dirigida por suas lideranças na conformidade de seus interesses.

Outra contradição elementar, que se vinha gerando de há muito, explodiria após a independência, na forma de três projetos opostos de ordenação da nova sociedade nacional. O projeto do patriciado urbano, centralista, porque aspirava perpetuar-se no controle do comércio exterior e da aduana de que enriquecera; o projeto da oligarquia territorial das províncias, federativo e propugnador de uma descentralização que favorecesse mais a economia das províncias; e, finalmente, o projeto nacional-autonomista do Paraguai, de Francia e de López.

Nos dois casos, as oposições se resolvem por um pacto entre as elites urbanas e as oligarquias agrárias, diante das ameaças que surgiram depois a seus interesses comuns, resultando na consolidação do monopólio da terra em mãos dos caudilhos e na hegemonia política buenarense. No caso do Paraguai, o projeto nacional autárquico se concretiza e alça o país a níveis relativamente altos de desenvolvimento, dos quais só cairia por efeito da guerra da Tríplice Aliança. No caso da Argentina e do Uruguai, o conflito, que parecia retratar a oposição tradicional rural-urbana de todas as sociedades, excedia esse limite. Aqui, esses componentes se contrapunham mais frontalmente porque as cidades, em lugar de se fazerem os núcleos de comando autônomo da sociedade ou os centros difusores de uma civilização autêntica, haviam se transformado em espelhos refletores do mundo europeu e em agentes de dominação econômica externa sobre a área.

No centro de todas essas oposições operava uma outra que opunha, de um lado, o patriciado ladino, assentado nas barrancas do rio da Prata, e a oligarquia agrária, empenhadas ambas em estabelecer as bases de uma economia de exportação de carne e, de outro, os *gaúchos* que viviam livres nos campos. Enquanto apenas se exportavam os couros das reses, o seu modo de vida podia ser tolerado e ele tinha uma função no sistema econômico e um lugar na sociedade nascente, como força de trabalho e de guerra. Na nova fase, o *gaúcho* seria marginalizado e compelido à disciplina das estâncias. As lutas geradas por essa oposição foram

AS AMÉRICAS E A CIVILIZAÇÃO

moldadas pela contingência em que se encontrava o *gaúcho* de aliar-se ao dono da terra como soldado de um caudilho, que seria cada vez mais o seu patrão, por sua incapacidade histórica de propor-se um projeto próprio de luta. Essa confluência de tensões diversas fez do próprio *gaúcho* a fonte onde a oligarquia provincial se supria das tropas de que precisava para seus combates pela expansão das fronteiras e para as lutas federativas, mas permitiu ao *gaúcho* sobreviver algumas décadas mais do duplo papel de peão e de soldado.

Somente um dos caudilhos exprimiu ideologicamente as duas tensões, tentando sintetizá-las num programa, a um tempo federalista — exprimindo as aspirações de autonomia das províncias contra a dominação e a exploração portenha e montevideana — e reformista — propugnando uma reforma agrária que daria assento e meios de vida às populações da campanha. Este foi Artigas, por isso mesmo feito herói nacional dos uruguaios, depois de morto no exílio. Querendo ser, a um tempo, o chefe das províncias sublevadas pelos caudilhos latifundiários e o reformador social que interpretava as aspirações dos *gaúchos*, Artigas atingiu os mais fundos interesses da oligarquia territorial. Como era inevitável, acabou abandonado à sua sorte, com seus poucos *gaúchos* e índios fiéis. Contra ele acabaram por aliar-se as forças dos unionistas dos portos e dos federalistas da campanha, retirando, como era de prever, as munições e as tropas a quem efetivamente ameaçava a ordem vigente, propugnando a distribuição das terras fronteiriças não aos caudilhos latifundiários, mas à gauchada. Vencido Artigas, implantou-se, progressivamente, a ordem ladino-comercial e oligárquico-latifundiária que impôs, primeiro, o disciplinamento dos *gaúchos*, através de todas as formas de compulsão e, depois, a sua substituição como força de trabalho nacional por imigrantes europeus, ao surgir a economia de exportação de cereais.

A oposição seguinte consistiria nesse processo de sucessão ecológica que, dando ao imigrante todas as oportunidades de trabalho e de ascensão social no novo sistema produtivo, pastoril e agrícola, marginalizou os gaúchos e os ladinos pobres. A principal característica deste processo é sua intencionalidade. Ela o faz um dos raros, senão o único caso da história em que uma liderança nacional se aliena tão profundamente de seu próprio povo e alcança um poder de determinação tão imperativo que se propõe nada menos que substituí-lo por "gente de melhor qualidade", como o seu projeto fundamental de construção da nacionalidade. Nas oligarquias dos *povos novos* se encontra, muitas vezes, atitudes paralelas e até mesmo projetos específicos de substituição do próprio povo através da atração de contingentes europeus. Nenhuma delas, porém, pôde levar a cabo seu projeto com a congruência e profundidade com que esse objetivo foi alcançado no rio da Prata.

440

Aos olhos do patriciado ladino, que regeu o processo, o gaúcho — "esta gente selvagem de esporas e chiripá" — não era cimento e tijolo adequados para erigir uma nação. Atrelado à ideologia do liberalismo europeu, encantado com a fórmula de governo republicano implantada na América do Norte, explicando a riqueza e a sabedoria destas pelas qualidades da "raça" anglo-saxônica, formula, sob a legenda de que *civilizar é povoar*, o projeto de substituir a gauchada nativa por "gente de melhor qualidade".

Examinaremos, a seguir, sumariamente, as etapas fundamentais de formação dos povos rio-platenses. Deter-nos-emos, primeiro, no desenvolvimento do núcleo paraguaio de que derivou a proto-etnia original de *povo novo* e, depois, no processo de sucessão que a transfigurou, dando surgimento à Argentina e ao Uruguai como *povos transplantados*.

2. Assuncenos e missioneiros

A ocupação europeia do rio da Prata não se fez a partir de núcleos implantados na desembocadura, como seria de esperar. Processou-se desde um ponto de fixação assentado nas barrancas do rio Paraguai, no interior do continente, a cidade de Assunção, nascida como pouso de aventureiros espanhóis que buscavam a serra de Prata, cuja suposta existência já dera nome à região inteira. Dali é que iria ter ao interior a expedição de Alvar Núñez (1542) e de Irala (1548) em busca das riquezas miraculosas de que falavam os índios e que, afinal, se verificou serem as minas de Potosí, já descobertas e apresadas pela Espanha, através do Pacífico. O acampamento original transforma-se em vilarejo mestiço e um dia refaz o caminho de volta, povoando o rio da Prata.

Com Assunção surge o paraguaio, *pynambi*, pelo cruzamento daqueles poucos espanhóis das expedições de conquista com as índias guarani da região. Tal como os mamelucos paulistas, identificam-se com a etnia do pai e se opõem à da mãe. Mas falavam a língua materna e proviam sua subsistência através de técnicas essencialmente guaranis. Acabam por constituir uma nova entidade étnica, já não europeia, nem indígena, mas neoamericana. O núcleo de Assunção viveu e multiplicou-se, por décadas, numa existência mista de lavradores e soldados sempre prontos a deixar seus roçados para enfrentar ataques de índios bravios, ou invasões de mamelucos paulistas e, mais tarde, as imposições descabidas de autoridades espanholas e argentinas que os queriam subjugar.

No oriente paraguaio, uma segunda matriz étnica nacional iria se formar com um perfil distinto, resultante da ação da Companhia de Jesus. Suas missões

As Américas e a civilização

paraguaias constituem a tentativa mais bem-sucedida da Igreja Católica para cristianizar e assegurar um refúgio às populações indígenas, ameaçadas de absorção ou escravização pelos diversos núcleos de descendentes de povoadores europeus, para organizá-las em novas bases, capazes de garantir sua subsistência e seu progresso. Expulsos os jesuítas dos territórios espanhóis (1767), em face da acusação de que estariam estruturando uma "República Cristã" que logo se independentizaria, as missões desapareceriam em poucos anos, assaltadas pela burocracia colonial, pelos assuncenos e pelos mamelucos paulistas, propositadamente desorganizadas para abolir características tidas como comunizantes. Já em fins do século XVIII, os índios missioneiros haviam se dispersado, escravizados e conduzidos a regiões longínquas, dissolvidos no mundo dos gaúchos, ou, ainda, refugiados nas matas onde se esforçavam por reconstituir a vida tribal, enquanto suas terras e seu gado passavam às mãos de novos donos.

A terceira matriz se constituiria com os poucos espanhóis e os muitos mestiços seus transladados de Assunção para fundar Buenos Aires, como novo nicho de povoamento e como porto de comunicação com a Espanha.

A região rio-platense e todo o seu enorme *Hinterland*, descrita pelos descobridores como "terra de nenhum proveito", emerge para a civilização na segunda metade do século XVI, com a introdução do gado bovino. A primeira tropa foi trazida de São Paulo, no Brasil, através de centenas de léguas de matas indevassadas, até Assunção, onde procriou sob estrita vigilância dos povoadores. Desse gado paulista, criado no Paraguai, saíram os primeiros plantéis para a mesopotâmia argentina (1588) e meio século mais tarde para as missões jesuíticas do alto Uruguai, expandindo-se pela região inteira, multiplicando-se astronomicamente na vastidão das pastagens naturais e das aguadas que se lhes abriam.[9]

Nas primeiras décadas, o gado de Assunção como o de Buenos Aires constituía o bem público de maior valor, sobre cuja propriedade e usufruto mais se discutia. Apenas se carneavam as vacas e bois velhos. O couro era matéria-prima para mil usos. As velas de sebo eram a melhor luz. O boi de serviço era usado na lavoura e garantia todo o transporte terrestre; era o bem mais valioso. O leite dava o queijo e a base das comidas mais apreciadas.

Os primeiros plantéis procriam suficientemente para serem divididos por diversas estâncias de meia légua por uma e meia que começam a ser concedidas nos campos próximos a Buenos Aires. Daí, como dos criatórios missioneiros, os diversos rebanhos se foram multiplicando, ganharam os campos livres onde passaram a crescer *cimarrones* junto a cavalos e cães, igualmente selvagens. Já em meados do século XVII deveriam somar milhões de cabeças, a maior parte arisca, cujo desfrute passa a ser livre; primeiro, através dos rodeios destinados a reunir rebanhos, conduzi-los às estâncias para ali os "querenciar"; logo, em verdadeiras caçadas, só por amor do couro, do sebo e da gordura, tal a fartura de gado de ninguém. Imensos rebanhos enchiam os campos por todas as comarcas, desde o chaco paraguaio e o pampa argentino até os campos uruguaios, então chamados as *vaquerías del mar*.

Para os índios chaquenhos, bem como os das planícies onduladas do Uruguai e do pampa argentino, a gadaria selvagem era uma caça nova, prodigiosamente abundante, maior e melhor que qualquer das nativas, que invadia a região inteira como uma promessa de fartura inesgotável. Algumas tribos só viram nas novas espécies uma caça mais rica. Outras — imitando o espanhol — domesticaram à sua maneira cavalos e gado, saltando de uma economia de caça e coleta ao pastoreio, sobrepondo-se, assim, a todas as outras tribos, sobretudo às agriculturas, e impondo-lhes seu domínio. Esse foi o caso, principalmente, dos grupos Guaikuru.

Com o gado surgiria um homem novo, o *gaúcho*, proveniente das camadas neoamericanas de Assunção e Buenos Aires, de antigos núcleos e de índios guaranizados. Na multiplicação do rebanho selvagem tinha sua condição de especialização ecológica e de expressão como tipo étnico. Aos poucos se diferencia do *criollo pynambi*, de Assunção, e do ladino rio-platense para constituir-se como uma forma sociocultural nova. Conserva o guarani como língua materna, tal como ocorria com o mameluco paulista, e se faz seu difusor dando nomes, nessa língua, a quase todos os rios e montes das regiões por onde o gado se disseminava, guaranizando os grupos indígenas de outras matrizes com que entra em conjunção.

A competição e a luta aberta entre gaúchos, de um lado, e ladinos, do outro, e entre ambos e os índios missioneiros e índios tribais, estala logo para durar até a liquidação das missões e a dizimação das tribos. Mas por longo tempo os três contingentes neoamericanos crescem, enquanto lutam, constituindo-se como núcleos ladinos ou gaúchos que originalmente falavam guarani em Buenos Aires, Entre Rios, Corrientes e outras províncias. Culturalmente eram comunidades essencialmente indígenas, pela língua que falavam, pelas plantas que cultivavam e comiam, pelo artesanato de panos tecidos que fabricavam. Com o correr do tempo seriam crescentemente ocidentalizados pela massa de elementos europeus que absorvem, tanto no plano genético, pela miscigenação, como no social, pela sua destinação histórica de força dissociativa das unidades tribais independentes, e no cultural, pela espanholização linguística, a cristianização e, finalmente, a adoção de toda uma massa de elementos culturais ibéricos.

Praticamente, esses neoguaranis só tiveram de recuar diante de dois grupos: um, os índios chaquenhos de língua guaikuru — Mbayá, Abipón e Mocoví — e os canoeiros Payaguá, da mesma filiação linguística, que, fazendo-se cavaleiros e exploradores dos rebanhos selvagens, puderam conter sua expansão e mesmo vencê-los; outro, os índios missioneiros, enquanto conduzidos pelos jesuítas e organizados autarquicamente em regiões distantes.

A liquidação de ambos só se fazia com a colaboração indesejada, mas conveniente, de seus êmulos brasileiros, os mamelucos paulistas. Assim que as primeiras missões jesuíticas cresceram e enriqueceram já no século XVII, os paulistas passaram a assediá-las para capturar e escravizar os índios destribalizados, roubar as *alhajas* da Igreja e o gado. Esses assaltos de saqueio e captura de escravos obrigaram as missões a trasladar-se várias vezes, à custa de enormes sacrifícios. Vindos para Mato Grosso, no século XVIII, a fim de explorar as minas de ouro descobertas na região de Cuiabá, os mesmos paulistas aliaram-se aos índios Guaikuru, trocando seu gado por bugigangas e álcool e lançando-os contra Assunção, mas, afinal, dominando-os também.

Os jesuítas chegaram a ter trinta missões no Paraguai. Somente algumas delas, porém, alcançaram um alto padrão organizatório, abrigando milhares de indígenas. Não só constituíram os primeiros núcleos economicamente poderosos da região, mas foram matrizes de uma formação sociocultural nova, a missioneira, que teria dado outra feição aos povos rio-platenses se não tivesse sido dizimada e dispersa quando estava em pleno florescimento.

Os índios pacificados e atraídos pelos padres se instalavam em aldeamentos que, graças a seu próprio trabalho, orientado pelos jesuítas, iam se estruturando como vilas. Em torno de uma praça central, quadrada, se plantavam a igreja e a casa dos padres, por vezes em magníficos edifícios de pedra ricamente trabalhada; a escola, o armazém geral, a casa de hóspedes e a casa das moças, em edifícios mais pobres. Cada família indígena residia em alojamentos dispostos em longas edificações de pau-a-pique ou de adobe, abertos para uma varanda coberta.

A terra era dividida em lotes, que se alternavam periodicamente para o trabalho, atribuídos às famílias que delas deviam tirar seu sustento, mas depositando as safras, como medida de segurança, no armazém comum. As melhores glebas eram reservadas como *tupambae* (coisas de Deus) e trabalhadas coletivamente. Sua produção mantinha os padres, os funcionários, os artesãos e os carentes, e ainda servia para socorrer a comunidade em caso de fome. O gado, a exploração da erva--mate e a fabricação de tecidos pertencia também ao *tupambae*, provendo os artigos que os padres negociavam para adquirir tudo que a missão necessitava importar, como ferramentas, sal e ornamentos religiosos.

Cada missão mantinha escolas para meninos e meninas, onde os mais dotados aprendiam a ler e os mais habilidosos eram iniciados em um ofício, como carpinteiros, oleiros, ceramistas, tecelães, pintores, escultores e até ourives. Algumas crianças indígenas aprendiam espanhol e umas poucas, destinadas ao sacerdócio, estudavam também latim. Toda a estrutura econômica missioneira — fundada na organização coletiva da força de trabalho, num sistema distributivo que premiava ou sancionava a devoção e a produtividade, mas com ausência da propriedade privada da terra e da escravização pessoal do trabalhador — se aproxima muito mais da formação teocrática de regadio dos incas, como de outras tantas civilizações baseadas na agricultura de irrigação, do que das formações capitalista-colonialistas fundadas na empresa privada, no monopólio da terra e na escravização da força de trabalho. A coexistência das duas formações na mesma área era impraticável, motivando cobiças e gerando conflitos, ao fim dos quais prevaleceria a formação historicamente mais avançada, ainda que mais desumana.

Controlando centralizadamente a economia de todas as missões, com centenas de milhares de índios, os jesuítas acabaram fazendo-se grandes negociantes, detentores de centenas de milhares de cabeças de gado, enormes colheitas de mate e de gêneros, e grande produção artesanal de panos. Para comercializar em melhores condições essa produção, chegaram a ter navios próprios de alto-mar. Tamanha prosperidade, no oceano da pobreza paraguaia e rio-platense, acabaria por suscitar cobiças poderosas que contribuíram decisivamente para a mais pronta liquidação do sistema jesuítico. De resto, o projeto inaciano, ainda que não movido pelo irredentismo e pelo caráter comunizante de que o acusavam, opunha-se, como vimos, tão frontalmente ao caráter da colonização e à sua ordenação social dominante que dificilmente poderiam coexistir missioneiros e ladinos.

Mais do que uma acumulação de riquezas, porém, as missões eram um sistema produtivo. Uma vez derrocado, apenas mergulhou o indígena reduzido na condição miserável dos que não haviam sido levados aos refúgios jesuíticos. Talvez até a condições piores, porque, como produtores de uma aculturação artificiosamente conduzida, os *missioneiros* apenas tinham se guaranizado e dificilmente poderiam competir com os *ladinos*, mesmo pelas posições mais baixas das camadas pobres, mas livres. Assim, de *comuneros* passaram, primeiro, a escravos dos canaviais do Nordeste brasileiro, quando capturados e vendidos pelos mamelucos paulistas; a servos, sob o jugo dos que se apossavam das terras e gados das missões; ou, no melhor dos casos, vinham engrossar as fileiras dos *gaúchos* mais pobres.

A matriz assuncena dos *pynambis* e a jesuítica dos *missionários* acabam por fundir-se, constituindo o neoguarani moderno, que tem todas as características de *povo novo* formado pela deculturação das matrizes originais e pelo seu engajamento coletivo como área de dominação mercantil europeia. A sobrevivência do guarani, como língua materna, e das técnicas indígenas da lavoura de coivara, do cultivo do milho, da mandioca e de outras plantas, bem como o uso do chimarrão e da rede de dormir e a preservação de um corpo de crenças e hábitos tribais, lhe empresta uma fisionomia peculiar e arcaica. A essa matriz indígena se somariam as contribuições europeias, principalmente o pastoreio, alguns cultivos e técnicas novas e a reordenação social, como parcela de uma economia mundial que supre muitas de suas necessidades e exige, em troca, uma produção mercantil que absorve grande parte de sua força de trabalho.

O neoguarani paraguaio forma com o ladino e o gaúcho rio-platenses três variantes de uma única proto-etnia. Distingue-os a orientação dos *neoguaranis* principalmente para a lavoura e o artesanato; dos *ladinos*, para a vida citadina e o comércio; e do *gaúcho*, para o pastoreio especializado. Todos se ligam, porém, a um único tronco formativo, como resultantes de um só processo de ocupação e colonização da área que envolveu, principalmente, espanhóis e indígenas guaranis deculturados e como partes mutuamente complementares de uma mesma sociedade em formação. Configuravam, assim, uma proto-etnia capaz de amadurecer como etnia nacional dominadora de toda a região se os sucessos históricos posteriores não a tivessem desfigurado e submergido sob o alude de outras formações.

As lutas que se seguiram, por décadas, à independência, seccionando o vice-reinado do Prata em várias províncias autônomas em permanente conflito, agravaram o isolamento dos neoguaranis paraguaios, já naturalmente segregados por sua condição interiorana. Trinta anos depois da independência argentina, ainda não ficara definida a posição do Paraguai, se sobrevivência de um vice-reinado inexistente, se província rebelde, ou se nação independente. Afinal, afirmaram-se como nacionalidade, depois de uma longa oposição de Rosas, que, para forçá-los a aceitar a jurisdição argentina, mais dificultou seus contatos com o exterior, através do rio da Prata.

Esse longo isolamento e uma sucessão de governos patriarcalistas e autárquicos, como o de Francia, seguido da orientação igualmente autonomista dos dois López, pai e filho, fizeram do Paraguai uma nação autossuficiente, fundada na pequena propriedade agrícola e num ativo artesanato incipientemente mercantil. Sobre essa economia natural, pré-monetária em seus principais ramos produtivos, mediante o controle oficial da exportação da erva-mate, dos couros e das madeiras de lei e o fechamento do país ao comércio e às finanças internacionais, as ditaduras de Francia e dos López assentaram uma política estatal autárquica que o converteu numa ilha de autonomismo econômico e de autoafirmação política na América Latina.

Tirando vantagem do seu retraimento, o Paraguai construiu a primeira ferrovia e a primeira linha telegráfica da América Latina, controladas pelo Estado, ao contrário das iniciativas similares que se sucederam e multiplicaram no continente, organizadas por empresas concessionárias britânicas. Constituiu, nas mesmas bases, fundições, estaleiros, fábricas de instrumentos agrícolas, de armas e munições, de tecidos e mesmo de papel. Com essa infraestrutura organizou um exército que era, provavelmente, em 1865, o maior e dos mais bem armados da América do Sul. Em tempos de paz, os soldados ocupavam-se de obras civis, como a construção da ferrovia, de canais de irrigação, de caminhos e de pontes e da linha telegráfica, além do controle das indústrias estatais e das obras públicas.

De López se afirma, ainda, que alfabetizou a quase totalidade dos paraguaios; enviou centenas de jovens para estudar ou estagiar na Europa; e contratou especialistas europeus e norte-americanos, num esforço extraordinário para criar um corpo técnico e de comando militar para o país. Simultaneamente, incandesceu o ânimo nacional guarani, transformando seu povo num *Herrenvolk*, disposto a expandir-se sobre as fronteiras brasileiras e argentinas, a fim de quebrar seu isolamento e alcançar maiores dimensões territoriais, sob o comando de Francisco Solano López.

O Paraguai lança-se à guerra invadindo territórios fronteiriços com Mato Grosso, na esperança de que representava a causa dos povos interioranos e na expectativa de que estes se sublevariam ao seu lado contra Buenos Aires e Montevidéu, seus tradicionais opositores, e contra o império brasileiro, que disputava também o controle do rio da Prata. Lutam, porém, sós, porque tanto a Argentina como o Uruguai se colocam ao lado do Brasil. Haviam desaparecido já, como força atuante capaz de uma reação militar, todos os caudilhos que, por décadas, combateram Buenos Aires e que poderiam levantar o gaúcho em apoio ao neoguarani.

O povo paraguaio foi esmagado depois de vários anos de luta. Sua combatividade, espicaçada pela fanática determinação de López, pode ser apreciada pela comparação dos dados dos censos nacionais de 1853 e 1871. Naquele primeiro ano, anterior à guerra, os paraguaios somavam 1.337.489 habitantes. Em 1871, restavam 222.079, sendo 28.746 homens, todos velhos ou inválidos, 106.254 mulheres e 86.079 crianças. Além de tantas vidas, o Paraguai perdera metade do território original. Só em 1950 — quase um século depois — voltaria a reconstituir sua população de antes da guerra da Tríplice Aliança. Nesse período, as populações da América Latina haviam crescido prodigiosamente, deixando o Paraguai, que retivera antes uma posição de vanguarda, num enorme atraso.

O Paraguai fora, porém, no plano social e econômico, um experimento demonstrativo das potencialidades da protoetnia neoamericana e do que poderiam realizar os *povos novos* da América Latina se conduzidos por uma orientação autonomista. O isolamento com respeito à expansão imperialista europeia, que sucedeu o colonialismo espanhol, não importou em pobreza e em atraso, mas, ao contrário, em progresso técnico e econômico e em desenvolvimento cultural. A capacidade civilizadora do neoguarani, do ladino, do gaúcho, bem como do *llanero* venezuelano, do *huaso* chileno, do *cholo* do Altiplano andino, do *cepero* mexicano, do *montuvio* equatoriano e do neobrasileiro, ficaria demonstrada com uma eloquência que não se repetiria até nossos dias. Muito tempo depois, em melhores condições, o Japão revive a orientação estatista despótica e autonomista paraguaia, demonstrando sua viabilidade como um dos poucos caminhos da industrialização autônoma e da emancipação nacional dentro do sistema imperialista industrial de dominação.

3. Gaúchos e ladinos

A sorte da parcela gaúcha da proto-etnia original rio-platense e paraguaia seria menos espetacular, mas os levaria, por igual, ao extermínio.

Os primeiros núcleos *gaúchos* rio-platenses têm a mesma origem do neoguarani, enquanto descendentes de colonizadores vindos de Assunção. Crescem, junto com o gado, naquelas primeiras vilas famélicas da área buenarense, servindo aos poucos *reinóis* e aos *criollos* ricos, orgulhosos de sua nobreza de estirpe ou de branquidade, mas não tanto que seus machos não se fizessem também procriadores com quantas índias e mestiças pudessem. Afinal, essa gente ibérica não podia ser fanaticamente branca e oposta à mestiçagem depois de séculos de mescla com mouros e africanos, naquela fronteira avançada da África sobre a Europa que é a península.

O próprio zelo expresso em muitos documentos seiscentistas por alcançar da Espanha o "remédio" do casamento com algum espanhol para as filhas-família que envelheciam à míngua de homem-bom indica que seus irmãos se remediavam na terra, de preferência com as índias de tronco guarani, que os primeiros colonizadores já encontraram nas ilhas e barrancas, do Paraguai, do Uruguai e do Prata. A esses contingentes originais se juntaram os *missioneiros*, afeitos à vida pastoril mesmo antes da diáspora provocada pela destruição de seus refúgios jesuíticos. E, mais tarde, as matrizes formadas pela mestiçagem com os índios da margem oriental — Charrúa, Minuano e outros — que, de coletores e caçadores seminômades, se fizeram cavaleiros e donos de campos e do gado que nele se multiplicava, ao mesmo tempo que se guaranizavam. Seu domínio em certas áreas era tão inconteste que, em fins do século XVII, estes índios das *"vaquerías del mar"* alcançaram um *modus vivendi* com os exploradores neoamericanos dos rebanhos, cobrando direitos de *coureada*, e admitindo em suas tendas alguns fugitivos que entre eles se casavam e procriavam os que seriam *novos gaúchos.*

Índios tribais e índios missioneiros, todos guaranizados, e seus mestiços agauchados, à força de conviver em meio aos conflitos, se interinfluenciaram e miscigenaram profundamente. Assim, o gaúcho deve ter aprendido o uso da boleadeira (corda de couro de duas a três pontas terminadas em bolas de pedra também envolta em couro) com que o índio laçava a ema e que passa a ser um dos principais instrumentos de caça ao gado alçado.

Originário de todas essas matrizes, o gaúcho é a contraparte humana do pastoreio selvagem dos pampas e dos campos rio-platenses. Vive a percorrer os campos em cavalgadas, abatendo o "gado de ninguém" onde lhe apraz, carneando para churrasquear o que lhe apeteça e tirando o couro para vender ao *pulpero* da campanha ou ao contrabandista. Às vezes engaja-se como peão temporário para as vaquejadas livres destinadas a recoletar grandes quantidades de couros, ou acampa nos latifúndios dos estancieiros ricos, pelo gosto do ofício do rodeio ou como empresa esportiva. Sempre pode sair campo afora, quando deseje, mantendo-se livre ou somente preso como soldado por um vínculo pessoal de lealdade, mais como acólito do que como servidor. Contrasta, por essa independência, com o camponês ladino que se deixa atar ao vilarejo e à lavoura, ou que se faz peão de serviços subalternos das estâncias.

A luta aberta com o índio cavaleiro só se imporia com o raleamento dos rebanhos, com a entrada dos brasileiros na disputa das vacas e dos couros, com a fixação de uma fronteira e com os esforços de limitação do desfrute, segundo os interesses da oligarquia rural e do patriciado.

Na primeira etapa do conflito se lançariam todos, ladinos e gaúchos, contra os índios. Sucedem-se, então, os bandos que, tanto na Argentina como no Uruguai, percorrem os campos para assaltar os toldos indígenas e dizimar grupos inteiros. Era preciso limpar os campos do antigo ocupante humano para que neles melhor e mais controladamente crescesse o gado. O índio reage e leva seus ataques a quantos núcleos pode, dificultando o acesso aos territórios mais ermos e a vigilância das fronteiras. Alguns se associam aos brasileiros que descem do Rio Grande para a Colônia do Sacramento — com que Portugal disputava à Espanha

AS AMÉRICAS E A CIVILIZAÇÃO

o domínio sobre a área — ou que atravessam a fronteira para negociar couros e vacas por ferramentas e armas.

À medida que a luta se encarniça, especializam-se uns e outros. Os ladinos organizam tropas regulares e instalam fortins, nos pontos mais avançados, para garantir a ocupação dos campos e dos pampas. Os índios, transformados por força da perseguição sistemática em bandos arredios, enxotados para muito além da fronteira pastoril, dali partem em *malones* para atacar de surpresa as estâncias avançadas, o casario plantado no deserto ou as caravanas de carretas que atravessavam os campos. É uma luta sem tréguas em que, um a um, vão sendo dizimados todos os toldos, sem qualquer esforço de pacificação.

A ordenação legal da ocupação humana, regida por Buenos Aires e por Montevidéu, processa-se através das concessões de glebas de cem, duzentas, trezentas e até quinhentas léguas quadradas, aos patrícios abonados, que se propunham ocupá-las. Na verdade, só muitas décadas depois serão alcançados, parcial e até socialmente, os propósitos de ocupação efetiva e de fomento econômico dessas generosas doações. Elas operaram antes como um monopólio de terras que conduziria, fatalmente, à apropriação do gado e à conscrição dos homens, pondo tudo a serviço dos que controlavam as fontes oficiais do poder e o comércio da colônia. A contraparte dessa apropriação latifundiária era a fome de terras para uma população que se multiplicava pelos campos e que era obrigada a concentrar-se em núcleos confinados nos terrenos baldios, como ilhas humanas no mar do latifúndio.

A ordenação oligárquica, porém, só se cumpriria a longo prazo. Por muito tempo, a única riqueza seria, ainda, o gado alçado, selvático, que crescia livre na campanha, onde devia ser caçado. Livre era o seu desfrute para quem o fosse buscar nos ermos onde se encontrava. E este era o *gaúcho*.

Os couros eram negociados nas *pulperías* pelos poucos artigos mercantis que interessavam ao gaúcho — o mate, o sal, os fósforos, a cana, o tabaco, os facões, os metais dos arreios e pouco mais — ou nos ranchos dos estancieiros-comerciantes, indo ter, ao final, aos portos para a exportação. Uma pequena parte pelo mecanismo aduaneiro do monopólio colonial e o lote principal através do contrabando nos postos instalados, às dezenas, ao longo das estradas que margeavam a costa ribeirinha e a costa atlântica.

Com a apropriação das terras, a população da campanha vai, aos poucos, se aglutinando nas imediações das *pulperías* que se disseminavam por todo o pampa, como pequenos núcleos ordenadores. Algumas cresceram e ganharam fama por seu comércio ilícito e, também, pela atração que oferecia a música e o baile, as carreiras de cavalo, o jogo de cartas e a presença das *chinas*. Ao comércio e aos ranchos se acrescenta a capela. E assim vão surgindo, paulatinamente, micronúcleos urbanos em competição com o latifúndio, sempre queixoso de que espantavam o gado querenciado e o privavam das aguadas.

As regulamentações coloniais espanholas que disciplinavam estritamente a implantação de vilas e cidades — estabelecendo a localização e a disposição do casario em torno da *plaza*, o zoneamento agrícola visando o provimento da subsistência — quase nada valiam para esses núcleos espontâneos encravados em terras privadas, pertencentes ao latifúndio que tudo engolfava em seus domínios. Mais tarde surgem núcleos fundados por ordem expressa da Coroa, com propósitos mais militares que econômicos, ou para amparar os colonos mandados de Espanha e, sobretudo, para agregar a gente dispersa nos campos, coactando o gaúcho em suas tropelias e impondo a autoridade e o domínio dos entancieiros.

Aquela "mina" de couro, de sebo e de carne que parecia inesgotável, explorada desenfreadamente pelo homem e dizimada pelos cães selvagens que se multiplicaram também pela campanha alimentando-se de bezerros, acaba por minguar. Em meados do século XVIII a diminuição do gado *cimarrón* das antigas *"vaquerías del mar"* preocupa já, seriamente, as autoridades. Começam as providências para conduzir o restante às estâncias e para dar cabo dos cães selvagens e famintos que atacavam já as reses eradas das estâncias e impediam a criação de ovelhas.

O *gaúcho* tem nesses últimos rodeios e na erradicação dos cães selvagens a derradeira tarefa econômica que ainda o vincula ao sistema produtivo e o integra à sociedade global por lhe assegurar um papel e um lugar nela. Juntando o gado *cimarrón* que se tornara propriedade dos que se apropriaram das antigas terras devolutas, separadas as vacas que serviam para cria, podia carnear as outras. Por pouco tempo.

No século XVIII, além do couro, do sebo e da gordura, inicia-se a exploração da carne para o fabrico de jabá ou *tasajo*, que se exportava para a alimentação dos escravos antilhanos. Surgem, depois, os saladeiros (1820) a disputar os rebanhos e a impor disciplina ao gaúcho que já não poderia carnear uma rês onde lhe parecesse, para tirar o couro e comer um assado, abandonando o restante. A carne se tornara a parte mais apreciada do gado.

Impossível seria impor pacificamente ao gaúcho, afeto a uma dieta de carne e chimarrão, o jejum de seu principal alimento. A reação autodefensiva de continuar carneando para comer — agora largando o couro que o denunciaria — transforma o gaúcho em "ladrão e jogador, soez e bárbaro", por fazer o que sempre fizera. Para acabar com essa "praga dos campos", as autoridades citadinas, mancomunadas com os proprietários das terras, decretam um regime de vigilância que obriga todo indivíduo da campanha, que não seja proprietário, a colocar-se a serviço de um patrão. Doravante, quem fosse encontrado nos campos, sem a competente "papelada", estava sujeito aos rigores da lei. Assim, todos os gaúchos são declarados vadios, sujeitos à prisão por transitar sem documentos ou ordem expressa de um juiz. Na efetivação do novo regime, todo um serviço policial é montado na campanha para caçar "gaúchos vagabundos", a fim de condená-los a anos de serviço militar na fronteira, ou colocá-los compulsoriamente a serviço dos estancieiros.

Em consequência da redução do gado alçado, da apropriação da terra inteira pelos afazendados e das novas formas de coação, marginaliza-se o gaúcho. Só lhe restava, doravante, uma de suas funções sociais, a de combatente, que continuará exercendo nas últimas *montoneras* (tropas de gaúchos em armas a mando de um caudilho) que convulsionariam a campanha, por décadas, exprimindo a oposição das populações interioranas à dominação e à exploração portenha e montevideana.

Essas lutas se seguem à independência, levando o antigo vice-reinado do Prata ao fracionamento em várias províncias desgarradas por efeito da oposição de interesses entre o patriciado de negociantes e funcionários das cidades-portos e as populações interioranas. Visavam, essencialmente, quebrar o monopólio de importação ditado por Buenos Aires, assegurar a livre navegação pelos rios Paraná, Uruguai e Paraguai, nacionalizar as aduanas cujas rendas só beneficiavam os portenhos e, mais tarde, a proteção às indústrias artesanais do interior, arruinadas pelo livre-cambismo imposto pelos comerciantes; e, ainda, medidas de amparo aos ladinos e gaúchos do campo, levados a extremos de penúria.

A melhor expressão do projeto do patriciado seria dada pelas correntes políticas que alcançam o poder com Mitre, Sarmiento e Avellaneda, como planejadores de uma nova política econômica. Esta se efetivaria mais tarde, depois de 1880, através de três procedimentos mutuamente complementares. Primeiro, o aproveitamento das imensas disponibilidades de terras fiscais para a venda ou a outorga maciça na forma de grandes propriedades, que permitiram alargar enormemente as bases do sistema de fazendas. Segundo, pelo esforço de modernização reflexa, através do livre-comércio e da injeção de capitais estrangeiros, principalmente ingleses, que possibilitaram a construção de ferrovias, sistemas de comunicação telegráfica, instalações portuárias, as quais instrumentaram a implantação de uma economia especializada na exportação de carne e de cereais. Terceiro, pela importação maciça de mão de obra estrangeira. Tal política econômica, racional e persistentemente conduzida, transmudaria, em poucas décadas, a sociedade rio-platense, lhe asseguraria um intenso desenvolvimento, mas instalaria no exterior, por sua dependência de capitais e mercados europeus, o comando dos destinos nacionais.

Esse projeto, apesar de antinacional e antipopular, por seu caráter de empreendimento estrangeiro em terras americanas, oposto aos interesses da etnia que se formara secularmente, teve uma grandeza só comparável à façanha da conquista. Seus condutores se propuseram a tarefa gigantesca de refazer a face e o corpo da nação, inspirados por ideais europeus e pela maior animosidade antigaúcha, sob o punho do imperialismo inglês e fundados num pacto do patriciado urbano com a oligarquia territorial. Através do livre-cambismo e da concessão de privilégios, substituíram a dominação colonial espanhola de controle e exploração por novas formas, mais sutis e eficazes, as quais transformaram as nações platinas em apêndices da economia europeia.

Sobrevivem, ainda hoje, nas divisões e diferenças entre partidos federalistas e unionistas e em múltiplas expressões ideológicas, efeitos visíveis dessa polarização entre políticos citadinos e caudilhos, entre gaúchos e ladinos, entre ricos e pobres. Nas últimas décadas, porém, o patriciado portenho e montevideano, vivendo já a outra oposição que contrapunha as antigas cepas nativas às massas de imigrantes, mas composto, agora, mais de *gringos* que de *criollos*, procura exprimir seu nacionalismo em nome de uma identificação com o *gaúcho*, ou seja, precisamente com aquele que foi a principal vítima de sua expansão e domínio.

O certo é que os descendentes de imigrantes que agora compõem a quase totalidade da população — já que o gaúcho apenas sobrevive nas zonas mais ermas ou nas camadas sociais mais pobres — não conseguiram imprimir ainda sua marca à ideologia nacional. Os que ascendem procuram confundir-se na oligarquia patrícia, impregnando-se de sua visão do mundo e de sua ideologia. Sua intelectualidade não plasmou, ainda, a imagem da nação como fruto dos avós gringos, perdendo, a muito custo, o sentimento de inferioridade em face do patriciado de velha extração.

O quadro é infinitamente rico de nuanças, revelando várias tendências discrepantes dessa caracterização sumária. Assim, por exemplo, Sarmiento, que faz dos *Recuerdos de provincia* um canto de nostalgia do velho mundo gaúcho, em sua obra política foi o mais exógeno dos estadistas argentinos. Em carta a Mitre confessava: "Tenho ódio à barbárie popular. A chusma e o povo gaúcho nos são hostis. Enquanto houver um *chiripá*, não haverá cidadãos".

E depois pondera: "São acaso as massas as únicas fontes do poder e da legitimidade?".

E responde solícito, diante de seu chefe político: "Você terá a glória de restabelecer em toda a República o predomínio da classe culta, anulando o levantamento das massas".

As Américas e a civilização

Essa seria a tarefa que se proporia ao assumir, pessoalmente, o poder presidencial.

Entretanto, mesmo sob o impacto dessa carga emocional antipopular, Sarmiento não podia deixar de ver os efeitos da ideologia que propugnava, ao dizer: "Sejamos francos, apesar de essa invasão universal da Europa sobre nós ser prejudicial e ruinosa para o país, ela é útil para a civilização e para o comércio".

A alienação de Sarmiento, intoxicado pela literatura racista de seu tempo, exprime-se ainda mais claramente numa carta em que, comentando uma colônia de emigrados da Califórnia que se estava criando no Chaco, escreve: "Pode ser a origem de um território e, um dia, de um Estado ianque (com idioma e tudo). Com esse concurso genético melhorará nossa raça decaída".[10]

Juan Bautista Alberdi, que fora um dos ideólogos do liberalismo e da europeização, torna-se, mais tarde, o principal porta-voz da etnia gauchesca, ao aperceber-se de que a condenavam ao extermínio em nome do progresso. A guerra contra o Paraguai, que o adverte para o processo de sucessão étnica que se levava a cabo, aglutinaria, porém, todas as forças numa mobilização compulsória que tornaria impraticável, doravante, voltar atrás na política de desfiguração da protonacionalidade.

A autoimagem nacional que se vai definindo nessas áreas, em sua variante argentina e uruguaia, continuará, seguramente, valorizando o conteúdo integrativo do gaúcho. Menos, porém, como ancestral comum, do que como o antigo senhor da terra, nostalgicamente recordado e lamentado como vítima da "civilização". À medida que se reduza a dominância patrícia e oligárquica, tenderá a aflorar uma nova ideologia valorizadora da façanha imigratória e da contribuição gringa que foi o que deu, afinal, às duas nações a forma e a figura que têm hoje, não podendo ser ignorada ou disfarçada por muito tempo mais.

A melhor expressão da causa dos caudilhos foi Artigas, o grande líder dos interioranos. Um viajante inglês, percorrendo a campanha uruguaia nos primeiros anos do século XIX, assim o descreve:

> Que crês tu que eu vi? Pois ao Excelentíssimo Protetor da metade do Novo Mundo, sentando sobre um crânio de novilho, junto a um fogo aceso no assoalho do rancho, comendo carne de um assador e bebendo genebra em guampa... Tinha cerca de 1.500 sequazes andrajosos em seu acampamento, que atuavam na dupla função de infantes e ginetes.[11]

Assim deveriam vê-lo, também, todos os patrícios, imbuídos da ideologia liberal, embasbacados diante de tudo que fosse europeu, especialmente inglês, e saturados de complexo de inferioridade étnico-nacional. Todavia, Artigas foi não só o mais intrépido dos líderes militares que defendiam a causa das províncias, mas o ideólogo que viu com maior clareza as possibilidades da nação platense, ao propor-se instituir a Pátria Grande e solucionar os problemas com que se defrontava o povo humilde da campanha através de uma reforma agrária.

Seus exércitos de *chiripá* e lanças se opunham às tropas oficiais fardadas à europeia, como o povo real se contrapunha ao povo refundido e europeizado, com que sonhavam Mitre e Sarmiento. Sobre esses exércitos de mulambos, menos pelo combate do que por arranjos de cúpula entre brasileiros, uruguaios e argentinos, presididos pelos ingleses, a civilização mercantil se implantaria soberana no rio da Prata. Substituía-se, assim, a hegemonia espanhola pela dominação inglesa, com pequenas alterações nos quadros intermediários do poder de Buenos Aires e de Montevidéu.

O processo completa-se em 1880 com a plena institucionalização do regime constitucional nos dois países, a subjugação de todas as províncias interioranas e a implantação do monopólio da terra. Haviam caído as teses de Artigas e, com elas, as possibilidades ulteriores de desenvolvimento capitalista pleno e de industrialização da área que só a criação de uma ampla classe média rural, através do seu projeto de reforma, teria tornado possível.

4. O alude imigratório

O segundo ciclo da história rio-platense, chamado aluvial (J. L. Romero, 1956), inicia-se com um movimento espontâneo de imigração europeia prontamente intensificado por lideranças nativas, deliberadas a transfigurar o país étnica e economicamente através da captação de sangue europeu e da modernização tecnológica. Assim esperavam conformá-lo aos padrões da democracia liberal e do progresso econômico que aos olhos da liderança ladina jamais se ajustariam à economia natural de subsistência e de produção artesanal, combinadas com o pastoreio e ao "caráter inferior" das populações mestiças nacionais. Tratava-se, pois, de repovoar com europeus, educar e vitalizar a economia, vinculando-a à europeia como produtora de alimento em troca de manufaturas.

Para alcançar o primeiro objetivo foi promulgada uma legislação que dava vantagens evidentes ao imigrante sobre o nacional, e o esforço governamental concentrou-se em orientar para o rio da Prata uma parcela das ondas migratórias e dos capitais que abandonavam a Europa. Os primeiros, expelidos pelos efeitos da

AS AMÉRICAS E A CIVILIZAÇÃO

industrialização e da renovação tecnológica da agricultura; os últimos, em busca de aplicações mais rendosas através de concessões e empréstimos. Esses braços e esses recursos permitiriam em poucos anos cortar os desertos com ferrovias, equipar os portos e instalar frigoríficos, centrais elétricas e fábricas, aramar as estâncias e promover a triticultura, mecanizando gradativamente a lavoura.

Ao fim do século, Argentina e Uruguai fervilhavam com 1,5 milhão de imigrantes, principalmente italianos e espanhóis, mas também alemães, poloneses e outros, e pesavam já no mercado mundial como grandes exportadores de carne e de trigo. Os imigrantes continuavam desembarcando maciçamente. Essa onda imigratória se desmorona sobre os estratos demográficos originais, como uma mole humana que os soterra, passando a imprimir suas próprias características à fisionomia da nação.

A Argentina alcança a independência, em 1810, com cerca de 350 mil habitantes, gaúchos e ladinos, havendo incorporado, já então, entre estes últimos uma parcela de europeus que contribuíram para sua mais intensa europeização. Esses 350 mil neoamericanos, produzidos em todo um processo secular de formação étnica, cresceriam para cerca de 1 milhão, em 1850, tanto por incremento vegetativo como, e principalmente, pela incorporação de imigrantes europeus. Daí em diante o processo de sucessão ecológica e de transfiguração étnica se intensificaria cada vez mais. Sobre aquele milhão original se lançariam, no século seguinte (1857-1950), 1,8 milhão de italianos, 1,3 milhão de espanhóis e cerca de meio milhão de gente de outras extrações. Com essa incorporação maciça de imigrantes é que a população argentina pôde saltar a 4,8 milhões em 1900 e a 17 milhões em 1950.

No Uruguai, o processo de sucessão ecológica é também avassalador. Partindo de 74 mil habitantes às vésperas da independência (1830), cresceria para 221 mil em 1860, 35% dos quais já eram de estrangeiros, ou seja, um montante superior à população original de trinta anos antes. A população uruguaia salta, daí em diante, para 420 mil habitantes em 1872 e para cerca de 1 milhão em 1908. Neste último ano, o contingente estrangeiro era de 181 mil no conjunto do país (17,4%) e compreendia metade da população de Montevidéu, que alcançara 309 mil habitantes. Era já a urbanização prematura, provocada pelo monopólio da terra que, tanto no Uruguai como na Argentina, passariam a representar, daí em diante, o segundo fator dinâmico — depois do alude imigratório — para a conformação das respectivas sociedades nacionais.

Assim é que, em fins do século XIX, ambos os países já se haviam transmudado de *povos novos* em *povos transplantados*, como resultado de atos de vontade, de políticas deliberadas de suas elites ladinas, coincidentes com um capítulo da história europeia, em que seus principais produtos de exportação eram o próprio

456

europeu e os capitais colonizadores. O projeto configura-se, a princípio, como um grande êxito econômico pelo acréscimo ao sistema de toda a imensidão de terras novas postas em produção pelo imigrante e pelos efeitos modernizadores dos investimentos complementares que instrumentavam a infraestrutura econômica para a exportação: ferrovias, frigoríficos, portos, bancos etc.

Com a gente latina — já que não se puderam importar grandes contingentes anglo-germânicos — vieram os capitais ingleses, verdadeiros empresários do empreendimento mercantil, exportador de alimentos, que se implanta na região rio-platense. Ao iniciar-se a Primeira Guerra Mundial, a Inglaterra tinha quase tanto capital investido na Argentina (320 milhões de libras esterlinas) quanto na Índia e no Ceilão (379 milhões), a que se somavam mais 36 milhões no Uruguai. E a estes vultosos investimentos se acresciam, ainda, as aplicações de capital norte-americano, francês e alemão.

Essa enorme inversão de capitais europeus é que melhor permite medir a importância do empreendimento exportador de carnes e de trigo que se implantava no rio da Prata. Sua viabilidade assentava-se na disponibilidade de mão de obra e de capitais europeus para aplicação em contextos nos quais pudesse trocar alimentos por suas manufaturas industriais. Essa mesma viabilidade, porém, tornaria exequíveis empreendimentos competitivos radicados no Canadá, na Austrália e na Nova Zelândia, cuja produção crescente acabaria por estabelecer novas bases de preços para tais artigos, tornando sua troca por manufaturas cada vez mais gravosa e, por fim, submergindo as economias dependentes da Argentina e do Uruguai em crises sucessivas, em face dos seus competidores, integrados em sistemas comerciais privilegiados e mais bem preparados para a produção dos mesmos artigos em virtude do caráter não oligárquico de sua estrutura agrária. Implantando-se mais tardiamente em terras virgens, como sociedades estruturadas principalmente à base de núcleos rurais de granjeiros, os colonizadores da região austral, bem como os canadenses, encontraram maiores facilidades para absorver e generalizar a tecnologia agrícola moderna, fazendo-se capazes, primeiro, de competir também com os preços de produção de alimentos nos países europeus importadores e, mais tarde, com os competidores rio-platenses.

A Argentina e o Uruguai, que se tinham avantajado enormemente a outras áreas exportadoras, conhecendo um largo período de prosperidade que permitiu a infraestrutura produtiva e subsidiar a urbanização precoce de suas populações rurais, entrariam, assim, a perder ritmo e, finalmente, cairiam num atraso crescente em relação àqueles competidores.

AS AMÉRICAS E A CIVILIZAÇÃO

O impacto das duas guerras mundiais, sobretudo da segunda, sobre o imperialismo inglês criaria um vazio econômico que os Estados Unidos da América do Norte viriam a preencher. Foi menor nas repúblicas em virtude dos seus vínculos com o mercado europeu e do caráter competitivo de sua exportação com respeito à norte-americana. Todavia, acabou por tornar-se evidente à medida que declinava a hegemonia internacional britânica e ascendia a norte-americana, como o novo centro de expansão e domínio do sistema capitalista mundial.

Isoladas durante as guerras e a crise econômica mundial, tanto a Argentina como o Uruguai tiveram suas primeiras oportunidades de apelar para suas próprias forças, iniciando a industrialização. Esta viria reforçar as tendências à urbanização, pela mobilidade das populações do campo, dominado pelo latifúndio, para as cidades, que se intensifica a partir de 1914. Surge, assim, um crescente proletariado fabril e uma classe média cada vez mais ampla de comerciantes, pequenos empresários, profissionais liberais, técnicos, burocratas, militares, professores e empregados de serviços. Tanto a camada operária quanto a classe média são recrutadas quase exclusivamente entre os imigrantes, que absorvem, assim, todas as oportunidades de ascensão social.

Os norte-americanos se fazem os banqueiros dessa renovação, como fornecedores de equipamentos industriais e como investidores, através da construção de fábricas pelas grandes corporações, cujos interesses na área rio-platense superam rapidamente todos os demais. Finda a Segunda Guerra Mundial, prossegue a industrialização em ritmo menos intenso, agora conduzida pelas corporações norte-americanas, que, aproveitando a liberdade para movimentar seus capitais, saltam as barreiras alfandegárias, implantando empresas próprias ou associadas e capitais nacionais para explorar o mercado interno em expansão. Esta industrialização reflexa, conduzida de fora, dominada pelo controle acionário, pelos contratos de assistência técnica e pelos direitos de patentes, passa a absorver, na forma de remessas de lucros e *royalties*, uma parcela crescente da renda nacional.

A oligarquia sobrevive à avalancha, ancorada em seus bens de raiz, sobretudo na propriedade monopolística da terra e nos privilégios que se atribuíra, primeiro, contra os ladinos e gaúchos, depois contra os gringos, ao assegurar-se do domínio da máquina do Estado. Armada desses poderes complementares, tornaria a terra inacessível também aos imigrantes, impossibilitando a formação de uma classe média rural que poderia ter servido de sustentáculo a um amplo desenvolvimento posterior, como mercado interno da indústria.[12]

Essa ordenação oligárquica compeliria as duas nações rio-platenses à metropolização precoce e reflexa, com todas as distorções decorrentes, sobretudo a criação de vastas camadas parasitárias cujas aspirações de consumo obrigariam a criar mecanismos de redistribuição da renda nacional, sempre desfavoráveis aos gastos em investimentos.

Nesse processo o patriciado e o patronato urbano ganham uma nova feição pela mescla com os gringos mais bem-sucedidos economicamente, o que conduz à perda dos padrões aristocráticos menos compatíveis com os novos modos de vida e as obrigações de banqueiros, políticos populistas e de industriais. Grande parcela do patronato assume função puramente gerencial de interesses estrangeiros, o que contribui para manter e aprofundar sua postura exógena e alienada e para inabilitá--la para o papel de uma burguesia nacionalista e industrializadora que exerceu em outros contextos. Ao contrário disso, associando-se a interesses estrangeiros, implantados para absorver a renda que ajudam a criar, o patronato rio-platense tende a cosmopolizar-se, configurando-se, ele também, como um componente político antipopular e extranacional do sistema.

O ladino rural e os remanescentes dos gaúchos, tornados minoria quase insignificante e já incapaz de influir nos destinos nacionais, foram todos marginalizados. Podem ser identificados, pelo fenótipo mais indígena, nas camadas mais pobres da população das zonas mais atrasadas. São os vaqueiros das novas estâncias cercadas de aramados, os lenhadores, os ervateiros, os mineiros do Noroeste argentino. Nas cidades são os *"cabecitas negras"* que começam a ascender à condição de operários de indústria, os mendigos e as criadas domésticas.

À medida que o imigrante se instala nas cidades, inserindo-se na nova estrutura social urbana integrada por uma classe média e um proletariado, começa a lutar, em massa, pela representação política e por parte dos enriquecidos, pela participação nos círculos fechados do patriciado e da oligarquia. A história dessas novas contraposições seguiria rumos diversos na Argentina e no Uruguai. Em ambos os casos, porém, passaria a constituir o fator dinâmico do processo histórico que, em fase da oposição irredutível entre os interesses de assalariados e os da oligarquia e do patriciado urbano, colocaria em xeque todo o sistema socioeconômico. As batalhas para anular ou aliciar esses contingentes urbanos que se fizeram o povo das duas nações, em meio às crises do sistema econômico, é que presidiriam, daí por diante, o processo histórico de ambas.

5. A Argentina sob tutela

Na Argentina, o patriciado se enclausura em seus privilégios, opondo-se à camada gringa que aspirava aos direitos de cidadania, através de regulamentações

As Américas e a civilização

do sistema eleitoral que reduziam as massas à condição de clientelas de grupos partidários, essencialmente idênticos. A situação se mantém, assim, até que a pressão de sucessivas gerações de filhos de imigrantes rompe a barreira, conquistando em 1916 o voto secreto obrigatório e livre, com que levam à presidência o candidato "radical". Seu governo não satisfaria, porém, às expectativas do eleitorado popular recém-integrado no sistema político. Caracteriza-se pela manutenção da linguagem demagógica da campanha eleitoral, para encobrir uma política de privilégios. Renova, todavia, os quadros políticos intermediários e a alta burocracia com a convocação de novos quadros das classes médias profissionais para postos de governo. Essa nova elite dominante, uma vez no poder, passa a fazer a antiga política do patriciado e da oligarquia. Para isso reprime a expressão das aspirações populares de reformas sociais através do policialismo e do controle da imprensa; socorre-se do clero e dos hierarcas militares, mantendo-os como baluartes da manutenção do regime. De tudo isso resulta uma profunda oposição entre as classes médias e o operariado, que passa a recordar o "governo de doutores" como o tempo da repressão contra os sindicatos e da proibição das greves, do clericalismo e do militarismo policial.

Nessa conjuntura, as forças conservadoras tradicionais acabam por reconquistar o poder político, explorando o próprio descontentamento popular através de uma aliança militar-oligárquica que impõe ao país uma década de tutela pelo exército e reinstala o antigo veto sistemático à participação popular no poder político. Retrocede, assim, o movimento de integração político e social das massas urbanas, formadas predominantemente pelos descendentes de imigrantes, incorporados à nação como sua principal força de trabalho.

Esgotadas nas contendas de cúpula, dentro do círculo de ferro que lhes era definido pela oligarquia, as organizações políticas caem em descrédito. O povo entra num período de terror e de apatia de que só seria despertado por novas formas de ação, que já não se processariam através dos quadros partidários, mas entre facções militares. Para isso contribui, consideravelmente, a crise econômica que vinha de 1914, quando os termos de intercâmbio do comércio exterior começam a revelar-se ruinosos, agravados ainda mais com a crise de 1929.

A industrialização, tornada um imperativo pela impossibilidade de continuar custeando a importação de manufaturas, se fizera também impraticável dada a inserção das economias rio-platenses no mercado internacional e à falta de recursos próprios para investimento na implantação de uma indústria pesada. As disputas entre as potências mundiais anteriores à Segunda Guerra e no curso dela daria, porém, um novo impulso à industrialização e permitiriam poupar divisas, reequilibrando em termos nominais o balanço de pagamento e dando uma sensação de prosperidade.

Abria-se, assim, à Argentina, uma oportunidade de retomar os ritmos anteriores de progresso e superá-los. Sobretudo, de construir um regime que ensejasse ao povo a reintegração no processo político e à nação, uma chance de rever, desde as bases, a velha ordenação social fundada na precedência dos interesses oligárquicos e na dependência externa.

Surge, então, o peronismo como um movimento nacionalista que empolga as massas urbanas, desde o proletariado até alguns setores das classes médias menos abonadas. Apesar da orientação ditatorial do regime, com Perón, as massas populares ingressam, pela segunda vez, na vida política ativa. A princípio, como participantes de demonstrações populares, de atos cívicos, de marchas; mais tarde, também de eleições e, sobretudo, de uma vida sindical combativa que, ademais do exército, passaria a constituir a nova agência básica de atividade política da nação.

Explorando as hostilidades entre as grandes potências mundiais — tal como fazia Vargas no Brasil —, Perón assegura à Argentina uma orientação francamente nacionalista e industrializadora, uma política independente em face dos norte-americanos e dos ingleses, a cujos interesses contraria e a cuja espoliação põe limites, assim como uma política interna de fortalecimento dos controles estatais sobre a economia. Nacionaliza as ferrovias e diversos serviços públicos de capitais norte-americanos. Impõe o controle do câmbio e começa a implantar a siderurgia e a indústria pesada. Decuplica a produção de energia elétrica, estimula a industrialização com capitais nacionais e eleva substancialmente a participação dos assalariados na renda nacional. Sua política populista-trabalhista, nas linhas de Batlle e de Vargas, imprime novo tipo de relações entre o capital e o trabalho. Organiza a previdência social e reestrutura o sistema sindical, possibilitando-lhe enorme expansão.

Como resultado dessa orientação, Perón é hostilizado por toda a oligarquia e o patriciado, agora fundidos e confundidos como o estrato social dominante, mas ao mesmo tempo é fortemente apoiado pelas camadas populares. Assim, nas eleições seguintes alcança duas terças partes dos sufrágios e uma maioria, ainda maior, no Parlamento, demonstrando a profundidade de dissociação entre o povo e a camada dominante. Tal como Batlle e Getúlio Vargas, também Perón se detém diante do problema agrário. Numa nação de economia fundamentalmente agrícola, essa orientação importa em deixar intocado o setor básico e o único que, mercê de uma reforma profunda, permitiria custear a nova política social assistencialista e sustentar o programa de expansão industrial.

AS AMÉRICAS E A CIVILIZAÇÃO

Todo esse empuxe nacionalista e reformador que mobiliza amplas massas e coloca em tela as questões sociais e a autonomia do desenvolvimento nacional, sufocados, até então, pelos partidos tradicionais, passa, a certa altura, a autolimitar-se pela crescente influência dos setores retrógrados do exército, do clero e da burguesia. Essas alianças impõem ao peronismo uma hostilidade insanável à intelectualidade de esquerda, que lhe poderia dar um conteúdo ideológico, e impregna toda a sua ação de uma aura de paternalismo que procura imprimir a todas as medidas populares e progressistas do governo um caráter de outorga do líder messiânico.

Sufocado por esses aliados que pouco davam em relação ao que recebiam, o peronismo acaba sendo desmontado do poder onde se reinstala a velha classe oligárquico-patricial, agora com disfarces liberais e sob a tutela antipopular, exercida, doravante, pelo pacto militar, clerical e imperialista. E fervorosamente apoiada pela intelectualidade, pela classe média e pela grande imprensa, em face do silêncio amargo da classe operária. Mesmo quando, anos mais tarde, o novo poder é compelido a adotar certas medidas democratizadoras, o faz mantendo sempre a exigência da exclusão dos peronistas de qualquer participação no governo. Essa decretação de morte cívica do peronismo que galvanizava a enorme maioria dos argentinos só se pode manter com base num dispositivo policial-militar que sufocou, por anos, a vida política da nação.

As esquerdas argentinas pouco fizeram nesse período de vida política ativa, sistematicamente perseguidas por um sistema repressivo cuja violência se explica pela orientação direitista do "nasserismo" peronista e por seu esforço por manter o controle sobre as massas dos "descamisados" e erradicar toda a influência socialista dos movimentos populares e dos sindicatos. Grande parte da responsabilidade cabe, porém, às próprias esquerdas. Primeiro, ao seu fracionamento em inúmeros bandos mais hostis uns aos outros que ao patriciado e à oligarquia. Segundo, à alienação dos comunistas, mais atentos para a conjuntura internacional do que para as condições locais e que fazia deles antes combatentes dos conflitos mundiais do que militantes políticos do seu povo e do seu tempo. Terceiro, à incapacidade comum tanto à esquerda como à direita peronista de formular um projeto nacional capaz de ganhar as massas para uma revolução social, que reordenasse a economia e as instituições para colocá-las a serviço do povo inteiro e do progresso social, político e cultural da nação. Quarto, à perda da influência socialista sobre a intelectualidade da classe média e sobre os estudantes universitários que, em sua oposição ao peronismo por seu caráter ditatorial, em nome dos valores liberais democráticos, foi levada a engajar-se no complô das conspirações patronais, militaristas e clericais, contribuindo para reinstalar e manter a antiga ordem antipopular e antinacional.

Enleada em tantas contradições, a esquerda argentina prossegue em busca de seu próprio caminho, aliando-se ora a um, ora a outro dos grupos em disputa pelo poder, mas quase sempre exasperada com o "atraso político da massa", que se "obstina em seu messianismo peronista".

Só o movimento sindical criado por Perón subsiste como agência de atividade popular, reivindicatória ou política, que se alterna conforme as circunstâncias. Por isso mesmo, não chega a cair no mero sindicalismo, mas também não alcança a capacidade de formular um projeto reordenador da sociedade argentina, esgotando-se em conspirações com todos os grupos militares e em grandes demonstrações de força, consentidas porque inócuas, já que não aspiram jamais à tomada do poder ou à erradicação das tutelas antipopulares. Do exílio, Perón regera os avanços e recuos, as alianças e rupturas, cultivando, ele também, a conspiração simultânea com todos os grupos possíveis. Desse modo, reteve em suas mãos a liderança inconteste sobre as massas populares argentinas, cujo processo de politização — em virtude da tutela oligárquica e militar vigente através de décadas — foi também um processo de simples peronização ideológica.

Criara-se, assim, um impasse político irredutível: qualquer possibilidade de eleição livre importava, desde há uma década, na volta de Perón ao poder, e isso representava, aos olhos de amplos setores das classes dominantes, das Forças Armadas e do clero, uma ameaça de proscrição da vida cívica do país. As lideranças políticas que trilharam caminhos intermédios de convívio com o peronismo e de conciliação com os que lhe eram opostos acabaram todas por suscitar incompatibilidades militares que as derrocaram. Por fim, em 1966, depois de uma conspiração político-militar em que se deixaram envolver todos os grupos, surge uma nova solução salvadora. Um golpe militar descaradamente antirrepublicano, anticivil e antidemocrático, que assume o poder em nome da salvação nacional contra o caos político e a desordem, para encaminhar o país a "seu destino de grandeza". É uma espécie de nasserismo às avessas porque não é antioligárquico, nem anti-imperialista, mas apela para o papel reitor das Forças Armadas, como única instituição escoimada de esquerdismo e de liberalismo e capaz, por isso mesmo, de gerir a nação. Gerir, tão somente, substituindo as lideranças políticas, sindicais, docentes, técnicas por chefaturas militares. Tudo isso, afinal, para manter o *status quo* e repetir velhos discursos desenvolvimentistas e autonomistas, sem qualquer conteúdo ou viabilidade, em virtude da própria submissão dos caudilhos militares aos interesses oligárquicos e ao sistema econômico mundial, em cuja inserção a Argentina não encontra condições de emergir do subdesenvolvimento.

A Argentina da década de 1970 continua defrontando seu velho impasse: as camadas populares polarizadas pelo peronismo; e a direita, solidária com uma estrutura de poder regida por militares, cada vez mais desmoralizada por sua incapacidade de dar solução a qualquer dos problemas nacionais.

A ruptura desse impasse teve início por força de fatores internos e externos. Pelo lado interno, o surgimento de grupos revolucionários que, superando o antiperonismo da esquerda, fizeram confluir suas ações com as lutas sindicais e de massas. Suas maiores façanhas foram as rebeliões de Córdoba e de outros centros industriais que provocaram a queda de Onganía e colocaram diante do poder militar a ameaça de uma convulsão social que poderia levar a uma revolução de tipo socialista. Os fatores externos provieram dos novos ventos que sopraram desde o Chile e o Peru. Sobretudo deste último, onde um governo, também militar mas de novo tipo, desmascara os regimes castrenses regressivos, como o brasileiro, ao demonstrar que sua orientação antipopular e antinacional não se deve ao fato de ser um regime militar. Isso porque, no Peru, não só os militares tomaram uma opção oposta, de romper com a estrutura de poder tradicional para enfrentar os fatores causais do atraso, senão que, ao fazê-lo, granjearam apoio popular e prestígio internacional.

Nessas circunstâncias, a Argentina foi, mais uma vez, chamada a ativar-se, superando o impasse por uma de três saídas possíveis. A primeira, correspondente aos interesses dos setores mais retrógrados, seria a revivescência do regime militar regressivo, através da escalada na repressão contra os peronistas e as esquerdas. O custo dessa opção para as Forças Armadas seria incompatibilizar-se com o povo e refrear um enfrentamento postergado que poderia explodir amanhã como uma revolução socialista. A segunda saída, correspondente aos interesses dos setores mais progressistas, seria uma ruptura do impasse, ao estilo peruano, que manteria os militares no poder, mas lhes conferiria uma legitimação programática, graças à realização de uma reforma agrária, o respeito à liberdade sindical e o enfrentamento dos interesses estrangeiros, que garantiria ao novo regime um forte apoio popular. O terceiro caminho, antes inaceitável para as camadas dominantes, mas depois admissível para amplos setores delas, seria buscar uma legitimação formal, plausível somente se aceita a candidatura de Perón à presidência da República.

A opção entre as tendências militares *peruanistas*, por um lado, e a ameaça revolucionária, pelo outro, atuando sobre um regime regressivo em crise, tornou viável a volta de Perón como um mal menor. Sem embargo, a orientação política do Perón dos anos 1970, determinada não pela ideologia pessoal de Perón, mas pelo peronismo como movimento de massas cada vez mais reivindicativo e radicalizado, levou a outro impasse cujo desfecho é imprevisível. Isso foi o que sucedeu. Sem embargo, a morte de Perón submergiu outra vez a Argentina na crise política, e o que emergiu dela não foi um regime *peruanista*, mas uma nova ditadura regressiva e repressiva.

6. Uruguai: socialismo schumpeteriano

No Uruguai, a integração do imigrante na vida política, como cidadão investido de todos os direitos, processa-se por caminhos democráticos e mais rápida e completamente. O líder dessa mobilização popular é Batlle y Ordóñez, que, primeiro, à frente do Partido Colorado e, logo, como presidente da República, atracaria a seu carro político a massa de descendentes de imigrantes e a eles próprios, impondo-se, assim, ao patriciado nacional. Suas reformas, iniciadas em 1904, sob inspiração de uma filosofia progressista e democratizadora, institucionalizada na Constituição de 1917, representaram um impulso renovador, único no continente, que lançaria as bases da primeira democracia latino-americana.

Outorga ao trabalhador urbano uma legislação social de amparo, uma regulamentação das relações entre patrões e empregados e um sistema de previdência social que, ainda hoje, são provavelmente os mais avançados das Américas. Implanta um sistema educacional que escolariza a quase totalidade das crianças, exercendo um papel decisivo na assimilação da massa imigrante e na integração nacional, bem como na preparação de quadros técnico-profissionais de nível médio e superior, para as tarefas do desenvolvimento. Introduz um sistema colegiado de governo, de inspiração suíça, e atribui ao Estado funções de coordenação da economia nacional, que lhe permitiriam instalar a primeira refinaria de petróleo da América Latina e nacionalizar, como entidades autárquicas, todos os serviços públicos e quase todos os setores produtivos de grande importância econômica: petróleo, álcool, cimento, ferrovias, seguros, hipotecas, jogos de azar. O Estado se fez também empresário em regime de monopólio dos serviços de saneamento, de energia elétrica, de água, telégrafo, telefones. E em regime de competição com a atividade privada, mantém empresas frigoríficas, de laticínios, de pesca, de transportes urbanos, além de incentivar a criação de cooperativas em diversos outros campos. Tudo isso significa que a orientação batllista quase esgotou as possibilidades de ampliar a ação e o controle estatais em todos os setores econômicos não agrários. E, também, que o fez com a aquiescência explícita ou não da oligarquia latifundiária, a qual, vendo preservados seus interesses substanciais, como o

AS AMÉRICAS E A CIVILIZAÇÃO

monopólio da terra, a comercialização das safras de exportação e o sistema bancário, se desinteressa dos outros campos.

O fato, porém, de não afetar o latifúndio, em cuja defesa se unificaria toda a oligarquia, inclusive a representada em seu próprio partido, importou em acatar uma limitação ao desenvolvimento nacional — num país de economia predominantemente agrária — que ameaça condenar o povo uruguaio à perda das conquistas batllistas e ao retrocesso social e político, por não contar com bases econômicas capazes de mantê-las e expandi-las. Entretanto, é forçoso reconhecer que, graças à orientação progressista e democrática impressa por Batlle y Ordóñez ao Uruguai, apesar de suas limitações demográficas (2,5 milhões de habitantes em 1960) e da estreiteza de seus recursos extra-agrícolas, realizou uma obra incomparável. Entre as conquistas uruguaias, deve-se contar a formulação de uma imagem nacional bem configurada que integra e motiva a todos os cidadãos, particularmente ao descendente do imigrante, fazendo-os orgulhosos de sua nacionalidade, do seu passado e do seu presente, apesar da crise econômica e institucional.

Até recentemente, a vida política uruguaia era regida por um sistema bipartidário de profundas tradições que, em mais de um século de emulação, acabou transformando-os em condôminos do poder político, judiciosamente dividido e partilhado entre maioria e minoria. O sistema assegurou ao país um alto grau de estabilidade política que foi capaz, até agora, de manter os militares no seu ofício, sem intrometer-se demasiadamente na política. Cada um dos dois partidos era diferenciado em setores nítidos de esquerda, centro e direita. Certa estreiteza partidarista, decorrente de sua própria força agregadora, dificultou, porém, a atuação conjunta dos setores progressistas de ambos, dando margem a pequenas representações parlamentares, nominalmente socialistas. Nas condições uruguaias de alguns anos passados, essa forma de atuação em frente única partidária teria, à medida que se configurasse programaticamente, muito maiores potencialidades de instaurar um poder nacional, popular e reformista do que os próprios partidos e do que os blocos de esquerda radical.

Além dos partidos, contava o Uruguai com uma poderosa organização sindical, altamente politizada, carente, todavia, de objetivos sociopolíticos claramente explícitos. Sua característica mais assinalável era, talvez, a unidade dos setores operários com os de classe média, integrados por bancários e funcionários públicos, e sua unidade de ação com as camadas mais atuantes, principalmente os universitários.

Para os uruguaios, o desafio consiste em encontrar o modo de restaurar o patrimônio representado por um alto nível de vida e um amplo sistema distributivo que eles alcançaram no passado; de impulsionar seu sistema educacional democrático e aprimorá-lo, retomando o impulso que há anos parece ter perdido. Quanto dessa estagnação se devia à conjuntura econômica internacional? Quanto a óbices internos? Dentre estes últimos, assinalam-se privilégios antissociais, como o latifúndio pastoril e agrário, já incapaz de elevar sua produtividade; a burocracia hipertrofiada das clientelas políticas que absorve parcelas crescentes da renda nacional sem oferecer uma contraparte; um movimento sindical estritamente reivindicacionista e uma esquerda mitingueira, mas incapaz de formular um projeto nacional como alternativa ao sistema vigente e de ganhar para ele o apoio da opinião pública.

Por todas essas características, o Uruguai configurava, melhor que qualquer outro país, um exemplo dos efeitos da "socialização precoce" de que fala Schumpeter (1963 e 1965). E, mais ainda, provavelmente, os efeitos de uma "socialização" não só prematura, mas, sobretudo, parcial e tática, porque se destinava, antes, a consolidar uma infraestrutura econômica oligárquica do que a erradicá-la.

Efetivamente, o patriciado urbano uruguaio, liderado por Batlle, conduziu o país durante décadas pela rota de uma política de reformas, fundada num pacto tácito entre a camada latifundiário-estancieira e as forças populares, naqueles anos potencialmente revolucionárias e capacitadas a exercer fortes pressões sobre o sistema político. Esta política quase esgotou, como vimos, as possibilidades de intervenção do Estado na economia, "socializando", porém, tudo que era supérfluo e quase nada do que era substancial numa economia agrária de exportação de carnes, lãs e cereais.

Dentro de uma conjuntura altamente favorável do mercado internacional, o latifúndio encontrou nessa "socialização" sua forma de sobrevivência e o patriciado fez dela um mecanismo de subtração de uma parte ponderável das rendas do patronato agrário, a fim de implantar um *Estado-empresário* nos setores urbanos provedores de insumos para a produção (petróleo, energia elétrica etc.) e de serviços; e um *Estado assistencialista* que assegurou às camadas urbanas, principalmente às classes médias, vantagens e ajudas que excedem, provavelmente, a tudo que foi alcançado por esses setores em outro país, à mesma época.

Desse modo o Uruguai pôde fazer face às pressões decorrentes da urbanização precoce, provocada mais pela expulsão da população rural pelo latifúndio do que pela atração de melhores oportunidades de trabalho nas cidades. A política governamental batllista consistiu, essencialmente, em subsidiar esse processo de transladação rural-urbano, através da criação de amplas camadas clientelísticas de funcionários e empregados de empresas estatizadas, todas em pletora de pessoal e em carência de quase tudo o mais, e através da instituição de um sistema superoneroso de pensões e de aposentadorias. Assim se quebrou o elã revolucionário das massas recém-urbanizadas, orientadas por lideranças que, naquela altura, poderiam ter conduzido à revolução social ou, muito mais provavelmente, ao enrijecimento da estrutura do poder, como ocorreu na Argentina.

A solução batllista permitiu implantar as bases de um sistema democrático-representativo que integrou toda a população urbana no processo político, através de *clubes*, comícios, eleições que davam aos cidadãos de todas as origens a sensação de participar dos mecanismos de controle do poder político. Assim, tanto por via institucional quanto através de uma política econômica clientelística, alcançou-se o aliciamento e a neutralização dos setores potencialmente revolucionários, preservando-se os interesses substanciais da velha oligarquia, que eram a propriedade latifundiária, os mecanismos de exportação e o sistema bancário.

Tudo isso foi alcançado por um patriciado urbano que, regendo o processo, se faria mais político do que empresarial e, como tal, tão parasitário quanto as classes médias de empregados superinfladas. O procedimento financeiro fundamental que permitiu custear essa política consistiu na franca utilização dos mecanismos de manipulação aduaneira para a arrecadação de grandes parcelas das rendas brutas de exportação. O empresário agrícola, assim onerado, atravessava um período de prosperidade que o predispunha a aceitar o sacrifício, tanto mais porque, naquela altura, as alternativas seriam um sistema de impostos e taxas diretas sobre a propriedade rural ou uma reforma agrária.

A primeira fórmula sujeitaria cada proprietário rural a aceitar certa intervenção fiscal nos mecanismos internos do seu negócio e tenderia a conduzi-lo a alcançar níveis mais altos de eficácia e produtividade. A segunda era, obviamente, inaceitável para uma velha oligarquia cuja precedência social, cujo poder político, cuja fonte de rendas para manter um nível de vida alto se baseavam na herança de latifúndios e de rebanhos. A velha classe aquiesceu assim ao pacto, estabelecendo como limites para o novo Estado republicano, democrático, liberal, intervencionista e assistencial não tocar nas terras e nos setores urbanos que proporcionavam negócios mais rendosos, com os quais começavam a associar-se.

Dessa forma, implanta-se, no Uruguai, um Estado paternalista, arrecadador e distributista, que, dentro de uma conjuntura internacional favorável, contaria com amplos recursos para criar ou nacionalizar empresas públicas, para subsidiar serviços, alargando as oportunidades de emprego nas cidades e construindo múltiplos mecanismos assistenciais diretos e indiretos. E, sobretudo, para compor, como cúpula política dessa orientação econômico-estatal, uma democracia representativa presidida por uma liderança patricial fortemente vinculada aos setores populares e que permaneceria no poder ao longo de décadas. Nas quadras em que a conjuntura econômica se tornou mais desfavorável surgiram crises, inclusive uma ditadura mais ou menos conciliadora e fraca. O sistema político bipartidário resistiu, porém, aos embates e consolidou-se através de um acordo que fez dos dois grandes partidos condôminos permanentes do poder e de todo o patriciado político uma clientela senhorial mantida pelo manuseio das fontes públicas de financiamento do protecionismo econômico, do empreguismo e da assistência social.

Aplicada a hipótese de Schumpeter ao caso uruguaio, mesmo num exame preliminar e superficial, verifica-se que ela provavelmente explicaria muitas das características do país como efeitos necessários ou decorrências últimas do "socialismo precoce". Vale dizer, como resultantes de uma política que apela para procedimentos socializantes para atender a pressões assistencialistas, antes de um amadurecimento estrutural capitalista que tornasse possível explorar suas reais potencialidades de conduzir ao desenvolvimento e sem uma congruência mínima que permitisse utilizar as virtualidades ordenadoras e criativas de um sistema socialista autêntico.

Esta política conduziu à inviabilização de soluções capitalistas — como a canadense ou a australiana — que pareciam aplicáveis no contexto rio-platense, porque se fundou num pacto garantidor da perpetuação do monopólio da terra e, assim, da sobrevivência da estância latifundiária, incapaz de alcançar altos índices de produtividade por área. E conduziu, também, ao desgaste de um corpo de soluções socializantes, cuja aplicação não foi regida segundo exigências específicas do socialismo e de acordo com os interesses majoritários da população e cuja expansão se circunscreveu ao âmbito dos setores adjetivos da economia.

Os efeitos sociais dessa orientação apreciados agora (após décadas de aplicação mais ou menos com êxito, quando o sistema uruguaio enfrenta sua primeira grave crise), através de uma investigação sistemática, proporcionariam, provavelmente, uma explicação de muitos dos problemas e perplexidades com que se defronta o Uruguai de nossos dias. O efeito fundamental da "socialização precoce" foi, talvez, uma deformação das características de todas as classes sociais, cujas oposições de interesses e cuja agressividade recíproca se debilitaram e mascararam sob a cara dos mecanismos institucionais de conciliação, mas cujos papéis dinâmicos no processo do desenvolvimento também se viram afetados.

Assim é que o estancieiro pôde permanecer atado aos procedimentos mais arcaicos de produção. Embora dispondo de uma imensidade de campo da melhor qualidade, torna-se incapaz, até mesmo, de multiplicar os rebanhos e de melhorar seu desfrute para acompanhar o ritmo lento de crescimento da população. Isso é demonstrado pelo fato de que o rebanho bovino do Uruguai, de 7,8 milhões de cabeças, em 1916, diminuíra, em 1930, para 7,1 milhões, mantendo-se praticamente o mesmo até nossos dias, enquanto crescia a população, exigindo maior poder de produção e maior capacidade de exportação. Em períodos mais recentes, observa-se a mesma tendência, já que em dólares constantes o valor da exportação por habitante baixa de 107,1 para 50,2 entre 1935 e 1960. No mesmo período, o índice do volume físico das exportações (1961 = 100) cai de 108,4 para 71,6, e o valor total de dólares produzidos pelas exportações baixa de 189,2 milhões para 125 milhões (dólares de 1961). É certo que na mesma quadra aumenta a porcentagem de produção consumida internamente em relação à exportada, que de 23,4% cai para 12,5%, no setor agrícola, e de 53,5 para 30,9%, na pecuária; e que os excedentes produzidos pela economia agrícola custeiam a implantação da indústria substitutiva de importações. Mas é certo, também, que a economia inteira acaba por entrar em estagnação por sua incapacidade de competir com os preços do mercado internacional e, sobretudo, pela insuficiência do crescimento do seu setor dinâmico, criador de divisas.

Esses fatos retratam bem como a camada patronal responsável pelo principal setor produtivo esclerosou-se, vivendo da exploração extensiva de seus campos e gados, sem qualquer acicate capaz de induzi-la a produzir mais e melhor. Acresce, ainda, que a camada oligárquica não parece ter se transformado substancialmente em todas essas décadas, seja em sua composição, seja em seu domínio, seja em sua proporção dentro do quadro nacional. Vale dizer que, explorando os recursos herdados, pôde transmitir a seus descendentes propriedades agrícolas, mercantis, industriais e outras — dentro do regime de igualdade de herança entre os filhos —, proporcionando-lhes o mesmo nível de vida, senão mais alto, enquanto a população total se empobrecia ou via reduzir-se sua capacidade de consumo. Tudo isso indica que o pacto arrecadatário e distributivo foi substancialmente favorável, no plano econômico, à velha oligarquia agrária, facilitando sua expansão a outros setores comerciais e industriais e ensejando-lhe o gozo de um longo período de paz social e de tranquilo desfrute de seus bens.

Uma deformação correspondente é observável, também, no patriciado urbano que se fez político-parasitário e no próprio empresariado industrial e comercial que cresceram sobre o regime de subsídio e que, a julgar por certos sintomas, não parecem ter desenvolvido o característico elã acumulativo do homem de empresa capitalista. No Uruguai, dificilmente se encontram exemplos da chamada ascese capitalista, da devoção do proprietário à sua empresa, de que se torna uma peça, só empenhado no esforço de fazê-la expandir-se ao máximo. O que se

Os rio-platenses

encontra mais frequentemente no Uruguai é, ao contrário, um empresário cauteloso e até tímido, mais preocupado em retirar-se do negócio para fruir suas rendas do que em expandi-lo sem limites. O próprio capitalista se tornou, assim, dentro da conjuntura da "socialização precoce", uma clientela nacional, apelando para subsídios e financiamentos de favor, e cultivando uma postura senhorial. Desenvolve, desse modo, o gosto dos consumos suntuários, retirando recursos de sua empresa — como se esta fosse uma estância — para proporcionar-se residências luxuosas, viagens de turismo e toda sorte de gastos supérfluos numa proporção, provavelmente, maior do que o fazem grandes empresários de áreas economicamente mais ricas. Há, evidentemente, certa sabedoria de vida nessa postura, mas há, também, uma implicação de ineficácia econômica pelo desgaste de fundos de investimentos e pela apoucada ambição expansionista do homem de empresa.

O principal efeito estrutural da socialização precoce, como vimos, foi o alargamento dos setores médios pela absorção nos órgãos e empresas públicas de vastas camadas da população urbana. Uma avaliação do seu vulto pode ser dada pelo fato de que cerca de 34% da população ativa no Uruguai encontra-se no setor terciário, contra 29% no primário e 37% no secundário. Isso significa, em números absolutos, que 300 mil trabalhadores rurais produzem para manter o setor dinâmico da economia, contra 385 mil nas indústrias e 360 mil nos serviços. Esse gigantismo é também retratado no fato de que sobre 1 milhão de trabalhadores de todas as categorias e setores pesam 472 mil aposentados, que representam 18,7% da população total do país (Solari e outros, 1966: 83).

Os setores operários experimentam também profundas deformações, explicáveis, provavelmente, pelos mesmos fatores. Assumem, com frequência, uma atitude classe-medista, não só por se identificarem socialmente como tal, no campo das posturas sociopsicológicas, mas por procurarem viver como uma pequena burguesia pobre que lamenta não poder poupar, mas que aspira, essencialmente, paz e tranquilidade. Suas formas de ação classista, principalmente sindicais, fazem do operariado um complexo de grupos de pressão cuja reivindicação essencial é melhorar seu nível de consumo. Sua atuação sindical, ainda que combativa e organizada no plano reivindicatório, não tem correspondência com sua vinculação política, atrelada aos dois grandes partidos, confiantes de que a alternação destes e algum acontecimento mundial favorável resolverá espontaneamente os problemas com que se defrontam.

Entrando em crise a economia global do país, por sua própria estrutura e por sua inserção no mercado internacional cada vez mais desfavorável, todo o edifício institucional começa a ser posto em causa, num debate mais acadêmico que político, sobre os caminhos da ruptura com a estagnação econômica e da abertura das perspectivas de desenvolvimento. Os estancieiros reclamam contra as *detraciones* de suas rendas, através de controles fiscais sobre a exportação, esquecidos de que nesse procedimento se fundou, por um pacto tácito, a própria perpetuação do monopólio de terras em suas mãos. Os empresários urbanos protestam contra um regime em que só veem privilégios assegurados pelo Estado paternalista ao trabalho em prejuízo do capital, igualmente esquecidos de que eles têm sido sempre um dos setores mais amparados por este mesmo Estado. Os assalariados também se rebelam verbalmente contra o confisco de seus salários através da inflação e da supressão das subvenções. Todos os setores se agitam, acusando ora o regime colegiado, ora o clientelismo, ora a crise mundial, e propugnando por reformas legais inviáveis ou inócuas, em cujas potencialidades de solução dos problemas nem eles próprios confiam.

Simultaneamente, porém, a crise se agrava. Aos déficits anteriores, que podiam ser cobertos com as emissões, se somaram déficits no balanço de pagamentos, que obrigaram a transacionar com os credores ou os possíveis financiadores internacionais. Dessa forma se foi armando um novo pacto que, diante da inviabilidade de corrigir e completar a orientação socializante ou de restaurar e fecundar uma orientação capitalista autônoma e progressista, passou a representar um simples retrocesso político, através de uma solução ditatorial e uma condenação à estagnação e ao atraso.

As camadas populares já mergulhadas na crise se viram ameaçadas de desgraças ainda maiores. Mas apenas olhavam perplexas a tempestade que avançava, sem a capacidade de formular um projeto próprio de reordenação da sociedade com viabilidade de aplicação imediata através de uma mobilização de todas as vontades. As camadas médias, ainda mais doutrinadas que as operárias no grande orgulho nacional que é a sua democracia representativa, embora desejando ver intocada a autoimagem do "Uruguai — Suíça das Américas", aspiravam pela intervenção de uma força capaz de outorgar-lhes um corpo de soluções quaisquer que lhes devolvesse o poder de compra cada vez mais reduzido.

As camadas dominantes, tanto do patriciado quanto da oligarquia, confiaram em sua capacidade de acomodar mais uma vez os interesses em choque, pela conciliação, e em que um milagre — como a guerra lucrativa da Coreia — assegurasse um retorno à prosperidade perdida. Alguns setores dos dois grandes partidos confiam, ainda, que, sendo a crise de caráter mundial e interessando, por isso, no mesmo grau aos norte-americanos, estes encontrarão as soluções. Sobretudo se eles contarem com a devida cooperação política por parte de todas as nações do continente. Por esse caminho chegaram a propugnar — e por fim lograram que fosse implantada — uma ditadura preventiva (não necessariamente militarista como as vizinhas, mesmo porque faltam ao Uruguai certos ingredientes para implantá-la), como providência indispensável para atualizar o país com a conjuntura continental e assegurar-lhe a ajuda salvadora do governo norte-americano.

No plano técnico contava o Uruguai com um programa de desenvolvimento, cuidadosamente elaborado, que indicava soluções de alcance provisório para todos os problemas nacionais em termos de pequenas reformas institucionais e grandes investimentos em projetos ambiciosos, que não se sabe bem como seriam custeados. Esse era, porém, um trabalho de técnicos, ou seja, um plano de ninguém no terreno político.

Tal é o Uruguai de hoje, resultante mais do seu passado do que da conjuntura mundial, que conta, no plano técnico, com soluções sem dono político; no político, com um amplo corpo de forças progressistas, desarticuladas e desarmadas de um plano comum de ação. Suas classes dominantes, tornadas também parasitárias, já não confiando nas virtualidades do sistema que instituíram, sentem-se cada vez mais propensas a tomar medidas que assegurem sua precedência social, ainda que ao preço da destruição da imagem política do Uruguai que lhes era tão cara. Sua classe média, produto do clientelismo estatal, sentindo-se alijada das antigas fontes de amparo, caiu no desespero conducente ao apoiamento de soluções de força. Seu operariado, demasiadamente acomodado ao esquema sindical reivindicacionista, tornou-se incapaz de uma mobilização revolucionária. Nessa conjuntura de perplexidades recíprocas, as direitas conspiram; o centro se paralisa, neutralizado; e as esquerdas radicalizam-se verbalmente, pregando uma revolução total, que não instrumentam por qualquer plano viável de ação. Graças à mão de obra incorporada com a imigração e o aproveitamento das condições ecológicas altamente favoráveis à produção de artigos básicos de exportação (carne, trigo e lã), de grande procura no mercado mundial, os dois *povos transplantados* do Sul construíram, no século XX, as estruturas socioeconômicas mais maduras da América Latina. Não só alcançaram os mais altos níveis de renda *per capita*, mas uma distribuição da renda nacional, que permitiu constituir e manter uma classe média avaliada em mais de 30% da população ativa; um amplo proletariado fabril, também com os mais altos padrões salariais do continente; e incorporar quase toda a população no sistema produtivo capitalista e na vida educacional, cultural e política da nação. Não contam, portanto, com aquelas enormes massas marginais presentes tanto nos *povos novos* como nos *povos-testemunho* do continente, cuja integração ao sistema produtivo e à vida social e cultural constitui o grande problema

As Américas e a civilização

nacional daqueles povos, mas cuja presença tende a gerar tensões estruturais que viabilizam uma saída revolucionária.

Tanto a Argentina como o Uruguai, ao manterem intocada a estrutura agrária, limitaram suas potencialidades, ficando à margem do desenvolvimento. Não obstante, ambos puderam urbanizar precocemente suas populações, impedindo o surgimento de tensões sociais no campo. Um dos sintomas visíveis desta urbanização precoce é o contraste flagrante entre as duas capitais — onde se superconcentra a população e se encontra quase toda a indústria e, em suas vizinhanças, a agricultura e a pecuária tecnicamente mais avançadas — e o grande contorno provincial, ralamente povoado e muito mais pobre. Nessas áreas, as camadas médias e o operariado experimentam menor mobilidade social, e as populações rurais enfrentam dificuldades de vida em muitos casos equivalentes ao das áreas pobres do continente. Contudo, seu montante populacional já não pesa no destino da nação.

Os problemas com que se defrontam as duas repúblicas rio-platenses são, pois, diferentes daqueles que se apresentam aos outros países latino-americanos, principalmente porque já configuram, em grande parte, a problemática das nações desenvolvidas. Têm de comum com todos eles, porém, dois fatores básicos. Por um lado, a distorção imposta pela constrição oligárquica, que, monopolizando a terra em poucas mãos, conduz à exploração agropecuária extensiva, incapaz de competir nos mercados internacionais, e coloca toda a população a serviço de uma minoria insignificante. Por outro lado, a constrição imperialista que estrangula suas possibilidades de progresso, ao submetê-los a uma industrialização recolonizadora de caráter altamente espoliativo.

Havendo sofrido as principais transformações correspondentes à civilização industrial em sua estrutura ocupacional[13] por efeito de uma metropolização reflexa, as duas sociedades exibem características contraditórias de atraso e de progresso que se exprimem no seu caráter de sociedades urbanas modernas, assentadas numa economia agrária de estâncias latifundiárias voltadas para a exportação. A partir do momento em que esta economia de exportação entrou em crise — devido à competição com outras áreas produtoras de gado, de lãs e de cereais que contam com as mesmas vantagens ecológicas (Canadá, Austrália e Nova Zelândia) e com menores tropeços institucionais —, o próprio regime passou a ser posto em xeque com mais energia que em outras áreas do continente. Um maior grau de progresso e uma riqueza mais equitativamente distribuída geram aspirações mais altas, que se chocam com os limites impostos por sua inserção desfavorável na economia mundial e com o esgotamento da capacidade produtiva do sistema vigente de exploração rural. As tensões decorrentes tendem a forçar de maneira crescente o próprio regime, compelindo-o a transformações que abram novos horizontes de desenvolvimento com base nas imensas possibilidades nacionais.

Nessas circunstâncias, a estrutura de poder das nações rio-platenses é posta diante de dois dilemas básicos. Primeiro, a inviabilidade de sobrevivência do sistema democrático tradicional; segundo, a necessidade de abrir novas frentes produtivas, através da industrialização, limitando a espoliação imperialista, e a renovação da economia agropastoril, através da tecnificação, que eleve substancialmente a produtividade e permita uma melhor distribuição social da renda agrícola. Para as camadas médias e populares se coloca em tela o próprio regime, que, se incapaz de iniciar uma nova etapa de progresso, terá de ser superado.

Essas não são, porém, alternativas pacíficas. O patronato empresarial dos dois países bem como sua oligarquia rural integram-se, hoje, num sistema de interesses internacionais que espera jogar seu futuro num plano mundial. Em lugar de promover o alargamento revolucionário das bases da própria estrutura social, o que importaria na limitação de seus privilégios, preferirá o caminho de encastelar--se no poder à custa da repressão aos movimentos populares. Para isso conta, internamente, com os enormes recursos de controle e envenenamento da opinião pública e, no caso da Argentina, com a vocação intervencionista das Forças Armadas, sempre dóceis aos interesses oligárquicos. E, externamente, com o amparo do sócio norte-americano e com a ajuda da ditadura brasileira, predisposta a apoiar qualquer política repressiva.

Já vimos os caminhos que se abrem à Argentina. Quanto ao Uruguai, submerso na mais grave crise econômica de sua história, se vê comprimido por três fatores constritivos: os dois poderosos vizinhos que querem mantê-lo como Estado-tampão, submisso e reacionário; o velho patriciado político bipartidário, cujo fracasso evidente na condução do Uruguai apenas começa a ser admitido pela população que busca agora novas identificações políticas e novas opções; e as forças revolucionárias polarizadas em torno dos Tupamaros, os quais chegaram a construir uma das organizações mais combativas das esquerdas insurgentes da América Latina, capaz de perpetrar ações ousadas, mas incapaz de tomar o poder pela simples acumulação dessas ações.

Até agora as classes dominantes ganham a batalha, ainda que o façam degradando a institucionalidade democrática que era seu orgulho e à custa da repressão mais impiedosa. O remédio é tão forte, porém, que ameaça matar o doente. O país se despovoa, os quadros políticos do centro e da esquerda são trucidados e as Forças Armadas tudo militarizam. Subsistirá o Uruguai?

QUINTA PARTE
CIVILIZAÇÃO E
DESENVOLVIMENTO

*O privilégio dos países atrasados na história —
privilégio que existe efetivamente — está em poder
assimilar as lições, ou melhor, em serem obrigados a
aprendê-las antes do prazo previsto, saltando toda
uma série de etapas intermédias.*

L. Trótski

XI. Modelos de
Desenvolvimento Autônomo

O estudo das perspectivas de desenvolvimento, que se abrem aos povos latino-americanos, exige uma análise preliminar dos *modelos de desenvolvimento industrial* e dos *padrões de atraso histórico*. Isso é o que faremos, a seguir, mediante a proposição de dois paradigmas, tão coincidentes quanto possível com situações concretas, mas não concordantes com estas em suas peculiaridades. Através do primeiro, procuraremos estabelecer os caminhos pelos quais evoluíram as sociedades desenvolvidas; o segundo permitirá focalizar as configurações do atraso, a fim de determinar os principais obstáculos, gerais e particulares, que se opõem ao desenvolvimento. A Revolução Industrial, operando como um processo de aceleração evolutiva, configurou como novos centros de poder as nações pioneiras na industrialização. Em torno delas foram aglutinados povos vizinhos ou longínquos para formar grandes constelações imperialistas. As primeiras destas constelações se constituíram com a industrialização da Inglaterra (1750-1800), da França (1800-90), dos Países Baixos (1800-50) e dos Estados Unidos (1840-90). Havendo se industrializado pioneiramente, essas nações se fizeram os novos centros de dominação mundial, configurando o *modelo precoce de desenvolvimento industrial*.[1]

O mesmo processo civilizatório, operando simultaneamente pela via da atualização histórica, provocou três modalidades de reordenação das relações entre os povos. Primeiro, tornando obsoletos os vínculos que ligavam as antigas metrópoles mercantis às suas colônias, ensejou à maioria dessas condições de emancipação política para se inserirem dentro do novo complexo como áreas de exploração neocolonial. Segundo, projetando-se sobre áreas não dominadas pelas ondas anteriores da expansão europeia, submeteu seus povos ao jugo colonial ou lhes impôs estatutos de dependência neocolonial. Terceiro, estabelecendo um sistema econômico mundial autoperpetuante, hierarquizou as nações livres em potências industriais capacitadas ao comando autônomo do seu destino e em nações dependentes, não só deserdadas na distribuição do mundo em áreas de influência, mas também condenadas a um desenvolvimento meramente reflexo.

As Américas e a civilização

Este sistema de forças autoperpetuantes foi rompido, em primeiro lugar, pela Alemanha (1850-1914) e pelo Japão (1890-1920). Ambos conseguiram industrializar-se mediante esforços deliberados para alcançar autonomia, condição fundamental de sobrevivência num mundo submetido às potências pioneiras na industrialização. Esses países estabeleceram o *modelo tardio de desenvolvimento industrial*, que configurou a primeira via de ruptura com o complexo imperialista mundial. Esta via foi adotada, mais tarde, pela Itália (1920-40) e tomada como roteiro, posteriormente, com menor sucesso, por muitas outras nações (Turquia, de Mustafá Kemal; Egito, de Nasser; Brasil, de Vargas; Argentina, de Perón etc.).

A segunda ruptura capitalista com o atraso inaugurou o *modelo recente de desenvolvimento* com a industrialização de áreas marginais, como os países escandinavos (1890-1930), por um processo evolutivo peculiar; ou de áreas dependentes, como o Canadá (1900-20), a Austrália e a Nova Zelândia (1930-50). Estas últimas surgiram menos como frutos de projetos deliberados de autossuperação do que como efeitos dos períodos de isolamento com relação ao domínio inglês que experimentaram, em virtude da crise de 1929 e das duas guerras mundiais. Em condições normais, essas relações não ensejariam possibilidades de progresso autônomo em virtude do caráter intrinsecamente espoliativo da interação entre economias defasadas historicamente. Com a emergência de conjunturas de guerra, ou de crises econômicas, aquelas nações puderam exportar mais do que importavam, acumulando divisas, mas sobretudo puderam explorar autonomamente suas próprias fontes de riqueza, realizando potencialidades de progresso até então anuladas. Restabelecidos os contatos, aquelas nações se achavam fortalecidas economicamente e haviam criado condições para negociar novas formas de intercâmbio, capazes de preservar os interesses econômicos nacionais e de viabilizar um desenvolvimento autônomo.

A terceira ruptura correspondente ao *modelo socialista de desenvolvimento industrial* ocorre no bojo de um novo processo civilizatório tendente já não a reiterar antigas formações, através da criação de novos centros capitalistas industriais, mas a configurar uma formação sociocultural nova, a *socialista revolucionária*. Essa ruptura de novo tipo foi alcançada pioneiramente pela União Soviética (1930-40) através de uma revolução socialista, que permitiu induzir sua população aos esforços indispensáveis para integrar-se também na tecnologia industrial moderna. Assim se estabeleceu, juntamente com o quarto modelo de desenvolvimento industrial, uma nova via de aceleração histórica, que inspiraria, mais tarde, a reordenação social e a industrialização de diversas nações da Europa Oriental, da China e de outros países do Extremo Oriente e, por último, de Cuba.

Além dessas três formas de ruptura com o atraso surgiram, no curso do novo processo civilizatório, duas formas variantes de reordenação socioeconômica. Primeiro, o amadurecimento de formações *socialistas evolutivas* em algumas sociedades altamente industrializadas através da acumulação de renovações estruturais e institucionais consequentes do próprio progresso tecnológico, da luta das camadas assalariadas pela melhoria de suas condições de vida e dos movimentos de emancipação das áreas coloniais. Esse é o caso dos países escandinavos e parcialmente da Inglaterra, nos quais o novo modelo começa a emergir. Segundo, os movimentos de libertação nacional de antigas colônias e de nações dependentes estruturadas como *nacionalismos modernizadores*, cujos representantes principais são o Egito e a Argélia. Tendem também a perfilar esse modelo o México, a Bolívia e o Peru, apesar dos avanços e retrocessos experimentados em seus esforços de desenvolvimento autônomo. Eles não constituem, todavia, um modelo de desenvolvimento industrial porque nenhuma dessas nações alcançou, até agora, industrialização autônoma por essa via. São, antes, formas de ruptura com a dependência ao imperialismo e com a constrição oligárquica interna (através de uma reforma agrária) conducente a uma formação socioeconômica híbrida que procura conciliar procedimentos socialistas com a preservação de conteúdos capitalistas. Seu surgimento e consolidação se explicam, em grande parte, pela bipartição do mundo em dois grandes campos opostos, o socialista e o capitalista, que ensejam essas rupturas parciais com a economia privatista e esses apelos precários a procedimentos socialistas.

1. Caminhos autocráticos da industrialização

Dentre os quatro modelos de desenvolvimento industrial, o *capitalista tardio* e o *socialista* oferecem especial interesse teórico por seu caráter de esforços deliberados de rompimento com a dominação imperialista e de enfrentamento das causas internas do atraso.

As nações que se orientaram por essa via defrontavam-se com duas ordens de constrição ao seu desenvolvimento autônomo. Primeiro, a dominação econômica externa das economias imperialistas industriais, obstinadas em perpetuar as vantagens alcançadas com seu desenvolvimento precoce. Segundo, as constrições internas, exercidas pelas próprias classes dominantes empenhadas em condicionar a aplicação da nova tecnologia à preservação de seus privilégios e prontas, por isso, a pactuar com a dominação estrangeira e a se fazer agentes dela.

No modelo tardio, configurado pela Alemanha e pelo Japão, esse conluio foi parcialmente rompido pela pressão das aspirações de autoafirmação nacional em face do expansionismo dessas antigas potências imperialistas. Seu motor principal foi o esforço armamentista, que, exigindo a criação de uma infraestrutura industrial moderna como imperativo da defesa, ensejou a tecnificação da economia e a resultante reordenação social. Tratava-se, nos dois casos, de nações independentes empenhadas em conquistar o comando autônomo de seu próprio desenvolvimento. Esse objetivo geraria um complexo de forças sociais capazes de superar a antiga estrutura de poder destinada a perpetuar o predomínio da ordenação oligárquica regida pelas classes dominantes tradicionais formadas principalmente por latifundiários. Nos dois casos, como ocorreria depois com a Itália, instituiu-se um novo modelo de desenvolvimento capitalista oposto ao padrão *precoce* porque se assentava numa ideologia intervencionista na economia que determinava o lugar e o papel das empresas privadas no esforço conjunto e, também, numa atitude autonomista em face do mercado internacional.[2]

O desenvolvimento industrial japonês é o que melhor configura o modelo tardio pelo caráter de aspiração autonomista e de esforço nacional deliberado, que lhe foi impresso desde os primeiros passos. Suas etapas fundamentais podem ser assim resumidas. Desencadeia-se com a provocação do comodoro *Perry*, que em 1853 desembarca nos portos japoneses impondo um tratado comercial lesivo com a América do Norte, equivalente às imposições de outras potências industriais às suas colônias. A reação japonesa a essa ameaça de colonização explode com a Revolução Meiji de 1867-70, que liquida com a velha ordenação feudal do país, impondo uma nova estrutura de poder capaz de empreender a industrialização. Para isso, a revolução derrubou a velha aristocracia e a casta militar primitiva, aboliu a proibição da venda das terras dos *samurais* e instituiu um impulso em dinheiro sobre a exploração agrícola. Essas medidas provocaram uma intensa mercantilização da economia agrária e permitiram uma ampla captação de recursos públicos que foram destinados à industrialização, definida como tarefa básica da segurança nacional.

Dez anos depois da Revolução Meiji, o governo japonês contava com três grandes estaleiros e uma poderosa frota de comércio e de guerra, uma ampla rede ferroviária e de comunicações, explorava dez minas e tinha implantado dezenas de fábricas de armamentos e utilidades. A maior parte desses empreendimentos foi transferida posteriormente, em operações de favoritismo, a empresas privadas. O Estado permaneceu, porém, com o comando da economia. Isso se infere do fato de que, de 1896 a 1913, os órgãos governamentais absorveram 85% dos empréstimos obtidos no exterior, ao mesmo tempo que as inversões estrangeiras diretas apenas alcançavam 5,5% do total, naquele último ano. Assim emerge um empresariado industrializador autônomo e uma poderosa hierarquia militar nacionalista que se transformam numa plutocracia nacional com poderes hegemônicos sobre a estrutura de poder. Trata-se, como se vê, de um desenvolvimento induzido por atos de vontade, comandado pelo Estado, sem participação direta de empresas estrangeiras.

Simultaneamente com esse esforço de industrialização, o governo japonês levou a cabo um amplo programa educacional, em todos os níveis, destinado a alfabetizar toda a população e a absorver e difundir o saber científico e a tecnologia da civilização industrial. Esse projeto nacional desenvolvimentista conseguiu elevar em poucas décadas uma sociedade arcaica à condição de potência mundial, apesar das enormes deficiências do Japão em recursos naturais e das barreiras linguísticas e culturais que o separavam dos centros reitores da civilização industrial.

Movida pelo mesmo impulso fundamental, a Alemanha de Bismarck e, muito mais tarde, a Itália romperam o cerco das potências industriais. Com esse objetivo, instituíram regimes autocráticos, rigidamente centralizados, para se capacitarem a mobilizar todas as forças nacionais para o desenvolvimento. Como primeira tarefa se propuseram a construção de uma economia autárquica, a salvo da danosa competição internacional, que minava as possibilidades de expansão e de progresso das nações que se encaminham tardiamente para o desenvolvimento capitalista industrial.

Voltadas sobre si mesmas, essas economias passaram a operar, desde então, de acordo com procedimentos opostos ao modelo clássico. Em lugar do livre-empresismo, marcharam para um capitalismo de Estado e uma trustificação planejada da economia que ensejou o surgimento de uma poderosa plutocracia empresarial. Em vez do livre-cambismo, impuseram câmbios diferenciados segundo as conveniências do momento. Em lugar do livre-comércio, apelaram para acordos bilaterais. Em vez de moedas estáveis, lastreadas em ouro e prata, jogaram livremente com a moeda e utilizaram as emissões e a inflação com objetivos econômicos. Em lugar da liberdade de mercado, implantaram controles de estoques, de preços, de salários e instituíram subsídios.

Por todos esses caminhos heterodoxos, conseguiram romper o cerco das potências industriais, controladoras do mercado mundial, e imprimir uma aceleração evolutiva ao processo de tecnificação autônoma de suas forças produtivas, através de uma industrialização intensiva racionalmente conduzida como o grande objetivo nacional. A aceleração evolutiva foi alcançada pelos países de desenvolvimento industrial tardio, através de uma ação programada e simultânea de

AS AMÉRICAS E A CIVILIZAÇÃO

renovação institucional que habilitou suas sociedades à criação de uma estrutura produtiva capacitada a integrar toda a população na força de trabalho nacional e a empreender a modernização educativa através de um enorme esforço que elevou uma parcela ponderável dela aos mais altos níveis de domínio do saber científico e da tecnologia moderna.

Nos três casos, essa forma de ruptura com o atraso — baseada na implantação de uma plutocracia empresarial e militarista — conduziu à expansão imperialista, nas pegadas das antigas potências mundiais. O Japão se arremete contra países vizinhos, apossando-se de Pescadores e Formosa (1895), das Sacalinas e de Porto Artur (1905) e, mais tarde, da Mandchúria (1911) e de outras áreas da China (1937). A Itália constrói seu império colonial acrescentando às suas antigas possessões a Eritreia e a Etiópia (1935) e, finalmente, a Albânia. A Alemanha se lança primeiro contra a África (1884), a China (1897) e as ilhas do Pacífico (1888-99) em busca de colônias. E, numa segunda etapa, contra as nações europeias fronteiriças, procurando impor uma redistribuição das áreas de mercado e de provimento de matérias-primas e conquistar a base física europeia para concretizar o projeto de fazer-se a potência da Terra.

O choque dos velhos imperialismos contra os novos acaba desencadeando duas guerras mundiais. No intervalo entre elas, a Alemanha e o Japão voltaram aos procedimentos *bismarckianos* para recuperar-se das crises econômicas em que se viram submergidos. Em ambos os casos (e também no da Itália), o caminho *tardio* restaurou-se com formas ainda mais heterodoxas de mobilização econômica e de despotismo político. Depois da última guerra, derrotados pela aliança de todas as demais nações, aqueles três países se viram imersos numa nova conjuntura internacional regida pela América do Norte e pela União Soviética, dentro da qual se tornaram obsoletos seus projetos de autoafirmação como superpotências do Ocidente e do Oriente. A antiga estrutura internacional, assentada em múltiplas constelações capitalistas em competição umas com as outras, deu lugar a uma bipolarização capitalista-socialista. Nessa nova conjuntura, ampliaram-se extraordinariamente as oportunidades de emancipação política dos povos coloniais e de desenvolvimento de todos os povos atrasados, mas estes já se orientam, obrigatoriamente, para formas socializantes de reestruturação social. Encerrara-se assim a via do desenvolvimento industrial tardio como modelo orientador dos esforços de emancipação e de crescimento econômico de povos subdesenvolvidos, exceto na modalidade de *nacionalismo modernizador* anteriormente referida e que apresenta características diferentes.

Apesar dos desgastes sofridos na guerra, que importou na destruição de todo o seu parque fabril e do seu capital básico, os povos de desenvolvimento capitalista industrial tardio recuperaram, em menos de uma década, os padrões

MODELOS DE DESENVOLVIMENTO AUTÔNOMO

anteriores de produção, retomando e acelerando o antigo ritmo de crescimento. Avançaram, assim, uma segunda vez, contra o atraso, agora sobre os escombros de uma guerra devastadora e através de uma associação estreita com as corporações industriais norte-americanas, subsidiadas neste esforço pelo Plano Marshall.

É de assinalar, porém, que o desafio com que se defrontavam era muito menor do que o dos povos subdesenvolvidos, que permaneceram em sua condição de atraso. O fator fundamental do "milagre" alemão e japonês assenta-se no fato de que eles já eram povos autonomamente integrados na civilização industrial, contando com uma força de trabalho capaz de reconstituir seus bens materiais, tal como uma aldeia indígena arrasada por uma catástrofe pode ser refeita, ou como um povo subdesenvolvido só pode reproduzir, em iguais circunstâncias, as formas de expressão material do seu atraso. Mais do que a injeção de capital norte--americano ou quaisquer outros fatores, o amadurecimento cultural e estrutural de seus povos é que lhes permitiu empreender a reconstrução daquilo que se tornara o seu modo de ser, a sua cultura, a sua civilização.

Procedimentos intencionais da mesma natureza dos desenvolvimentos industriais tardios foram adotados em dois outros casos. Primeiro, por nações avançadas, no esforço de superar crises ocasionais do sistema. São exemplos clássicos desse apelo a procedimentos heterodoxos o *bonapartismo* de Napoleão III e o *New Deal* de Roosevelt. Também o são, em certa medida, as programações econômicas recentes de De Gaulle e de Adenauer. Em todos esses casos, porém, tratava-se de esforços de recuperação de crises ou de superação da estagnação econômica, e não de rompimentos originais com o subdesenvolvimento. Segundo, por nações atrasadas que procuraram capitalizar as tensões internacionais entre potências imperialistas para promover sua industrialização pela via do "capitalismo de Estado". Exemplificam essa alternativa a Turquia de Mustafá Kemal, o Brasil de Getúlio Vargas e a Argentina de Juan Perón. Em todos esses casos, grupos político-militares se apossaram da máquina do Estado por caminhos heterodoxos, no decorrer de crises econômicas, e procuraram conduzir suas nações a um esforço de desenvolvimento autônomo mediante a mobilização das suas populações contra a espoliação estrangeira. Todos tiveram de enfrentar a capacidade autodefensiva do imperialismo que via nesses movimentos uma ameaça a seus interesses. Todos conciliaram com a estrutura agrária tradicional, fundada no latifúndio. Todos fracassaram, afinal, apenas alcançando representar um papel de agentes mais eficazes da modernização reflexa e da conscientização política de seus povos para futuras lutas contra o sistema de dominação externa e interna que os mantém subdesenvolvidos. O modelo nacionalista modernizador contrasta

AS AMÉRICAS E A CIVILIZAÇÃO

com essas variantes de "capitalismo de Estado" pela capacidade que revela de enfrentar simultaneamente a constrição do imperialismo e a do latifúndio.

2. A via socialista

As formações socialistas revolucionárias configuram o segundo modelo intencional de rompimento com a dominação imperialista e a constrição oligárquica interna. A Rússia, que representou o papel pioneiro na configuração deste modelo, enfrentou, provavelmente, o maior desafio à criatividade sociocultural jamais registrado. Tratava-se, nesse caso, de construir um modelo novo de ordenação social, que apenas preexistia como formulação teórica, elaborada mais como forma de aliciamento político do que como um projeto para aplicação concreta no mundo das coisas. A prova da sua viabilidade e eficácia foi dada cabalmente. A um período convulsionado que vai de 1917 a 1921, consequente da própria insurreição, das invasões estrangeiras, do bloqueio internacional e do esforço por controlar as dissensões internas do movimento, segue-se um primeiro projeto de construção planejada da economia socialista. Atua, inicialmente, por tentativas de acerto e de erro, mas já define como objetivo fundamental do regime a industrialização, através do alargamento das disponibilidades de energia, da capacidade de produzir aço e toda sorte de maquinaria.

O grande salto, porém, se dá de 1930 a 1940, quando a União Soviética recupera a capacidade produtiva anterior à revolução e, em seguida, a multiplica várias vezes, implantando o enorme sistema industrial descentralizado que a tornaria capaz de enfrentar o desafio aparentemente impossível da vitória sobre a invasão nazista. Mesmo os que lamentam os métodos empregados pelos soviéticos e apontam deformações no padrão de sociedade que eles estabeleceram são unânimes em reconhecer que a União Soviética alcançou e manteve, através dos planos quinquenais iniciados em 1928 e dos planos septenais posteriores a 1957, as mais altas taxas de crescimento da produção industrial jamais atingidas. Segundo Colin Clark (1957), o valor da produção industrial russa, que alcançara 837 milhões de "unidades internacionais" no período de 1910-3, caindo para 181 milhões de 1920 a 1924, se elevou a 1.401 milhões em 1930-4 e a 2.740 milhões em 1935-8. Hodgman (1954) demonstra que, de 1928 a 1937, a União Soviética experimentou um índice de desenvolvimento industrial de 270% (as estatísticas soviéticas registram 450%) e assinala que essa progressão equivale a um incremento anual da produção da ordem de 15%, que depois da guerra chegou a 20% anuais (1946-50).

MODELOS DE DESENVOLVIMENTO AUTÔNOMO

Tais índices de incremento desafiam comparação. Segundo os estudos de S. Kuznets (1965), os índices anuais de incremento do produto nacional *per capita* dos períodos de edificação das economias industriais modernas foram de 2,8 para a Inglaterra, de 1780 a 1881; de 1,7 para a Alemanha, de 1851 a 1875; de 1,3 para a Rússia tsarista, de 1850 a 1913; de 4,3 para os Estados Unidos e de 4,5 para o Japão, de 1890 a 1927, enquanto alcançaram para a União Soviética, de 1930 a 1960, 10,5% segundo as estatísticas soviéticas, e 5,2% anuais segundo a avaliação do citado autor.

Os dados sobre a produção industrial do mundo publicados no *Anuário Estatístico* da ONU, para 1963, indicam que, tomando-se o ano de 1938 como igual a 100, a produção industrial norte-americana progrediu para 221, em 1948, para 303, em 1958, e para 372, em 1963, enquanto a soviética progrediu, nos mesmos anos, para 173, 434 e 686.

Uma medida mais expressiva da expansão industrial soviética em comparação com as economias capitalistas é dada pelo confronto do crescimento do valor das respectivas produções industriais. Assim, se considerarmos o valor da produção industrial russa igual a 100, em 1929, encontramos que a norte-americana seria, então, igual a 833, a inglesa, a 325, a alemã, a 333. Em 1955, as mesmas proporções tinham se reduzido a 207, no caso dos Estados Unidos, que, de oito vezes maior, passa apenas a duas vezes maior que a soviética; e para 33 e 36, respectivamente, no caso da Inglaterra e da Alemanha, que, de três vezes maiores, tinham se reduzido a uma terça parte (L. Cafagna, 1961).

Essa capacidade de imprimir um ritmo de crescimento muito mais intenso não é válida apenas para a economia soviética, mas para todas as economias socialistas, como se demonstra pelo fato de que elas passaram de 100 para 320, entre 1950 e 1959, enquanto a produção industrial capitalista passou, no mesmo período, de 100 para 155 (J. Frek, 1965).

Por esse caminho, um país pré-industrial, notoriamente atrasado como a Rússia, com grandes parcelas da população marginalizadas da vida nacional, se tornou em apenas três décadas a segunda potência industrial do mundo, acionada por um ritmo de incremento que a aproxima cada vez mais da primeira, tendendo a superá-la em produção global e em produção *per capita* no curso da próxima década.

Três características distintivas do modelo socialista revolucionário de desenvolvimento o tornam especialmente atrativo para as nações subdesenvolvidas. Primeiro, os altos ritmos de crescimento econômico que consegue imprimir. Aplicados às nações subdesenvolvidas, os ritmos socialistas de incremento do pib *per capita* (6% a 8% anuais) lhes ensejariam alcançar as nações desenvolvidas dentro de três a quatro décadas. Ao inverso, se estas nações mantiverem os ritmos de

AS AMÉRICAS E A CIVILIZAÇÃO

incremento de suas quadras mais prósperas (2,2% do pib *per capita* entre 1950 e
1960 — ONU), ou ainda que alcançassem os ritmos de aumento das nações capitalistas mais desenvolvidas (2,7% entre 1950 e 1960 — ONU), suas possibilidades
de superar o atraso deverão ser postergadas para 150 a duzentos anos no futuro.

Outra característica distintiva do modelo socialista revolucionário é a de
ser o único que alçou grandes massas populacionais da pobreza à prosperidade.
Todos os processos anteriores de desenvolvimento englobavam pequenos contingentes demográficos. Assim, o Reino Unido, no alvorecer da Revolução Industrial,
contava com cerca de 7 milhões de habitantes, e os Estados Unidos, com menos
de 20 milhões. A União Soviética partiu, porém, de 100 milhões. E a China ascende em nossos dias ao desenvolvimento industrial, a partir de uma mole humana
de 700 milhões. Esse desafio demográfico, decisivamente relevante para muitas das
nações subdesenvolvidas, como a Índia, a Indonésia e o Brasil, aponta para a experiência socialista revolucionária como a única que alcançou enfrentá-lo com sucesso.

A terceira particularidade do modelo socialista revolucionário é que ele
conseguiu imprimir processos de aceleração evolutiva a estruturas sociais rígidas,
elevando-as do nível de economias agroartesanais ao padrão industrial moderno.
A única exceção é o Japão, igualmente arcaico e rigidamente estruturado, que conseguiu industrializar-se. Tal ocorreu, porém, na passagem do século XIX para o XX,
quando as compulsões antidesenvolvimentistas eram muito menos opressivas. Efetivamente, em nenhum país conformado por processos de atualização histórica e
por eles deformado surgiu uma burguesia *schumpeteriana* capaz de liderar a luta pelo
desenvolvimento autônomo. Tampouco surgiram plutocracias habilitadas a mobilizar autocraticamente a nação para impor um projeto nacional de erradicação das
estruturas obsoletas e de superação das dependências externas para promover a
industrialização autônoma.

Todos esses traços distintivos do socialismo revolucionário tornam muito
provável que ele se configure como a saída natural para as nações condenadas ao
atraso e à penúria enquanto prevalecer a dominação imperialista sobre os mercados mundiais, a exploração de seus recursos pelas corporações monopolistas e a
opressão interna por estruturas de poder destinadas a manter a exploração externa
e a constrição oligárquica.

Na verdade, situações equivalentes de condenação ao subdesenvolvimento
pelo tipo de inserção na economia mundial e pela constrição oligárquica interna
é que foram rompidas na Rússia, na China e em Cuba, pela revolução socialista,
como o único caminho que se lhes abria para o desenvolvimento. Todas elas eram
nações arcaicas, de economia incipientemente capitalista e de estruturação social

488

Modelos de desenvolvimento autônomo

rígida, que, por isso mesmo, pareciam mais distantes da perspectiva socialista. Todavia, ali é que primeiro se implantou o novo modelo, menos como superação das deficiências inerentes ao capitalismo industrial do que como ruptura da dupla jugulação antiprogressista que experimentavam.

Em todos esses casos, a rigidez estrutural, operando como barreira às reformas sociais, acumulou tensões que conduziram a erupções revolucionárias. Desencadeadas em períodos de convulsão social ou de guerra, em que os aparelhos de repressão policial-militar deixaram de funcionar, essas explosões propiciaram a implantação de regimes socialistas libertadores de forças renovadoras secularmente contidas. Assim, o próprio vigor da estrutura oligárquica operou como condensador das tensões sociais que espocaram ao sobrevirem condições anormais de convulsão, debilitadoras dos controles estatais, permitindo o desencadeamento e a vitória de movimentos revolucionários radicais. Tal se dá na Rússia tsarista, com a crise social e militar provocada pela Primeira Guerra Mundial; na China, na Coreia e no Vietnã, durante a luta contra a invasão japonesa e a de restauração do domínio imperialista; nas nações socialistas da Europa Oriental, no combate à dominação nazista e na confraternização com o exército vermelho; e em Cuba, na insurreição popular contra a ditadura batistiana, desencadeada por uma liderança revolucionária.

Em todos esses casos, porém, as condições de convulsão e a própria insurreição popular não teriam permitido, por si sós, a instalação de um poder reordenador. Tal se dá pela presença e pela atuação de uma vanguarda revolucionária armada de uma ideologia socialista que prefigurou teoricamente a possibilidade de uma ordenação racional da sociedade, segundo os interesses majoritários da população.

Como se vê, o rompimento das resistências estruturais ao desenvolvimento econômico admite diversos graus de intencionalidade. Nos países pioneiros da industrialização, foi antes espontaneísta, dando lugar, por isso mesmo, a uma ideologia livre-empresarial fundada na concepção de que o Estado, operando como óbice, devia abster-se de intervir no livre jogo das forças sociais. Tais condições jamais se repetiriam em outras áreas. Mesmo naquelas nações em que esses critérios presidiram a renovação, eles foram superados, mais tarde, pela necessidade de introduzir mecanismos coordenadores requeridos para o exercício da dominação imperialista, para enfrentar os esforços de guerra ou como saída para graves crises econômicas.[3]

Apenas o modelo *recente* de desenvolvimento — Escandinávia, Canadá, Austrália, Nova Zelândia — parece configurar um caminho evolutivo que reproduz a via clássica. Ainda assim, dificilmente poderia cumprir-se sem as condições de isolamento que as duas guerras e a crise mundial de 1929 ensejaram àqueles paí-

489

As Américas e a civilização

ses, abrandando a dominação econômica a que estavam sujeitos, compelindo-os a esforços de autossuperação e permitindo converter sua economia complementar de produção de alimentos em economias autônomas, capacitadas a empreender a industrialização.

Acresce, ainda, que todos esses países contavam com pequenos montantes populacionais instalados em grandes territórios virgens. A exploração de seus recursos naturais (sobretudo madeiras, no caso da Escandinávia, e ouro, da Austrália), bem como a flexibilidade da estrutura social vigente em todos eles, propiciou a criação de economias granjeiras e, consequentemente, de um mercado interno, permitindo a implantação posterior de economias industriais modernas.[4]

Alguns desses países, emergindo para o desenvolvimento industrial dentro de uma conjuntura mundial totalmente distinta da que enfrentaram os *precoces* e os *tardios*, veem extremamente limitadas suas possibilidades de expansão capitalista. Esse é o caso da Austrália, Nova Zelândia, Israel e será, possivelmente, o da África do Sul e da Rodésia, que têm diante de si a Ásia e a África como área "natural" de expansionismo imperial através da atualização histórica. Todos eles se defrontam, porém, com resistências insuportáveis — externas, no primeiro caso, internas, no segundo — que os impedem de repetir as façanhas do capitalismo colonialista.

Nos países de desenvolvimento industrial tardio, que empreenderam a renovação tecnológica e social por atos de vontade e movidos por razões de segurança, o Estado, chamado a comandar o processo, identificou-se tão estreitamente com os interesses da camada empresarial que conseguiu substituir a velha estrutura oligárquica por uma elite do poder de feição plutocrática. As renovações estruturais, nesses casos, foram menos intensas, e a participação popular na vida política foi anulada ou degradada. A ideologia do desenvolvimento conformou-se como uma mescla de nacionalismo chauvinista que proclamava a destinação nacional ao domínio de outros povos, ao mesmo tempo que reclamava o monopólio da exploração do mercado nacional para os empresários nativos.

No cumprimento de seu papel, o Estado foi investido de poderes discricionários sobre a sociedade, habilitando-se para as tarefas da programação econômica, da qualificação da força de trabalho e da garantia às empresas da "paz social" para a acumulação de capitais. Para isso, institui-se uma máquina repressiva a qualquer forma de oposição, especialmente aos movimentos reivindicativos das camadas assalariadas. Todo esse conjunto de procedimentos foi ampliado com a criação de bodes expiatórios, responsabilizados pelos problemas nacionais, como os judeus na Alemanha e o comunismo em toda parte. Uma vez alcançado certo grau de progresso, a ideologia do desenvolvimento se transfigurou para persuadir a nação da imperatividade de seu destino imperial e civilizador dos povos atrasados.

No rompimento de padrão socialista revolucionário que se inicia com a tomada do poder em nome das forças populares, o Estado assume a forma de "ditadura do proletariado" que forja mecanismos institucionais novos para gerir o processo de desenvolvimento. Nesse caso, o grau de intencionalidade e do poder de intervenção racional através do planejamento global alcançam os mais altos níveis. O que diferencia o padrão capitalista do socialista não é, portanto, a prevalência do espontaneísmo, no primeiro caso, ou do intervencionismo, no último. O que os distingue é a estrutura de poder que comanda o processo renovador, e o grupo social que impõe sua hegemonia à nação, condicionando toda a renovação institucional à preservação e ampliação de seus interesses. Essas são as camadas subalternas, no caso dos projetos socialistas; e são as plutocracias empresariais e militares, no caso do modelo de desenvolvimento capitalista tardio.

No modelo socialista de desenvolvimento, com o patronato e o patriciado tradicionais proscritos desde o primeiro momento, os procedimentos básicos da reordenação social consistem em seis ordens de medidas. Primeiro, o confisco estatal da maior parte ou de todo o patrimônio fundiário, financeiro, industrial e comercial preexistente para constituir o fundo de desenvolvimento. Segundo, a captação de todo o excedente de produção sobre um consumo previamente comprimido e sua aplicação planejada às tarefas da renovação tecnológica, com prioridade à implantação dos sistemas de produção maciça de energia e da indústria pesada, a fim de assegurar a autonomia do desenvolvimento industrial posterior. Terceiro, a mobilização de todos os recursos ociosos, inclusive a força de trabalho antes só parcialmente utilizada, para expandir a produção. Quarto, a realização de uma reforma agrária que, numa primeira etapa, organiza uma economia granjeira a fim de aliciar o campesinato no esforço revolucionário e, numa segunda fase, estabelece sistemas coletivistas de trabalho com o objetivo de elevar a produtividade agrícola através de uma reestruturação do sistema na forma de grandes plantações altamente mecanizadas. Quinto, a expansão do sistema escolar através de campanhas de emergência para recuperar culturalmente os adultos analfabetos ou insuficientemente instruídos; e mediante a criação de uma ampla rede de escolas capacitada a matricular toda a infância, dela selecionando, pelo talento, os mais aptos para cursos de nível médio e os melhores destes para estudos em grau universitário. Assim se constrói, tão rapidamente quanto praticável, como um dos esforços nacionais básicos, a força de trabalho altamente qualificada que transformará a cultura popular tradicional, permitindo a toda a população incorporar o saber científico e tecnológico da era industrial. Sexto, o controle econômico e político da vida social, através de um partido único em associação com sindicatos oficiais que operam como ativadores da mobilização nacional para o desenvolvimento. Esse esforço é levado a efeito através de um complexo de estímulos e sanções capazes de atuar discricionariamente sobre cada indivíduo. Assim é que se implanta uma estrutura de poder que permite a substituição da velha camada gerencial e técnica das empresas privadas, da antiga burocracia e dos setores profissionais por uma nova liderança, de extração principalmente operária, técnica e ideologicamente preparada para levar à prática o projeto socialista.

Já nos referimos ao *nacionalismo modernizador* como via alternativa de ruptura com a constrição imperialista e oligárquica e com a estrutura de poder que garante sua perpetuação. Assinalamos que essa formação não constitui um modelo de desenvolvimento industrial porque nenhum dos regimes assim conformados alcançou um ritmo de industrialização capaz de configurar o desenvolvimento pleno em prazos previsíveis. Além disso, no caso de algumas formações nacionalistas modernizadoras mais antigas — como no México, depois de Cárdenas, e Bolívia, onde o processo se interrompeu —, esse padrão regrediu para certas formas de compromisso com o imperialismo e com novas camadas privativas surgidas depois da revolução, que refrearam seus ritmos já lentos de progresso.

É de supor que as atuais formações nacionalistas modernizadoras, crescendo dentro de uma conjuntura mundial mais favorável, possam alcançar ritmos mais intensos de progresso. Todas elas se implantaram a partir de revoluções vitoriosas dirigidas por grupos reformistas opostos à antiga estrutura de poder e vigorosamente antioligárquicos e anti-imperialistas: o exército de libertação, no caso da Argélia, a oficialidade nacionalista, no caso do Egito, e as Forças Armadas sob a liderança de Velasco Alvarado, no Peru. Uma vez no poder, promoveram uma intensa mobilização popular das massas — não político-ideológica, senão programática — para um esforço nacional desenvolvimentista, e instituíram uma ordenação social nova que procura conciliar procedimentos socialistas nos setores básicos da economia com procedimentos capitalistas nos demais setores. Assim se procura combinar os méritos da intencionalidade do planejamento econômico com as virtualidades organizativas do sistema de administração privada de bens. Seus procedimentos básicos consistem na proscrição da vida pública nacional da antiga estrutura do poder, demasiadamente comprometida com a velha ordem; na desapropriação, negociada ou não, das grandes empresas internacionais e no confisco dos latifúndios improdutivos; na formulação de um projeto próprio de desenvolvimento autônomo, mediante a exploração nacional dos recursos naturais, e a realização de uma ampla reforma agrária; na assunção pelo Estado do papel de agente direto da edificação econômica e da transfiguração estrutural; na adoção do planejamento como norma de governo nos limites em que pode ser aplicado; na criação de uma nova burocracia mais capacitada a servir aos interesses coletivos e a modernizar a administração dos órgãos públicos e das empresas estatais.

É provável que a conjuntura internacional moderna, polarizada pela oposição capitalista-socialista, além de ensejar o surgimento de novas formações nacionalistas modernizadoras, lhes permita alcançar ritmos mais altos de crescimento econômico. Todavia, o mundo socialista ainda não amadureceu suficientemente, seja para cooperar de forma assinalável com os esforços de desenvolvimento industrial das formações nacionalistas modernizadoras, seja para compelir as potências imperialistas a abrandar suas forças de dominação e exploração.

É de supor, entretanto, que, atendidos esses dois requisitos, o nacionalismo modernizador amadureça como um caminho alternativo do desenvolvimento autônomo através de novas formas de intercâmbio em que as nações pobres sejam mais ajudadas do que prejudicadas no convívio com as nações prósperas. Essa viabilização do intercâmbio internacional como caminho do desenvolvimento não será alcançada espontaneamente.

A política das nações capitalistas modernas é a de substituir as antigas formas de exploração colonial por mecanismos indiretos de controle, como o Mercado Comum Europeu e a integração latino-americana, e, ainda, a industrialização recolonizadora, regidos todos pelas grandes corporações monopolísticas internacionais. Como tal, tendem a atuar antes como agentes atualizadores do que como aceleradores do progresso dos povos subdesenvolvidos. Só a competição capitalista-socialista e, sobretudo, a vontade ativa de autonomia e desenvolvimento dos povos atrasados é que poderá conduzir a uma reordenação internacional favorável ao desenvolvimento autônomo.

XII. Padrões de atraso histórico

Nas áreas afetadas pela Revolução Industrial através do processo de atualização histórica, encontramos os povos atrasados na história embora coetâneos com os povos avançados. Nesse sentido, não vivem uma etapa anterior do processo evolutivo. Ao contrário disso, são a contraparte necessária do polo desenvolvido, configurada para exercer um papel subalterno e dependente, devido à interação espoliativa que lhe é imposta. Esses povos subdesenvolvidos — porque marginalizados da civilização do seu tempo e condenados a experimentar apenas seus efeitos reflexos — se enquadram nas configurações de subalternidade, que vão desde o colonialismo aberto até formas sutis de dependência. Suas economias complementares não ensejam senão uma integração parcial da tecnologia moderna no seu processo produtivo e, em consequência, os impedem de alcançar os estilos de vida das nações industriais.

Dentro desse enquadramento, uma industrialização espontânea, em lugar de ser facilitada pela existência de modelos de ação e de técnicas maduramente experimentadas, é enormemente dificultada. Primeiro, pelo próprio caráter autoperpetuante do subdesenvolvimento só capaz de produzir espontaneamente a si mesmo. Segundo, por efeito do fortalecimento do reduto patricial-oligárquico interno que no curso da modernização reflexa se enriquece e ganha poderio crescente no exercício de sua função de agente do comércio importador e exportador, de produtor de artigos tropicais, de associado de empresas estrangeiras e de representante do poder público. Terceiro, pela transferência para o estrangeiro dos produtos do trabalho nacional e dos excedentes econômicos gerados internamente, que impede a acumulação interna de capitais disponíveis para investimentos industriais. Quarto, pelas imposições exorbitantes que lhes fazem as empresas alienígenas, elevando o custo social de todos os empreendimentos modernizadores a níveis insuportáveis. Quinto, pela intervenção estrangeira na vida política interna, que assegura precedência política aos agentes nativos da espoliação e veta qualquer possibilidade de rompimento com o atraso, caracterizando como subversivo qualquer esforço de desenvolvimento autônomo.

À custa de dramática experiência vivida, esses povos atrasados vão se apercebendo de que os progressos aparentes de suas cidades modernizadas, de seus hábitos de consumo conspícuo de artigos importados são a contraparte das suas crescentes massas pauperizadas, da perda da autonomia do seu desenvolvimento e da sujeição a vínculos opressivos na órbita econômica, política e cultural. Experimentando uma modernização condicionada por essas limitações, veem-se condenados a perpetuar-se como uma vasta área periférica das potências industriais e como povos marginalizados da civilização do seu tempo.

O caráter traumático de suas sociedades, deformado de suas economias e espúrio de suas culturas, acaba, porém, por revelar-se às suas lideranças mais lúcidas, que diagnosticam a natureza histórica e circunstancial de sua condenação à pobreza. Nesse momento deixam de ser povos atrasados na história para ser povos subdesenvolvidos, vale dizer, conscientes de que seu atraso é erradicável, desde que seus povos se mobilizem politicamente para lutar por sua emancipação, contra as forças internas e externas conjuradas para mantê-los no papel de consumidores de manufaturas importadas e de produtores de matérias-primas para indústrias alheias, sem qualquer perspectiva de desenvolvimento autônomo.

Aos primeiros embates dessa luta emancipadora, essas lideranças capacitam-se da complexidade da tarefa. A luta pelo desenvolvimento de seus países não constitui apenas um processo político interno, mas um esforço de reordenação de suas relações com o mundo. A penúria de que querem livrar-se é condição necessária à manutenção dos privilégios patricial-oligárquicos e ajuda a custear a fartura e a opulência dos povos ricos. Nessas circunstâncias, a luta pelo desenvolvimento assume necessariamente um caráter nacionalista como um conflito pela transferência de cargas. Os governos dos povos ricos, na defesa do que definem como seus interesses nacionais, esforçam-se em manter o sistema internacional vigente de intercâmbio como um dos mecanismos básicos de sua prosperidade. Os povos pobres, na defesa dos seus interesses nacionais, procuram formas de escapar à espoliação daquele sistema para construir, a partir de sua pobreza, uma economia nacional próspera. Nessa luta pela emancipação econômica e social, o inimigo tanto está fora — representado pelas nações imperialistas — como está no interior de cada sociedade — constituído pelas camadas dominantes nativas —, mancomunados para manter e aprofundar aqueles vínculos externos e para preservar e ampliar seus privilégios internos.

1. Configurações histórico-culturais e desenvolvimento

Os obstáculos para alcançar uma integração orgânica na civilização industrial moderna que permita atingir o desenvolvimento variam, também, de acordo

As Américas e a civilização

com o tipo de configuração histórico-cultural em que cada povo se insere. Às dificuldades naturais do processo de industrialização se somam resistências diversas, tendentes a torná-lo traumático, no caso dos *povos-testemunho*, e a opor-lhes especiais dificuldades, no caso dos *povos novos*, mas a facilitar em certa medida o seu curso, no caso dos *povos transplantados*.

Vimos como os *povos-testemunho* das Américas tiveram suas civilizações paralisadas no curso de sua evolução natural, para serem convertidos em "proletariados externos" da Espanha. Os mecanismos de espoliação desses povos, além do roubo, por parte dos conquistadores, de tesouros acumulados e da apropriação dos frutos de seu trabalho durante séculos pelo patronato nativo, incluíam toda sorte de ações rapaces, através das quais agentes civis, militares e eclesiásticos do poder colonial arrecadavam tudo o que podiam para voltar ricos à sua pátria. Esse patronato e esse patriciado que substituíram a antiga camada senhorial autóctone dela diferiam, essencialmente, por sua alienação com respeito à sociedade na qual se inseriam e pela motivação básica de suas atividades, que era a espoliação.

Emergindo para a Independência, três séculos depois da conquista, os *povos-testemunho* das Américas contavam com populações menores e eram infinitamente mais pobres do que antes. Ademais, haviam absorvido tamanha massa de elementos culturais tomados ao dominador que se viram compelidos a prosseguir o processo, uma vez que somente completando sua europeização alcançariam certa homogeneidade como etnia nacional. Aos problemas do desenvolvimento, mediante a integração no sistema capitalista e na civilização industrial, se somavam, para eles, as tarefas da absorção étnica de enormes massas marginalizadas social e culturalmente.

A classe dominante nativa, que liderou a independência destes povos, o fez com o intuito fundamental de substituir-se aos agentes metropolitanos de dominação. Uma vez colocada no comando das novas sociedades nacionais, procurou acelerar, por todos os modos, o processo de europeização, mas, simultaneamente, tratou de fazer com que a modernização e o desenvolvimento se processassem sob a égide de seus interesses. Esse fator de constrição passou a operar, desde então, como o condicionante básico do processo de renovação social e como seu deformador.

Um rompimento parcial com essa conjura foi alcançado pelos mexicanos através de uma revolução longa e sangrenta (1910-9) que lhes ensejou condições de realizar sua reforma agrária e iniciar uma industrialização autônoma. Um esclerosamento posterior do processo revolucionário veio, porém, limitar essas possibilidades, colocando o México num enquadramento desfavorável no sistema econômico internacional, unicamente capaz de imprimir ritmos lentos de progresso e que adia para tempos imprevisíveis o pleno desenvolvimento econômico e social da nação, bem como o amadurecimento das condições de autoexpressão do seu povo.

A Revolução Boliviana, que, nos seus primeiros passos, parecia configurar-se como uma ruptura definitiva com a estagnação a que os povos do Altiplano andino estavam condenados desde a conquista, sofreu uma regressão ainda mais violenta que a mexicana. Até ontem, ela parecia ter como perspectiva mais alvissareira repetir os passos do México para configurar-se — se fosse bem-sucedida no enfrentamento dos obstáculos ainda maiores que se lhe antepunham — numa estrutura nacionalista modernizadora ainda mais restringida e, desse modo, num compasso de desenvolvimento retardado, sem nenhuma possibilidade previsível de alcançar as nações plenamente amadurecidas. Hoje nem mesmo essa perspectiva lhe resta, porque mergulhou numa regressão de que só outra revolução social a poderá salvar.

Os peruanos trilham agora o caminho boliviano dos anos 50, buscando — através de uma reforma agrária profunda, da contenção da exploração estrangeira, da reforma do sistema industrial e bancário e de uma ampla campanha de renovação educacional — reativar sua população e integrá-la na civilização emergente. Os obstáculos para alcançar esses objetivos têm sido imensos e os riscos de regressão estão sempre presentes. Sem embargo, os peruanos contam com possibilidades potenciais maiores que as dos mexicanos e bolivianos para explorar as virtualidades da via nacionalista modernizadora. Tais são: a coesão da estrutura de poder que rege o processo, uma dependência menor com respeito aos Estados Unidos, e a conjuntura mundial da década de 70, de equilíbrio de poder entre múltiplas potências e de perspectivas de paz, que parece mais favorável para tentar a edificação de economias autônomas capazes de progresso generalizável a toda a população.

Os demais *povos-testemunho* que sofreram menor impacto que os americanos com a expansão europeia puderam preservar seus perfis étnicos e até mesmo prosseguir no processo de expansão macroétnica, como a Índia drávida, a China, a Indochina, o Japão e as nações muçulmanas. Todos tiveram de fazer frente, porém, ao imperativo da modernização. Apesar de reflexa, ela alterou profundamente seus modos de vida e teve de ter seguimento depois da independência formal, como uma exigência da evolução sociocultural. Mudou, no entanto, de caráter. Em lugar de operar como força ocidentalizadora — como ocorria sob condições de dominação colonial —, a modernização passou a atuar como uma força mais suscetível de depurar-se dos conteúdos culturais europeus. É, ainda assim, homogeneizadora porque, difundindo os mesmos procedimentos tecnológicos básicos, provoca respostas paralelas no plano estrutural e no institucional àquelas experimentadas

As Américas e a civilização

pela Europa. Essa uniformização foi por muito tempo percebida como uma europeização compulsória por aqueles que confundem a civilização industrial com a cultura ocidental. Hoje ela já pode ser interpretada como referente a imperativos humanos, e não aos étnicos de qualquer povo ou conjunto de povos. No passado a tecnologia mais avançada só veio a ser incidentalmente europeia porque, acidentalmente, a Europa se antecipara nas duas revoluções tecnológicas, a Mercantil e a Industrial, que teriam ocorrido necessariamente em outro quadrante se não se tivessem desencadeado ali. E que teriam conformado civilizações com as mesmas características essenciais porque estas correspondem a peculiaridades intrínsecas dos fenômenos naturais, como as potencialidades energéticas do vapor, do carvão e do petróleo, por exemplo. Estas peculiaridades físico-naturais é que fazem a civilização industrial essencialmente uniforme, qualquer que seja o povo que a exprima. São também uniformes muitas das consequências estruturais da economia industrial — como o surgimento de um proletariado — e, ainda, algumas repercussões ideológicas desse desenvolvimento, como a secularização da cultura, por exemplo.

O fato de esses desenvolvimentos terem ocorrido originalmente na Europa não apenas deu a esta quatro séculos de dominação sobre o mundo, mas também a oportunidade de colorir a nova civilização com os valores de suas tradições, fazendo a máquina, o motor ou a fábrica se impregnarem tanto deles que chegaram a ser tidos como intrinsecamente "ocidentais e cristãos".

Para os *povos-testemunho* que atingiram o desenvolvimento preservando sua autonomia e sua imagem étnica — como os japoneses e, agora, os chineses, através de processos de aceleração evolutiva —, se enseja o alçamento a novas etapas da evolução humana, que lhes permitirão experimentar as consequências homogeneizadosas universais da civilização industrial, mas já com capacidade de erradicar dela os conteúdos espúrios que a qualificavam como europeia ocidental e a faziam atuar no plano ideológico como uma força alienadora.

Os efeitos da Revolução Industrial sobre os *povos novos* só se diferenciam daqueles experimentados pelos *povos-testemunho* porque no primeiro caso se completara a amalgamação étnico-cultural, através da deculturação compulsória das etnias formadoras. O papel das lideranças nativas foi, porém, o mesmo. Nos dois casos a elite chamada a reger o processo de renovação econômica e social após a Independência configurou-se como um patriciado que utilizou o poder para montar estruturas institucionais vigorosamente resistentes a quaisquer mudanças que pudessem afetar os interesses patronais e, por essa via, abrir a seus povos perspectivas de desenvolvimento e de integração na civilização industrial moderna.

PADRÕES DE ATRASO HISTÓRICO

Os *povos novos* e os *povos-testemunho* das Américas se destacam como socieda-des-feitorias, fundadas e remoldadas por atos de vontade do núcleo colonizador e ordenadas intencionalmente em todo o seu modo de ser para servir a interesses e a objetivos exógenos. Como tal, experimentaram uma dominação externa mais poderosamente instalada e mais duradoura que qualquer outra área do mundo. Com base nessa intencionalidade, se pôde reimplantar neles a escravidão do tipo greco-romano, transladando-se para as plantações e as minas nas áreas de *povos novos* mais de 50 milhões de escravos negros durante os trezentos anos de escravidão e desgastando-se cerca de 70 milhões de indígenas dos *povos-testemunho*. Em ambos, os sistemas econômicos jamais se organizaram para criar e recriar as condições de sobrevivência e reprodução de suas populações, mas para, com o desgaste destas, produzir o que não consumiam, a fim de suprir necessidades alheias e enriquecer oligarquias locais. Nelas, o poder colonial se implantou da forma mais despótica, sem reconhecer jamais nenhum direito individual que acaso se pudesse opor à dominação. Nelas, ainda, foi sempre tão grande a alienação oligárquica e patricial com respeito à etnia nacional nascente, que as lideranças dos *povos novos* se propuseram até substituir a própria população em programas sistemáticos de branquização racial, como se tentou fazer no Brasil e na Venezuela e como efetivamente se fez na Argentina e no Uruguai, que, por essa via, se transfiguraram em *povos transplantados*. Nelas, finalmente, jamais se estabeleceram instituições democráticas de autogoverno que não fossem simulacros destinados a disfarçar a dominação patricial-oligárquica. Nem foi admitido nenhum mecanismo de participação popular no poder, e as distâncias sociais entre homens livres e escravos eram similares às que medeiam entre homens e animais, sendo enorme, também, a dissimetria de relações entre ricos e pobres.

Operando sobre esse mundo despótico e escravocrata, latifundiário e monocultor, as forças transformadoras da Revolução Industrial encontravam resistências muito maiores à implantação de uma economia moderna e a uma reordenação social que assegurasse oportunidades de participação popular nos benefícios do progresso. Nessas circunstâncias, os antagonismos que na Europa — e nas sociedades de tipo europeu transplantadas para novos espaços — apenas limitaram as potencialidades da civilização industrial, submetendo-a a uma ordenação classista ou atrasando sua implantação, aqui conseguiram deformar todo o processo. Cada núcleo industrial emerge, nessas áreas, como um enclave ilhado em meio a uma economia arcaica prevalecente que só lhe permite expandir-se quando não se opõe aos interesses investidos no latifúndio e na economia de exportação. Sendo todo o poder político[5] monopolizado por esse patronato oligárquico e comercial-

AS AMÉRICAS E A CIVILIZAÇÃO

-parasitário que só aspirava uma integração mais lucrativa para eles próprios no sistema mundial, não surge um empresariado moderno oposto à classe dominante tradicional. Ela mesma é que se desdobra em empresariado industrial e se associa aos empreendimentos modernizadores promovidos pelas grandes corporações internacionais.

Desse modo, a transição da economia agrário-mercantil à industrial, já em si muito difícil, foi conduzida a um estado traumático: o subdesenvolvimento. Ou seja, à distrofia social caracterizada pela contradição entre as potencialidades de fartura ensejadas pela tecnologia industrial e a miséria provocada pelo seu condicionamento a uma ordenação social oligárquica e patricial e de tipo arcaico. Suas síndromes mais visíveis são o aumento explosivo da população e a transladação maciça de rurícolas para as cidades, simultaneamente com uma redução drástica da acessibilidade aos meios de trabalho e de sobrevivência, que gera crescentes massas marginais condenadas à maior penúria.

Transferindo para os centros metropolitanos as principais oportunidades de industrialização e os lucros operacionais proporcionados pela mecanização do sistema produtivo, o que se implanta nesses países é um processo acelerado de marginalização socioeconômica que atinge camadas cada vez maiores da população, estabelecendo-se uma bipartição entre uma pequena parcela de privilegiados e a nação.

Disso resulta o enrijecimento da ordenação social e do sistema político, destinados a garantir à classe dominante nativa o exercício do poder e a fruição dos benefícios do progresso, como sócia menor da espoliação imperialista, que absorve a massa principal do produto do trabalho nacional. Mas resulta, também, na constituição de uma mole humana de marginalizados que se concentra nas orlas das cidades e das metrópoles, uniformizada culturalmente pela singeleza de seus modos de vida e tendente a unir-se, um dia, porque só com a erradicação da ordem vigente terá oportunidade de integrar o sistema ocupacional e de participar da vida social e política da nação. A Europa experimentou uma compulsão da mesma natureza na segunda metade do século XIX, quando vivia uma etapa correspondente do processo de industrialização. Só pôde enfrentá-la exportando como colonos e desgastando em guerras cerca de 100 milhões de europeus. As classes dominantes latino-americanas que não contarão com esses expedientes, nem com a possibilidade de integrar essas massas na vida nacional, têm nelas as contrapartes de sua riqueza, o opositor chamado historicamente a erradicá-las do panorama social e político de seus países.

A industrialização dos *povos novos* e dos *povos-testemunho*, realizando-se sob essas condições de constrição interna e de espoliação externa, processou-se deformada

PADRÕES DE ATRASO HISTÓRICO

e incapaz de gerar os efeitos renovadores que operou em outros contextos. Primeiro, porque se fez reflexamente, pela montagem de mecanismos modernizadores destinados a ativar seu papel de produtores de matérias-primas. Segundo, porque se tornou principalmente substitutiva das antigas importações, produzidas localmente pelas sucursais das grandes corporações. Terceiro, porque se desenvolveu estrangulada por diversos procedimentos limitadores, como a propriedade estrangeira da maioria das plantas industriais que as transforma em mecanismos de captação de recursos e de recolonização da economia nacional. Quarto, por seu caráter predominante de indústrias de consumo, que multiplicam a oferta de artigos suntuários, drenando parcelas ponderáveis da renda nacional para gastos supérfluos que as nações industrializadas só se puderam proporcionar tardiamente. Quinto, por sua incapacidade de assegurar autonomia ao processo de desenvolvimento nacional por lhe faltarem, precisamente, as indústrias de base e de produção de maquinaria. E, finalmente, por serem as suas fábricas operadas como bens importados, frutos do desenvolvimento tecnológico ocorrido alhures, do qual permaneceram sempre dependentes. O efeito crucial da pseudoindustrialização assim implantada foi a substituição do empresariado nacional, que o capitalismo industrial fez surgir onde quer que amadurecesse autonomamente, por uma camada meramente gerencial de interesses estrangeiros ou por um patronato nativo submisso às grandes corporações, mais interessado na sobrevivência a qualquer preço do próprio capitalismo do que no desenvolvimento nacional. Outro efeito dessa industrialização recolonizadora foi a supressão das condições para o surgimento de um corpo nacional de cientistas e tecnólogos, capazes de dominar o saber moderno, em virtude da transferência de suas funções para os departamentos de investigação das sedes das corporações estrangeiras, que gerem essa industrialização induzida como mecanismo de sucção de recursos.

A diferença dos efeitos na introdução da tecnologia industrial entre aquelas duas categorias de povos e os *povos transplantados* exprime, essencialmente, a flexibilidade estrutural destes últimos em relação à rigidez dos primeiros com respeito ao papel constritor das classes dominantes. Os Estados Unidos, o Canadá, a Austrália e a Nova Zelândia, instituídos como nações pela transladação de populações marginalizadas da Europa para áreas desertas ou ralamente povoadas, puderam estruturar suas sociedades sem enfrentar as barreiras da obstrução oligárquico-patricial, de acordo com a visão do mundo que já traziam como populações originárias de países em vias de industrialização. Beneficiaram-se, inicialmente, dos vínculos com a Inglaterra, que, por um lado, lhes assegurava mais fácil domínio das fontes de saber tecnológico moderno e, por outro, da influência de uma tradição política mais democrática, que

501

As Américas e a civilização

permitia certo grau de participação popular na ordenação social. Essa herança democrática é que serviu de base à política de expropriação e distribuição dos latifúndios pertencentes ao inimigo, depois da guerra de independência dos Estados Unidos, e, mais tarde, às leis do *Homestead*, que abriram o Oeste a milhões de granjeiros.

Representou, também, um papel relevante na configuração da América do Norte a circunstância de, como povos protestantes, os colonizadores procurarem alfabetizar toda a população para tornar acessível a palavra bíblica, o que não ocorreu nos países católicos. Esse fato é provavelmente tão importante quanto o paralelo weberiano do espírito capitalista e da ética protestante (M. Weber, 1948). Efetivamente, a alfabetização em massa capacitou amplas camadas da população norte-americana[6] a participar da vida política e permitiu preencher um dos pré-requisitos básicos de qualificação da mão de obra de uma civilização industrial que não se forma pela tradição oral, mas pela transmissão escrita dos conhecimentos. Um episódio retrata a importância desse fator: a tiragem de 150 mil exemplares atingida pelo livro clássico de chamamento libertário de Thomas Paine nos dois meses que se seguiram à primeira edição e que representou um papel relevante na mobilização popular para a luta pela independência. Seria impossível reproduzir-se um fato dessa natureza em qualquer outra área americana em virtude do analfabetismo prevalecente em toda a população, inclusive entre as camadas ricas.

Comparada a progressão norte-americana e a canadense com a argentina e a uruguaia, também *povos transplantados*, verifica-se que as diferenças nos respectivos desenvolvimentos se explicam pela existência nestes últimos de uma oligarquia latifundiária que, mesmo após a Independência, preservou o monopólio da terra; de um patronato parasitário dedicado à importação e à exportação; e de um patronato portuário que limitou a expansão da atividade criativa dos imigrantes a uma indústria artesanal, mantendo o regime de estímulo às importações. Essas constrições é que estrangularam o desenvolvimento argentino e o uruguaio, em comparação ao das nações transplantadas não sujeitas a tais controles paralisantes. Sobretudo a primeira delas, que tornou inviáveis, nas duas últimas décadas, as economias argentina e uruguaia de exportação de carne, de lã e de cereais, produzidos em latifúndios, em face da competição dos granjeiros canadenses, australianos e neozelandeses.

O monopólio da terra compeliu a massa de imigrantes europeus encaminhada para os países rio-platenses, após breves períodos no campo, a buscar as cidades pela impossibilidade de se fazer granjeira. Desse modo, aquelas sociedades se defrontaram com um duplo problema: o de não terem constituído a classe média rural que poderia sustentar, como mercado, sua industrialização e de sofrerem uma urbanização precoce que reduziu a compreensão demográfica para a reforma agrária e criou um vasto setor parasitário para sua economia, representado por enormes contingentes do setor terciário, principalmente burocratas.

Teve também alguma importância para os *povos transplantados* do Sul o fato de emergirem da dominação ibérica para cair sob a influência britânica, exatamente quando os Estados Unidos dela se libertavam, através da Independência, escapando, assim, do pacto colonial para cair na dependência neocolonial. Enquanto os norte-americanos se dedicavam à expansão de sua fronteira interna, através de uma economia agrícola granjeira e da implantação de uma infraestrutura industrial autônoma, já com vistas a uma política de potência, a Argentina e o Uruguai independentes procuravam proporcionar-se o consumo de bens manufaturados, esforçando-se por alargar suas lavouras e sua pecuária de exportação, através da expansão do latifúndio e da implantação de empresas estrangeiras. Estas procederam à modernização de sua economia, instalando o transporte ferroviário, as centrais elétricas e outros setores que exigiam uma alta tecnologia.

Os desenvolvimentos são, portanto, opostos. No primeiro caso, temos um projeto de criação de uma economia autárquica, através da difusão da pequena propriedade rural, que permitiu criar um poderoso mercado no qual se assentaria o desenvolvimento industrial posterior. No segundo, a manutenção das funções complementares tradicionais da economia herdada do regime colonial, e a aceitação de novas dependências externas, cada vez mais imperativas.

O conteúdo arcaico da região Sul dos Estados Unidos, que reagiu insurrecionalmente contra a orientação industrializadora, autonomista e democrática do Norte, exemplifica o papel de constrição oligárquica da formação colonial escravista de *plantation*, e demonstra o quanto pôde esse fator afetar o processo de desenvolvimento dos países onde prevaleceu no período colonial e onde sobrevive até hoje. Vencida e subjugada pela Guerra de Secessão, a região sulina amargaria o seu próprio atraso diante do Norte e do Oeste, que progrediram por novos caminhos. Mesmo vencida, porém, persistiria, por décadas, como uma tara de atraso atrelada à sociedade norte-americana. Invicta ainda hoje na América Latina (exceto em Cuba e agora também no Peru), essa economia de fazendas latifundiárias de exportação constitui o conformador fundamental das respectivas sociedades nacionais e a causa básica do atraso de todo o sul do continente.

2. Balanço mundial da riqueza e da pobreza

Recapitulando a marcha do processo civilizatório movido pela Revolução Industrial, sobre os diferentes contextos socioculturais do mundo, podem se distinguir os seguintes modelos de desenvolvimento industrial e de subdesenvolvimento.

Desenvolvimento industrial

I. *Desenvolvimento capitalista precoce* — Implantado originalmente pela Inglaterra, pioneira na utilização da tecnologia de alta energia e na transformação estrutural a ela correspondente. Seguiram-se os Países Baixos, a França e, mais tarde, os Estados Unidos. Em todos esses casos, o desenvolvimento econômico e social se processou mais ou menos espontaneisticamente, em estruturas abertas ao comércio internacional, pela combinação do progresso interno com a exploração de economias periféricas. Todas essas nações preservaram e aprimoraram, internamente, instituições liberais, que permitiram às suas populações metropolitanas exercer certo grau de participação no poder político. Simultaneamente, porém, contribuíram de todos os modos para impedir que essas mesmas condições amadurecessem em suas áreas de dominação política ou econômica ou nas nações virtualmente concorrentes que se haviam retardado na industrialização.

II. *Desenvolvimento capitalista tardio* — É o caso da Alemanha, do Japão e da Itália, que progrediram mediante processos intencionais de desenvolvimento dirigidos por regimes autocráticos, os quais estruturaram autarquicamente suas economias para fugir às compulsões a que eram submetidas pelas potências pioneiras na industrialização. Todos eles descambaram, mais tarde, para formas totalitárias de governo e para o expansionismo imperialista, no esforço de conseguir uma redivisão das áreas coloniais que os beneficiasse. A redução desse expansionismo só pôde ser alcançada através de duas guerras mundiais.

III. *Desenvolvimento capitalista recente* — Cabem nesta categoria duas modalidades de ordenação político-econômica: o padrão socialista evolutivo dos povos escandinavos e o padrão capitalista liberal de alguns *povos transplantados*, como o Canadá e a Austrália. Parecem emergir para essa categoria a Nova Zelândia e Israel. Fracassaram no intento de performá-lo a Argentina e o Uruguai. Procuram desenvolver-se pela mesma via a África do Sul e a Rodésia. Ambas têm, entretanto, suas populações divididas em três castas imiscíveis: a minoria branca opressora; a camada a ela associada de mestiços formados nos primeiros séculos de ocupação a que se somaram contingentes asiáticos incorporados posteriormente; e a grande massa negra autóctone dos antigos donos da terra. Essa composição faz delas ainda hoje meras feitorias enquistadas na África e as torna demasiadamente inviáveis como nações para que possam alcançar estabilidade.

IV. *Desenvolvimento socialista* — É representado pela União Soviética, pelas Repúblicas Populares da Europa Oriental, pela China, pelo Vietnã e Coreia do Norte, e por Cuba, que inaugurou a nova formação nas Américas. Surgidos, embora, há menos de meio século, já absorvem mais de 1 bilhão de pessoas, cobrindo enormes áreas territoriais. Seu poder de difusão não se assenta na expansão imperialista, mas em formas superiores de associação que, embora afetadas pela política de potência, propiciam melhores condições de intercâmbio internacional. Enseja ritmos mais intensos de progresso econômico, social e cultural até hoje conhecidos. Representa, por isso, a via mais direta de induzir um processo de aceleração evolutiva em sociedades subdesenvolvidas de estrutura social rígida e com grandes montantes populacionais.

Subdesenvolvimento

Em oposição a esses modelos de desenvolvimento industrial encontramos, em vários padrões de estagnação e traumatização, todos os demais povos do mundo, comumente qualificados como nações subdesenvolvidas. Dentre estas destacam-se as nações europeias que se marginalizaram do processo de industrialização, como Espanha e Portugal. Estas são sobrevivências de impérios mercantis salvacionistas que, não conseguindo ascender ao capitalismo industrial e experimentar as transformações estruturais correspondentes, congelaram suas estruturas rígidas, regidas por camadas oligárquicas e patriciados burocráticos, vendo-se, afinal, reduzidas a áreas de exploração neocolonial. Ambos foram convulsionados por movimentos revolucionários que, irrompendo em conjunturas desfavoráveis, terminaram sendo esmagados. Seguiram-se décadas de opressão de estados policiais instituídos como o braço opressor das camadas mais retrógradas sobre seus povos. A Grécia forma também ao lado das nações proletárias, como resultado de séculos de dominação externa em que se degradaram seus padrões de cultura, e do arcaísmo de sua estrutura agrária, só comparável à dos dois outros povos subdesenvolvidos da Europa.

A segunda categoria de povos atrasados na história é integrada pelas populações extraeuropeias, que, tendo pago a parcela maior do preço da industrialização alheia, como áreas de saqueio e como proletariados externos, ficaram relegados ao atraso e à penúria. O óbice principal ao seu progresso está na pobreza a que foram reduzidos pela transferência das riquezas que haviam acumulado através de gerações, bem como pela drenagem secular — e que ainda prossegue — dos produtos do trabalho nacional, através da sua inserção no sistema econômico mundial por via da atualização histórica, como produtores de artigos tropicais e de matérias-primas. Outro obstáculo reside nas condições de atraso cultural e de estagnação a que foram conduzidos pelas camadas oligárquicas e patriciais nativas que se fizeram, primeiro, agentes da exploração colonial e, mais tarde, associadas da espoliação imperialista, operando, nos dois casos, como obstáculo ao desenvolvimento de seus povos.

Tais são os povos subdesenvolvidos extraeuropeus que podem ser classificados em três blocos básicos, em decorrência do seu processo de formação histórica e conforme os tipos de problemas socioculturais que enfrentam na luta pelo desenvolvimento.

I. *Povos emergentes* — São as nações novas da África tropical e da Ásia que emergem da condição tribal à nacional, em situação de atraso ainda maior do que o enfrentado pelas nações latino-americanas quando de sua Independência no primeiro quartel do século XIX. Elas contam, entretanto, com possibilidades de um desenvolvimento mais acelerado e menos dependente, em virtude da conjuntura mundial bipartida pela oposição entre o campo socialista e o capitalista. Alguns destes povos se encontram ainda sob dominação colonialista, aberta ou disfarçada, por parte dos belgas, ingleses, franceses e norte-americanos. Os setores econômicos mais desenvolvidos dentro desse bloco são principalmente encraves estrangeiros implantados como quistos dentro das sociedades nacionais nascentes, como as empresas mineradoras do Congo, da Rodésia meridional, da Nigéria, de Catanga e do Camerum; as lavouras tropicais de exportação da Libéria, de Gana, na Nigéria, da Guiné, da Somália, de Quênia, Sudão. Somente a Tanzânia, Angola e Moçambique recém-liberadas procuram estruturar-se para um desenvolvimento autônomo e socialmente responsável. Também na Ásia, sobretudo na Insulíndia, na Indonésia, nas Filipinas, encontram-se diversas populações vítimas de sistemas equivalentes de exploração, algumas das quais ainda sob sujeição colonial.

II. *Povos-testemunho* — Estes são os representantes modernos de velhas civilizações, como a muçulmana, a indiana, a coreana, a indochinesa, a asteca e a incaica, que sofreram o impacto traumatizador da expansão europeia, de que começam a recuperar-se agora, partindo das mais precárias condições de empobrecimento. Em todo o grupo, apenas o Japão e a China conseguiram alcançar o desenvolvimento industrial moderno, mais maduro o primeiro, mas com potencialidades economicamente muito maiores de consolidação e expansão a segunda.

Os mexicanos, com sua revolução de 1910, seguida da ação do governo Cárdenas, e os bolivianos, com sua revolução de 1952, conquistaram condições mais favoráveis de ruptura do desenvolvimento. Todavia, mesmo no primeiro caso, ele se processa a ritmo demasiado lento para que se possa admitir que um dia chegue a alcançar, por essa via, as nações plenamente desenvolvidas. Desde 1968 o Peru se perfila entre as nações que tentam alcançar o desenvolvimento autônomo pela via do nacionalismo modernizador.

Seguem-se os países muçulmanos, mobilizados para sua própria emancipação por amplos movimentos modernizadores, que alcançaram o poder através de coalizões militares nacionalistas e religiosas (Turquia, Egito, Síria e Argélia). Alguns deles estão polarizados pela liderança egípcia de oposição a Israel para um pan-arabismo que motiva fortemente a industrialização e a liquidação do regime agrário arcaico. Outros se inclinam para um esforço de reconstrução nacional, de modelo socialista, liderados pela Argélia. Um terceiro grupo, finalmente, se encontra jungido a regimes coloniais mercantis do tipo mais atrasado e servil aos interesses imperialistas ligados à exploração petrolífera (Arábia, Irã, Iraque).

A Birmânia, o Paquistão e o Afeganistão esforçam-se, juntamente com a Índia, por romper com o subdesenvolvimento mediante um equilíbrio entre a órbita socialista e a capitalista, apelando para a ajuda de ambos. A Indonésia, o Camboja, o Laos, o Vietnã do Sul e a Coreia do Sul parecem cada vez mais polarizados entre a nova frente de influência socializadora que surgiu no Oriente com a Revolução Chinesa e o poderio dos Estados Unidos no Pacífico. Proibidos de optar entre a ordenação capitalista e a socialista, essas nações experimentam profundos traumas.

III. *Povos novos* — Situados todos na América Latina, diferenciam-se em três grandes blocos. Primeiro, os 120 milhões de chilenos, brasileiros e paraguaios, que, em conjunto, formam o núcleo mais populoso. Os dois primeiros contam com uma industrialização avançada e diversificada, que lhes assegura certas condições de desenvolvimento independente. Mas o fazem com fins e meios distintos. Brasil e Paraguai, dominados por autocracias militares, buscam a prosperidade das grandes empresas, predominantemente estrangeiras, e de uma estreitíssima classe dominante que concentra o poder e a riqueza. O Chile, orientado entre 1970 e 1973 a um socialismo evolutivo, buscou alcançar um progresso generalizável a toda a população dentro de um regime parlamentar pluripartidário, mas foi derrotado. Segundo, os povos da Nova Granada, integrada pela Colômbia, pela Venezuela e pelas Guianas, de economias profundamente deformadas pela intervenção das grandes corporações monopolistas norte-americanas e pela hegemonia das velhas classes dominantes de composição patronal-oligárquica, patronal-parasitária e patricial-burocrática, mancomunadas todas para perpetuar o atraso e assim salvaguardar seus interesses minoritários.

Todos esses países têm como problema básico a emancipação desse duplo

AS AMÉRICAS E A CIVILIZAÇÃO

domínio para alcançar o desenvolvimento. Terceiro, os 23 milhões de antilhanos, também polarizados entre dois modelos de ordenação econômica e social: o socialista cubano e o imperialista norte-americano; mais proibidos pelo veto deste último de deliberar sobre o caminho que mais convém a seus povos.

Cremos haver demonstrado que a tipologia das grandes configurações histórico-culturais que utilizamos na caracterização dos povos extraeuropeus pode ajudar na compreensão das causas do desenvolvimento desigual das nações americanas.

Considerando em conjunto os povos de cada bloco, com respeito ao grau de desenvolvimento que alcançaram, observa-se que eles apresentam tanto uniformidades como discrepâncias significativas. Acima de suas semelhanças étnico-culturais, os mesmos contrastam flagrantemente por descompassos econômicos que fazem de alguns deles povos modernos porque incorporados ao processo civilizatório do seu tempo; e de outros, povos arcaicos e subdesenvolvidos porque traumatizados nesse processo. Não obstante, observam-se certas uniformidades significativas. Assim é que, entre os *povos-testemunho*, apenas os japoneses alcançaram pleno desenvolvimento industrial, e os chineses, em nossos dias, se encaminham para a mesma façanha. Dentre os *povos transplantados*, um número muito maior (Estados Unidos, Canadá, Austrália, Nova Zelândia e Israel) atingiu precocemente o desenvolvimento. Entre os *povos novos*, nenhum alcançou ainda esse nível. Até que ponto suas diferenças explicam estas performances contraditórias?

Parece óbvio que os *povos transplantados* contaram com vantagens oriundas do seu tipo de formação para se integrarem na civilização industrial moderna, enquanto os povos das outras categorias tiveram de enfrentar obstáculos muito maiores em sua luta pelo desenvolvimento. Tais obstáculos decorrem, principalmente, do modo de estratificação social que resultou na forma de implantação de cada qual. Este assumiu uma configuração mais flexível e igualitária no caso dos *povos transplantados* e mais rigidamente hierarquizada nos demais.

Desde o seu surgimento, os *povos-testemunho* e os *povos novos* tiveram a maioria de suas populações condenadas a uma marginalidade cultural ou social que não ensejou sua integração nos estilos de vida modernos. Tal marginalidade, como foi assinalado, assume caráter sobretudo cultural no caso dos primeiros, a braços com o problema de incorporar na vida nacional os seus contingentes mais arcaicos, quase sempre apegados a costumes e valores das antigas culturas. E é de caráter principalmente social nos *povos novos*, enquanto resultantes de um empreendimento mercantil que, transladando multidões de africanos para submetê-los à escravidão, ou destribalizando populações indígenas com o mesmo objetivo, os homogeneizou através da deculturação, mas os configurou como estratos atrasados e reduzidos a níveis incomprimíveis de miséria. Para se desenvolverem, devem uns alçar-se de sua condição indígena, nitidamente diferenciada da *ladina*, e outros, desde a profundidade de sua penúria de ex-escravos, enfrentando, nos dois casos, patronatos e patriciados locais degradados pelo exercício secular do jugo escravista e atados aos interesses externos que se associaram na exploração da miséria de seus povos.

Superar esses percalços foi, até agora, um desafio insuperável para os *povos novos* e muito mais difícil para os *povos-testemunho* do que para os *povos transplantados*. Importa, para os primeiros, num enorme esforço reordenador de toda a sociedade que só poderá ser conduzido intencionalmente, ao contrário do que ocorreu entre os *povos transplantados* do Norte, onde pôde fazer-se de modo mais espontâneo. Alcançar essa reordenação exige tamanho esforço de autossuperação que nenhum povo latino-americano, à exceção do México, com sua revolução de 1910, da Bolívia, em 1952 — mas de modo incompleto e sujeito a regressão —, ultimamente de Cuba e, mais recentemente, do Peru, nenhum desses povos logrou enfrentá-lo com sucesso. É de assimilar que, nos dois primeiros casos, essa ruptura esclerosou-se e regrediu. A dificuldade fundamental encontra-se no vigor autoperpetuativo da trama de interesses patronais-patriciais que presidiu à ordenação dessas sociedades altamente desigualitárias, originalmente fundadas no escravismo e posteriormente modernizadas, pela via da atualização histórica, como formações neocoloniais.

O enfrentamento e a superação desse enquadramento retrógrado não poderão ser alcançados através da modernização reflexa dessas sociedades porque esse processo eternizaria a dependência externa e com ele o atraso. Só se pode atingir por meio de uma reestruturação prévia da sociedade, pela via de uma profunda revolução social capaz de erradicar do poder a classe dominante para, desse modo, libertar as energias secularmente contidas de seus povos.

Uma vez aberta e refeita a ordem social, esses povos atrasados na história poderão acelerar seu ritmo de progresso até um nível que lhes permita alcançar, em prazo previsível, o grau de desenvolvimento já conseguido pelos povos avançados. Paradoxalmente, essa aceleração é a um tempo mais simples e mais complexa do que os problemas de desenvolvimento com que se defrontaram os povos que já venceram essa etapa. Mais simples, porque se trata de induzir suas próprias sociedades e experimentar transformações do sistema produtivo operadas, desde há muito, nas nações desenvolvidas, através da industrialização autônoma. Só por constituir a repetição de experiências já vividas por outras nações, o processo se torna menos difícil e passível de ser conduzido racionalmente, com economia de tempo e de recursos e menos penosamente. São, todavia, muito mais complexos, porque toda uma conjuntura mundial e local de interesses investidos no velho sistema se opõe à indispensável renovação prévia da estrutura social, temerosa dos prejuízos que representará para os povos cêntricos uma reordenação da economia dos povos periféricos, e, para os patronatos e patriciados locais, a perda de seus privilégios.

A revolução tecnológica tem, assim, para os povos subdesenvolvidos, como pré-requisito básico, uma revolução social interna e um enfrentamento decisivo na órbita internacional, porque só assim eles poderão retirar os instrumentos de poder e de formulação da ordem social das mãos das classes dominantes internas e dos seus associados internacionais igualmente comprometidos com o atraso, porque sabem fazê-lo lucrativo para si próprios.

Notas

Introdução: As teorias do atraso e do progresso

1. Exemplificam essa orientação, no plano teórico, as obras de S. M. Lipset, 1964; J. H. Boecke, 1963; K. H. Silvert, 1962; Gino Germani, 1965; Jacques Lambert, 1958; C. Morazé, 1954; A. O. Hirschman, 1963; D. Lerner, 1958; Bert Hoselitz, 1960; A. Gerschenkron, 1962; S. N. Eisenstadt, 1963; Peter Heinz, 1965; F. Bourricaud, 1967.

   Nossas referências bibliográficas são feitas pela indicação do nome do autor e da data de publicação da obra, seguida do número da página quando há citação textual. Os títulos das obras correspondentes se encontram no final do volume, distribuídos segundo os respectivos capítulos.

2. Não analisamos aqui as "interpretações clássicas" da América Latina porque elas não chegam a articular uma teoria da mudança social. Partindo de uma postura fatalista, algumas delas atribuem o atraso ao clima ou à raça (D. F. Sarmiento, 1915; C. O. Bunge, 1903; O. Vianna, 1952; A. Arquedas, 1937) ou a qualidades negativas do colonizador (M. Bomfim, 1929, 1931; J. Ingenieros, 1913; S. Ramos 1951). Outras chegam a questionar aqueles determinismos (J. B. Alberdi, 1943; E. Cunha, 1911; G. Freyre, 1954; S. B. Holanda, 1956; E. M. Estrada, 1933; O. Paz, 1950; H. A. Murena, 1964) sem, contudo, lhes opor nenhuma teoria congruente.

3. Exemplos de reação à sociologia acadêmica se encontram nas obras críticas de Robert Lynd, 1944; C. Wright Mills, 1961; Gunnar Myrdal, 1944 e 1953; L. A. Costa Pinto, 1963; P. González Casanova, 1965; A. Gunder Frank, 1967a; R. Stavenhagen, 1965; Florestan Fernandes, 1963; Fernando Henrique Cardoso, 1964; Octavio Ianni, 1965 e 1966.

4. Essas limitações dizem respeito aos estudos sociológicos geralmente considerados sérios. Afora estes, todo um exército de pesquisadores-espiões investiga na América Latina e no mundo subdesenvolvido, custeado por organismos tão estranhos ao mundo acadêmico como a CIA, os ministérios da Defesa e das

Relações Exteriores da América do Norte. O exemplo mais conhecido é o chamado *Projeto Camelot*. Dezenas de outros, porém, foram realizados ou estão em andamento (G. Selser, 1966).

5. O principal fruto dessa orientação é o "desenvolvimento". Em sua forma oficial mais cautelosa pode ser exemplificado pela produção dos peritos cepalinos e de outros órgãos internacionais. E em sua versão reformista mais ousada, por H. Jaguaribe, 1962; Lebret, 1961; C. Furtado, 1961; J. Medina Echevarría, 1964; Aníbal Pinto, 1965; K. H. Silvert, 1965.

6. Os melhores exemplos dessa ordem de estudos são dados, no campo econômico, por W. W. Rostow, 1961 e 1964, e por E. Staley, 1964; e, no sociológico, por R. Lippit e outros, 1958.

7. São exceções a essa orientação os estudos antropológicos que retomam a perspectiva evolucionista (ver V. Gordon Childe, 1956, 1964; L. White, 1959; J. H. Steward, 1955); como também os estudos de R. Redfield, 1956 e 1963, e os de G. M. Foster, 1962, sobre a matriz cultural ibérica e as tentativas de construção de tipologias dos povos americanos de hoje (D. B. Heath e R. N. Adams, orgs., 1965). E, ainda, os estudos sociológicos da descolonização (G. Balandier, 1955) e as pesquisas recentes de Oscar Lewis, 1964 e 1966, sobre a cultura da pobreza.

8. Ver, principalmente, George Foster, 1964; E. H. Spicer, 1952; R. N. Adams, 1960; S. Andreski, 1966.

9. Trabalhos elaborados dentro dessa perspectiva se encontram em N. W. Sodré, 1944 e 1963; Rodney Arismendi, 1962; Rodolfo Puiggros, 1945. E críticas a essa abordagem em Caio Prado Jr., 1966; Wanderley Guilherme, 1963; Paul Baran, 1964; A. Gunder Frank, 1967.

10. Darcy Ribeiro — *O processo civilizatório — Etapas da evolução sociocultural*. 3ª ed. Rio de Janeiro, 1975.

11. Seus frutos teóricos mais ambiciosos são as "teorias de alcance médio" derivadas da obra de Talcott Parsons, 1951; Robert K. Merton, 1959; M. J. Levy, 1952.

12. V. I. Lênin, 1941-3; L. Trótski, 1962-3; A. Gramsci, 1958, 1960a; G. Lukács, 1960; K. Kosik, 1965; J.-P. Sartre, 1963; H. Marcuse, 1964; P. A. Baran e P. Sweezy, 1966; L. Althusser, 1967; D. I. Chesnokov, 1966.

13. P. V. Konstantinov e outros, 1960; O. V. Kunsinen e outros, 1964; O. Yajot, 1965; A. Viatkin e outros, s.d., e A. Makarov e outros, 1965.

NOTAS

14. Exemplificam esses esforços Max Weber, 1964; K. Manheim, 1950; Th. Veblen, 1951; E. Lynd, 1944; C. Wright Mills, 1960, 1961, 1962; F. Lundberg, 1960; D. Riesman e outros, 1964; E. Shils, 1956; I. L. Horowitz, 1966.

15. Os estudos marxistas de expansão do imperialismo industrial e dos seus efeitos focalizam, sob a denominação de "desenvolvimento desigual e combinado" (V. I. Lênin, 1960; L. Trótski, 1962-3; P. Baran, 1964), problemas aqui estudados como efeitos de processos de atualização histórica.

Primeira parte: A civilização ocidental e nós

1. Esse tema é amplamente discutido pelo autor em O processo civilizatório, 1968.

2. Sobre formações econômico-sociais ou socioculturais, ver D. Ribeiro: O processo civilizatório — Etapas da evolução sociocultural.

3. Sobre a população pré-colombiana e o seu processo de extermínio, ver W. Borah, 1962; Dobyns e Thompson, 1966.

4. Supõe-se que, a um ritmo anual de 2,5% de incremento, seja necessário responder com uma taxa de investimento de cerca de 10% da renda nacional, apenas para manter a mesma proporção de equipamento produtivo por pessoa ativa.

Segunda parte: Os povos-testemunho

1. Tenochtitlán, a capital dos mexicanos, tinha uma população avaliada em 300 mil habitantes pelos cronistas da Conquista e considerada maior por alguns estudiosos modernos (G. C. Vaillant, 1944; J. Soustelle, 1956; W. Borah e S. F. Cook, 1963). Ainda que haja exagero nesses cálculos, a antiga capital asteca deve ser considerada uma das maiores metrópoles do seu tempo. A população de Sevilha, a maior das cidades espanholas do século XVI, é estimada em 120 mil habitantes; a de Lisboa, em 100 mil; e a de Madri, em 60 mil.

2. Segundo A. L. Kroeber, 1939, ela seria de 3,3 milhões; segundo A. Rosenblat, 1954, seria de 5,3 milhões; segundo K. Sapper, 1924, seria de 12 a 15 milhões; segundo W. Borah e S. F. Cook, 1963, de 25 a 30 milhões; e segundo H. Dobyns

513

e P. Thompson, 1966, seria de 30 a 37,5 milhões. Estas últimas estimativas estão provavelmente mais próximas da realidade porque se baseiam numa utilização crítica das fontes informativas e no emprego de métodos explícitos de avaliação.

3. Os testemunhos deixados pelos astecas contemporâneos da grande epidemia descrevem como ela começou e se estendeu. "A alguns cobriu de grãos por todas as partes de seu corpo: na cabeça, na cara, no peito etc. Era muito destruidora. Muitas gentes morreram dela. Já ninguém podia andar, só ficavam deitados, estendidos na cama. Ninguém podia mover-se, nem o pescoço se conseguia mover, nenhum movimento se podia fazer com o corpo. Não podiam deitar-se de cara para baixo; nem sobre as costas; nem de um lado, nem do outro. E quando se moviam um pouco, davam gritos. A muitos trouxe a morte, essa pegajosa, feridenta e dura enfermidade de caroços. Muitos morreram dela. Mas muitos só morreram de fome, já que ninguém podia cuidar de ninguém; ninguém se preocupava com os outros."

"Alguns foram contaminados de caroços espaçados: estes sofreram menos, morreram em menor número. Mas com isso, muitos perderam a cara, ficaram carcomidos. Outros ficaram cegos, perderam a vista."

"O tempo que esteve ativa esta peste durou sessenta dias, sessenta dias funestos. Começou em Cuatlán, quando se deram conta estava alastrada. Até Chalco atingiu a peste. Espraiando-se, amenizou, mas não cessou de todo. Apareceu na festa de 'Teotleco' e terminou na festa de 'Panquetzaliztli'. Foi quando ficaram limpas as caras dos guerreiros mexicanos" (apud M. Leon-Portilla, 1959: 117-8).

4. Henry F. Dobyns e Paul Thompson, 1966, avaliam que a depopulação do México se processou numa proporção de 20 a 25 para 1, caindo de 30 a 37,5 milhões, ao tempo da conquista, para 1,5 milhão, em 1650.

5. Tradução livre de trechos de poemas de um autor anônimo de Tlatelolco, 1528. Apud M. León-Portilla, 1959: 192-3.

6. Essas medidas provocaram, da parte do governo norte-americano, as mais indignadas reclamações por todos os canais diplomáticos e através de um coro de lamentações da grande imprensa mundial. Mas se restringiram a essas formas de sanção, pela incapacidade total de um enfrentamento com o novo Estado mexicano, senão de uma forma previsivelmente desastrosa, porque encontrou, pela primeira vez, todos os mexicanos unidos e motivados para a luta. E, sobretudo, porque, ao tempo de Cárdenas, os Estados Unidos ainda se ressentiam dos efeitos da crise econômica iniciada em 1929.

NOTAS

7. Emiliano Zapata, numa carta escrita em 1918, compara nestes termos a Revolução Mexicana com a Russa: "Muito ganharíamos e muito ganharia a justiça humana se todos os povos de nossa América, e de todas as nações da velha Europa, compreendessem que a causa do México Revolucionário e a causa da Rússia insurreta são e representam a causa da humanidade, o interesse supremo de todos os oprimidos. Mister Wilson, presidente dos Estados Unidos, teve razão ao render, recentemente, homenagem à Revolução Russa, qualificando-a de 'nobre esforço para o advento das liberdades'... E só seria desejável que, a esse propósito, recordasse e tivesse muito em conta a visível analogia, o paralelismo remarcado, a absoluta paridade, melhor dito, existente entre esse movimento e a Revolução Agrária do México. Uma e outra se dirigem ao que Leon Tolstói chamara 'o grande crime', a infame usurpação da terra que, sendo propriedade de todos, como a água e como o ar, tem sido monopolizada por uns quantos poderosos apoiados pela força dos exércitos e pela iniquidade das leis. Não é de estranhar, por isso mesmo, que o proletariado mundial aplauda e admire a Revolução Russa, do mesmo modo que outorgará toda a sua adesão e simpatia e seu apoio a essa Revolução Mexicana ao dar-se conta cabal de seus objetivos. É preciso não esquecer que, em virtude do efeito da solidariedade entre o proletariado, a emancipação do operário não pode lograr-se se ao mesmo tempo não se realiza a libertação do camponês. Não sendo assim, a burguesia poderá pôr essas duas forças uma em frente à outra e aproveitar-se da ignorância dos camponeses para combater e frear os impulsos dos trabalhadores urbanos; e se se oferecer oportunidade, poderá utilizar os operários pouco conscientes e lançá-los contra seus irmãos do campo" (*apud* C. Rama, 1962: 139-40).

8. Essa avaliação deve ser tida como mínima, uma vez que os estudos mais recentes e mais bem documentados estimam a população da área de domínio incaico em montantes muito maiores. Baudin, 1961, fala de 10 a 12 milhões; Dobyns e Thompson, 1966, porém, fazendo uma reavaliação geral da população aborígine americana, elevam esse quantitativo a um mínimo de 30 milhões.

9. Fontes recentes, já citadas, indicam montantes muito superiores para a população incaica pré-colombiana.

10. APRA — Aliança Popular Revolucionária Americana, foi fundada no México, em 1924, transformando-se em Partido Aprista Peruano em 1931, nome com que subsiste até hoje.

11. Partidos de inspiração aprista consolidaram-se na Bolívia e no Equador, bem como na Venezuela, na Costa Rica e em Cuba, demonstrando, assim, sua transcendência extrarregional como movimento anti-imperialista de unidade latino-americana.

AS AMÉRICAS E A CIVILIZAÇÃO

12. Ver D. Ribeiro: *El dilema de América Latina — Estructuras del poder y fuerzas insurgentes*, México, 1971.

Terceira parte: Os povos novos

1. Excedem o Brasil em área territorial contínua a União Soviética (22,4 milhões de quilômetros quadrados), o Canadá (9,9 milhões de quilômetros quadrados) e a China (9,8 milhões de quilômetros quadrados).

2. Termo tradicional brasileiro para designar o mestiço de português com índia. É inspirado na expressão árabe *mamaluc*, usada para indicar os escravos tomados de populações europeias e amestrados para o exercício do domínio islâmico sobre as mesmas.

3. Para um estudo aprofundado dos povos Tupi-Guarani e suas guerras, ver Florestan Fernandes, 1949 e 1952.

4. Ver em D. Ribeiro, 1955, um estudo do ciclo anual de atividades de subsistência das tribos da floresta tropical.

5. Não dispomos ainda de dados do Censo de 1960 referentes à cor.

6. Ver conceitos de cultura rústica e cultura caipira, em Antonio Candido de Mello e Souza, 1964; de cultura camponesa e *folk-culture*, em Robert Redfield, 1941 e 1963; de cultura cabocla, em Emílio Willems, 1947; e de cultura crioula, em Gillin, 1947b.

7. Sobre a ordenação oligárquica encontram-se análises e materiais informativos em Victor Nunes Leal, 1948; Sérgio Buarque de Holanda, 1956; Josué de Castro, 1946; Nestor Duarte, s.d.; M. Diégues Jr., 1959; Rui Cirne de Lima, 1935; e José Maria de Paula, 1944.

8. Sobre *plantations* e fazendas, ver os ensaios de Julian H. Steward, Edgar T. Thompson, Sidney W. Wintz e M. Diégues Jr., 1960; Frank Tannenbaum, 1960; Pierre Gourou, 1959; H. W. Hutchinson, 1957; Milton Santos, 1955; Lynn Smith, 1946; Gilberto Freyre, 1954; Pierre Monbeig, 1940; e Leo Waibel, 1947.
Estudos monográficos sobre diferentes tipos de empresas agrárias brasileiras foram publicados pelo Ministério da Agricultura: Manuel Diégues Jr. ("O engenho açucareiro", 1952); Dante Laytano ("A estância gaúcha", 1952); José Norberto Macedo ("Fazenda de gado do S. Francisco", 1952); Arthur Cézar Ferreira Reis

("O seringal e o seringueiro na Amazônia", 1954); Clóvis Caldeira ("Fazendas de cacau na Bahia", 1954); Zedar P. da Silva ("O vale do Itajaí", 1955); Virgílio Correia Filho ("Ervais e ervateiros", 1957).

9. A explicação do atraso do sistema agrário brasileiro por seus conteúdos feudais é exaustivamente exposta em Nelson Werneck Sodré, 1964; Moisés Vinhas, 1963; e Alberto Passos Guimarães, 1963. Refutações a essa tese, com base na caracterização da estrutura agrária brasileira como capitalista mercantil, se encontram em Caio Prado Júnior, 1960, 1964, 1966; Roberto Simonsen, 1937; L. A. Costa Pinto, 1948; e Andrew Gunder Frank, 1964, 1967.

10. A legislação norte-americana do *Homestead* (1862), contemporânea à Lei de Terras de 1850, visava objetivo precisamente oposto, já que assegurava a cada família pioneira que se aventurasse para o Oeste a propriedade de uma gleba de 160 acres para exploração, constituindo-se, assim, uma ocupação de granjeiros livres em todo o *Hinterland* do Centro-Oeste.

11. Entre outros se destacam: a atividade produtiva dominante (agrícola, pastoril ou extrativista); o estilo e a intensidade da exploração (graus de tecnificação e vulto dos investimentos financeiros); e, ainda, o modo de recrutamento e controle da mão de obra (familiar, assalariada ou de parceria).

12. A maior parte da exploração de produtos florestais no Brasil se fez em áreas arrendadas pelo Estado e não em propriedades. A grande exceção é o estado do Acre, com seus imensos latifúndios de exploração de borracha.

13. Não dispondo de dados relativos ao Censo de 1960, projetamos, para esse efeito, os totais do recenseamento anterior (1950) referentes ao tema.

14. Projeção das porcentagens de 1950 sobre os números globais divulgados do Censo de 1960.

15. Ainda não se conta com os resultados definitivos do Censo de 1960 com respeito à população ativa.

16. A desapropriação se faria mediante um pagamento parcial do valor da terra em dinheiro, a fim de permitir a posse imediata das áreas improdutivas pelo governo. A esse ato se seguiria, mais tarde, o ressarcimento em títulos públicos do valor restante. Era ressalvado ao proprietário da terra o direito de escolher e demarcar, como de sua propriedade de "uso lícito", uma extensão contínua com o dobro da área efetivamente explorada.

17. O financiamento norte-americano de uma grande hidrelétrica estatal uruguaia, antes contratado com os alemães, seria um segundo exemplo de cooperação econômica ocorrido numa mesma conjuntura.

18. Os dados aqui utilizados têm como fontes os informes do Banco Nacional de Desenvolvimento Econômico publicados diretamente e sumariados nos Anuários Estatísticos do Instituto Brasileiro de Geografia e Estatística e a análise procedida pela Cepal em "Quince Años de Política Económica en el Brasil", *Boletín Económico de América Latina*, IX, 2, novembro, 1964.

19. Outro procedimento ordinário para obter recursos no estrangeiro, quando mais escasseavam dólares, foram os célebres *swaps*, oferecidos pelas próprias empresas interessadas ao banco oficial. Através dessas operações, o banco obtinha imediatamente os recursos em dólares indispensáveis para completar uma operação, comprometendo-se a ressarcir o adiantamento com igual quantia na mesma moeda mais juros, dentro do prazo do contrato.

20. A regulamentação legal que tornou compulsória a reavaliação do ativo das empresas é que veio prover esses dados. Cf. *Conjuntura Econômica*, fevereiro de 1965; *Banas Informa*, 1965; e Carta SPED, 2-3-4/1965.

21. ONU — *El financiamiento externo de América Latina*, Nova York, 1964.

22. Os dados referentes a níveis educacionais são do Recenseamento Nacional de 1950; os demais, de 1960.

23. Alguns aspectos econômicos e sociais desse processo foram estudados por Gunnar Myrdal, 1962, como efeitos regressivos (*backward effects*) e como efeitos propulsores (*spread effects*).

24. Sobre *Estados rural-artesanais*, ver Darcy Ribeiro, 1968.

25. Nenhum dos países latino-americanos escapou desta carta de batismo internacional: um primeiro vultoso empréstimo em libras esterlinas. Apesar de onerados por altos juros, estes empréstimos ainda sofriam descontos escorchantes. Raramente o tomador recebia mais de sessenta libras por cada cem que se comprometia a pagar e, ordinariamente, vinculava-se uma alta parcela do empréstimo à entrega de armas e mercadorias inglesas, a preços gravosos. O contrato de pagamento se fazia mediante a hipoteca das principais fontes de receita dos Estados nascentes, como as rendas aduaneiras.

26. A reviravolta política de Rómulo Betancourt é retratada por um norte-americano, encantado com sua figura "compreensiva" e "democrática", nos seguintes termos: "Em agudo contraste com sua atitude política sectária do período 1945--8, o Betancourt de 1959 desabrochou um espírito de transigência e cooperação em seu trato com os demais partidos políticos [...]. Não abandona o programa de Ação Democrática, mas o aplica mais lenta e cautelosamente, usando os métodos da diplomacia e da persuasão" (E. Lieuwen, 1964: 129).

27. Estudos recentes indicam que a população venezuelana triplicará nas próximas décadas, elevando-se a cerca de 30 milhões no ano 2000. A cidade de Caracas terá sua população aumentada de 2 para 6 milhões de habitantes. A força de trabalho ocupada na agricultura, que é de apenas 25% da população ativa, se reduzirá, entretanto, a 10% no mesmo período.

28. Esses problemas foram estudados numa pesquisa sociológica profunda e corajosa, sob a direção do monsenhor G. Guzmán Campos, 1963-4.

29. Dentre muitas outras figuras, destacam-se, no quadro político e intelectual: Aimé Cesaire, Eric Williams, Dantes Bellegardes, Michel Leiris, Eugene Revert, Frantz Fanon, Jacques Romain e Jean Price-Mars.

30. Incluem a Guiana Inglesa (566 mil habitantes), Trinidad (859 mil), recentemente independentizadas, Jamaica (1,638 milhão de habitantes) e o conjunto das Índias Ocidentais (725 mil).

31. Incluem, entre muitas outras ilhas, a Martinica (275 mil habitantes), Guadalupe (270 mil) e a Guiana Francesa (31 mil).

32. Incluem o Suriname (308 mil habitantes), Curaçao, Aruba etc. (194 mil).

33. Porto Rico contava, em 1961, com 2,349 milhões de habitantes.

34. Porto Rico foi arrancado da Espanha pelos norte-americanos como despojo de guerra, em 1898, mediante um ressarcimento em dólares. Na mesma ocasião, impuseram a "libertação de Cuba" e se apropriaram de Guam e das Filipinas.

35. Por exemplo: 480 habitantes por quilômetro quadrado em Barbados; 270 na Martinica; 170 em Porto Rico; 120 em Guadalupe; e um incremento demográfico de 3,4 na Jamaica e de 3,2 em Trinidad.

As Américas e a Civilização

36. As populações respectivas, em 1960, eram assim estimadas: Haiti, 4,233 milhões de habitantes; República Dominicana, 3,698 milhões; Cuba, 6,933 milhões.

37. Discurso de Raymond Cabèche pronunciado no Parlamento do Haiti, em outubro de 1915, quando da discussão da Lei sobre o Tratado Norte-Americano-Haitiano. Citado por Bellegarde, Dantes, 1937: 42-3, citado, por sua vez, por J. Halcro Ferguson, 1963: 100.

38. James G. Leyburn, 1941: 99-103. Citado por J. Halcro Ferguson, 1963: 97.

39. A Emenda Platt, aposta pelos norte-americanos como adendo à Constituição cubana em 1901 e vigente até 1934, rezava no capítulo III: "Que o governo de Cuba consente em que os Estados Unidos possam intervir de direito para a conservação da independência de Cuba, a manutenção de um governo adequado para proteger a vida, os bens e a liberdade individual e para o cumprimento das obrigações que com respeito a Cuba se impõem pelo tratado de Paris sobre os Estados Unidos, e que agora assume e toma a seu cargo o governo de Cuba".

40. Jorge Ahumada, 1958. Atitudes semelhantes se registram em Nicolás Palacios, 1904; Francisco Antonio Encinas, 1912; e A. Edwards Vives, 1952.

41. Francisco Núñez de Pineda y Bascuñán, 1863, *apud* Lipschutz, 1963: 101.

42. Sobre os problemas de mestiçagem no Chile, ver os excelentes trabalhos de A. Lipschutz, 1956 e 1963; Alberto M. Salas, 1960; e também de Lewis Hanke, 1958; Álvaro Jara, 1965; Angel Rosenblat, 1954; e Juan Comas, 1961.

43. Em 1940, cerca de 100 mil habitantes do Chile, de origem estrangeira, se situavam entre os setores mais favorecidos da população, quase todos nas classes médias (F. B. Pike, 1963).

Quarta parte: Os povos transplantados

1. Os latino-americanos, principalmente os *chicanos* (de ascendência mexicana) e os porto-riquenhos, formam também um contingente superior a 10 milhões, igualmente opostos ao sistema e tendentes a ativar-se ao lado dos negros.

2. Discurso de 7 de janeiro de 1941.

NOTAS

3. Também Lincoln, em face da América Latina, tivera a mesma atitude, fundada na visão de potência em relação às áreas vizinhas. Assim é que aprova estudos e *démarches* visando a apropriação da América Central para ali instituir um território nominalmente destinado a negros libertos.

4. Discurso proferido a 17 de janeiro de 1961. *Apud* Fred J. Cook, 1964: 8-9.

5. Publicado em *Marcha*, Montevidéu, agosto de 1966.

6. É muito precária a documentação até agora publicada sobre esse tema, que parece constituir um ponto cego na bibliografia argentina e uruguaia, esta última tendente a admitir os *Charrua* e outros povos não guaraníticos como matriz dos gaúchos — e ambas pouco interessadas pela matéria.

7. O idioma tupi do Brasil e a língua geral dele resultante diferenciam-se do guarani do Paraguai e do guarani moderno na mesma proporção que o espanhol do português.

8. A designação *mameluco* dada aos paulistas aplica-se, por isso mesmo, a todos eles, enquanto signifique agente despótico de dominação de seus próprios povos, a serviço daqueles que o escravizaram, que é o sentido original dado à palavra por árabes e otomanos.

9. Outro plantel vindo da Bolívia, descendo pela margem direita do rio Paraguai, invade o Chaco, onde também se multiplica prodigiosamente.

10. A citação de escritos de Sarmiento foi tirada de J. J. Hernández Arregui, 1963: 89-91.

11. J. P. e G. P. Robertson, *apud* J. Abelardo Ramos, 1959: 39.

12. Condições excepcionais permitiram constituir áreas granjeiras de imigrantes em algumas províncias argentinas e nas proximidades de Montevidéu, tal como ocorrera no sul do Brasil. Essas ilhas de pequenas propriedades pouco alteram, porém, a estrutura agrária de caráter latifundiário dos três países.

13. Cerca de 40% da população integrada na força de trabalho, sendo 31% desta incorporada na classe média, no Uruguai, e 39% na Argentina, com mais de 70% da população concentrada nas cidades em ambos os países.

As Américas e a civilização

Quinta parte: Civilização e desenvolvimento

1. A periodização aqui proposta procura indicar as décadas decisivas na implantação da indústria pesada (siderurgia, fabricação de máquinas), considerando, porém, que o próprio conteúdo desta varia notavelmente no curso do processo de industrialização.

   Para comparação, vejam-se os cálculos de Colin Clark, 1957: 335, sobre a produção industrial no mundo medida em "unidades internacionais" (correspondente ao poder de compra de um dólar americano de 1925-34). Eles mostram que o primeiro bilhão de UI foi alcançado pela Inglaterra antes de 1800; pelos Estados Unidos, por volta de 1870; pela França, em 1870; pela Alemanha, em 1875; pelo Japão e pela Itália, em 1920; pela União Soviética, pelo Canadá e pela Suécia, depois de 1925; pela Holanda e pela Austrália, só em 1948; e pelo Brasil e pela Índia, após 1950.

   E também os estudos de W. W. Rostow, 1964, que admite como datas aproximadas, do que chamou *take-off*, para a Inglaterra, 1783-1802; para a França, 1830-60; para os Estados Unidos, 1843-60; para a Alemanha, 1850-73; para o Japão, 1878-1900; e para o Canadá, 1896-1914. Rostow adverte, porém, que se o critério fosse o período de crescimento industrial total mais rápido, estas datas deveriam ser adiantadas: a da Grã-Bretanha, para 1819-48; os Estados Unidos, para 1868-93; a Suécia, para 1890-1920; o Japão, para 1900-20; a Rússia, para 1928-40.

2. O primeiro teórico dessa via alternativa do desenvolvimento industrial, Friedrich List, escrevia em 1841: "É regra de prudência vulgar, quando se chega ao auge de grandeza, retirar a escada com que se alcançou o cume a fim de retirar aos outros os meios de subir. Esse é o segredo da doutrina cosmopolita de Adam Smith e das tendências cosmopolitas do seu ilustre contemporâneo, W. Pitt, assim como de todos os seus sucessores [...]. A nação que, mediante direitos protecionistas e restrições marítimas, tenha aperfeiçoado sua indústria manufatureira e sua marinha mercante a ponto de não mais temer a competição de outra qualquer, não pode adotar posição mais sábia do que a de rechaçar para longe de si os instrumentos usados para sua elevação, predicar para os demais povos o advento da liberdade de comércio, expressar em voz alta seu arrependimento por haver marchado até então pelos caminhos do erro e por ter tardado tanto em alcançar o conhecimento da verdade [...]" (*apud* A. Piettre, 1962: 292).

3. É de assinalar, ainda que, mesmo nos processos de industrialização que mais se aproximam do modelo liberal, o Estado sempre representou um papel importante. Na Inglaterra, subsidiando a Marinha mercante como instrumento do expan-

NOTAS

sionismo; na França, fomentando a industrialização através de créditos privilegiados. Em todos eles, mediante a proteção aduaneira às manufaturas nacionais.

4. O Canadá, os países escandinavos, a Austrália e a Nova Zelândia são considerados aqui economias desenvolvidas, mais em virtude dos seus altos níveis de renda *per capita* do que pelo grau de industrialização que alcançaram. Todos eles apresentam índices de desenvolvimento mais alto para o período compreendido entre 1930 e 1960 do que para a década de 1950-60, podendo ocorrer que tenham entrado em estagnação tal como sucedeu a outras economias, como à argentina e à uruguaia. Estas últimas experimentaram, no passado, períodos equivalentes de prosperidade decorrentes de situações conjunturais favoráveis no comércio internacional, e devido a outros fatores, caindo, depois, em declínio. Segundo cálculos de S. Kuznets, 1965, do primeiro para o segundo período assinalado, o índice de incremento decenal da renda *per capita* daqueles países caiu, para a Austrália, de 20,8% a 17%, e para o Canadá, de 38,4% a 37,3%. Nesse período só a Nova Zelândia, cujo primeiro impulso desenvolvimentista se retardara em relação aos outros, ascendeu de 13,9% a 17%.

5. Sobre estruturas de poder na América Latina e seus efeitos constritivos sobre o desenvolvimento autônomo, ver D. Ribeiro: *El dilema de América Latina*, México, 1971.

6. Em 1850, a América do Norte contava com 80% de sua população alfabetizada; à mesma época, a França havia alfabetizado 64,7%, a Rússia, 6%, e a América Latina deveria ter uma porcentagem similar de analfabetos.

BIBLIOGRAFIA

Introdução: As teorias do atraso e do progresso

ADAMS, R. N. 1960. *Social change in Latin America today: its implications for United States policy*, Nova York.

ALBERDI, J. B. 1943. *Base y puntos de partida para la organización de la República Argentina*, Buenos Aires.

ALTHUSSER, L. 1967. *La revolución teórica de Marx*, México.

ANDRESKI, S. 1966. *Parasitism and subversion: the case of Latin America*, Nova York.

ARISMENDI, R. 1962. *Problemas de una revolución continental*, Montevidéu.

ARGUEDAS, A. 1937. *Un pueblo enfermo. Contribución a la psicología de los pueblos hispanoamericanos*, Santiago.

BALANDIER, G. 1955. *Sociologie actuelle de l'Afrique noire*, Paris.

BARAN, P. A. 1964. *A economia política do desenvolvimento*, Rio de Janeiro.

BARAN, P. A.; SWEEZY, P. 1966. *Capitalismo monopolista*, Rio de Janeiro.

BEALS, R. L. 1946. *Cherán: A Sierra Taracan Village*, Washington.

BERNAL, J. D. 1959. *La ciencia en la história*, México.

BOECKE, J. H. 1953. *Economies and economic policy of dual societies*, Nova York.

BOMFIM, M. 1929. *O Brasil na América*, Rio de Janeiro.

_____. 1931. *O Brasil na história*, Rio de Janeiro.

BOURRICAUD, F. 1967. *Poder y sociedad en el Perú contemporáneo*, Buenos Aires.

BRAMSON, L. 1961. *The political context of sociology*, Princeton.

BUNGE, C. O. 1903. *Nuestra América*, Barcelona.

CARDOSO, F. H. 1964. *Empresário industrial e desenvolvimento econômico no Brasil*, São Paulo.

CASANOVA, P. G. 1965. *La democracia en México*, México.

CHESNOKOV, D. I. 1966. *Materialismo histórico*, Montevidéu.

COSTA PINTO, L. A. 1963. *La sociología del cambio y el cambio de la sociología*, Buenos Aires.

_____. 1965. *Sociologia e desenvolvimento*, Rio de Janeiro.

CUNHA, E. 1911. *Os sertões — Campanha de Canudos*, Rio de Janeiro.

DAHRENDORF, R. 1966. *Sociedad y sociología*, Madri.

ECHEVARRÍA, J. M. 1964. *Consideraciones sociológicas sobre el desarrollo de América Latina*, Buenos Aires.

EISENSTADT, S. N. 1963. "Modernización: crecimiento y diversidad", *Desarrollo Económico* (3-3), Buenos Aires.

ESTRADA, E. M. 1933. *Radiografia de la pampa*, Buenos Aires.

FERNANDES, F. 1963. *A sociologia numa era de revolução social*, São Paulo.

FOSTER, G. M. 1962. *Cultura y conquista: la herencia española de América*, México.

_____. 1964. *Las culturas tradicionales y los cambios técnicos*, México.

FRANK, A. G. 1967. *Capitalism and development in Latin América. Historical studies of Chile and Brazil*, Nova York.

_____. 1967a. "Sociology of development and underdevelopment of sociology", *Catalyst*, nº 3, Buffalo.

FREYRE, G. 1954. *Casa-grande & senzala*, 2 vols., Rio de Janeiro.

FURTADO, C. 1961. *Desarrollo y subdesarrollo*, Buenos Aires.

GERMANI, G. 1965. *Política y sociedad en una época en transición*, Buenos Aires.

GERSCHENKRON, A. 1962. *Economie backwardness in historical perspective*, Cambridge.

GILLIN, J. 1955. "Ethos components in modern Latin-America", *American Anthropologist*, vol. 57, Menasha.

GORDON CHILDE, V. 1964. *Evolución social*, México.

_____. 1956. *Qué sucedió en la história*, Buenos Aires.

GUERREIRO RAMOS, A. 1959. *La reducción sociológica*, México.

GRAMSCI, A. 1958. *El materialismo histórico y la filosofía de Benedetto Croce*, Buenos Aires.

_____. 1960. *Los intelectuales y la organización de la cultura*, Buenos Aires.

GUILHERME, W. 1963. *Introdução ao estudo das condições sociais no Brasil*, Rio de Janeiro.

HEATH, D. B.; ADAMS, R. N. (orgs.). 1965. *Contemporary cultures and societies of Latin America*, Nova York.

HEINZ, P. 1965. *Sociología*, Buenos Aires.

HIRSCHMAN, A. O. (org.). 1963. *Controversia sobre América Latina*, Buenos Aires.

HOLANDA, S. B. 1956. *Raízes do Brasil*, Rio de Janeiro.

HOROWITZ, I. L. 1966. *Three worlds of development*, Nova York.

HOSELITZ, B. P. 1960. *Sociological factors in economic development*, Glencoe, Illinois.

IANNI, O. 1965. *Estado e capitalismo*, Rio de Janeiro.

_____. 1966. *Raças e classes sociais no Brasil*, Rio de Janeiro.

INGENIEROS, J. 1913. *Sociología argentina*, Buenos Aires.

JAGUARIBE, H. 1962. *Desenvolvimento econômico e desenvolvimento político*, Rio de Janeiro.

JOHNSON, J. J. 1961. *La transformación política de América Latina*, Buenos Aires.

_____. 1966. *Militares y sociedad en América Latina*, Buenos Aires.

_____. (org.). 1964. *Continuity and change in Latin America*, Stanford.

KOHN, H. 1951. *The idea of nationalism*, Nova York.

KONSTANTINOV, P. V. *et al.* 1960. *El materialismo histórico*, México.

KOSIK, K. 1965. *Dialettica del concreto*, Milão.

KUUSISEN, O. V. *et al.* 1964. *Manual de marxismo-leninismo*, Buenos Aires.

LABRIOLA, A. 1947. *Del materialismo storico*, Bari.

LAMBERT, J. 1958. *Os dois Brasis*, Rio de Janeiro.

LANGE, O. 1966. *Economia política. I: Problemas generales*, México.

LEBRET, L. J. 1961. *Manifiesto por una civilización solidaria*, Lima.

LÊNIN, V. I. 1960. *El imperialismo, fase superior del capitalismo*, Moscou.

_____. 1960a. *El Estado y la revolución*, Moscou.

LEROI-GOURHAN, A. 1945. *Milieu et technique*, Paris.

LERNER, D. 1958. *The passing of traditional society*, Glencoe, Illinois.

LÉVI-STRAUSS, C. 1958. *Anthropologie structurelle*, Paris.

LEVY, M. J. 1952. *The structure of society*, Princeton.

LEWIS, O. 1964. *Los hijos de Sánchez*, México.

_____. 1966. *La vida, a Puerto Rican family in the culture of poverty*, Nova York.

LIEUWEN, E. 1960. *Armas y política en América Latina*, Buenos Aires.

LIPPIT, R. et al. 1958. *The dynamics of planned change*, Nova York.

LIPSET, S. M. 1964. *El hombre político. Las bases sociales de la política*, Buenos Aires.

LUKÁCS, G. 1960. *Histoire et conscience de classe*, Paris.

LUNDBERG, F. 1960. *America's sixty families*, Nova York.

LUXEMBURGO, R. 1963. *La acumulación del capital*, Buenos Aires.

LYND, R. 1944. *Knowledge for what*, Nova York.

MAC IVER, R. 1949. *Causación social*, México.

MAKAROV, A. et al. 1965. *Manual de materialismo histórico*, Buenos Aires.

MALINOWSKI, B. 1945. *The dynamics of culture change*, New Haven.

MANHEIM, K. 1950. *Ideologia e utopia*, Porto Alegre.

MARCUSE, H. 1958. *Soviet marxism: a critical analysis*, Londres.

_____. 1964. *One dimensional man*, Boston.

MARX, K. 1956. *El capital*. 5 tomos, Buenos Aires.

_____. 1958. *La sagrada familia y otros escritos*, México.

_____. 1966. *El modo de producción asiático. Formaciones precapitalistas*, Córdoba.

MARX, K.; ENGELS, F. 1958. *La ideología alemana*, Montevidéu.

MARSAL, J. F. 1967. *Cambio social en América Latina*, Buenos Aires.

MEAD, M. (org.). 1961. *Cultural patterns and technical change*, Nova York.

MERTON, R. K. 1959. *Social theory and social structure*, Glencoe.

MOORE, B. 1958. *Political power and social theory*, Cambridge.

MORAZÉ, C. 1954. *Les trois ages du Brésil*, Paris.

MURDOCK, G. P. 1945. "The common denominator of cultures", *The science of man in the world crisis*, Nova York.

MURENA, H. A. 1964. *El pecado original de América*, Buenos Aires.

MYRDAL, G. 1944. *An American dilemma*, Nova York.

_____. 1953. "The political element", *The development of economic theory*, Londres.

_____. 1962. *Teoría económica y regiones subdesarrolladas*, México.

PARSONS, T. 1951. *The social system*, Glencoe.

PAZ, O. 1950. *El laberinto de la soledad*, México.

PINTO, A. 1965. *Chile, una economía difícil*, Santiago.

PRADO JÚNIOR, C. 1942. *Formação do Brasil contemporâneo. Colônia*, São Paulo.

_____. 1945. *História econômica do Brasil*, São Paulo.

_____. 1966. *A revolução brasileira*, São Paulo.

PUIGGROS, R. 1945. *Historia económica del río de la Plata*, Buenos Aires.

RADCLIFFE BROWN, A. R. 1931. "The present position of anthropological studies", *British Assoc. Advancement of Science*, Londres.

RAMOS, S. 1951. *El perfil del hombre y la cultura en México*, Buenos Aires.

REDFIELD, R. 1941. *The folk culture of Yucatán*, Chicago.

_____. 1956. *Peasant society and culture*, Chicago.

_____. 1963. *El mundo primitivo y sus transformaciones*, México.

RIBEIRO, D. 1968. *O processo civilizatório: etapas da evolução sociocultural*, Rio de Janeiro.

RIESMAN, D. *et al.* 1964. *La muchedumbre solitaria*, Buenos Aires.

ROSTOW, W. W. 1961. *Las etapas del crecimiento económico*, México.

_____. 1964. *El proceso del desarrollo*, Buenos Aires.

SAPIR, E. 1924. "Culture, genuine and spurious", *American Journal of Sociology*, Nova York.

SARMIENTO, D. F. 1915. *Conflicto y armonías de las razas en América*, Buenos Aires.

SARTRE, J. P. 1963. *Crítica de la razón dialéctica*, 2 vols., Buenos Aires.

SELSER, G. 1966. *Espionage en América Latina*, Buenos Aires.

SHILS, E. 1956. *The torment of secrecy*, Glencoe, Illinois.

SILVERT, K. H. 1962. *La sociedad problema. Reacción y revolución en América Latina*, Buenos Aires.

_____. 1963. *Expectant peoples: nationalism and development*, Nova York.

_____. 1965. *Nacionalismo y política de desarrollo*, Buenos Aires.

SODRÉ, N. W. 1944. *Formação da sociedade brasileira*, Rio de Janeiro.

_____. 1963. *Introdução à revolução brasileira*, Rio de Janeiro.

SPICER, E. H. 1952. *Human problems in technological change: a casebook*, Nova York.

STALEY, E. 1964. *The future of underdeveloped countries*, Nova York.

STÁLIN, J. 1939. *Fundamentos del leninismo*, México.

_____. 1947. *El marxismo y la cuestión nacional y colonial*, Buenos Aires.

STAVENHAGEN, R. 1965. "Siete tesis equivocadas sobre América Latina", *Política Exterior Independiente*, nº 1, Rio de Janeiro.

STEIN, M. 1960. *The eclipse of comunity*, Princeton.

STEWARD, J. H. 1955. *The theory of culture change: the methodology of multilinear evolution*, Urbana, Illinois.

_____. 1955a. *Teoría y práctica del estudio de areas*, Washington.

TAWNEY, R. H. 1959. *La religión en el origen del capitalismo*, Buenos Aires.

TRÓTSKI, L. 1962-3. *Historia de la Revolution Rusa*, 2 vols., Buenos Aires.

VEBLEN, T. 1951. *La teoría de la clase ociosa*, México.

VIANNA, O. 1952. *Populações meridionais do Brasil*, Rio de Janeiro.

VIATKIN, A. (org.). s.d. *Compendio de historia y economía. I — Las formaciones pré-capitalistas. II — La sociedad capitalista*, Moscou.

WAGLEY, C. s.d. *A revolução brasileira*, Salvador.

WEBER, M. 1964. *Economía y sociedad*, 2 vols., México.

_____. 1964a. *El sabio y la política*, Córdoba.

WHITE, L. 1945. "History, evolutionism and funcionalism: three types of interpretation of culture", *Southwestern Journal of Anthropology* I, Chicago.

_____. 1959. *The evolution of culture*, Nova York.

_____. 1964. *La ciencia de la cultura*, Buenos Aires.

WITTFOGEL, K. 1966. *Despotismo oriental. Un estudio comparativo de poder totalitário*, Madri.

WORSLEY, P. 1967. *El Tercer Mundo: una nueva fuerza vital en los asuntos internacionales*, México.

WRIGHT MILLS, C. 1960. *La elite del poder*, México.

_____. 1961. *La imaginación sociológica*, México.

_____. 1962. *The marxists*, Nova York.

YAJOT, O. 1965. *Qué es el materialismo dialéctico*, Moscou.

BIBLIOGRAFIA

I. A expansão europeia

ALBORNOZ, C. S. 1956. *España, un enigma histórico*, 2 vols., Buenos Aires.

_____. 1956a. *La España musulmana*, 2 vols., Buenos Aires.

ALTAMIRA, R. 1949. *A history of Spain*, Nova York.

ARDAO, A. 1956. *La filosofía en el Uruguay en el siglo XX*, México.

ARON, R. 1962. *Dimensiones de la conciencia histórica*, Madri.

ARMILLAS, P. 1962. *Programa de historia de América. Período Indígena*, México.

BALANDIER, G. 1962. "Les mythes politiques de colonisation et de décolonisation en Afrique", *Cahiers Inter. De Sociologie XXIII*, Paris.

_____. 1964. *Africa ambigua*, Buenos Aires.

BATES, M. 1959. *Países sin invierno*, Porto Rico.

BEYHAUT, G. 1963. *Europeización e imperialismo en América Latina durante la segunda mitad del siglo XIX*, Montevidéu.

_____. 1964. *Raíces Contemporáneas de América Latina*, Buenos Aires.

_____. 1965. "Fischer Weltgeschichte. Süd und Mittelamerica II", Berlim. (Utilizamos a versão espanhola em manuscrito.)

BELL, D. 1964. *El fin de las ideologías*, Madri.

BLOCH, M. 1939-40. *La sciété feodale*, 2 vols., Paris.

CABALLERO CALDERÓN, E. 1944. *Sudamérica, tierra del hombre*, Medellín, Colômbia.

CAPDEQUI, J. M. O. 1941. *El Estado español en las Indias*, México.

CARR, E. H. 1951. *The new society*, Londres.

CARRANCA Y TRUJILLO, R. 1950. *Panorama crítico de nuestra América*, México.

CASO, A. 1943. *Apuntes de cultura patria*, México.

CHAUNU, P. 1964. *L'Amérique et les Amériques. De la Préhistoire a nos jours*, Paris.

COLLINGWOOD, R. G. 1946. *The idea of history*, Londres.

CORBISIER, R. 1958. *Formação e problema da cultura brasileira*, Rio de Janeiro.

DUMONT, R. 1962. *L'Afrique noire est mal partie*, Paris.

EISENSTADT, S. N. 1966. *Los sistemas políticos de los imperios*, Madri.

EMERSON, R. 1960. *From empire to nation*, Massachusetts.

FANON, F. 1963. *Los condenados de la tierra*, México.

_____. 1965. *Escunha, blanco!*, Barcelona.

FOSTER, G. M. 1962. *Cultura y conquista: la herencia española de América*, Xalapa, México.

FRANK, W. 1932. *América hispana. Un retrato y una perspectiva*, Madri.

_____. 1942. *Redescubrimiento de América. Una introducción a una filosofía de la vida americana*, Santiago.

GORDON CHILDE, V. 1956. *Qué sucedió en la historia*, Buenos Aires.

GOUROU, P. 1959. *Los países tropicales*, Xalapa, México.

HANKE, L. 1949. *La lucha por la justicia en la conquista de América*, Buenos Aires.

_____. 1961. *América Latina: un continente en fermentación*, Madri.

HARDOY, J. E. 1964. *Ciudades precolombinas*, Buenos Aires.

HARING, C. H. 1966. *El imperio hispánico en América*, Buenos Aires.

HEGEL, G. F. 1928. *Filosofía de la historia universal*, Buenos Aires.

HOLANDA, S. B. 1956. *Raízes do Brasil*, Rio de Janeiro.

529

HUNTER, M. 1936. *Reaction to conquest*, Londres.

INGENIEROS, J. 1922. *Por la unión latino americana*, Buenos Aires.

JAGUARIBE, H. 1958. *O nacionalismo na atualidade brasileira*, Rio de Janeiro.

KROEBER, A. L. 1944. *Configurations of culture growth*, Berkeley e Los Angeles.

LANGE, O. 1966. *La economía en las sociedades modernas*, México.

_____. 1966a. *Economía política I: Problemas generales*, México.

LÉVI-STRAUSS, C. 1955. *Tristes tropiques*, Paris.

LEWIN, B. 1962. *La Inquisición en Hispanoamérica (judios, protestantes y patriotas)*, Buenos Aires.

LINTON, R. 1955. *The tree of culture*, Nova York.

LIPSCHUTZ, A. 1963. *El problema racial en la conquista de América y el mestizaje*, Santiago.

LUKÁCS, G. 1960. *Histoire et conscience de classe*, Paris.

LUMUMBA, P. 1962. *Congo, my country*, Londres.

MADARIAGA, S. 1959. *Presidente y porvenir de Hispanoamérica y otros ensayos*, Buenos Aires.

MANHEIM, K. 1950. *Ideologia e utopia*, Porto Alegre.

MANNONI, O. 1956. *Prospero and Caliban: a study of the psychology of colonization*, Londres.

MANZONI, A. C. 1960. *El indio en la novela de América*, Buenos Aires.

MARX, K. 1956. *El capital*, 5 tomos, Buenos Aires.

_____. 1957. *Contribution à la critique de l'économie politique*, Paris.

_____. 1962. *Manuscritos económico-filosóficos*, México.

MARX, K.; ENGELS, F. 1958. *La ideología alemana*, Montevidéu.

MAURO, F. 1964. *L'expansion européenne (1600-1870)*, Paris.

MIRANDA, F. M. 1958. *Pueblos y culturas de América*, Buenos Aires.

MUMFORD, L. 1944. *The condition of man*, Nova York.

NEHRU, J. 1962. *On world history*, Bloomington.

NKRUMAH, K. 1966. *Neocolonialismo: ultima etapa del imperialismo*, México.

NORTHROP, F. S. C. 1946. *The meeting of East and West*, Nova York.

OLIVEIRA MARTINS, J. P. 1951. *Historia de la civilización ibérica*, Buenos Aires.

PAZ, O. 1959. *El laberinto de la soledad*, México.

PÉREZ, D. R. 1947. *Historia de la colonization española en América*, Madri.

PETIT MUÑOZ, E. 1927. *Interpretaciones esquemáticas sobre la historia de la conquista y la colonización españo-la en América*, Montevidéu.

RAMOS, A. 1946. *As culturas negras no Novo Mundo — O negro brasileiro*, São Paulo.

REDFIELD, R. 1963. *El mundo primitivo y sus transformaciones*, México.

ROSENBLAT, A. 1954. *La problación indígena y el mestizaje en América*, 2 vols., Buenos Aires.

SACO, J. A. 1932. *Historia de los repartimientos y encomiendas*, Havana.

_____. 1938. *Historia de la esclavitud de la raza africana en el Nuevo Mundo y en especial en los países hispano--americanos*, Havana.

SÁNCHEZ, L. A. 1962. *Análisis espectral de América Latina*, Buenos Aires.

SARTRE, J. P. 1956. "Le colonialisme est un système", *Les Temps Modernes 123*, Paris.

SCHURTZ, W. L. 1949. *Latin America: a descriptive survey*, Nova York.

_____. 1954. *This new world*, Nova York.

SENGHOR, L. S. 1964. *On African socialism*, Nova York.

SIEGFRIED, A. 1934. *L'Amérique Latine*, Paris.

SILVA, L. 1961. *Latinoamérica al rojo vivo*, Madri.

SOMBART, W. 1946. *El apogeo del capitalismo*, México.

SOROKIN, P. A. 1960. *Las filosofías sociales de nuestra época de crisis*, Madri.

SPENGLER, O. 1958. *La decadencia de Occidente*, 2 tomos, Madri.

_____. s.d. *El hombre y la técnica*, Buenos Aires.

STEWARD, J. H. (org.). 1946-50. *Handbook of South American Indians*, 7 vols., Washington.

_____. 1955. *Theory of culture change: the methodology of multilinear evolution*, Urbana, Illinois.

TAWNEY, R. H. 1959. *La religión en el origen del capitalismo*, Buenos Aires.

TAX, S. (org.). 1952. *Heritage of conquest. The ethnology of Middle America*, Glencoe, Illinois.

TEITELBOIM, V. 1963. *El amanecer del capitalismo y la conquista de América*, Buenos Aires.

TOURÉ, S. 1959. *La Guinée et l'emancipation africaine*, Paris.

TOYNBEE, A. J. 1959. *Estudio de la historia* (Compendio), 2 vols., Buenos Aires.

UREÑA, P. H. 1961. *Historia de la cultura en la América hispánica*, México.

VASCONCELLOS, J. 1934. *La cultura hispanoamericana*, La Plata.

VITÓRIA, F. 1946. *Reflexiones sobre los indios y el derecho de guerra*, Buenos Aires.

VIVES, J. V. 1957-9. *Historia social y económica de España y América*, 5 vols., Barcelona.

WEBER, A. 1960. *Historia de la cultura*, México.

WHITE, L. 1959. *The evolution of culture*, Nova York.

WHITEHEAD, A. N. 1936. *Science and the modern world*, Nova York.

WORCESTER, D. E.; SCHAEFFER, W. G. 1956. *The growth and culture of Latin America*, Oxford.

WORSLEY, P. 1966. *El Tercer Mundo: una nueva fuerza vital en los asuntos internacionales*, México.

WRIGHT MILLS, C. 1960. *Las causas de la Tercera Guerra Mundial*, Buenos Aires.

ZAVALA, S. A. 1944. *Ensayo sobre la colonización española en América*, Buenos Aires.

_____. 1947. *Filosofía de la conquista*, México.

ZEA, L. 1957. *América en la historia*, México.

ZNANIECKI, F. 1944. *Las sociedades de cultura nacional y sus relaciones*, México.

ZUM FELDE, A. 1943. *El problema de la cultura americana*, Buenos Aires.

II. A transfiguração cultural

ADAMS, R. N. 1956. *La ladinización en Guatemala*, Guatemala.

BAGÚ, S. 1949. *Economía de la sociedad colonial*, Buenos Aires.

_____. 1952. *Estrutura social de la colonia*, Buenos Aires.

BALANDIER, G. 1955. *Sociologie actualle de l'Afrique noire: dynamique des changements sociaux en Afrique centrale*, Paris.

_____. 1964. *África ambigua*, Buenos Aires.

BALLESTEROS-GAIBROIS, M.; SUÁREZ, J. U. 1961. *Indigenismo americano*, Madri.

BARNETT, H. G. *et al.* 1954. "Acculturation: an explanatory formulation", *American Anthropologist*, vol. 56, Menasha.

BASTIDE, R.; FERNANDES, F. (orgs.). 1959. *Brancos e negros em São Paulo*, São Paulo.

BASTIDE, R. 1960. *Sociologie des régions africaines au Brésil*, Paris.

BEALS, R. L. 1951. "Urbanism, urbanization and acculturation", *American Anthropologist*, vol. 53, Menasha.

_____. 1953. "Acculturation", *in* KROEBER, A. L. (org.). *Anthropology Today*, Chicago.

BELTRAN, G. A. 1957. *El proceso de aculturación*, México.

BENNETT, W. C. 1953. "New world culture history: South America", *in* KROEBER, A. L. (org.). *Anthropology Today*, Chicago.

BORAH, W. 1962. "Population decline and the social and institucional changes of New Spain in the middle decades of the sixteenth century", *Akten des 34. Internationalen Amerikanisten-Kongresses*, Copenhagen.

_____. 1964. "America as model: the demographic impact of European expansion upon the Non-European World", *XXXV Congreso Internacional de Americanistas, Actas y Memorias*, vol. 3, México.

BARRADAS, J. P. 1948. *Los mestizos de América*, Madri.

CASANOVA, P. G. 1965. *La democracia en México*, México.

CÈPÉDE, M.; HOUTART, F.; GROND, L. 1967. *La población mundial y los medios de subsistencia*, Barcelona.

COMAS, J. 1961. *Relaciones inter-raciales en América Latina: 1940-1960*, México.

CORBISIER, R. 1958. *Formação e problema da cultura brasileira*, Rio de Janeiro.

COSTA PINTO, L. A. 1958. *O negro no Rio de Janeiro*, Rio de Janeiro.

DEBUYST, F. 1961. *La población en América Latina*, Bruxelas.

DOBYNS, H. F.; THOMPSON, P. 1966. "Estimating aboriginal American population", *Current Anthropology*, vol. 7, nº 4, Utrecht, Holanda.

FANON, F. 1963. *Los condenados de la tierra*, México.

_____. 1965. *Escucha, blanco!*, Barcelona.

FERNANDES, F. 1964. *A integração do negro à sociedade de classes*, São Paulo.

FOSTER, G. M. 1953. "What is folk-culture". *American Anthropologist*, vol. 55, Menasha.

_____. 1962. *Cultura y conquista: la herencia española de América*, Xalapa, México.

_____. 1964. *Las culturas tradicionales y los cambios técnicos*, México.

FREYRE, G. 1951. *Sobrados e mucambos*, Rio de Janeiro.

_____. 1952. *Casa-grande & senzala*, Rio de Janeiro.

FURTADO, C. 1959. *Formação econômica do Brasil*, Rio de Janeiro.

GILLIN, J. 1947. "Modern Latin American culture", *Social Forces*, nº 25.

_____. 1949. "Mestizo America", *in* LINTON, R. (org.). *Most of the world*, Nova York.

_____. 1955. "Ethos components in modern Latin American culture", *American Anthropologist*, vol. 57-3 I, Menasha.

GORDON CHILDE, V. 1956. *Qué sucedió en la historia*, Buenos Aires.

_____. 1964. *Evolución social*, México.

GOUROU, P. 1947. *Los países tropicales*, México.

GUERREIRO RAMOS, A. 1957. *Introdução crítica à sociologia brasileira*, Rio de Janeiro.

GUTTARD, O. 1962. *Bandung y el despertar de los pueblos coloniales*, Buenos Aires.

HARDY, G. 1933. *Géographie et colonisation*, Paris.

HERSKOVITS, M. 1941. *The myth of the negro past*, Nova York.

HOLANDA, S. B. 1956. *Raízes do Brasil*, Rio de Janeiro.

_____. 1957. *Caminhos e fronteiras*, Rio de Janeiro.

HUMPHREY, N. D. 1953. "Raza, casta y clases en Colombia", *Ciencias Sociales*, 4-21, Washington.

HUNTER, M. 1936. *Reaction to conquest*, Londres.

IANNI, O. 1966. *Raças e classes sociais no Brasil*, São Paulo.

BIBLIOGRAFIA

KEESING, F. 1953. *Culture change: an analysis and bibliography sources to 1952*, Califórnia.

KROEBER, A. L. 1939. *Cultural and natural areas of native North America*, Berkeley.

_____. 1944. *Configurations of cultural growth*, Berkeley.

_____. (org.). 1953. *Anthropology today*, Chicago.

LATCHAM, R.; MONTENEGRO, E.; VEGA, M. 1956. *El criollismo*, Santiago.

LEWIS, O. 1951. *Life in a Mexican village: Tepotzlán restudied*, Illinois.

_____. 1961. *Antropología de la pobreza: 5 Familias*, México.

_____. 1963. "Nuevas observaciones sobre el 'continuum folk-urbano y urbanización'", *Ciencias Políticas y Sociales*, ano 9, nº 31, México.

LINTON, R. (org.). 1949. *Most of the world*, Nova York.

_____. 1955. *The tree of culture*, Nova York.

LIPSCHUTZ, A. 1944. *El indoamericanismo y el problema racial en las Americas*, Santiago.

MALINOVSKY, B. 1945. *The dynamics of culture change*, New Haven.

MARIÁTEGUI, J. C. 1963. *Siete ensayos de interpretación de la realidad peruana*, Havana.

MINTZ, S. W. 1954. "Sobre la cultura de folk: Redfield y Forster", *Ciencias Sociales*, v. 26, Washington.

MYRDAL, G. 1944. *An American dilemma*, Nova York.

ONU – ORGANIZACIÓN DE LAS NACIONES UNIDAS. 1958. *Estudios demográficos*, nº 28, Nova York.

_____. 1965. "Conferencia Mundial de la Población, 1965", *Boletín Informativo*, Nova York.

ORTIZ, F. 1940. *Contrapunteo cubano del tabaco y el azúcar*, Havana.

PIERSON, D. 1945. *Brancos e pretos na Bahia*, São Paulo.

RAMOS, A. 1942. *Aculturação negra no Brasil*, São Paulo.

_____. s.d. *Guerra e relações raciais*, Rio de Janeiro.

_____. 1944-7. *Introdução à antropologia brasileira*, 2 vols., Rio de Janeiro.

REDFIELD, R.; LINTON, R.; HERSKOVITS, M. 1936. "Memorandum on the study of acculturation", *American Anthropologist*, vol. 38, Menasha.

REDFIELD, R. 1941. *The folk culture of Yucatán*, Chicago.

_____. 1956. *Peasant society and culture*, Chicago.

_____. 1963. *El mundo primitivo y sus transformaciones*, México.

RIBEIRO, D. 1956. "Convívio e contaminação. Efeitos dissociativos da depopulação provocada por epidemias em grupos indígenas", *Sociologia*, vol. 18, nº 1, São Paulo.

_____. 1957. "Culturas e línguas indígenas do Brasil", *Educação e Ciências Sociais*, vol. 2, nº 6, Rio de Janeiro.

_____. 1958. "A aculturação indígena no Brasil", *in* WAGLEY, C.; HARRIS, M. (orgs.). *Minorities in the new world*, Nova York.

_____. 1962. *A política indigenista brasileira*, Rio de Janeiro.

_____. 1970. *Os índios e a civilização*, Rio de Janeiro.

ROSENBLAT, A. 1954. *La población indígena y el mestizaje en América*, 2 vols., Buenos Aires.

SAPIR, E. 1949. *Selected writings of Edward Sapir*, Berkeley.

SAUVY, A. 1954-6. *Théorie générale dela population*, 2 vols., Paris.

_____. 1961. *El problema de la población en el mundo: de Malthus a Mao Tse Toung*, Madri.

SERVICE, E. R. 1955. "Indian-european relations in colonial Latin-America", *American Anthropologist*, vol. 57-3/i, Menasha.

SIREAU, A. 1966. *Teoría de la población. Ecología urbana y su aplicación a la Argentina*, Buenos Aires.

533

STAVENHAGEN, R. 1963. "Clases, colonialismo y aculturación", *América Latina*, ano 6, nº 4, Rio de Janeiro.
_____. 1965. "Siete tesis equivocadas sobre América Latina", *Política Exterior Independiente*, nº 1, Rio de Janeiro.
STEWARD, J. H. (org.). 1946-50. *Handbook of South American Indians*, 7 vols., Washington.
_____. 1949. "The native population of South America", in _____. (org.). *Handbook of South American Indians*, vol. 5, Washington.
_____. 1955. *Teoría y practica del estudio de areas*, Washington.
SURET-CANALE, J. 1959. *Africa negra*, Buenos Aires.
TANNENBAUM, F. 1947. *Slave and citizen, the negro in the Americas*, Nova York.
TRONCOSO, M. P. 1967. *La explosión demográfica en América Latina*, Buenos Aires.
UNIÓN PANAMERICANA. 1964. *Trabajos del Simposio sobre Población*, Washington.
US, CENSUS. 1966. *Statistical abstract of the US*, Washington.
WAGLEY, C.; HARRIS, M. 1955. "A typology of Latin American subcultures", *American Anthropologist*, vol. 57-3-i, Menasha.
_____. 1958. *Minorities in the new world*, Nova York.
WARNER, W. L.; SROLE, L. 1945. *The social system of American ethnic groups*, New Haven.
WHITE, L. 1959. *The evolution of culture*, Nova York.
WILLIAMS, E. 1944. *Capitalism and slavery*, Carolina do Norte.
WILLEMS, E. 1946. *A aculturação dos alemães no Brasil*, São Paulo.
WOLF, E. R. 1955. "Types of Latin American peasantry", *American Anthropologist*, vol. 57-3-i, Menasha.

III. Os mesoamericanos

ADAMS, R. N. 1956. *La ladinización en Guatemala*, Guatemala.
_____. (org.). 1961. *Social change in Latin America today: its implications to United States policy*, Nova York.
ALPEROVICH, M. S.; RUDENKO, B. T. 1960. *La Revolución Mexicana de 1910-1917 y la política de los Estados Unidos*, México.
ARCINIEGAS, G. 1958. *Entre la libertad y el miedo*, Buenos Aires.
BELTRAN, G. A. 1940. *La población negra de México*, México.
BEMIS, S. F. 1943. *The Latin American of the United States*, Nova York.
BORAH, W.; COOK, S. F. 1963. *The aboriginal population of central Mexico on the eve of the Spanish Conquest*, Berkeley.
BORAH, W. 1964. "America as model: the demographic impact of European expansion upon the non-european world", *XXXV Congreso Internacional de Americanistas, Actas y Memorias*, vol. 3, México.
CAPDEQUI, J. M. O. 1941. *El Estado español en las Indias*, México.
CARMONA, F. 1964. *El drama de América Latina: el caso de México*, México.
CASANOVA, P. G. 1962. "Sociedad plural y desarrollo: el caso de México", *América Latina*, nº 4, Rio de Janeiro.

BIBLIOGRAFIA

_____. 1963. "Sociedad plural, colonialismo interno y desarrollo", *América Latina*, ano 6, nº 3, Rio de Janeiro.

_____. 1965. *La democracia en México*, México.

CASO, A. 1953. *El pueblo del sol*, México.

CLINE, H. 1963. *The United States and Mexico*, Massachusetts.

_____. 1962. *México: evolution to revolution. 1940-1960*, Londres.

COMAS, J. 1961. *Relaciones inter-raciales en América Latina: 1940-1960*, México.

DOBYNS, H. F.; THOMPSON, P. 1966. "Estimating aboriginal American population", *Current Anthropology*, vol. 7, nº 4, Utrecht, Holanda.

DAVILA, C. 1950. *Nosotros, los de las Américas*, Santiago.

FRANK, A. G. 1964. "México: as faces de Jano da revolução do século XX", *Perspectivas de América Latina*, Rio de Janeiro.

GILLIN, J. 1949. "Mestizo América", *in* LINTON, R. (org.). *Most of the world*, Nova York.

HANKE, L. 1958. *El prejuicio racial en el Nuevo Mundo. Aristóteles y los indios de Hispanoamérica*, Santiago.

HERZOG, J. S. 1960-2. *Breve historia de la Revolución Mexicana*, 2 vols., México.

ITURRIAGA, J. E. 1951. *La estructura social y cultural de México*, México.

KEPNER, C. D.; SOOTHILL, J. H. 1950. *El imperio del Banano*, Buenos Aires.

KREHM, W. 1959. *Democracia y tiranias en el Caribe*, Buenos Aires.

KROEBER, A. L. 1939. *Cultural and natural areas of native North America*, Berkeley.

LEÓN-PORTILLA, M. 1959. *Visión de los vencidos. Relaciones Indígenas de la Conquista*, México.

_____. 1963. *Imagen del México antiguo*, Buenos Aires.

LEWIS, O. 1951. *Life in a Mexican village: Tepoztlan restudied*, Illinois.

_____. 1961. "México since Cárdenas", *in* ADAMS, R. N. (org.). *Social Change in Latin America Today*, Nova York.

_____. 1962. *Antropologías de la pobreza: cinco familias*, México.

LIPSCHUTZ, A. 1956. *El problema racial en la conquista de América y el mestizaje*, Santiago.

_____. 1963. *La comunidad indígena en América y en Chile: su pasado histórico y sus perspectivas*, Santiago.

LOMBARDO TOLEDANO, V. 1943. *Definición de la nación mexicana*, México.

MADDOX, J. G. 1965. "La revolución y la reforma agraria", *in* DELGADO, O. (org.). *Reformas agrarias en América Latina*, México.

MCINNIS, E. *et al.* 1951. *Ensayos sobre la historia del Nuevo Mundo*, Comisión de Historia 31, publ. 118, México.

MEJÍA NIETO, A. 1947. *Morazán*, Buenos Aires.

MELLO, A. R. 1946. *O trabalho forçado de indígenas nas lavouras de Nova-Espanha*, São Paulo.

MENDIETA Y NÚÑEZ, L. 1934. *Esbozo de la historia de los primeros años de la reforma agraria de México (1910-1920)*, México.

_____. 1954. *El problema agrario de México*, México.

MORENO, M. M. 1962. *La organización política y Social de los Aztecas*, México.

MORLEY, S. 1956. *La civilización maya*, México.

NEARING, S.; FREEMAN, J. 1929. *La diplomacia del dólar*, Madri.

OFICINA INTERNACIONAL DEL TRABAJO. 1953. *Poblaciones indígenas. Condiciones de vida y de trabajo de los pueblos autóctonos de los países independientes*, Genebra.

PALERM, A.; WOLF, E. R. 1961. "Vários estudios sobre la civilización de regadío en Mesoamérica", *Revista Interamericana de Ciencias Sociales*, 1-2, Washington.

_____. 1961a. "La agricultura y el desarrollo de la civilización en Mesoamérica", *Revista Interamericana de Ciencias Sociales*, 1-2, Washington.

RAMA, C. M. 1962. *Revolución social en el siglo XX*, Buenos Aires.

REDFIELD, R. 1941. *The folk culture of Yucatán*, Chicago.

RIBEIRO, D. 1956. "Convívio e contaminação. Efeitos dissociativos da depopulação provocada por epidemias em grupos indígenas", *Sociologia*, vol. 18, nº 1, São Paulo.

_____. 1968. *O processo civilizatório — Etapas da evolução sociocultural*, Rio de Janeiro.

RIBEIRO, D. *et al.* 1960. "Un concepto de integración social", *América Indígena*, vol. 20, nº 1, México.

ROSENBLAT, A. 1954. *La población indígena y el mestizaje en América*, 2 vols., Buenos Aires.

SALAS, A. M. 1960. *Crónica florida del mestizaje de las Indias*, Buenos Aires.

SAPPER, K. 1924. "Die Zahl und die Volksdichte der Indianischen Bevolkerung in Amerika von der Conquista und in der Gegenwart", *XXI Congreso Internacional de Americanistas*, Leiden.

SELSER, G. 1957. *Sandino, general de hombres libres*, 2 vols., Buenos Aires.

SOUSTELLE, J. 1956. *La vida cotidiana de los aztecas*, México.

SPENGLER, O. 1958. *La decadencia del Occidente*, 2 vols., Madri.

STEWARD, J. H. (org.). 1949. "The native population of South America", in _____. (org.). *Handbook of South American Indians*, vol. 5, Washington.

TANNENBAUM, F. 1950. *México: the struggle for peace and bread*, Nova York.

THOMPSON, J. E. 1934. *La civilization aztèque*, Paris.

TOWNSEND, W. C. 1952. *Lázaro Cárdenas: Mexican Democrat*, Ann Arbor.

VAILLANT, G. C. 1944. *La civilización azteca*, México.

WITTFOGEL, K. 1966. *Despotismo oriental. Estudio comparativo del poder totalitario*, Madri.

ZAVALA, S. A. 1953. *Aproximaciones a la historia de México*, Madri.

IV. Os andinos

ARGUEDAS, A. 1937. *Un pueblo enfermo: contribución a la psicología de los pueblos hispanoamericanos*, Santiago.

BAUDIN, L. 1961. *A socialist empire. The incas of Peru*, Princeton.

BOURRICAUD, F. 1967. *Poder y sociedad en el Perú contemporáneo*, Buenos Aires.

CARLOS, N. 1969. *Perú. O novo nacionalismo latino-americano*, Rio de Janeiro.

CÉSPED, A. 1966. *El presidente Colgado*, Buenos Aires.

DOBYNS, H. F.; THOMPSON, P. 1966. "Estimating aboriginal American population", *Current Anthropology*, vol. 7, nº 4, Utrecht, Holanda.

DELGADO, C. 1971. *Problemas sociales en el Perú contemporáneo*, Lima.

FUENZALIDA, F. *et al.* 1970. *El indio y el poder en el Perú* (Perú Problema nº 4), Lima.

FRÍAS, I. 1970. *La revolución peruana y la vía socialista*, Lima.

HAYA DE LA TORRE, V. R. 1927. *Por la emancipación de América Latina*, Buenos Aires.

_____. 1936. *Adónde vá Indoamérica?*, Santiago.

HOBSBAWM, E. J. 1972. "Perú, la 'revolución' singular", *Plural*, nº 5, Suplemento mensal de *Excelsior*, México.

BIBLIOGRAFIA

KANTOR, H. 1958. "El programa aprista para Perú y Latinoamérica", *Revista Combate*, nº 3, San José, Costa Rica.

LEONARD, O. E. 1952. *Bolivia: land, people and institutions*, Washington.

MARIÁTEGUI, J. C. 1963. *Siete ensayos de interpretación de la realidad peruana*, Havana.

MATOS MAR, J. (org.). 1968. *Perú problema. I. Cinco ensayos*, Lima.

_____. 1971. *Perú, hoy*, México.

OFICINA INTERNACIONAL DEL TRABAJO. 1953. *Problaciones indígenas. Condiciones de vida y de trabajo de los pueblos autóctonos de los países independientes*, Genebra.

ORTIZ, N. C. 1965. *Bolivia y su posición en la estrategia, medios y lines de la Revolución Nacional*, Montevidéu.

OSBORNE, H. 1955. *Bolivia, a land divided*, Londres.

PEÑALOZA, L. 1954. *Historia económica de Bolivia*, La Paz.

QUIJANO, A. 1971. *Nacionalismo, neoimperialismo y militarismo en el Perú*, Buenos Aires.

SÁNCHEZ, L. A. 1954. *Haya de la Torre y el apra*, Santiago.

_____. 1958. *El Perú: retrato de un país adolescente*, Buenos Aires.

STEWARD, J. H. 1946. "The Andean civilizations", *in* _____. (org.). *Handbook of South American Indians*, vol. 2, Washington.

STEWARD, J. H.; FARON, L. C. 1959. *Native people of South America*, Nova York.

TAMAYO, F. 1944. *Creación de la pedagogía nacional*, La Paz.

UCEDA, L. P. 1965. "La revolución en Perú: concepciones y perspectivas", *Monthly Review* (Selecciones en castellano), Buenos Aires.

URTEAGA, H. V. 1964. "El Incario en la emancipación del Perú", *XXXV Congreso Internacional de Americanistas, Actas y Memorias*, vol. 3, México.

VALCARCEL, D. 1965. *La rebelión de Tupac Amaru*, México.

VELARDE, J. F. 1954. *Víctor Paz Estenssoro: el hombre y la revolución*, La Paz.

VELASCO ALVARADO, J. 1971. *La política del gobierno revolucionario*, tomo III, Lima.

VILLANUEVA, V. 1962. *El militarismo en el Perú*, Lima.

_____. 1969. *O golpe de 68 no Peru*, Rio de Janeiro.

VINUEZA, L. B. 1944. *Ecuador: drama y paradoja*, México.

ZAVALETA MERCADO, R. 1967. *Bolivia, el desarrollo de la conciencia nacional*, Montevidéu.

V. Os brasileiros

ABREU, C. 1934. *Capítulos da história colonial (1500-1800)*, Rio de Janeiro.

ALBERSHEIM, U. 1962. *Uma comunidade teuto-brasileira (Jarim)*, Rio de Janeiro.

AMARAL, A. 1938. *O Estado autoritário e a realidade nacional*, Rio de Janeiro.

BANAS — PESQUISAS ECONÔMICAS. 1965. "As 767 maiores companhias do Brasil", *Brasil 65*, São Paulo.

BASTIDE, R. 1957. *Brésil, terre des contrastes*, Paris.

CAMARGO, J. P. 1957. *Êxodo rural do Brasil*, São Paulo.

CARDOSO, F. H. 1962. *Capitalismo e escravidão no Brasil meridional. O negro na sociedade escravocrata do Rio Grande do Sul*, São Paulo.

As Américas e a civilização

_____. 1964. *Empresário industrial e desenvolvimento econômico no Brasil*, São Paulo.

CALDEIRA, C. 1954. *Fazendas de cacau na Bahia*, Rio de Janeiro.

_____. 1955. *Arrendamento e parceria*, Rio de Janeiro.

_____. 1956. *Mutirão: formas de ajuda mútua no meio rural*, São Paulo.

_____. 1960. *Menores no meio rural*, Rio de Janeiro.

CALÓGERAS, P. J. 1927. *A política exterior do Império*, 2 vols., São Paulo.

CASTRO, J. 1946. *Geografia da fome*, Rio de Janeiro.

CORREIA FILHO, V. 1957. *Ervais do Brasil e ervateiros*, Rio de Janeiro.

COSTA PINTO, L. A. 1948. "A estrutura da sociedade rural brasileira", *Sociologia*, vol. 10, nº 2-3, São Paulo.

_____. 1953. *O negro no Rio de Janeiro*, Rio de Janeiro.

CUNHA, E. 1911. *Os sertões*, Rio de Janeiro.

DIÉGUES JÚNIOR, M. 1952. *O engenho de açúcar no Nordeste*, Rio de Janeiro.

_____. 1959. *População e propriedade da terra no Brasil*, Rio de Janeiro.

_____. 1960. "Propriedade e uso da terra na 'plantation brasileira'", *in* STEWARD, J. H. (org.). *Sistema de plantaciones en el Nuevo Mundo*, Washington.

_____. 1964. *Imigração, urbanização e industrialização*, Rio de Janeiro.

DUARTE, N. s.d. *Reforma agrária*, Rio de Janeiro.

FAORO, R. 1958. *Os donos do poder: formação do patronato político brasileiro*, Porto Alegre.

FERNANDES, F. 1949. *A organização social dos tupinambás*, São Paulo.

_____. 1952. *A função social da guerra na sociedade tupinambá*, São Paulo.

_____. 1960. *Mudanças sociais no Brasil*, São Paulo.

_____. 1964. *A integração do negro à sociedade de massas*, São Paulo.

FERREIRA, P. 1965. *Capitais estrangeiros e dívida externa do Brasil*, São Paulo.

FRANK, A. G. 1964. "A agricultura brasileira: capitalismo e o mito do feudalismo", *Revista Brasiliense*, nº 51, São Paulo.

_____. 1967. *Capitalism and underdevelopment: historical studies of Chile and Brazil*, Nova York.

FREYRE, G. 1935. *Sobrados e mucambos*, Rio de Janeiro.

_____. 1954. *Casa-grande & senzala*, 2 vols., Rio de Janeiro.

_____. 1959. *Ordem e progresso*, Rio de Janeiro.

Fundação Getúlio Vargas. 1965. "Retrospecto 1964", *Conjuntura Econômica*, nº 2, Rio de Janeiro.

FURTADO, C. 1959. *Formação econômica do Brasil*, Rio de Janeiro.

_____. 1962. *A pré-revolução brasileira*, Rio de Janeiro.

GEIGER, P. P. 1963. *Evolução da rede urbana brasileira*, Rio de Janeiro.

GILLIN, J. 1947a. *Moche: a Peruvian coastal community*, Washington.

_____. 1947b. "Modern Latin American culture", *Social Forces*, nº 25.

GOULART, J. 1964. *Mensagem ao Congresso Nacional*, Brasília.

GOUROU, P. 1959. *Los países tropicales*, Xalapa, México.

GUERREIRO RAMOS, A. 1957. *Condições sociais do poder nacional*, Rio de Janeiro.

GUIMARÃES, A. P. 1963. *Quatro séculos de latifúndio*, São Paulo.

HOLANDA, S. B. 1936. *Raízes do Brasil*, Rio de Janeiro.

HUTCHINSON, H. W. 1957. *Village and plantation life in Northeastern Brazil*, Washington.

_____. 1960. *Mobilidade e trabalho: um estudo da cidade de São Paulo*, São Paulo.

IANNI, O. 1962. *As metamorfoses do escravo. Apogeu e crise da escravatura no Brasil Meridional*, São Paulo.

538

BIBLIOGRAFIA

_____. 1963. *Industrialização e desenvolvimento social no Brasil*, Rio de Janeiro.

_____. 1966. *Raças e classes sociais no Brasil*, Rio de Janeiro.

IBGE – INSTITUTO BRASILEIRO DE GEOGRAFIA E ESTATÍSTICA. 1950. *Censo agrícola de 1950*, Rio de Janeiro.

_____. 1960. *Recenseamento geral do Brasil*, Rio de Janeiro.

_____. 1963-6. *Anuários estatísticos de 1963, 1964, 1965, 1966*, Rio de Janeiro.

JAGUARIBE, H. 1962. *Desenvolvimento econômico e desenvolvimento político*, Rio de Janeiro.

KUZNETS, S. (org.). 1965. *Economie growth: Brazil, India, Japan*, Carolina do Norte.

LAMBERT, J. 1959. *Os dois Brasis*, Rio de Janeiro.

LAYTANO, D. 1952. *A estância gaúcha*, Rio de Janeiro.

LEAL, V. N. 1948. *Coronelismo, enxada e voto*, Rio de Janeiro.

LEITE, A. D. 1966. *Caminhos do desenvolvimento*, Rio de Janeiro.

LESSA, C. 1964. "Quince años de política económica en el Brasil", *Boletín Económico de América Latina*, Santiago.

LIMA, H. F. 1954. *Evolução industrial de São Paulo*, São Paulo.

LIMA, R. C. 1935. *Terras devolutas. História, doutrina e legislação*, Porto Alegre.

MACEDO, J. N. 1952. *Fazendas de gado no vale do São Francisco*, Rio de Janeiro.

MARCHANT, A. 1943. *Do escambo à escravidão*, São Paulo.

MELLO E SOUZA, A. C. 1964. *Os parceiros do rio Bonito. Estudo sobre o caipira paulista e a transformação dos seus meios de vida*, Rio de Janeiro.

MINTZ, S. W. 1960. "La Plantación como un tipo sociocultural", *in* STEWARD, J. H. (org.). *Plantaciones en Nuevo Mundo*, Washington.

MONBEIG, P. 1940. *Ensaios de geografia humana*, São Paulo.

MORAIS FILHO, E. 1962. *O sindicato único no Brasil*, Rio de Janeiro.

MORAZÉ, C. 1954. *Les trois ages du Brésil*, Paris.

MOURA, A. 1956. *O dólar no Brasil*, Rio de Janeiro.

MYRDAL, G. 1962. *Teoría económica y regiones subdesarrolladas*, México.

NOGUEIRA, O. 1960. "Cor de pele e classe social", *in* STEWARD, J. H. (org.). *Sistemas de plantaciones en el Nuevo Mundo*, Washington.

_____. 1962. *Família e comunidade: Um Estudo Sociológico de Itapetininga*, Rio de Janeiro.

NORMANO, J. F. 1945. *Evolução econômica do Brasil*, São Paulo.

ONU – ORGANIZACIÓN DE LAS NACIONES UNIDAS. 1958. *Estudios Demográficos*, nº 28, Nova York.

_____. 1961-4. *Statistical yearbook*, Nova York.

_____. 1964. "El financiamiento externo de América Latina", Nova York.

PAIM, G. 1957. *Industrialização e economia natural*, Rio de Janeiro.

PAULA, J. M. 1944. *Terra dos índios*, Rio de Janeiro.

PEDROSA, M. 1966. *A opção brasileira*, Rio de Janeiro.

_____. 1966a. *A opção imperialista*, Rio de Janeiro.

PERDIGÃO MALHEIRO, A. M. 1944. *A escravidão no Brasil*, São Paulo.

PIERSON, D. 1945. *Brancos e pretos na Bahia*, São Paulo.

PINTO, A. V. 1956. *Ideologia e desenvolvimento nacional*, Rio de Janeiro.

PRADO JÚNIOR, C. 1942. *Formação do Brasil contemporâneo*, São Paulo.

_____. 1960. "Contribuição para a análise da questão agrária no Brasil", *Revista Brasiliense*, nº 28, São Paulo.

_____. 1964. "Marcha da questão agrária no Brasil", *Revista Brasiliense*, nº 51, São Paulo.

_____. 1966. *A revolução brasileira*, Rio de Janeiro.

PREBISCH, R. 1964. *Towards a new trade policy for development*, Nova York.

RAMOS, A. s.d. *Guerra e relações de raça*, Rio de Janeiro.

_____. 1944-7. *Introdução à antropologia brasileira*, 2 vols., Rio de Janeiro.

RANGEL, I. 1957. *Introdução ao estudo do desenvolvimento econômico brasileiro*, Salvador.

_____. 1957a. *Dualidade básica da economia brasileira*, Rio de Janeiro.

REDFIELD, R. 1941. *The folk culture of Yucatán*, Chicago.

_____. 1963. *El mundo primitivo y sus transformaciones*, México.

REIS, A. C. F. 1954. *O seringal e o seringueiro na Amazônia*, Rio de Janeiro.

RIBEIRO, D. 1955. "Os índios Urubus: ciclo anual das atividades de subsistência de uma tribo na floresta tropical", *Anais do XXXI Congresso Internacional de Americanistas*, vol. 1, São Paulo.

_____. 1956. "Convívio e contaminação: efeitos dissociativos da depopulação provocada por epidemias em grupos indígenas", *Sociologia*, vol. 18, nº 1, São Paulo.

_____. 1957. "Culturas e línguas indígenas do Brasil", *Educação e Ciências Sociais*, 2-6, Rio de Janeiro.

_____. 1962. *Política indigenista brasileira*, Rio de Janeiro.

RODRIGUES, L. M. 1966. *Conflito industrial e sindicalismo no Brasil*, São Paulo.

RODRIGUES, J. H. 1965. *Conciliação e reforma no Brasil*, Rio de Janeiro.

SANTOS, M. 1955. *Zona de cacau*, Salvador.

SILVA, Z. P. 1955. *O vale do Itajaí*, Rio de Janeiro.

SIMONSEN, R. 1937. *História econômica do Brasil (1500-1820)*, São Paulo.

SMITH, T. LYNN. 1946. *Brazil: people and institutions*, Louisiana.

SODRÉ, N. W. 1960. *O que se deve ler para conhecer o Brasil*, Rio de Janeiro.

_____. 1963. *Introdução à revolução brasileira*, Rio de Janeiro.

_____. 1964. *História da burguesia nacional*, Rio de Janeiro.

SPED – CARTA ECONÔMICA BRASILEIRA. 1965, "Os grandes grupos econômicos no Brasil", *SPEED*, nᵒˢ 2, 3, 4, Rio de Janeiro.

STEWARD, J. H. 1949. "The native population of South America", *in* _____. (org.). *Handbook of South American Indians*, vol. 5, Washington.

_____. 1960. "Perspectivas de las plantaciones", *in* _____. (org.). *Sistemas de plantaciones en el Nuevo Mundo*, Washington.

_____. (org.). 1960. *Sistemas de plantaciones en el Nuevo Mundo*, Washington.

TANNENBAUM, F. 1960. *Slave and citizen: the negro in the Americas*, Nova York.

TAVARES, M. C. *et al.* 1964. "Auge y declinación del proceso de sustitución de importaciones en el Brasil", *Boletín Económico de América Latina*, vol. 9, nº 1, Santiago.

TEIXEIRA, A. 1957. *Educação não é privilégio*, Rio de Janeiro.

TOURAINE, A. 1961. "Industrialisation et conscience ouvrière à São Paulo", *Syndicats d'Amérique Latine*, Paris.

THOMPSON, E. T. 1960. "La plantación como sistema social", *in* STEWARD, J. H. (org.). *Plantaciones en el Nuevo Mundo*, Washington.

VINHAS, M. 1963. *Operários e camponeses na revolução brasileira*, São Paulo.

VALVERDE, O. 1964. *Geografia agrária do Brasil*, vol. 1, Rio de Janeiro.

VIANNA, O. 1956. *Evolução do povo brasileiro*, Rio de Janeiro.

VIEIRA DA CUNHA, M. W. 1963. *O sistema administrativo brasileiro 1930-1950*, Rio de Janeiro.

WAIBEL, L. 1947. "O sistema de plantações tropicais", *Boletim geográfico*, v-56, Rio de Janeiro.

WAGLEY, C. s.d. *A revolução brasileira*, Salvador.

WILLEMS, E. 1947. *Cunha: tradição e transição em uma cultura rural no Brasil*, São Paulo.

VI. Os grã-colombianos

BARRADAS, J. P. 1948. *Los mestizos de América*, Madri.

BETANCOURT, R. 1956. *Venezuela: política y petróleo*, México.

BONILLA, F.; MICHELENA, J. A. S. 1966. *Studying the Venezuelan polity*, Massachusetts.

BONILLA, F. 1969. *Las élites invisibles* (ed. mimeo. Cendes), Caracas.

BONILLA, F.; MICHELENA, J. A. S. 1971. *Cambio político en Venezuela: explotaciones en análises y en síntesis*, Caracas.

CHACÓN, A. 1970. *La izquierda cultural venezolana — 1958-1968. Ensayo y antologia*, Caracas.

CABALLERO, M. 1970. *El desarrollo desigual del socialismo y otros ensayos polémicos*, Caracas.

CAMPOS, G. G.; FALS BORDA, O; LUNA, E. U. 1963-4. *La violencia en Colombia. Estudio de un proceso social*, 2 tomos, Bogotá.

CONSEJO NACIONAL DE POLÍTICA Y PLANEACIÓN. 1960. *Plan general de desarrollo económico y social*, Bogotá.

CUELLAR, D. M. 1963. *Colombia: país formal y país real*, Buenos Aires.

DAMAS, G. C. 1964. *Cuestiones de historiografia venezolana*, Caracas.

DONOSO, M. C. 1963. *Venezuela, okey! (Origen y objetivos de la lucha armada)*, Santiago.

FALS BORDA, O. 1958. *Estudio sobre las condiciones del desarrollo en Colombia*, 2 vols., Bogotá.

_____. 1961. *Campesinos de los Andes*, Bogotá.

_____. 1968. *Subversión y cambio social*. Edição revisada, ampliada e atualizada de *La subversión en Colombia*, Bogotá.

_____. 1968a. *Las revoluciones inconclusas en América Latina. 1809/1968*, México.

FIGUEIROA, F. B. 1960. *Ensayos de historia social venezolana*, Caracas.

GAITÁN, J. E. 1963. *Las ideas socialistas en Colombia*, Bogotá.

GALBRAITH, W. O. 1953. *Colombia, a general survey*, Nova York.

IEPA — INSTITUTO DE ESTUDIOS POLÍTICOS PARA AMÉRICA LATINA. 1965. *América del Sur frente al desarrollo*, Barcelona.

JOHNSON, J. J. 1961. *La transformación política de América Latina*, Buenos Aires.

KROEBER, A. L. 1946. "The Chibcha", *in* STEWARD, J. H. (org.). *Handbook of South American Indians*, vol. 2, Washington.

LIEUWEN, E. 1964. *Venezuela*, Buenos Aires.

MAZA ZAVALA, D. 1964. *Venezuela, una economía dependiente*, Caracas.

MICHELENA, J. A. S. 1970. *Crisis de la democracia*, vol. 3 de *Cambio político en Venezuela*, Caracas.

MIJARES, A. 1967. *La evolución política de Venezuela 1810-1960*, Buenos Aires.

MOLEIRO, M. 1971. "La enseñanza de la guerra revolucionaria en Venezuela", *in* BAMBIRRA, V. *et al. Diez años de insurrección en América Latina*, Santiago.

PETKOFF, T. 1970. *¿Socialismo para Venezuela?*, Caracas.

REICHEL-DOLMATOFF, G. 1953. *Colombia: programa de historia de América. Período Indígena*, México.

ROSENBLAT, A. 1954. *La población indígena y el mestizaje en América*, 2 vols., Buenos Aires.

SALAS, A. M. 1960. *Crónica florida de mestizaje de las Indias*, Buenos Aires.

SANTA, E. 1964. *Sociología política de Colombia*, Bogotá.

SMITH, T. L. 1951. "Observations on the middle classes in Colombia", *in* CREVENNA, T. R. *Materiales para el estudio de la clase media en América Latina*, tomo 6, pp. 1-14, Washington.

STEWARD, J. H.; FARON, L. C. 1959. *Native peoples of South America*, Nova York.

TOVAR, R. A. 1962. *Venezuela, país ocupado*, Caracas.

VALLENILLA LANZ, L. 1919. *Cesarismo democrático*, Caracas.

VII. Os antilhanos

AMENGUAL, G. M. 1963. *Subdesarrollo y revolución en Latinoamérica*, Havana.

ARCINIEGAS, G. 1958. *Entre la libertad y el miedo*, Buenos Aires.

BARAN, P. A. 1963. *Reflexiones sobre la revolución cubana*, Buenos Aires.

BELLEGARDE, D. 1937. *Resistence haitienne*, Paris.

_____. 1938. *La nation haitienne*, Paris.

BLAS ROCA. 1961. *Los fundamentos del socialismo en Cuba*, Havana.

BOSCH, J. 1961. *Trujillo, causas de una tiranía sin ejemplo*, Caracas.

CASTRO, F. 1959. *La revolución cubana*, Buenos Aires.

_____. 1965. *El Partido Marxista-Leninista*, Buenos Aires.

CESAIRE, A. 1955. *Discours sur le colonialisme*, Paris.

CHONCHOL, J. 1965. "Cuba, el primer bienio de reforma agraria (1959-1961)", *in* DELGADO, O. (org.). *Reformas agrarias en América Latina*, México.

COOK, M. 1951. *An introduction to Haiti*, México.

DRAPER, T. 1962. *La revolución de Castro*, México.

FANON, F. 1965. *Escucha, blanco!*, Barcelona.

FAO. 1963. "La reforma agraria cubana", *El Trimestre Económico XXX*, nº 17, México.

FERGUSON, J. H. 1963. *El equilibrio racial en América Latina*, Buenos Aires.

FRONDIZI, S. 1961. *La revolución cubana: su significación histórica*, Montevidéu.

FURTADO, C. 1959. *Formação econômica do Brasil*, Rio de Janeiro.

FRIEDLAENDER, H. E. 1944. *Historia económica de Cuba*, Havana.

GUÉRIN, D. 1959. *Cuatro colonialismos sobre las Antillas*, Buenos Aires.

GUEVARA, E. C. *et al.* 1967. *Cuba — Cuadernos de "Marcha"*, nº 3, Montevidéu.

HANKE, L. 1959. *Mexico and the Caribbean*, Princeton.

JAGAN, C.; JAGAN, J. 1964. *Guayaría inglesa*, Buenos Aires.

JENKS, L. H. 1959. *Nuestra colonia de Cuba*, Buenos Aires.

JIMÉNEZ, A. N. 1960. *Geografía de Cuba*, Havana.

KREHM, W. 1959. *Democracia y tiranías en el Caribe*, Buenos Aires.

MENDE, T. 1956. *América Latina entra en escena*, Santiago.

MÉTRAUX, A. 1963. *Vodú*, Buenos Aires.

MORRAY, J. P. 1965. *La segunda revolución en Cuba*, Buenos Aires.

OLMEDO, J. 1963. *Cuba: la revolución de América*, Bogotá.

ORTIZ, F. 1940. *Contrapunteo cubano del tabaco y del azúcar*, Havana.

PEDRERO, E. G. 1959. *La revolución cubana*, México.

BIBLIOGRAFIA

RENO, P. 1965. *El drama de la Guayana Britânica*, Buenos Aires.

RODRÍGUEZ, C. R. 1965. "La segunda reforma agraria cubana: causas y derivaciones", *in* DELGADO, O. (org.). *Reformas agrarias en América Latina*, México.

ROMAIN, J. 1934. *Analyse schématique*, Haiti.

ROSTOVSKY, S. N.; MIROSHEVSKY, V. M.; RUBIZOV, B. K. 1941. *Nueva historia de la America Latina*, Buenos Aires.

SARTRE, J. P. 1960. *Huracán sobre el Caribe*, Havana.

SELSER, G. 1962. *Diplomacia, garrote y dólares en América Latina*, Buenos Aires.

SWEEZY, P. M.; HUBERMAN, L. 1961. *Cuba, anatomía de una revolución*, Montevidéu.

WILLIAMS, E. 1945. *The negro in the Caribbean*, Londres.

WRIGHT MILLS, C. 1961. *Escucha, yanqui: la revolución en Cuba*, México.

VIII. Os chilenos

AHUMADA, J. 1958. *En vez de la miseria*, Santiago.

ALLENDE, S. 1970. *Discurso*, Estadio Nacional, Santiago, 15 de novembro de 1970.

____. 1971. *Mensaje presidencial (Introducción)*, Congreso Nacional, Santiago, 21 de maio de 1971.

____. 1971. *Pensamento político de Salvador Allende*, Santiago.

____. 1972. *Mensaje presidencial (Introducción)*, Congreso Nacional, Santiago, 21 de maio de 1972.

AMPUERO, R. 1969. *La izquierda en punto muerto*, Santiago.

BASADRE, J. 1948. *Chile, Perú y Bolivia independientes*, Barcelona.

BECKET, J. 1965. "Problemas de la reforma agraria", *in* DELGADO, O. (org.). *Reformas agrarias en América Latina*, México.

CASTRO, F. 1972. *Fidel en Chile. Textos completos de su diálogo con el pueblo*, Santiago.

CEPAL — NACIONES UNIDAS. 1963. *El desarrollo económico de América Latina en la post guerra*, Nova York.

____. 1964. *El financiamiento externo de América Latina*, Nova York.

COMAS, J. 1961. *Relaciones inter-raciales en América Latina: 1940-1960*, México.

CUNILE, P. 1965. *Geografía de Chile*, Santiago.

DELGADO, O. (org.). 1965. *Reformas agrarias en América Latina*, México.

DONOSO, R. 1946. *Las ideas políticas en Chile*, México.

____. 1963. *Breve historia de Chile*, Buenos Aires.

ENCINAS, F. A. 1912. *Nuestra inferioridad económica. Sus causas, sus consecuencias*, Santiago.

____. 1954-5. *Resúmen de la historia de Chile*, Santiago.

ENGELS, F. 2004. *Crítica del programa de Erfurt*, Madrid.

ESPÁRTACO. 1965. *Crítica a la izquierda latinoamericana*, Montevidéu.

FICHTER, J. H. 1962. *Cambio Social en Chile: un estudio de actitudes*, Santiago.

FRANK, A. G. 1967. *Capitalism and underdevelopment in Latin America. Historical. Studies of Chile and Brazil*, Nova York.

FREI, E. 1951. *Sentido y forma de una política*, Santiago.

GARCÉS, J. E. 1970. *Le pugna política por la presidencia en Chile*, Santiago.

____. 1972. *Revolución, Congreso y Constitución. El caso Tohá*, Santiago.

HANKE, L. 1958. *El prejuicio racial en el Nuevo Mundo. Aristóteles y los Indios de Hispanoamérica*, Santiago.

JARA, A. 1965. *Fuentes para la historia del trabajo en el reino de Chile*, Santiago.

JOHNSON, J. J. (org.). 1961. *La transformación política de América Latina*, Buenos Aires.

JOVET, J. C. 1955. *Ensayo crítico del desarrollo económico y social de Chile*, Santiago.

JOXE, A. 1970. *Las Fuerzas Armadas en el sistema político de Chile*, Santiago.

LAGO, T. 1953. *El huaso: ensayo de antropología social*, Santiago.

LAGOS, R. 1961. *La concentración del poder económico*, Santiago.

LIPSCHUTZ, A. 1956. *La comunidad indígena en América y en Chile. Su pasado histórico y sus perspectivas*, Santiago.

_____. 1963. *El problema racial en la Conquista de América y el Mestizaje*, Santiago.

MARTINER, G. (org.). 1971. *El pensamiento económico del gobierno de Allende*, Santiago.

MATTELART, A. *et al.* 1970. *La ideología de la dominación en una sociedad dependiente*, Buenos Aires.

MILLAN, O. 1964. *Los comunistas, los católicos y la libertad*, Santiago.

MOSTNY, G. 1954. *Culturas precolombianas en Chile*, Santiago.

NECOCHEA, H. R. 1960. *Historia del imperialismo en Chile*, Santiago.

NOVOA, E. 1972. "El difícil camiño de la lagalidad", *Revista de la Universidad Técnica del Estado*, nº 7, Santiago.

NÚÑEZ, C. 1970. *La última opción electoral*, Santiago.

PALACIOS, N. 1904. *Raza chilena*, Valparaíso.

PIKE, F. B. 1963. *Chile and the United States, 1880-1962*, Notre Dame.

PINTO, A. 1953. *Hacia nuestra independencia económica*, Santiago.

_____. 1962. *Chile, un caso de desarrollo frustrado*, Santiago.

_____. 1965. *Chile, una economía difícil*, Santiago.

_____. 1971. *Tres ensayos sobre Chile y América Latina*, Buenos Aires.

ROSENBLAT, A. 1954. *La población indígena de América*, 2 vols., Buenos Aires.

SALAS, A. M. 1960. *Crónica florida del mestizaje de las Indias. Siglo XVI*, Buenos Aires.

STEWARD, J. H. (org.). 1946. *Handbook of South American Indians*, vol. 2, Washington.

URZÚA, H. G. 1971. *Estructura social de Chile*, Santiago.

VALENZUELA, T. L. 1941. *Bosquejo histórico del movimiento obrero en Chile*, Santiago.

VÁRIOS AUTORES. 1971. *Chile hoy*, México.

VILLEGAS, H. P. *et al.* s.d. *Desarrollo de Chile en la primera mitad del siglo XX*, 2 vols., Santiago.

VITALE, L. 1967-9. *Interpretación marxista de la historia de Chile*, 3 tomos, Santiago.

VIVES, A. E. 1952. *La fronda aristocrática: historia política de Chile*, Santiago.

VUSKOVIC, S.; FERNÁNDEZ, O. 1964. *Teoría de la ambigüedad: base ideológica de la democracia cristiana*, Santiago.

IX. Os anglo-americanos

BELL, D. 1964. *El fin de las ideologías*, Madri.

BESSIE, A. 1958. *Los anti-norteamericanos*, Buenos Aires.

BOGGS, J. 1964. *La revolución norteamericana*, Buenos Aires.

BRADEN, A. 1966. "Estados Unidos: el movimiento negro de liberación nacional", *Monthly Review* (Selecciones en castellano), nºs 28-9, Buenos Aires.

BIBLIOGRAFIA

BURLINGAME, R. 1963. *Las máquinas que forjaram una nación*, México.

COOK, F. J. 1964. *O Estado militarista*, Rio de Janeiro.

CÚNEO, D. 1964. *La batalha de América Latina*, Buenos Aires.

DAVENPORT, R. W. (org.). 1952. *Los EE.UU. de Norte América: una revolución Permanente*, Madri.

DE CARLO, C. R. 1965. "Perspectivas sobre la tecnología", *in* GINZBERG, E. (org.). *Tecnología y cambio social*, México.

FREIDEL, F. 1961. *America in the twentieth century*, Nova York.

FRAZIER, F. 1957. *The negro in the United States*, Nova York.

FROMM, E. 1961. *Escape from freedom*, Nova York.

GALBRAITH, J. K. 1952. *American capitalism*, Boston.

GINZBERG, E. (org.). 1965. *Tecnología y cambio social*, México.

GIRAUD, M. 1950. *Histoire du Canadá*, Paris.

GORER, G. 1948. *The American people*, Nova York.

HARRINGTON, M. 1963. *La cultura de la pobreza en los Estados Unidos*, México.

HENRY, J. 1967. *La cultura contra el hombre*, México.

HUBERMAN, L.; SWEEZY, P. M. 1963. *Teoría de la política exterior norteamericana*, Buenos Aires.

JEFFERSON, T. 1949. *On democracy*, Nova York.

JOHNSON, C. S. 1934. *Shadow of the plantation*, Chicago.

LASKI, H. 1949. *The American democracy*, Londres.

LILLEY, S. 1957. *Hombres, máquinas e historia*, Buenos Aires.

LERNER, M. 1957. *America as a civilization*, Nova York.

LUNDBERG, F. 1965. *Las 60 familias norteamericanas*, Buenos Aires.

MARTINEAU, H. 1962. *Society in America*, Garden City.

MILLIKAN, M. F.; BLACKMER, D. L. M. (orgs.). 1961. *Las naciones que surgen. Su desarrollo y la política de los Estados Unidos*, México.

MEAD, M. 1942. *And keep your power dry*, Nova York.

MORRIS, R. B. 1962. *Documentos fundamentales de la historia de los Estados Unidos de América*, México.

MYRDAL, G. 1944. *An American dilemma*, Nova York.

NOGUEIRA, O. 1955. "Preconceito racial de marca e preconceito racial de origem", *Anais do XXXI Congresso Internacional de Americanistas*, vol. 1, São Paulo.

PAINE, T. 1894. *The writings of Thomas Paine*, Nova York.

PERLO, V. 1961. *El imperialismo norteamericano*, Buenos Aires.

_____. 1962. *El imperio de las altas finanzas*, Buenos Aires.

RAYMOND, J. 1965. *O poder do Pentágono*, 2 vols., Rio de Janeiro.

RIESMAN, D. *et al.* 1964. *La muchedumbre solitaria*, Buenos Aires.

ROUSSIN, M. 1959. *Le Canadá e le système interamericane*, Ottawa.

SCHLESINGER, A. M. 1964. *Rumbos de la historia norteamericana*, Buenos Aires.

SCHLESINGER, A. M.; HOCKETT, H. C. 1954. *Evolución política y social de los Estados Unidos*, Buenos Aires.

SELSER, G. 1962. *Diplomacia, garrote y dólares en América Latina*, Buenos Aires.

SHILS, E. 1956. *The torment of secrecy*, Glencoe.

SIEGFRIED, A. 1956. *Panorama de los Estados Unidos*, Madri.

SOROKIN, P. A. 1961. *Mutua convergencia de Estados Unidos y la URSS hacia un tipo sociocultural interme-dio*, México.

STALEY, E. 1944. *World economic development. Effects on advanced industrial countries*, Montreal.

STAMPP, K. M. 1966. *La esclavitud en Estados Unidos*, Barcelona.

STEIN, M. 1960. *The eclipse of community*, Princeton.

STERNBERG, F. 1961. *La revolución militar e industrial de nuestro tiempo*, México.

STEWARD, J. H. (org.). 1960. *Sistemas de plantaciones en el Nuevo Mundo*, Washington.

STONEQUIST, E. V. 1937. *The marginal man*, Nova York.

TANNEMBAUM, F. 1947. *Slave and citizen, the negro in the Americas*, Nova York.

TOCQUEVILLE, A. 1957. *La democracia en América*, México.

TOYNBEE, A. J. 1963. *Los Estados Unidos y la revolución mundial*, Buenos Aires.

TUMIN, M. M. 1957. *Segregation and désagrégation*, Nova York.

TURNER, F. J. 1961. *La frontera en la historia americana*, Madri.

US DEPARTMENT OF COMMERCE. 1949. *Historical statistics of the United States (1789-1945)*, Washington.

WEST, J. 1950. *Plainville, USA*, Nova York.

WHITNEY, F. 1954. *Sintesis de la historia de los Estados Unidos*, México.

WILLIAMS, E. 1944. *Capitalism and slavery*, Chapel Hill.

WILLIAMS, W. A. 1960. *La tragedia de la diplomacia norteamericana*, Buenos Aires.

WRIGHT MILLS, C. 1946. *White collar: the American middle class*, Nova York.

_____. 1960. *La elite del poder*, México.

X. Os rio-platenses

ACEVEDO, P. B. 1955. *El gaucho. Su formación social*, Montevidéu.

ALBERDI, J. B. 1920. *Obras selectas*, Buenos Aires.

ARAUJO, O. 1911. *Historia de los charrúas y demás tribus del Uruguay*, Montevidéu.

ARES PONS, R. 1964. *Uruguay en el siglo XIX. Acceso a la modernidad*, Montevidéu.

ARREGUI, J. J. H. 1957. *Imperialismo y cultura. La política en la inteligencia argentina*, Buenos Aires.

_____. 1960. *La formación de la conciencia nacional (1930-1960)*, Buenos Aires.

_____. 1963. *¿Qué es el ser nacional? La conciencia histórica hispanoamericana*, Buenos Aires.

ASSUNÇÃO, F. O. 1963. *El gaúcho*, Montevidéu.

ASTEADA, C. 1964. *El mito gaucho*, Buenos Aires.

BAGU, S. 1949. *Economía de la sociedad colonial. Ensayo de historia comparada de América Latina*, Buenos Aires.

_____. 1952. *Estructura social de la colonia*, Buenos Aires.

BARRAN, J. P.; NAHUM, B. 1964. *Bases económicas de la revolución artiguista*, Montevidéu.

BELLONI, A. 1960. *Del anarquismo al peronismo. Historia del movimiento obrero argentino*, Buenos Aires.

BENVENUTO, L. C. 1967. *Breve historia del Uruguay*, Montevidéu.

BERAZA, A. 1964. *La economía en la banda oriental. 1811-1820*, Montevidéu.

BUNGE, A. 1919. *La inferioridad económica de los argentinos nativos*, Buenos Aires.

CAMPAL, E. F. 1962. *Hombres, tierras y ganados*, Montevidéu.

CAMPOS, G. J. B. 1961. *Grupos de presión y factores de poder*, Buenos Aires.

CARDOZO, E. 1959. *El Paraguay colonial: las raíces de la nacionalidad*, Buenos Aires.

_____. 1965. *Breve historia del Paraguay*, Buenos Aires.

BIBLIOGRAFIA

CONI, E. 1937. *Gauchos del Uruguay*, Buenos Aires.

CORNBLIT, O. E.; GALLO, E.; O'CONNELL, A. A. 1965. "La generación del 80 y su proyecto; antecedentes y consecuencias", *in* DI TELLA, T. S. *et al. Argentina, sociedad de masas*, Buenos Aires.

DI TELLA, T. S. 1964. *El sistema político argentino y la clase obrera*, Buenos Aires.

DI TELLA, G.; ZYMELMAN, M. 1965. "Etapas del desarrollo económico argentino", *in* DI TELLA, T. S. *et al. Argentina, sociedad de masas*, Buenos Aires.

DI TELLA, T. S. *et al.* 1965. *Argentina, sociedad de masas*, Buenos Aires.

ESTRADA, E. M. 1933. *Radiografía de la pampa*, Buenos Aires.

FABREGAT, E. R. 1942. *Batlle y Ordóñez, el Reformador*, Buenos Aires.

FAROPPA, L. A. 1965. *El desarrollo económico del Uruguay*, Montevidéu.

FITZGIBBON, R. H. 1954. *Uruguay: portrait of a democracy*, Nova Jersey.

FERRE, A. M. (org.). s.d. *La izquierda nacional en la Argentina*, Buenos Aires.

FERRER, A. 1963. *La economía argentina: las etapas de su desarrollo y problemas actuales*, México.

FRONDIZI, A. 1955. *La lucha antiimperialista*, Buenos Aires.

FRONDIZI, S. 1958. *Doces años de política argentina*, Buenos Aires.

_____. 1957-60. *La realidad argentina*, 2 tomos, Buenos Aires.

GONZÁLEZ, J. N. 1949. *Como se construye una nación*, Assunção.

GROMPONE, A. M. 1962. *La ideología de Batlle*, Montevidéu.

GERMANI, G. 1955. *Estructura social de la Argentina*, Buenos Aires.

_____. 1965. "Hacia una democracia de masas", *in* DI TELLA, T. S. *et al. Argentina, sociedad de masas*, Buenos Aires.

HALPERÍN DONGHI, T. 1961. *El río de la Plata al comenzar el siglo XIX*, Buenos Aires.

HERNÁNDEZ, P. 1913. *Organización social de las doctrinas guaraníes de la Compañia de Jesús*, Barcelona.

HERNÁNDEZ, J. 1967. *Martín Fierro*, Buenos Aires.

IMAZ, J. L. 1964. *Los que mandan*, Buenos Aires.

INGENIEROS, J. 1918. *Sociología argentina*, Buenos Aires.

LEGUIZAMON, M. 1961. *De cepa criolla*, Buenos Aires.

MALDONADO, S. 1952. *El Paraguay*, México.

MARIANETTI, B. 1964. *Argentina, realidad y perspectivas*, Buenos Aires.

MARTÍNEZ CES, R. 1962. *El Uruguay batllista*, Montevidéu.

MURENA, H. A. 1964. *El pecado original de América*, Buenos Aires.

MURRAY, L. A. 1960. *Pro y contra de Alberdi*, Buenos Aires.

ODDONE, J. A. *et al.* 1966. *Cronología comparada de la historia del Uruguay, 1830-1945*, Montevidéu.

ODONNE, J. A. 1966. *La Formación del Uruguay Moderno. La immigración y el desarrollo económico-social*, Buenos Aires.

PASTORE, C. 1949. *La lucha por la tierra en el Paraguay*, Montevidéu.

PENA, A. L. 1958. *Teoría del argentino*, Buenos Aires.

PENDLE, G. 1952. *Uruguay: South America's first Welfare State*, Londres.

_____. 1957. *The land and the people of Argentina*, Londres.

PINTOS, F. R. 1960. *Historia del movimiento obrero del Uruguay*, Montevidéu.

PIVEL DEVOTO, J. E. 1945. *Historia de la República Oriental del Uruguay*, Montevidéu.

_____. 1957. *Raíces coloniales de la Revolución Oriental de 1811*, Montevidéu.

PORTA, E. S. 1961. *Uruguay: realidad y reforma agraria*, Montevidéu.

PUIGGROS, R. 1965. *De la colonia a la revolución*, Buenos Aires.

QUIJANO, C. 1963. *La reforma agraria en el Uruguay*, Montevidéu.

RAMA, C. M. 1965. *Sociología del Uruguay*, Buenos Aires.

RAMOS, J. A. 1959. *Historia política del ejército argentino*, Buenos Aires.

_____. 1961. *Crisis y resurrección de la literatura argentina*, Buenos Aires.

_____. 1962. *El Partido Comunista en la política argentina. Su historia y su crítica*, Buenos Aires.

_____. 1964. *La lucha por un partido revolucionario*, Buenos Aires.

_____. 1965. *Revolución y contra-revolución en la Argentina (Historia de la Argentina en el siglo XIX)*, Buenos Aires.

REAL DE AZÚA, C. 1961. *El patriciado uruguayo*, Montevidéu.

_____. 1964. *Antología del ensayo uruguayo contemporáneo*, 2 vols., Montevidéu.

_____. 1964a. *El impulso y su freno*, Montevidéu.

REY, E. 1959. *Frigerio y la traición de la burguesía industrial*, Buenos Aires.

RIPPY, J. F. 1959. *British investment in Latin America. 1822-1949*, Minneapolis.

_____. 1947. *Latin America and the industrial age*, Nova York.

ROMERO, J. L. 1956. *Argentina: imágenes y perspectivas*, Buenos Aires.

SARMIENTO, D. F. 1946. *Conflicto y armonías de las razas en América*, Buenos Aires.

SCHOPFLOCHER, R. 1955. *Historia de la colonización agrícola en Argentina*, Buenos Aires.

SCHUMPETER, J. A. 1963. *Capitalismo, socialismo y democracia*, México.

_____. 1965. *Imperialismo. Clases sociales*, Madri.

SERRANO, A. 1947. *Los aborígenes argentinos*, Buenos Aires.

SOLARI, A. E. 1958. *Sociología rural nacional*, Montevidéu.

_____. 1964. *Estudios sobre la sociedad uruguaya*, Montevidéu.

_____. 1965. *El tercerismo en el Uruguay*, Montevidéu.

SOLARI, A. E. *et al.* 1966. *Uruguay en cifras*, Montevidéu.

STRASSER, C. (org.). 1959. *Las izquierdas en el proceso político argentino*, Buenos Aires.

TRÍAS, V. 1961. *Las montoneras y el Imperio Británico*, Montevidéu.

VANGER, M. 1963. *José Batlle y Ordóñez: the creator of his time 1902-1907*, Harvard.

VIDART, D. 1955. *La vida rural uruguaya*, Montevidéu.

WONSEWER, I.; IGLESIAS, E. V.; BUCHELI, M.; FAROPPA, L. A. 1959. *Aspectos de la industrialización en el Uruguay*, Montevidéu.

YURIQUE, A. 1957. *Manual de historia argentina*, Buenos Aires.

ZUM FELDE, A. 1963. *Proceso histórico del Uruguay*, Montevidéu.

_____. 1945. *Evolución histórica del Uruguay*, Montevidéu.

XI. Modelos de desenvolvimento autônomo

AGARWALA, A. N.; SINGH, S. P. (orgs.). 1963. *La economía del desarrollo*, Madri.

ARNAULT, J. 1960. *Historia del colonialismo*, Buenos Aires.

ARON, R. 1961. *Dimensiones de la conciencia histórica*, Madri.

ARZUMANIAN, A. 1965. *Ideología, revolución y mundo actual*, Buenos Aires.

ASHTON, T. S. 1964. *La Revolución Industrial 1760-1830*, México.

BALANDIER, G. (org.). 1956. *Le Tiers Monde: sous-développement et développement*, Paris.

BIBLIOGRAFIA

BARAN, P. A.; SWEEZY, P. M. 1966. *Capitalismo monopolista*, Rio de Janeiro.

BARRE, R. 1964. *El desarrollo económico*, México.

BAUER, P. T. 1961. *Análisis y política económica de los países subdesarrollados*, Madri.

BELL, D. 1964. *El fin de las ideologías*, Madri.

BERLE, A. A.; MEANS, G. C. 1951. *The modern corporation and private property*, Nova York.

CAFAGNA, L. 1961. *La economía de la Unión Soviética*, México.

CARDOSO, F. H. 1965. *El proceso de desarrollo en América Latina*, Santiago.

CEPAL. 1963. *Estudio económico de América Latina*, Nova York.

_____. 1963a. *El desarrollo económico de América Latina en la post-guerra*, Nova York.

_____. 1964. *Estudio económico de América Latina*, Nova York.

_____. 1964a. *El financiamiento externo de América Latina*, Nova York.

CLAIRMONTE, F. 1963. *Liberalismo económico y subdesarrollo*, Bogotá.

CLARK, C. 1957. *The conditions of economic progress*, Londres.

DOBB, M. 1961. *Economía, política y capitalismo*, México.

DOMAR, E. D. 1957. *Essays on the theory of economic growth*, Nova York.

DORSELAER, J.; GREGORY, A. 1962. *La urbanización en América Latina*, 2 vols., Friburgo.

DROGAT, N. 1964. *Los países del hambre*, Barcelona.

ECHEVARRÍA, J. M. 1964. *Consideraciones sociológicas sobre el desarrollo económico*, Buenos Aires.

_____. 1967. *Filosofía, educación y desarrollo*, México.

FOURASTIE, J. 1958. *Le grand espoir au XXe siècle*, Paris.

FRANK, A. G. 1967. *Capitalism and underdevelopment in Latin America. Historical studies of Chile and Brazil*, Nova York.

FURTADO, C. 1961. *Desarrollo y subdesarrollo*, Buenos Aires.

_____. 1966. *Subdesenvolvimento ou estagnação na América Latina*, Rio de Janeiro.

GALBRAITH, J. K. 1962. *Affluent society*, Londres.

GANNAGE, E. 1962. *Economie de développement*, Paris.

GERSCHENKRON, A. 1951. *A dollar index of the Soviet machinery output. 1927-28 to 1937*, Nova York.

GUEVARA, E. C. 1966. *Condiciones para el desarrollo económico latinoamericano*, Montevidéu.

HAUSER, P. (org.). 1962. *La urbanización en América Latina*, Paris.

HIRSHMAN, A. O. 1945. *National power and the structure of foreign trade*, Berkeley.

_____. 1958. *The strategy of economic development*, New Haven.

_____. (org.). 1963. *Controversia sobre Latinoamérica*, Buenos Aires.

HODGMAN, D. R.; BERGSON, A. (org.). 1954. *Soviet economic growth*, Nova York.

HOROWITZ, I. L. 1966. *Three worlds of development*, Nova York.

HOSELITZ, B. P. 1960. *Sociological factors in economic development*, Glencoe, Illinois.

JAGUARIBE, H. 1962. *Desenvolvimento econômico e desenvolvimento político*, Rio de Janeiro.

JALEE, P. 1966. *El saqueo del Tercer Mundo*, Paris.

KAROL, K. S. 1966. *China, el otro comunismo*, México.

KUZNETS, S. 1965. *Crecimiento económico de posguerra*, México.

LACOSTE, Y. 1962. *Los países subdesarrollados*, Buenos Aires.

LANGE, O. 1966. *La economía en las sociedades modernas*, México.

_____. 1966a. *Economía política I*, México.

LEBRET, L. J. 1961. *Manifiesto por una civilización solidaria*, Lima.

LÊNIN, V. I. 1960. *El imperialismo, fase superior del capitalismo*, Moscou.

LERNER, D. 1958. *The passing of traditional society*, Glencoe, Illinois.

LEWIS, W. A. 1955. *Theory of economic growth*, Londres.

LUXEMBURGO, R. 1963. "Una anticrítica", in ____. *La acumulación del capital*, Buenos Aires.

MACHADO NETO, A. L. 1960. *As ideologias e o desenvolvimento*, Salvador.

MANHEIM, K. 1950. *Ideologia e utopia*, Porto Alegre.

MARX, K. 1956. *El capital*, 5 tomos, Buenos Aires.

MENDES-FRANCE, P.; ARDANT, G. 1955. *Economics and action*, Nova York.

MOUSSA, P. 1960. *Las naciones proletarias*, Madri.

____. 1966. *Los Estados Unidos y las naciones proletarias*, Barcelona.

MYRDAL, G. 1961. *El Estado del futuro*, México.

____. 1962. *Teoría económica y regiones subdesarrolladas*, México.

NURKSE, R. 1953. *Problems of capital formation*, Oxford.

PERROUX, F. 1958. *La coexistence pacifique*, Paris.

____. 1964. *La industrialización del siglo XX*, Buenos Aires.

PIETTRE, A. 1962. *Las tres edades de la economía*, México.

RIPPY, J. F. 1957. *Latin America and the industrial age*, Nova York.

ROSTOW, W. W. 1961. *Las etapas del crecimiento económico*, México.

____. 1964. *El proceso del desarrollo*, Buenos Aires.

SAUVY, A. 1961. *El problema de la población en el mundo: de Malthus a Mao Tse Tung*, Madri.

SCHEMELIOV, N. P. 1965. *Los ideólogos del imperialismo y los problemas de los países subdesarrollados*, Bogotá.

SCHUMPETER, J. A. 1963. *Capitalismo, socialismo y democracia*, México.

____. 1963a. *Teoría del desenvolvimiento económico*, México.

SEDILLOT, R. 1961. *Historia de las colonizaciones*, Barcelona.

SEE, H. 1961. *Orígenes del capitalismo moderno*, México.

SELSER, G. 1964. *Alianza para el Progreso. La mal nacida*, Buenos Aires.

SNOW, E. 1965. *La China contemporánea*, México.

STÁLIN, J. 1947. *El marxismo y la cuestión Nacional y colonial*, Buenos Aires.

SWEEZY, P. M. 1963. *Capitalismo e imperialismo norteamericano*, Buenos Aires.

TOURÉ, S. 1959. *La Guinée et l'emancipation africaine*, Paris.

TRENTIN, B. 1965. *Ideología del neocapitalismo*, Buenos Aires.

TRÍAS, V. 1966. *La crisis del dolar y la política norteamericana*, Montevidéu.

TRÓTSKI, L. 1962-3. *La historia de la Revolución Rusa*, 2 vols., Buenos Aires.

TUNG, M. T. 1963. *Obras escogidas*, tomo 4, Pequim.

URQUIDI, V. L. 1962. *Viabilidad económica de América Latina*, México.

VIATKIN, A. (org.). s.d. *Compendio de historia y economia. I — Las formaciones precapitalistas. II — La sociedad capitalista*, Moscou.

VINER, J. 1953. *International trade and economie development*, Oxford.

WEBER, M. 1948. *The protestant ethic and the spirit of capitalism*, Londres.

Vida e obra de Darcy Ribeiro

1922

Nasce na cidade de Montes Claros, estado de Minas Gerais, a 26 de outubro, filho de Reginaldo Ribeiro dos Santos e de Josefina Augusta da Silveira Ribeiro.

1939

Começa a cursar a Faculdade de Medicina de Belo Horizonte. Nesse período, inicia a militância pelo Partido Comunista do Brasil (PCB), do qual se afastaria nos anos seguintes.

1942

Recebe uma bolsa de estudos para estudar na Escola de Sociologia e Política de São Paulo. Deixa o curso de Medicina e segue para a capital paulista.

1946

Licencia-se em Ciências Sociais pela Escola de Sociologia e Política de São Paulo, especializando-se em Etnologia, sob a orientação de Herbert Baldus.

1947

Ingressa no Serviço de Proteção aos Índios, onde conhece e colabora com Cândido Mariano da Silva Rondon, o Marechal Rondon, então presidente do Conselho Nacional de Proteção aos Índios. Realiza estudos etnológicos de campo entre 1947 e 1956, principalmente com os índios Kadiwéu, do estado de Mato Grosso, Kaapor, da Amazônia, diversas tribos do Alto Xingu, no Brasil Central, bem como entre os Karajá, da Ilha do Bananal, em Tocantins, e os Kaingang e Xokleng, dos estados do Paraná e Santa Catarina, respectivamente.

1948

Em maio, casa-se com a romena Berta Gleizer.
Publica o ensaio "Sistema familial Kadiwéu".

AS AMÉRICAS E A CIVILIZAÇÃO

1950

Publica *Religião e mitologia Kadiwéu*.

1951

Publica os ensaios "Arte Kadiwéu", "Notícia dos Ofaié-Xavante" e "Atividades científicas da Seção de Estudos do Serviço de Proteção aos Índios".

1953

Assume a direção da Seção de Estudos do Serviço de Proteção aos Índios.

1954

Organiza o Museu do Índio, no Rio de Janeiro (rua Mata Machado, s/nº), que
dirige até 1957. Ao lado dos irmãos Orlando e Cláudio Villas-Bôas, elabora
o plano de criação do Parque Indígena do Xingu, no Brasil Central. Escreve
o capítulo referente à educação e à integração das populações indígenas da
Amazônia na sociedade nacional, da Superintendência do Plano de Valorização Econômica da Amazônia (SPVEA).
Publica o ensaio "Os índios Urubu".

1955

Organiza e dirige o primeiro curso de pós-graduação em Antropologia Cultural no Brasil para a formação de pesquisadores (1955-1956). Sob sua orientação, o Museu do Índio produz diversos documentários sobre a vida dos
índios Kaapor, Bororo e do Xingu. Assume a cadeira de Etnografia Brasileira e
Língua da Faculdade de Filosofia, Ciências e Letras da Universidade do Brasil,
no Rio de Janeiro, função que exerce como professor contratado (1955-1956)
e como regente da cátedra (1957-1961). Licenciado em 1962, é exonerado
em 1964, com a cassação dos seus direitos políticos pela ditadura militar,
e retorna à universidade somente em 1980, já com o nome de Universidade
Federal do Rio de Janeiro (UFRJ). Por incumbência do Departamento de
Ciências Sociais da Unesco, realiza um estudo de campo e de gabinete sobre
o processo de integração das populações indígenas no Brasil moderno.
Publica o ensaio "The Museum of the Indian".

1956

Realiza estudos sobre os problemas de integração das populações indígenas
no Brasil para a Organização Internacional do Trabalho (OIT).

VIDA E OBRA DE DARCY RIBEIRO

Publica o ensaio "Convívio e contaminação: defeitos dissociativos da população provocada por epidemias em grupos indígenas".

1957

É nomeado diretor da Divisão de Estudos Sociais do Centro Brasileiro de Pesquisas Educacionais (1957-1959) do Ministério da Educação e Cultura (MEC).
Publica os ensaios "Culturas e línguas indígenas do Brasil" e "Uirá vai ao
encontro de Maíra: as experiências de um índio que saiu à procura de Deus"
e o livro *Arte plumária dos índios Kaapor* (coautoria de Berta Ribeiro).

1958

Empreende um programa de pesquisas sociológicas, antropológicas e educacionais destinado a estudar catorze comunidades brasileiras representativas da vida provinciana e urbana nas principais regiões do país. É eleito
presidente da Associação Brasileira de Antropologia, exercendo o cargo
entre os anos de 1958 e 1960.
Publica os ensaios "Cândido Mariano da Silva Rondon", "O indigenista
Rondon" e "O programa de pesquisas em cidades-laboratório".

1959

Participa, com Anísio Teixeira, da campanha de difusão da escola pública
frente ao Congresso Nacional, que elaborava a Lei de Diretrizes e Bases da
Educação Nacional.
Publica o ensaio "A obra indigenista de Rondon".

1960

É encarregado pelo governo Juscelino Kubitschek de coordenar o planejamento da Universidade de Brasília (UnB). Organiza, para isso, uma equipe
de uma centena de cientistas e pensadores.
Publica os ensaios "Anísio Teixeira, pensador e homem de ação", "A universidade e a nação", "A Universidade de Brasília" e "Un concepto de integración social".

1961

É nomeado diretor da Comissão de Estudos de Estruturação da Universidade
de Brasília por Jânio Quadros.

AS AMÉRICAS E A CIVILIZAÇÃO

1962

Toma posse como o primeiro reitor da Universidade de Brasília, cargo que exerce até 1963. É eleito presidente do Centro Brasileiro de Pesquisas Físicas. Assume como ministro da Educação e Cultura do Gabinete Parlamentarista do primeiro-ministro Hermes Lima.
Publica o ensaio "A política indigenista brasileira".

1963

Exerce a chefia da Casa Civil do presidente João Goulart, até 31 de março de 1964, quando se exila no Uruguai devido ao golpe militar.

1964

Exerce, até setembro de 1968, o cargo de professor de Antropologia em regime de dedicação exclusiva da Faculdade de Humanidades e Ciências da Universidade da República Oriental do Uruguai.

1965

Publica o ensaio "La universidad latinoamericana y el desarrollo social".

1967

Dirige o Seminário sobre Estruturas Universitárias, organizado pela Comissão de Cultura da Universidade da República Oriental do Uruguai.
Publica o livro A universidade necessária.

1968

Recebe o título de Doutor Honoris Causa pela Universidade da República Oriental do Uruguai. Retorna ao Brasil em setembro por ter sido anulado, pelo Supremo Tribunal Militar, o processo que lhe havia sido imposto pelo tribunal militar. Com o Ato Institucional nº 5 do regime militar brasileiro, é preso em 13 de dezembro.
Publica os ensaios "La universidad latinoamericana" e "Política de desarrollo autónomo de la universidad" e o livro O processo civilizatório: etapas da evolução sociocultural (Série Estudos de Antropologia da Civilização).

1969

Julgado por um tribunal militar, é absolvido por unanimidade a 18 de setembro, em sentença confirmada pelo Superior Tribunal Militar. É aconselhado

554

a retirar-se novamente do país. Fixa-se em Caracas, sendo então contratado pela Universidade Central da Venezuela para dirigir um seminário interdisciplinar de Ciências Humanas, destinado a professores universitários e estudantes pós-graduados, e para coordenar um grupo de trabalho dedicado a estudar a renovação da Universidade.

A revista *Current Anthropology* promove um debate internacional sobre seu livro *The Civilizational Process* e seu ensaio "Culture-Historical Configurations of the American People".

1970

Participa do 39º Congresso Internacional de Americanistas, realizado em Lima, Peru, em agosto, como coordenador do seminário Formação e Processo das Sociedades Americanas, no qual apresenta o trabalho "Configurações Histórico-Culturais dos Povos Americanos", que publicaria no mesmo ano. Conclui seus estudos dos sistemas universitários, publicados em *La universidad latinoamericana*. A convite da Universidade Nacional da Colômbia, integra, em setembro, um grupo de peritos em problemas universitários que realiza um seminário em Bogotá para debater os aspectos acadêmicos da universidade: políticas, programas, estrutura.

Publica os livros *Propuestas acerca de la renovación* e *Os índios e a civilização: a integração das populações indígenas no Brasil moderno* (Série Estudos de Antropologia da Civilização).

1971

Prepara, a pedido da Divisão de Estudos das Culturas da Unesco, a introdução geral à obra *América Latina em sua arquitetura*. Participa de um congresso sobre o problema indígena, realizado em Barbados, sob os auspícios do Conselho Mundial de Igrejas, e colabora como um dos redatores da Declaração de Barbados sobre etnocídio dos índios. Participa do Colóquio Internacional sobre o Ensino das Ciências Sociais, realizado em Argel, apresentando trabalho em colaboração com Heron de Alencar. Em julho, convidado pelo Atheneo de Caracas, ministra uma série de seis palestras sobre Teoria da Cultura, resumidas em quatro conferências na Universidade de Los Andes, Mérida, Venezuela.

Publica o livro *O dilema da América Latina: estruturas de poder e forças insurgentes* (Série Estudos de Antropologia da Civilização).

1972

Em janeiro, com Oscar Varsavsky, Amílcar Herrera e um grupo de educadores do Conselho Nacional da Universidade Peruana, prepara um plano de reestruturação do sistema universitário peruano. Participa da II Conferência Latino-Americana de Difusão Cultural e Extensão Universitária, promovida em fevereiro, no México, pela União das Universidades Latino-Americanas (Udual), apresentando o trabalho "¿Qué integración latinoamericana?". Em abril, volta a Lima para reunião do Conselho Nacional da Universidade Peruana (Conup) e escreve, em seguida, o estudo "La universidad peruana". Radica-se em Lima, Peru, onde planeja, organiza e passa a dirigir o Centro de Estudos de Participação Popular, financiado pelo Programa das Nações Unidas para o Desenvolvimento (PNUD), pela Organização Internacional do Trabalho (OIT) e por sua contraparte peruana, o Sistema Nacional de Mobilização Social (Sinamos). Por solicitação do Ministério de Educação e Pesquisa Científica da República da Argélia, elabora o projeto de estruturação da Universidade de Ciências Humanas de Argel, que conta com um projeto arquitetônico de Oscar Niemeyer. Entre junho e julho, assina, em Genebra, um contrato com a OIT para dirigir o projeto PNUD-OIT Per 71.550. Posteriormente, segue para Belgrado, Paris e Madri para visitar e estudar cooperativas e sistemas de participação. Em setembro é contratado como professor visitante do Instituto de Estudos Internacionais da Universidade do Chile e fixa residência em Santiago.

Publica os ensaios "Civilización y criatividad" e "¿Qué integración latinoamericana?" e o livro *Os brasileiros: teoria do Brasil*.

1973

Viaja ao Equador para participar de um programa de estudos do Centro Nacional do Planejamento e de seminários nas universidades.

Publica o ensaio "Etnicidade, indigenato e campesinato" e o livro *La universidad nueva, un proyecto*.

1974

Participa, em agosto, do 41º Congresso Internacional de Americanistas, realizado no México, dirigindo um seminário sobre o problema indígena. Em outubro, participa do Ciclo de Conferências nas Universidades do Porto, de Lisboa e de Coimbra, sobre reforma universitária. Em dezembro, regressa ao Brasil para tratamento médico, pondo fim ao seu exílio político. Separa-se de Berta Ribeiro.

Publica o ensaio "Rethinking the University" e os livros *Uirá sai à procura de Deus: ensaios de etnologia e indigenismo* e *La universidad peruana*.

1975

Reassume, em junho, a direção do Centro de Estudos de Participação Popular, em Lima.

Em outubro, participa da comissão organizada pelo PNUD para planejar a Universidade do Terceiro Mundo, no México.

Publica o ensaio "Tipologia política latino-americana" e o livro *Configurações histórico-culturais dos povos americanos*.

1976

Participa do Seminário de Integração Étnica do Congresso Internacional de Ciências Humanas na Ásia, África e América, organizado pelo Colégio do México e realizado na Cidade do México, em agosto. Preside um simpósio sobre o problema indígena, realizado em Paris, em setembro, pelo Congresso Internacional de Americanistas.

Em outubro, regressa definitivamente ao Brasil.

Publica o ensaio "Os protagonistas do drama indígena" e o livro *Maíra*, seu primeiro romance.

1977

Participa de conferências no México e em Portugal.

1978

Participa da campanha contra a falsa emancipação dos índios, pretendida pela ditadura militar brasileira.

Casa-se com Claudia Zarvos.

Publica o livro *UnB: invenção e descaminho*.

1979

Recebe, em 13 de maio, na Sorbonne, o título de Doutor *Honoris Causa* pela Universidade de Paris IV. A coleção "Voz Viva de América Latina", da Universidade Nacional Autônoma do México (Unam), lança um disco de Darcy Ribeiro apresentado por Guillermo Bonfil Batalla. No disco, Darcy recita trechos de seu livro *Maíra*.

Publica o livro *Sobre o óbvio: ensaios insólitos*.

1980

Anistiado, retorna ao cargo de professor titular do Instituto de Filosofia e Ciências Sociais da Universidade Federal do Rio de Janeiro. Participa como membro do júri do 4º Tribunal Russell, que se reuniu em Roterdã, na Holanda, para julgar os crimes contra as populações indígenas das Américas. Integra a Comissão de Educadores convocada pela Unesco e que se reuniu em Paris, em novembro, para definir as linhas de desenvolvimento futuro da educação no mundo. A revista *Civilização Brasileira*, em seu volume 19, publica uma entrevista com Darcy Ribeiro sob o título: "Darcy Ribeiro fala sobre pós-graduação no Brasil". É eleito membro do Conselho Diretor da Faculdade Latino-Americana de Ciências Sociais (FLACSO).

1981

Participa como membro da Diretoria da 1ª Reunião do Instituto Latino--Americano de Estudos Transnacionais (ILET).
Publica o romance *O Mulo*.

1982

Participa do Seminário de Estudos da Amazônia da Universidade da Flórida (fevereiro-março). Visita São Francisco e Filadélfia. É recebido na Universidade de Columbia e participa da reunião da Latin American Studies Association (Lasa), em Washington. Participa, em abril, do ciclo de conferências na Universidade de Madri.
É eleito vice-governador do estado do Rio de Janeiro.
Publica o ensaio "A nação latino-americana" e o romance *Utopia selvagem*.

1983

Participa dos Rencontres Internationales de la Sorbonne: Création e Développement.
Assume as funções de secretário de Estado da Secretaria Extraordinária de Ciência e Cultura e de chanceler da Universidade do Estado do Rio de Janeiro.

1984

Como secretário extraordinário de Ciência e Cultura:
1) Planeja e coordena a construção do Sambódromo.
2) Constrói a Biblioteca Pública Estadual do Rio de Janeiro, organizada como

um centro de difusão cultural baseado tanto no livro como nos modernos recursos audiovisuais, destinado a coordenar a organização e o funcionamento das bibliotecas dos Centros Integrados de Educação Pública (CIEP).

3) Organiza o Centro Infantil de Cultura do Rio, como modelo integrado de animação cultural, aberto a centenas de crianças.

4) Reedita a *Revista do Brasil.*

Publica o ensaio "La civilización emergente" e o livro *Nossa escola é uma calamidade.*

1985

Coordena o planejamento da reforma educacional do Rio de Janeiro e põe em funcionamento:

1) uma fábrica de escolas, destinada a construir mil unidades escolares de pequeno e médio porte;

2) a edificação de 300 CIEP para assegurar a educação, em horário integral, de 300 mil crianças.

Organiza, no antigo prédio da Alfândega, o Museu França-Brasil (atualmente Casa França-Brasil), com a colaboração do Ministro da Cultura da França, Jack Lang.

Publica o livro *Aos trancos e barrancos.*

1986

Darcy licencia-se dos cargos de vice-governador e secretário de Estado para concorrer ao pleito fluminense. Deixa para o estado do Rio de Janeiro vários legados, como o Monumento a Zumbi dos Palmares, a Casa de Cultura Laura Alvim, o Restauro da Fazenda Colubandê, em São Gonçalo, e 40 atos de tombamento, incluindo 150 bens imóveis, com destaque para a Casa da Flor, a Fundição Progresso, os bondes de Santa Teresa, quilômetros de praias do litoral fluminense, a praia de Grumari, as dunas de Cabo Frio, diversos coretos públicos, a Pedra do Sal e o sítio de Santo Antônio da Bica, de Antônio Burle Marx. Cria a Casa Comunitária, um novo modelo de atendimento para milhares de crianças pobres.

Edita, com Berta Ribeiro, o livro *Suma etnológica brasileira*, em três volumes.

Reintegra-se ao corpo de pesquisadores do CNPq, para retomar e concluir seus Estudos de Antropologia da Civilização.

Publica os livros *América Latina: a pátria grande* e *O livro dos CIEP.*

1987

Assume o cargo de secretário de Estado da Secretaria de Desenvolvimento Social no estado de Minas Gerais, para programar uma reforma educacional. A convite da Universidade de Maryland (EUA), participa de um ciclo de debates sobre a realidade brasileira. Elabora a programação cultural do Memorial da América Latina, a convite do então governador de São Paulo, Orestes Quércia.

1988

Profere conferências em Munique, Paris e Roma. Comparece à reunião anual da Tribuna Socialista em Belgrado e visita Sarajevo. Viaja a Cuba, México, Guatemala, Peru, Equador e Argentina para selecionar obras de arte para constituir o futuro acervo do Memorial da América Latina.
Publica o romance *Migo*.

1989

Como parte da campanha de Leonel Brizola à presidência da República do Brasil, coordena, nas capitais do país, a realização do Fórum Nacional de Debates dos Problemas Brasileiros. Participa, em Caracas, do Foro de Reforma do Estado, onde fala das Dez Mentiras sobre a América Latina. É reincorporado ao corpo docente da Universidade de Brasília, por ato ministerial proposto pela universidade. Comparece, como convidado especial, ao ato de posse do presidente Carlos Andrés Pérez, da Venezuela. Participa das jornadas de reflexão sobre a América Latina.
Publica o ensaio "El hombre latinoamericano 500 años después".

1990

Participa de debates internacionais na Alemanha (sobre intercâmbio cultural Norte-Sul) e na França (sobre a Amazônia e a defesa das populações indígenas). Integra o Encontro de Ensaístas Latino-Americanos, realizado em Buenos Aires. É eleito senador pelo estado do Rio de Janeiro, nas mesmas eleições que reconduziram Leonel Brizola ao governo do estado do Rio de Janeiro.
Publica o ensaio "A pacificação dos índios Urubu-Kaapor" e os livros *Testemunho* e *O Brasil como problema*.

VIDA E OBRA DE DARCY RIBEIRO

1991

Licencia-se de seu mandato no Senado para assumir a Secretaria de Projetos Especiais de Educação do Governo Brizola, com a missão de promover a retomada da implantação dos CIEP (ao todo, foram inaugurados 501).

1992

É eleito membro da Academia Brasileira de Letras, ocupando a cadeira de nº 11. Elabora e inaugura a Universidade Estadual do Norte Fluminense, em Campos dos Goytacazes.
Publica os ensaios "Tiradentes estadista" e "Universidade do terceiro milênio: plano orientador da Universidade Estadual do Norte Fluminense" e o livro *A fundação do Brasil, 1500-1700* (em colaboração com Carlos de Araújo Moreira Neto).

1994

Concorre, ao lado de Leonel Brizola, à Presidência da República.
É internado em estado grave no Hospital Samaritano do Rio de Janeiro.
Publica o ensaio "Tiradentes".

1995

Deixa o hospital e segue para sua casa em Maricá, no intuito de concluir a série Estudos de Antropologia da Civilização, o que acaba por conseguir com a obra *O povo brasileiro: a formação e o sentido do Brasil*. Publica também o livro *Noções de coisas* (com ilustrações de Ziraldo).

1996

Assina uma coluna semanal no jornal *Folha de S.Paulo*. Retoma sua cadeira no Senado e concentra suas atividades na aprovação da Lei nº 9.394/1996 (Lei de Diretrizes e Bases da Educação Nacional — Lei Darcy Ribeiro). Recebe o título de Doutor *Honoris Causa* da Universidade de Brasília. Recebe o Prêmio Interamericano de Educação Andrés Bello, concedido pela Organização dos Estados Americanos (OEA).
Publica os ensaios "Los indios y el Estado Nacional" e "Ethnicity and Civilization" (este com Mércio Gomes) e o livro *Diários índios: os Urubu-Kaapor*.

1997

Publica os livros *Gentidades*, *Mestiço é que é bom* e *Confissões*.

Falece, em 17 de fevereiro, na cidade de Brasília, no dia em que defenderia o seu Projeto Caboclo no Senado.

Índice Onomástico

A

ADAMS, Richard N., 18, 512, 525, 526, 531, 534, 535
AHUMADA, Jorge, 356, 357, 520, 543
ALBERDI, Juan B., 454, 511, 525, 546
ALLENDE, Salvador, 374 , 375, 376, 378, 379, 380, 381, 382, 383, 384, 385, 386, 543
ALTHUSSER, Louis, 28, 512, 525
ALVARADO, J. Velasco, 187, 190, 191, 192, 492, 537
AMARU, Tupac, 160, 167, 180, 287
ANDRESKI, Stanislav, 512, 525
ANGARITA, Isaías Medina, 300, 301, 302, 313, 512
ANTOINE I, 363
ARBENZ, Jacobo, 140, 141, 142
ARCINIEGAS, Germán, 343, 534, 542
ARISMENDI, Rodney, 512, 525
ARON, Raymond, 63, 529, 548
ARREGUI, J. J. Hernández, 521, 546
ARTIGAS, José G., 440, 454, 455
ATAHUALPA, Juan Santos, 149, 160, 167
AVELLANEDA, Nicolás, 452

B

BALANDIER, Georges, 512, 525, 529, 531, 548
BASCUÑÁN, Francisco, 361, 520
BARAN, Paul A., 512, 513, 525, 542, 549
BAUDIN, Louis, 515, 536
BATISTA, Fulgêncio, 346, 349, 427
BATLLE Y ORDÓÑEZ, José, 461, 465, 466, 467
BELLEGARDE, Dantes, 519, 520, 542
BERMÚDEZ, Morales, 192
BETANCOURT, Rómulo, 301, 302, 304, 305, 313, 519, 541

BOECKE, J. H., 511, 525
BOLÍVAR, Simón, 80, 289, 296, 297, 304, 387, 410
BOMFIM, Manoel, 511, 525
BORAH, Woodrow, 103, 116, 513, 532, 534
BOSCH, Juan, 344, 542
BOURRICAUD, François, 511, 525, 536
BRAMSON, Leon, 20, 525
BUNGE, Carlos O., 511, 525

C

CABRAL, Pedro Álvares, 50
CAFAGNA, Luciano, 487, 549
CALDEIRA, Clóvis, 235, 517, 538
CALDERA, Rafael, 305
CAMARGO, Lleras, 322, 323, 537
CAMPOS, Albizu, 337
CAMPOS, G. Guzmán, 324, 519, 541
CÁRDENAS, Lázaro, 127, 128, 129, 131, 135, 136, 185, 299, 492, 506, 514
CARDOSO, Fernando Henrique, 511, 525, 537, 538, 549
CARRANZA, Venustiano, 125, 126
CASANOVA, P. González, 511, 525, 532, 534, 535
CASTELO BRANCO, 427
CASTRO, Cipriano, 297
CASTRO, Fidel, 304, 313, 347, 349, 350, 351, 352, 353, 542, 543
CASTRO, Josué, 516, 538
CESAIRE, Aimé, 519, 542
CHALBAUD, C. D., 301
CHESNOKOV, Dmitry I., 512, 525
CLARK, Colin, 486, 522, 549
COLOMBO, Cristóvão, 50, 327, 355
COMAS, Juan, 520, 532, 543
COOK, Fred J., 521, 545

COOK, Sherburne F., 103, 513, 534
CORREIA FILHO, Virgílio, 517, 538
COSTA PINTO, Luiz de Aguiar, 31, 511, 517, 525, 532, 538
CORTÉS, Hernán, 111
CUELLAR, Diego M., 292, 316, 541
CUNHA, Euclides da, 193, 511, 525, 538

D

DE CARLO, C. R., 423, 545
DEBUYST, Federico, 95, 532
DÍAZ, Porfirio, 124, 125
DIEGUES JÚNIOR, M., 235, 516, 538
DOBYNS, Henry F., 103, 149, 513, 514, 515, 532, 535, 536
DUARTE, Nestor, 516, 538

E

ECHEVARRÍA, José Medina, 512, 525, 549
EINSTEIN, Albert, 29, 161
EISENHOWER, Dwight D., 303, 304, 352, 423, 424, 425, 427
EISENSTADT, Shmuel N., 511, 525, 529
ENCINAS, Francisco Antonio, 520, 543
ENGELS, Friedrich, 374, 527, 530, 543
ESTENSSORO, Víctor Paz, 172, 177, 178
ESTRADA, Ezequiel M., 511, 525, 547

F

FALS BORDA, O., 324, 541
FANON, Frantz, 519, 529, 532, 542
FERGUSON, J. Halcro, 520, 542
FERNANDES, Florestan, 511, 516, 525, 531, 532, 538
FILIPE II, 57
FOSTER, George M., 512, 525, 526, 529, 532
FRANCIA, José Gaspar, 439, 446
FRANK, Andrew Gunder, 511, 512, 517, 526, 535, 538, 543, 549

FREI, Eduardo, 372, 373, 375, 543
FREYRE, Gilberto, 511, 516, 526, 532, 538
FROMM, Erich, 429, 545
FURTADO, Celso, 338, 512, 526, 532, 538, 542, 549

G

GAITÁN, Jorge Eliécer, 319, 323, 541
GALLEGOS, Rómulo, 302
GAMA, Vasco da, 50
GERMANI, Gino, 18, 511, 526, 547
GERSCHENKRON, Alexander, 511, 526, 549
GILLIN, John, 18, 22, 516, 526, 532, 535, 538
GINZBERG, Eli, 423, 545
GÓMEZ, Juan Vicente, 297, 298, 299, 300, 303
GÓMEZ, Laureano, 320, 322, 323
GORDON CHILDE, V., 512, 526, 529, 532
GOULART, João, 14, 244, 245, 246, 247, 248, 274, 275, 276, 277, 378, 382, 538
GOUROU, Pierre, 516, 529, 532, 538
GRAMSCI, Antonio, 512, 526
GUZMÁN, Campos, 324, 325, 519, 541
GUILHERME, Wanderley, 512, 526
GUIMARÃES, Alberto Passos, 517, 538

H

HANKE, Lewis, 520, 529, 535, 542, 544
HAYA DE LA TORRE, V. R., 141, 161, 162, 163, 164, 165, 166, 536
HEATH, Dwight B., 512, 526
HEGEL, George W. F., 73, 161, 529
HEINZ, Peter, 511, 526
HENRIQUE, dom, 54
HIRSCHMAN, Albert O., 511, 526, 549
HODGMAN, D. R., 486, 549
HOLANDA, Sérgio Buarque de, 511, 516, 526, 529, 532, 538
HOROWITZ, I. L., 513, 526, 549

ÍNDICE ONOMÁSTICO

HOSELITZ, Bert P., 511, 526, 549
HUTCHINSON, Harry W., 516, 538

I

IANNI, Octavio, 511, 526, 538, 539
INGENIEROS, José, 511, 526, 530, 547
ISABEL, rainha, 54, 57
IVAN III, 54
IVAN, o Terrível, 54

J

JAGUARIBE, Hélio, 512, 526, 530, 539, 549
JARA, Álvaro, 520, 544
JEFFERSON, Thomas, 403, 404, 409, 545
JIMÉNEZ, Pérez, 301, 303
JOÃO XXIII, papa, 277
JOHNSON, J. J., 18, 526, 541, 544
JOHNSON, Lyndon, 276, 344, 423
JUAREZ, Benito, 122
JULIÃO, Francisco, 245

K

KEMAL, Mustafá, 186, 480, 485
KENNEDY, John F., 277, 304, 347, 353, 407, 427, 430
KONSTANTINOV, P. V., 512, 526
KOSIK, Karel, 512, 526
KROEBER, Alfred L., 103, 513, 530, 532, 533, 535, 541
KUBITSCHEK, Juscelino, 261, 262
KUZNETS, S., 487, 523, 539, 549

L

LAMBERT, Jacques, 238, 511, 526, 539
LARRAZÁBAL, Wolfgang, 304
LAS CASAS, frei Bartolomeu de, 63
LAYTANO, Dante, 517, 539
LEAL, Victor Nunes, 516, 539

LEBRET, Louis J., 512, 526, 549
LÊNIN, Vladimir I., 163, 375, 512, 513, 526, 549
LEONI, Raúl, 305
LEÓN-PORTILLA, Miguel, 117, 514, 535
LERNER, Daniel, 511, 526, 550
LEVY, Marion J., 512, 526
LEWIS, Oscar, 512, 527, 533, 535
LIEUWEN, Edwin, 18, 310, 519, 527, 541
LILLEY, Sam, 421, 545
LIMA, Rui Cirne de, 230, 516, 539
LINCOLN, Abraham, 403, 404, 405, 412, 430, 521
LIPPIT, Ronald, 515, 527
LIPSCHUTZ, Alejandro, 360, 520, 530, 533, 535, 544
LIPSET, Seymour M., 511, 527
LÓPEZ, Solano, 439, 446, 447
LUKÁCS, Georg, 512, 527, 530
LUNA, Eduardo U., 324, 541
LUNDBERG, Ferdinand, 513, 527, 545
LYND, Robert, 17, 511, 527

M

MAC IVER, R., 31, 527
MACEDO, José Norberto, 517, 539
MADERO, Francisco, 125
MADISON, 409
MAKAROV, A., 512, 527
MANHEIM, Karl, 513, 527, 530, 550
MARCUSE, Herbert, 512, 527
MARÍN, Muñoz, 337
MARX, Karl, 18, 22, 23, 27, 28, 29, 45, 69, 111, 146, 161, 380, 527, 530, 550
MELLO E SOUZA, Antonio Candido, 516, 539
MERTON, Robert K., 512, 527
MITRE, Bartolomé, 452, 453, 455
MONBEIG, Pierre, 516, 539
MORAZÉ, Charles, 511, 527, 539

MURENA, Héctor A., 511, 527, 547

MYRDAL, Gunnar, 511, 518, 527, 533, 539, 545, 550

N

NAPOLEÃO III, 132, 485

NASSER, Gamal A., 185, 186, 480

NEHRU, Jawaharlal, 161, 530

NEWTON, Isaac, 29

NIXON, Richard, 304, 426

NKRUMAH, Kwame, 427, 530

NOGUEIRA, Oracy, 220, 394, 539, 545

NÚÑEZ, Alvar, 441

O

O'HIGGINS, Bernardo, 366

OLIVEIRA MARTINS, J. P., 57, 530

P

PÁEZ, José Antonio, 297

PAINE, Thomas, 502, 545

PALACIOS, Nicolás, 520, 544

PARSONS, Talcott, 21, 512, 527

PAULA, José Maria de, 516, 539

PAZ, Octavio, 511, 527, 530

PÉREZ, Ospina, 319

PERÓN, Juan, 378, 382, 461, 463, 464, 465, 480, 485

PIETTRE, Andre, 522, 550

PIKE, Frederick B., 520, 544

PINILLA, Gustavo Rojas, 321, 322

PINTO, Aníbal, 512, 527, 544

PIO XII, papa, 343

PIZARRO, 50, 149

PRADO JÚNIOR, Caio, 512, 517, 527, 539, 540

PREBISCH, Francisco Raúl, 271, 540

PUIGGROS, Rodolfo, 512, 527, 547

Q

QUADROS, Jânio, 274, 277

R

RALEIGH, Walter, 159

RAMA, Carlos M., 515, 536, 548

RAMOS, Jorge Abelardo, 521, 548

RAMOS, Samuel, 511, 527

REDFIELD, Robert, 18, 101, 512, 516, 527, 530, 533, 536, 540

REIS, Arthur Cézar Ferreira, 517, 540

RENAN, Ernest, 63

RHODES, Cecil, 63

RIBEIRO, Darcy, 31, 116, 145, 212, 219, 418, 512, 513, 516, 518, 523, 527, 533, 536, 540

RIESMAN, David, 513, 528, 545

ROA, Raúl, 351

ROCKEFELLER, 280, 281, 303, 413

RODRIGUES, José Honório, 271, 540

ROMAIN, Jacques, 519, 543

ROMERO, José L., 455, 548

ROOSEVELT, F. D., 342, 403, 406, 416, 422, 423, 427, 430, 485

ROOSEVELT, Theodore, 293, 294, 342, 422

ROSAS, Juan Manoel, 446

ROSENBLAT, Angel, 95, 103, 513, 520, 530, 533, 536, 541, 544

RUSSELL, Bertrand, 424

ROSTOW, Walt W., 512, 522, 528, 550

S

SALAS, Alberto M., 520, 536, 541, 544

SAN MARTÍN, José, 366

SANDINO, Augusto César, 140, 141

SANTOS, Milton, 516, 540

SAPIR, Edward, 39, 528, 533

SAPPER, K., 513, 536

SARMIENTO, Domingo F., 452, 453, 454, 455, 511, 521, 528, 548

ÍNDICE ONOMÁSTICO

SARTRE, Jean-Paul, 29, 71, 512, 528, 530, 543
SCHUMPETER, Joseph A., 467, 469, 548
SEBASTIÃO, rei dom, 53, 54
SELSER, Gregorio, 342, 409, 512, 528, 536, 543, 545, 550
SHILS, Edward, 513, 528, 545
SILVA, Zedar P., 517, 540
SILVERT, Kalman H., 18, 511, 512, 528
SIMONSEN, Roberto, 517, 540
SMITH, T. Lynn, 238, 516, 540, 542
SODRÉ, Nelson Wemeck, 512, 517, 528, 540
SOLARI, Aldo E., 471, 548
SOMOZA, Anastasio, 141
SOUSTELLE, Jacques, 513, 536
SPENGLER, Oswald, 64, 117, 531, 536
SPICER, E. H., 512, 528
STALEY, Eugene, 512, 528, 546
STÁLIN, Joseph, 68, 528, 550
STAVENHAGEN, Rodolfo, 511, 528, 534
STEIN, Maurice, 20, 528, 546
STEWARD, Julian H., 18, 95, 103, 512, 516, 528, 531, 534, 536, 537, 538, 539, 540, 541, 542, 544, 546
SWEEZY, P., 512, 525, 543, 545, 549, 550

T

TANNENBAUM, Frank, 516, 534, 536, 540
TERRY, Belaúnde, 166, 167
TIRADENTES (Joaquim José da Silva Xavier), 287
THOMPSON, Edgar T., 516, 540
THOMPSON, Paul, 103, 149, 513, 514, 515, 532, 535, 536
TOYNBEE, Arnold J., 161, 356, 431, 432, 531, 546
TRÓTSKI, Leon, 477, 512, 513, 528, 550

TRUJILLO, Rafael L., 343, 344
TRUMAN, Harry S., 422, 427

V

VAILLANT, George C., 513, 536
VALDIVIA, Pedro de, 361
VARGAS, Getúlio, 261, 262, 272, 277, 378, 382, 461, 480, 485
VEBLEN, Thorstein, 513, 528
VELEZ, Juan, 160
VIANNA, Oliveira, 511, 528, 540
VIATKIN, A., 512, 528, 550
VILLA, Francisco, 124, 125, 126
VINHAS, Moisés, 517, 540
VITÓRIA, Francisco de, 63, 531
VIVES, A. Edwards, 520, 544

W

WAIBEL, Leo, 516, 540
WALLACE, Henry A., 421
WASHINGTON, George, 403, 404
WEBER, Max, 502, 513, 528, 550
WHITE, L., 31, 512, 528, 531, 534
WILLEMS, Emílio, 516, 534, 541
WILLIAMS, Eric, 519, 534, 543, 546
WRIGHT MILLS, C., 28, 429, 511, 513, 528, 531, 543, 546

Y

YAJOT, O., 512, 528

Z

ZAPATA, Emiliano, 124, 125, 126, 129, 515
ZUAZO, Siles, 172, 177, 178

Impresso por :

gráfica e editora

Tel.:11 2769-9056